GW00673127

COLLECTION FOLIO

Michel de Grèce

La nuit du sérail

Olivier Orban

Michel de Grèce a publié un volume de souvenirs *Histoire ma sœur, ne vois-tu rien venir?* qui a obtenu le prix Cazes en 1970, puis, plusieurs ouvrages historiques qui connurent un grand succès, parmi lesquels *Quand Napoléon faisait trembler l'Europe* et *Louis XIV, l'envers du soleil.*

From M. to M.

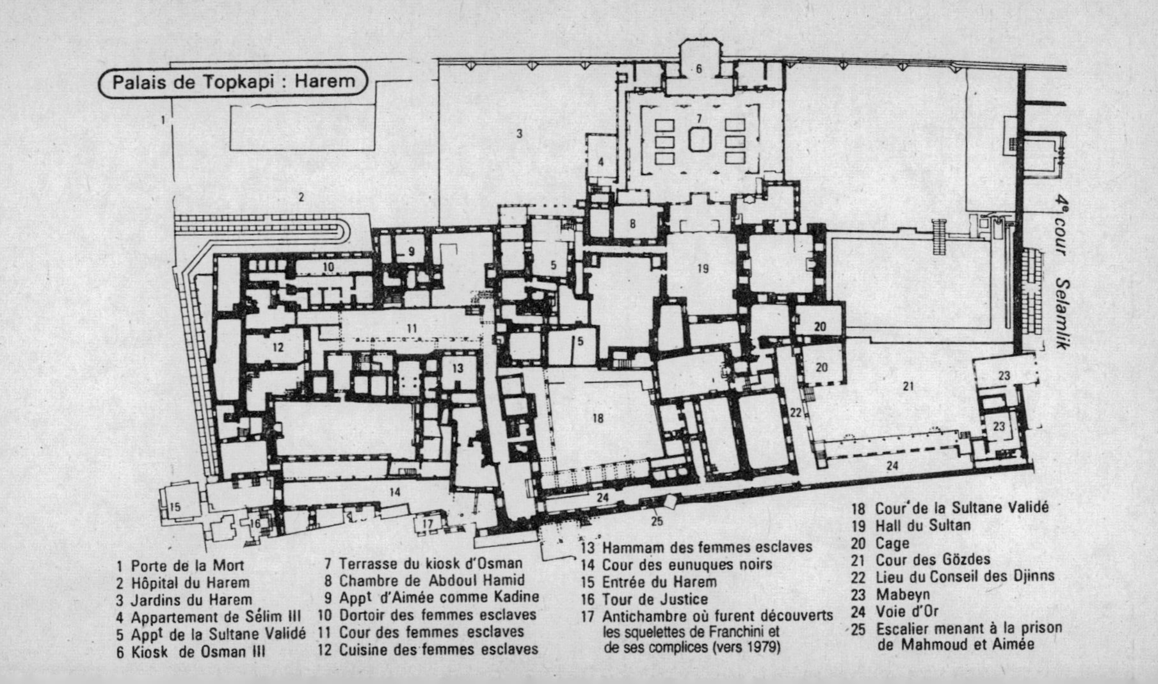
Palais de Topkapi : Harem
4e cour Selamlik
1 Porte de la Mort
2 Hôpital du Harem
3 Jardins du Harem
4 Appartement de Sélim III
5 Appt de la Sultane Validé
6 Kiosk de Osman III
7 Terrasse du kiosk d'Osman
8 Chambre de Abdoul Hamid
9 Appt d'Aimée comme Kadine
10 Dortoir des femmes esclaves
11 Cour des femmes esclaves
12 Cuisine des femmes esclaves
13 Hammam des femmes esclaves
14 Cour des eunuques noirs
15 Entrée du Harem
16 Tour de Justice
17 Antichambre où furent découverts les squelettes de Franchini et de ses complices (vers 1979)
18 Cour de la Sultane Validé
19 Hall du Sultan
20 Cage
21 Cour des Gözdes
22 Lieu du Conseil des Djinns
23 Mabeyn
24 Voie d'Or
25 Escalier menant à la prison de Mahmoud et Aimée

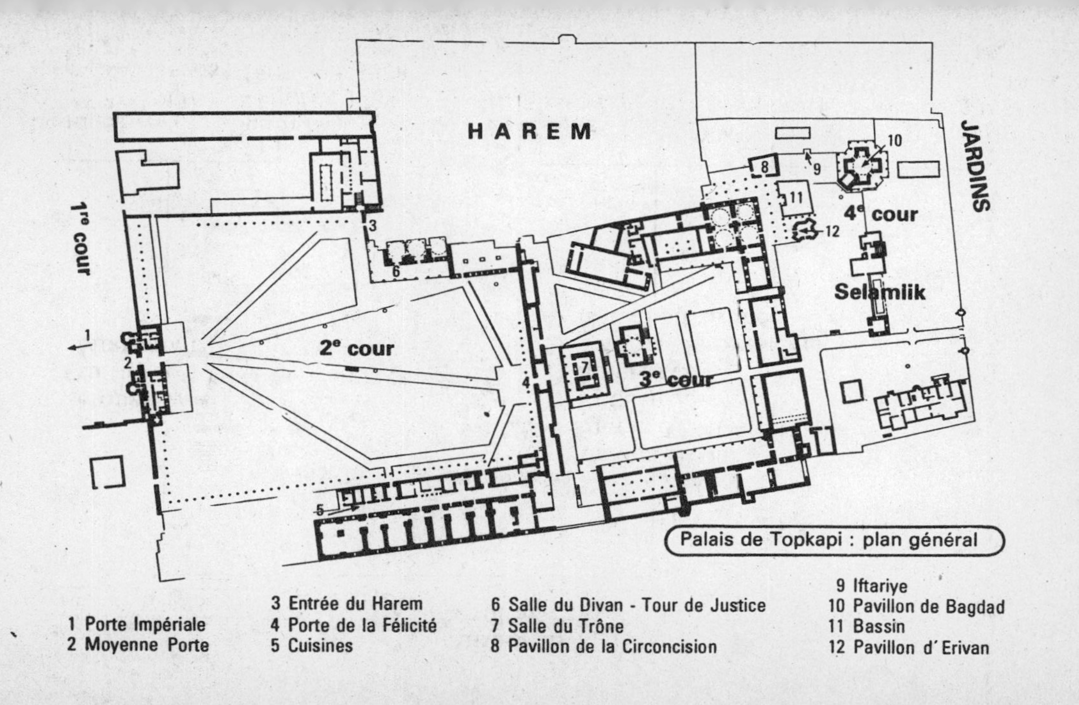

Palais de Topkapi : plan général

1 Porte Impériale
2 Moyenne Porte
3 Entrée du Harem
4 Porte de la Félicité
5 Cuisines
6 Salle du Divan - Tour de Justice
7 Salle du Trône
8 Pavillon de la Circoncision
9 Iftariye
10 Pavillon de Bagdad
11 Bassin
12 Pavillon d´Erivan

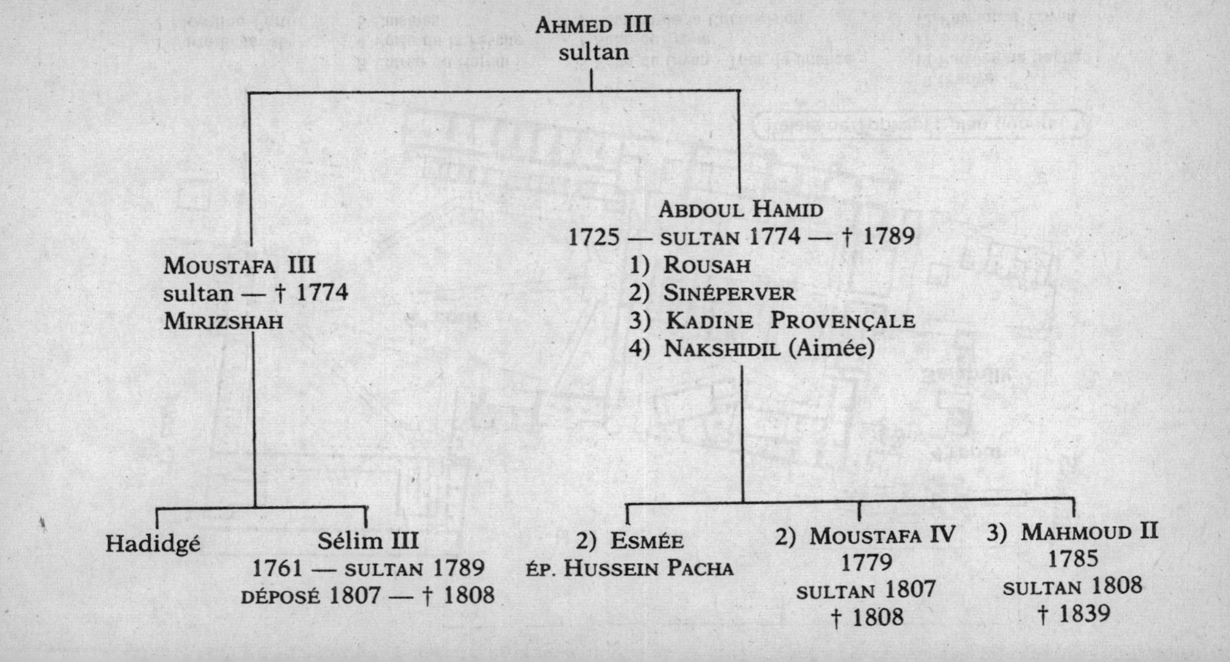
AHMED III
sultan
MOUSTAFA III
sultan — † 1774
MIRIZSHAH
ABDOUL HAMID
1725 — SULTAN 1774 — † 1789
1) ROUSAH
2) SINÉPERVER
3) KADINE PROVENÇALE
4) NAKSHIDIL (Aimée)
Hadidgé
Sélim III
1761 — SULTAN 1789
DÉPOSÉ 1807 — † 1808
2) ESMÉE
ÉP. HUSSEIN PACHA
2) MOUSTAFA IV
1779
SULTAN 1807
† 1808
3) MAHMOUD II
1785
SULTAN 1808
† 1839

PREMIÈRE PARTIE

De la Martinique à Constantinople

I

Je préfère ce palais neuf qui est désormais le mien au Sérail où, si longtemps, j'ai habité. Là-bas les souvenirs pénibles et tragiques m'oppressent. Ici la lumière entre partout, à flots. D'ici je ne peux apercevoir Constantinople pourtant si proche. Constantinople, c'est l'Histoire, c'est mon passé. Par ma fenêtre je vois la paix fleurie de mon jardin, la terrasse de marbre le long de l'eau, un voilier qui glisse majestueusement sur le Bosphore sillonné de caïques. Dehors règne le printemps en cette année 1816. Dans mon âme, dans mon corps règne l'hiver. Mon médecin grec a beau me mentir, je sais que quelques mois d'existence seulement me sont accordés. J'ai quarante-trois ans mais la phtisie en emporte de bien plus jeunes que moi.

Avant que les portes de la mort ne s'ouvrent devant moi, je veux raconter ma vie en témoignage. Entourée de mes anciens journaux qui vont m'aider à rédiger ces Mémoires, je suis penchée sur l'écritoire d'or et d'agate que, naguère, m'offrit mon aimé.

A présent que l'Ile de ma naissance est partie à la dérive du Temps, il m'en reste quelques images qu'il m'arrive de contempler comme des pierreries tirées une à une du coffret par une main nostalgique.

Aucun souffle d'air, c'est la canicule de l'été martiniquais en ce mois de juillet 1781. La mer, sans vague ni ride, est posée là telle une plaque d'argent qui réverbère un ciel couleur de plomb. De la baie proche de Fort Royal s'élèvent les vapeurs empoisonnées des marigots. A perte de vue les hampes des cannes à sucre et les champs de café désertés par les vivants : Blancs et Noirs, en ces heures d'impitoyable chaleur, se sont réfugiés dans les maisons et dans les cases où ils s'efforcent au sommeil. L'Ile tout entière gît, immobile, écrasée, comme frappée d'enchantement.

C'est toi, Joséphine, l'aînée, ma cousine, qui avais choisi le jour et l'heure : le moment de la sieste te paraissait le plus opportun pour déjouer les vigilances et assurer le succès de l'équipée. De fait, comme tu l'avais prévu, nous avons pu nous glisser hors du lit, hors de la maison endormie et nous éloigner sous le couvert des arbres sans rencontrer âme qui vive. Nul ne peut donc nous surprendre, rien ne peut nous inquiéter si ce n'est, de loin en loin, à mesure que nous progressons, un mouvement dans les herbes, la fuite de quelque rongeur ou d'un serpent.

J'ai peur, j'ai chaud, je voudrais retourner à la maison. Mais tu n'as cure de mes plaintes et de mes réticences, Joséphine, tu veux connaître ton avenir et pour ce faire tu as décidé d'aller consulter Euphémia David.

Euphémia David, la diablesse ! Au commencement de tout, elle connaissait déjà la fin dernière et sa langue endiablée, plus longue que l'avenir, savait mieux qu'aucune autre épeler la dictée du Destin.

Sa renommée est grande d'un bout à l'autre de l'Ile, on dit qu'elle est la fille d'un marin irlandais qui, un soir de beuverie, viola une esclave noire. Les planteurs blancs affectent de hausser les épaules lorsqu'on mentionne son nom ; néanmoins, ils lui adressent en secret de menus présents, sait-on jamais, si elle détenait vraiment des pouvoirs surnaturels et était capable de maléfices ? Les Noirs, eux, ne l'évoquent qu'en tremblant et s'en menacent les uns les autres comme d'une sorte de loup-garou : « La fille du Baron Samedi, la fille du Diable viendra te prendre... »

J'avance dans cet après-midi de feu, je te suis sur ce chemin qui mène vers Euphémia David, mais c'est bien pour te faire plaisir, Joséphine, car cette aventure inquiète mes huit ans.

Nous sommes arrivées en bordure de la plantation, un instant nous avons hésité avant de traverser la route sablonneuse et de nous engager sous les amaryllis géants, au lieu-dit Croc-Souris. L'endroit est réputé pour grouiller de serpents, de ces petits serpents beige et brun à tête plate dont la morsure entraîne une mort quasi instantanée. Au moindre frôlement, à chaque craquement du sous-bois, nous sursautons. Mais tu n'es certes pas fille à reculer et tu veux trop savoir ce qu'il adviendra de tes amours avec cet Anglais qui te fait les doux yeux.

Nous progressons toujours sous les dais serrés des frondaisons qui emprisonnent la chaleur, la rendent palpable, matière presque solide qui fait résistance à nos pas. Dans ce moment de vie suspendue, dans ce lieu de Croc-Souris, les tourterelles ne se montrent pas, non plus que les aras. Aucun signe, aucun cri.

Nous continuons à avancer et soudain, de ce silence, de ce néant de fin du monde, s'élève un murmure d'abord confus qui peu à peu se précise, s'amplifie en un chœur de voix humaines. Et brusquement, au détour d'un dernier bosquet d'arbres et d'herbes hautes, nous découvrons la cabane d'Euphémia David, une construction de bois et de paille, une pauvre case rapiécée nichée dans l'ombre luxuriante des frangipaniers. La mélopée, troublante, envoûtante, continue à sourdre de la cabane et cette fois, Joséphine, c'est toi qui t'arrêtes, qui as peur, qui hésites. Et moi, la cadette, je te défie, je t'exhorte à franchir les derniers mètres qui nous séparent encore du seuil de la case.

Après notre course dans la lumière, nous sommes là, aveugles, nous ne distinguons que des formes vagues, assises en cercle à même le sol de la case.

— N'ayez pas peur, jolies créoles, approchez, approchez.

La voix qui nous invite de la sorte est jeune, légèrement teintée d'amusement, mais ni l'une ni l'autre nous ne pouvons bouger.

— Allons, approchez mes belles ! Je ne vais pas cracher des serpents et aucun gouffre ne s'ouvrira sous vos pieds, je vous le garantis. Approchez, que je vous voie mieux.

La voix a pris des intonations suaves et maintenant, comme nos yeux s'accoutument à l'obscurité ambiante, nous distinguons mieux les ombres qui peuplent la case : une trentaine d'hommes et de femmes, tous des Noirs, assis en rond sur des nattes. Notre apparition a interrompu leurs incantations et ils demeurent immobiles, les yeux fixés au sol, droit devant eux. Seule une des femmes a levé la tête et nous regarde : c'est Euphémia. Bien qu'elle tienne son corps lové, on la devine de haute taille et plutôt efflanquée ; elle a un nez surprenant dans un visage de négresse, très busqué, et des yeux pâles qu'elle doit tenir de son père irlandais. Elle nous envisage tour à tour, soudain elle se recroqueville davantage tandis qu'une onde d'effroi altère son visage lisse, tout laqué de sueur.

— Que voulez-vous, petites ? Pourquoi venir ici ?

Sa voix est descendue d'une octave, le souffle est court, le débit des paroles précipité.

Du coup, Joséphine a retrouvé tout son aplomb pour répondre :

— L'avenir. On dit partout que vous le connaissez — et ce disant, elle dépose devant Euphémia les cadeaux rituels, le sac de café, le pain de sucre. Je veux savoir si l'homme que j'aime m'aimera toujours et si je l'épouserai.

La gravité s'est inscrite sur le visage de celle qui connaît les charmes et les secrets du temps. Elle observe Joséphine intensément, jusqu'à l'âme diraiton.

— Si jeune et déjà si curieuse de l'avenir, murmure-t-elle comme pour elle-même. Le présent ne te suffit-il donc pas, jeune fille ?

— Je veux savoir, a insisté Joséphine d'une petite voix où perce un reste d'inquiétude.

— Je ne te cacherai pas la vérité, petite, puisque tu y tiens tant, mais sache qu'elle ne sera pas forcément conforme à ton désir.

La voix de la pythonisse est devenue grêle, il semble que les mots soient égrenés par une flûte céleste qui déchiffre l'oracle :

— Un homme brun, un étranger, un Anglais pense à

toi en effet. Il t'aime et tu l'aimes, mais sache bien que tu ne l'épouseras jamais. A ce rêve-là, il te faut renoncer dès à présent, si tu m'en crois... Rassure-toi, d'autres rêves que tu es incapable de concevoir aujourd'hui se réaliseront en leur temps. Je vois pour toi un homme blond présentement destiné à une personne de ta famille qui va bientôt mourir. Celui-là sera ton premier époux.

Euphémia s'est emparée des mains de Joséphine et elle en examine les paumes avec une intense attention.

Lorsqu'elle reprend, c'est en une cascade de notes argentines, une prophétie inouïe :

— Tu feras deux mariages. Le premier de tes époux t'emmènera vivre en France. Là, tu connaîtras quelques années de bonheur mais bientôt vous vous séparerez et il mourra tragiquement, te laissant deux jeunes enfants. Ton second époux sera un homme de peu d'envergure physique, par surcroît inconnu et pauvre. Cependant il deviendra immensément célèbre, il fera retentir le monde de sa gloire et soumettra de nombreuses nations. Il te hissera avec lui à la position suprême. Tu seras... reine — Ici Euphémia a marqué un temps d'arrêt puis a poursuivi comme si, au fond de ses yeux pâles, l'image prenait une forme définitive : Non, pas reine... plus qu'une reine. C'est cela, tu seras plus qu'une reine. Mais souvent, alors que tu apparaîtras en pleine lumière, au faîte des honneurs et de la gloire, tu regretteras la vie douce et paisible qui est la tienne, ici, aujourd'hui, à la Martinique... Hélas, je vois aussi qu'après avoir ébloui le monde, tu mourras solitaire et abandonnée.

Euphémia est maintenant silencieuse, tête baissée, comme accablée par l'augure, devant une Joséphine stupéfaite, statufiée.

J'ai écouté tout cela sans en être aucunement impressionnée et je suis curieuse de savoir quelles nouvelles élucubrations pourrait inspirer à Euphémia l'examen de mes mains. Dans un élan de défi j'avance vers elle et lui présente mes paumes :

— Et moi, que deviendrai-je à votre avis ? Dites-moi, pour voir. Je n'en croirai rien mais dites-moi !

Euphémia lentement a levé la tête et m'envisage. Elle a pris mes mains offertes, qu'elle tient ferme entre les siennes, mais elle ne les regarde pas. Son visage est couvert de sueur. Moi, je souris, je l'encourage par une nouvelle provocation :

— Alors, vous ne voyez rien ?

Elle prend le temps de renverser la tête, ses yeux se ferment, sa voix retrouve cette sonorité si particulière : dans la bouche d'Euphémia le destin est une pièce d'orfèvrerie que les mots martèlent délicatement.

— D'ici quelques années, tes parents t'enverront en France. Lors d'un voyage ton navire sera arraisonné par des pirates qui t'emmèneront. Tu échapperas à un naufrage... Tu... Tu inspireras de l'amour à un souverain malheureux. Tu auras un fils... Oh ! comme c'est étrange, ce fils en vérité ne sera pas le tien, ni celui de cet homme. Son règne sera très glorieux mais je vois les marches de son trône ensanglantées par un régicide. Toi-même qui jouiras pourtant d'un pouvoir immense, tu ne connaîtras jamais les honneurs et la reconnaissance publics. Tu vivras recluse dans un magnifique palais que tu ne pourras jamais quitter.

Euphémia a lâché mes mains, son corps s'est infléchi vers l'avant, brisé par l'effort. Elle semble désormais incapable de prononcer un mot de plus.

Nous sommes deux futures souveraines qui courons à perdre haleine vers la maison des Tascher de la Pagerie, les parents de Joséphine. Nous espérons pouvoir nous glisser par une porte de service et regagner nos chambres, nos lits, en toute impunité. Malheureusement l'heure de la sieste est dépassée, notre fugue est connue, et au lieu des fastes et des honneurs promis par Euphémia, c'est une tempête de représailles qui nous attend. Zinah, ma « da » noire, est plantée au milieu de ma chambre, les poings sur les hanches, avec une figure de Jugement Dernier. A peine suis-je entrée, la grêle de ses questions s'abat sur moi :

— Où étais-tu, mauvaise enfant ? Pourquoi es-tu sortie sous le ciel qui brûle ? Comment es-tu sortie ? Pour quoi ? Avec qui ?

Et sans reprendre souffle, Zinah enfile reproches et menaces :

— Une demoiselle ne court pas toute seule les routes ! Tu devrais avoir honte de faire pareille peur à cette pauvre Zinah ! Je le dirai à Monsieur et Madame, et tu iras en pension ! Tu te conduis comme un enfant d'esclave !

Zinah est une fille de dix-neuf ans, élancée et gracieuse, qui m'a été donnée à ma naissance. Elle me tient lieu tout à la fois de gouvernante, de servante et de confidente. Son dévouement est sans limites et il faut que j'aie gravement démérité pour qu'elle me traite d'enfant d'esclave, ce qui est, dans sa bouche, l'injure suprême.

Pourtant, cette fois je me rebiffe, le menton haut, je lui rétorque :

— Ça m'est égal ! Bientôt je commanderai à un

vaste empire. Ce jour-là je ferai tout ce que je voudrai et toi, tu m'obéiras !

Et je débite tout à trac l'incroyable prophétie, naufrage, pirates, trône, amour. La gloire et le sang. Zinah me contemple, les yeux hors de la tête, comme si j'étais possédée des démons.

— La malheureuse ! Le soleil a tapé trop fort sa pauvre tête !

Pendant que je me trouve aux prises avec Zinah, une scène similaire oppose Joséphine à sa mère qui a eu vent de notre escapade. Notre visite à Euphémia, l'équitable prédiction qui fait de nous deux reines en puissance, tout cela n'est guère fait pour adoucir l'humeur de madame Tascher, habituellement détestable au sortir de la sieste.

— Veux-tu articuler comme une jeune fille de bonne famille et ne pas utiliser ce langage de nègre ? hurle madame Tascher qui suffoque d'indignation. Par cette chaleur ! Chez cette négresse ! Avec tous ces esclaves et ces serpents ! Te faire dire l'avenir ! Et pardessus le marché, entraîner dans cette expédition la petite Aimée, notre invitée, une enfant de huit ans ! Te rends-tu compte au moins de ton inconséquence ? Mais tu es folle, ma pauvre enfant, cette enfant est folle ! Cette enfant nous rendra tous fous !

Renversée par notre inconcevable audace, madame Tascher de la Pagerie a battu le rappel et c'est un véritable tribunal qui siège dans le salon où nous avons à comparaître, Joséphine et moi, quelques instants plus tard : les parents de Joséphine, monsieur et madame Tascher de la Pagerie, ma mère, lestée de mes sœurs cadettes et, bien sûr, mon père, dont je remarque qu'il réprime mal une expression amusée — le seul entre nos juges qui paraisse enclin à l'indulgence.

A vrai dire, nous venons de commettre un crime bien abominable : notre démarche auprès d'Euphémia est doublement condamnable car en accordant foi à ses propos nous avons trahi aussi bien les règles de notre société que notre religion.

Joséphine a les larmes aux yeux, elle se balance gauchement d'un pied sur l'autre, tortille l'étoffe de sa robe blanche et s'embrouille dans ses réponses. Pour ma part, je m'exhorte à rester bien droite, à tenir tête, à garder le silence des Justes.

— Toi plus que reine et Aimée souveraine d'un empire ! Comment pouvez-vous croire à pareilles fadaises ! a crié madame Tascher. Je ne sais qui mérite davantage le fouet, vous, petites folles, ou cette illuminée d'Euphémia David !

Un murmure de terreur a parcouru les serviteurs noirs groupés au fond de la pièce. Fouetter Euphémia David, la fille du Baron Samedi !

— Oui, je la ferai fouetter, répète madame Tascher au comble de la rage.

C'est la crête de la colère et Joséphine, traîtreusement, tente l'apaisement :

— Mais maman, je n'y crois pas. C'était seulement une manière de distraction, je vous assure. Je sais bien que ces histoires ne sont que contes et mensonges.

Oh ! Judas, je comprends qu'elle ne veuille pas croire celle qui affirme qu'elle n'épousera pas son William Fraser, mais je la méprise de toutes mes forces, je la déteste pour avoir fait cette concession contre le Rêve, contre la vérité d'Euphémia. Je me dresse vers ma tante, vers eux tous, et je crie :

— Moi, j'y crois !

Alors j'ai vu mon père se pencher vers ma mère, la consulter brièvement et, puisqu'il fallait bien relever l'insolence d'une façon ou d'une autre, puisque devant cette assemblée il s'agissait de sévir, maman a dit, presque à regret :

— En tout cas, notre future souveraine devra se contenter aujourd'hui de pain sec et d'eau claire.

— Vous pouvez bien me punir ! Un jour je régnerai sur un empire et vous serez bien obligés d'être fiers de moi !

— Têtue comme une bourrique ! a conclu mon père dans un bel éclat de rire. Notre ancêtre Pierre Dubuc ne l'aurait pas désavouée, c'est une vraie Normande !

Tel était mon père, tendre et complice, fier de constater la résurgence, dans sa progéniture, de certains traits de caractère qui avaient fait la force et la fortune des Dubuc.

Il prenait un singulier plaisir à nous conter les exploits et l'ascension exemplaire de ce Pierre Dubuc, premier de la lignée, qui faisait à mes yeux figure de légende. Né dans une famille modeste, ce jeune Normand à peine âgé de quatorze ans s'était engagé dans l'armée. Après quelques années passées à guerroyer au service du roi, et plus précisément à celui du cardinal de Richelieu qui gouvernait alors la France, on le vit revenir au pays avec le grade de lieutenant. Sa fréquentation de la petite noblesse d'épée l'avait rendu ambitieux, la guerre avait développé en lui des instincts belliqueux : sur un prétexte, il se prit un jour de querelle avec le chevalier de Piancourt, le provoqua en duel et l'occit bel et bien.

Or, chacun sait que le cardinal de Richelieu avait proscrit la pratique du duel et qu'il poursuivait de ses rigueurs quiconque osait contrevenir à ses décrets. Pour échapper au châtiment, il ne restait à Pierre Dubuc qu'une issue : embarquer sur le premier navire en partance et quitter la France. Dans le port de Dieppe, un trois-mâts s'apprêtait à larguer les voiles à destination des Antilles ; sans autrement tergiverser, Pierre Dubuc monta à son bord, rejoignant un contingent de jeunes aventuriers avides de nouveaux espaces et de fortunes rapides.

A Saint-Christophe où le navire aborda quelques semaines plus tard, Pierre Dubuc fut aussitôt remarqué par le gouverneur français, monsieur d'Esnambuc, qui l'envoya sans délai prêter main-forte à la troupe alors occupée à coloniser la Martinique.

Très vite, Pierre Dubuc s'avéra un excellent guerrier. Il se battit indifféremment contre les Anglais et les Hollandais qui convoitaient les Antilles et, plus tard, une fois l'œuvre de pacification achevée, on le vit s'installer dans la partie orientale de la Martinique, y établir la première plantation de canne, le premier moulin à sucre, y tenter les premiers essais de culture du cacao. Il fonda une famille et une fortune et continua à s'enrichir jusqu'à ce que le roi Louis XIV décide de l'anoblir en 1701. Dès lors, comblé dans sa vanité, ayant assuré la prospérité de sa lignée, l'entreprenant Normand put mourir.

Moins d'un siècle plus tard, son innombrable descendance a essaimé sur toute l'Ile. Grands propiétaires terriens, ils contrôlent l'économie et le pouvoir : ce sont les Dubuc de Bellefonds, les Dubuc de Sainte-Preuve, les Dubuc Beaudoin, toutes familles alliées qui sans cesse se réunissent, s'invitent, organisent réceptions et fêtes chaque fois qu'un événement d'importance — mariage, naissance, obsèques — leur en fournit le prétexte.

Une année s'était bientôt écoulée depuis notre visite au Croc-Souris et les désagréments qui s'ensuivirent. Dans l'intervalle, un garçon était enfin né à mes parents et l'on célébra son baptême avec les fastes habituels.

Dans l'après-midi, le sacrement avait été administré à mon frère en l'église du Robert par le curé Trepsac, celui-là même qui nous baptisa autrefois, mes sœurs et moi-même.

Après la cérémonie on avait prévu un banquet sur les pelouses devant la maison pour les invités, tandis que les serviteurs étaient régalés, là-bas, à la sucrerie.

A la nuit tombée, tous les sentiers de la plantation ont été balisés de torches parfumées et des centaines de lanternes suspendues dans les arbres tracent un chemin de lumière jusqu'à la baie du Robert où les navires à l'ancre se balancent, illuminés. Sur les longues tables autour desquelles ont pris place les convives, les petites flammes de mille bougies se tordent et dansent au gré de la brise. Ce soir, il me semble que la lumière et la joie incendient toutes choses et jusqu'au cœur, jusqu'aux yeux des gens. Moi-même je me sens rayonnante : ma tante Marie-Anne vient de m'offrir mon premier bijou, un collier de corail rose et rouge.

Au milieu de la liesse générale, ma cousine Joséphine est la seule à n'avoir pas le cœur à se réjouir. Elle a beaucoup grandi et changé au cours des derniers mois : son regard est devenu languissant et, tout en jouant de la blancheur et de la finesse de ses mains, elle se plaint de ce qu'on l'empêche de voir ce garçon qu'elle aime depuis longtemps. Nous nous sommes assises un peu à l'écart pour échanger nos confidences mais Marie-Françoise, la sœur de Joséphine, prend un malin plaisir à nous poursuivre et à distraire la galerie à nos dépens.

— Venez ! Venez tous saluer les deux impératrices !

La marmaille accourt, délaissant les piles de gâteaux, se bouscule, rit sous notre nez. Il y a des cris, des coups jusqu'à ce que, enfin alertée, ma tante Élizabeth Dubuc de Bellefonds intervienne et mette fin à l'incident en distribuant quelques taloches. Joséphine pleure et refuse toute consolation. Quant à moi, j'ai les bras griffés et ma robe est souillée de terre car j'ai tenté, des pieds, des mains, de tout mon corps, de faire taire les railleurs.

Ma tante Élizabeth est une femme élégante et sereine pour laquelle j'éprouve une sorte de vénération et dont j'accepte, mieux que de ma mère, remarques et critiques.

— Allons, Aimée, pourquoi te mettre dans un pareil état ? Tes cousins ne sont pas méchants, tu le sais bien. Joséphine et toi donnez prise aux sarcasmes avec toutes vos mines et vos prétentions.

— Mais Euphémia a dit vrai, ma tante ! Je gouvernerai un jour un grand empire.

— Après tout, pourquoi pas ? Tu m'en sembles tout à fait capable. Il n'empêche que si tu tenais ce projet plus secret, tu éviterais ce genre de scène bien désagréable, par ma foi. On m'a dit que tu avais même constitué une cour de négrillons et que le grand bosquet...

— Mais je m'amuse, ma tante, ai-je protesté. Tous les enfants inventent des jeux !

J'étais devenue cramoisie, je tremblais de rage et de honte. Ainsi donc, mes simulacres de royauté étaient connus jusqu'à Bellefonds ! Tante Élizabeth m'a apaisée d'une nouvelle caresse, d'un sourire, et s'est éloignée.

Malgré ce que j'avais dit à tante Élizabeth, le bosquet de vieux fromagers, à l'intersection des quatre champs de canne à sucre, était vraiment mon royaume. J'avais pris l'habitude de m'y réfugier chaque fois que j'avais un chagrin, lorsque j'avais besoin de m'entretenir avec moi-même. Je me moquais bien des rats et des serpents qui faisaient onduler les herbes hautes. Là, personne ne me dérangeait ; cet endroit était mon palais et j'y attendais mes sujets, revêtue de mon grand manteau de cour en soie bleue brochée d'or — un couvre-lit emprunté à maman. Mon front était ceint d'un panache de plumes roses et blanches qui me donnait belle allure. Comme je n'osais pas puiser dans le coffret à bijoux de ma mère, je m'improvisais des parures de fleurs. Au cou et aux poignets des guirlandes de gardénias entremêlés de fuchsias, et en guise de diadème, la corolle somptueuse d'un magnolia. Un tronc d'arbre me tenait lieu de trône, j'y donnais audience à une poignée de négrillons éberlués.

— A genoux Maximin ! A genoux Ti-Médias et toi aussi Bocoyo ! A genoux Dody, Apoline, Dorothée ! Rendez hommage à votre souveraine.

Et ils s'exécutaient.

— Répétez après moi : Nous jurons fidélité et obéissance à notre bien-aimée reine Aimée Ire.

Dociles, ils se prosternaient et répétaient le serment d'allégeance.

Mais comme je ne voulais pas régner sur un peuple d'ignorants, une fois qu'ils avaient prêté serment, je partageais mes lumières avec mes sujets, je leur transmettais l'enseignement que me donnaient les nonnes du couvent des Dames de la Providence.

Car j'allais à l'école dans ce couvent. Certaines disciplines telles que le chant, la danse, m'ennuyaient profondément et les leçons de maintien me paraissaient grotesques. En échange, d'entrée, j'avais montré une grande avidité pour les matières plus sérieuses, orthographe, grammaire, calcul, et je me passionnais pour l'histoire et la géographie. C'était donc de ces sujets que j'entretenais le plus volontiers ma petite cour muette et subjuguée. De sorte que le Grand Bosquet résonnait de noms illustres, d'histoires de meurtres, de complots, de règnes tumultueux, de vocables barbares, exotiques, fascinants. Puis, lorsqu'ils étaient suffisamment éduqués, j'envoyais fictivement mes ambassadeurs dans les capitales des plus grands empires, la Perse, la Chine, le Japon, la Turquie...

Mais de voyages effectifs et lointains, il ne pouvait être question, et même le projet de m'envoyer faire mes études en France était sans cesse différé. Une guerre d'hégémonie opposait alors les deux plus grandes puissances maritimes du globe, l'Angleterre tenait la dragée haute à la France et menait sur mer, contre elle, d'incessantes escarmouches : aussi traverser l'Atlantique représentait une expédition pleine de risques.

A la maison, mon père plus que tout autre se réjouissait secrètement de ce que ces événements fissent entrave à mon départ. Pourtant le moment fatal arriva et il dut se résigner à la séparation si longtemps redoutée. Les deux puissances rivales venaient de signer le traité de Versailles, en sorte que les communications retrouvaient leur facilité, leur fréquence, leur rapidité : aucun obstacle ne s'opposait désormais à ce que je gagne la France, d'autant que ma tante Élizabeth de Bellefonds et son mari allaient eux-mêmes retrouver leur fille Marie-Anne à Nantes et qu'ils proposaient de m'emmener avec eux. Cette offre, si elle attristait mon père, me fit bel et bien danser de joie. J'allais enfin découvrir cette France lointaine, cette terre toujours promise et, surtout, j'allais retrouver Marie-Anne, ma cousine très aimée, ma préférée. Les récents malheurs de Marie-Anne me la rendaient plus chère encore : elle venait de perdre son jeune mari, ce qui justifiait en partie la décision des Bellefonds d'aller s'installer auprès de leur fille, à Nantes.

Et il vint, en mai 1785, ce jour du départ que j'appelais depuis si longtemps mais que, dans leur appréhension, mes parents vécurent comme un déchirement.

C'était le printemps de la Martinique, saison profuse en enchantements, qui fait l'air doux et transparente la lumière. Ils étaient tous là rassemblés sur le quai, mon père qui s'efforçait de dissimuler sa peine sous des dehors enjoués, ma mère préoccupée jusqu'à l'ultime seconde des détails matériels, ma sœur, mon frère, les serviteurs et les esclaves, jusqu'à la vieille Nina, la grand-mère de Zinah, car bien évidemment cette dernière m'accompagnait.

Zinah se tenait à mes côtés sur le pont du *Vendée Royale* qui, toutes voiles dehors, s'éloignait lentement du rivage de toutes mes enfances. Je les revois, je revois la baie avec, au premier plan, ses nègres affairés qui se détachent sur les murs blancs des cases, les bâtiments nouvellement construits de Fort-de-France, les sombres collines tachetées de soleil en cette heure glorieuse, et la masse de végétation exubérante d'où jaillissent, plus hardis que les autres, les fûts des cocotiers. Et ce décor tant aimé, que je contemplais pour la première fois à distance, se découpait sur l'azur intense du ciel et s'amenuisait jusqu'à perdre toute réalité, jusqu'à basculer à l'horizon.

— Zinah, dis, Zinah, crois-tu que nous allons faire naufrage ?

— Encore ce naufrage ? Encore ces sottises dans ta tête, petite Belle ?

Je n'insistai pas. Pourtant en ce qui concernait Joséphine, Euphémia avait dit vrai : elle n'avait pas épousé son Anglais mais l'homme promis à sa sœur, morte entre-temps, le vicomte Alexandre de Beauharnais. Je me pressais contre Zinah : c'était un peu de mon île et beaucoup de mon enfance que j'emportais avec moi. Auprès d'elle, il me semblait qu'aucun danger sérieux ne saurait me menacer.

II

Nous débarquâmes à Bordeaux le 18 juillet, la traversée n'avait pas excédé deux mois. Mon oncle et ma tante de Bellefonds considéraient qu'il s'agissait là d'un exploit. Quant à moi, je me retrouvais sur le sol de France, déconfite et quelque peu ébranlée : nous n'avions pas fait naufrage. Se pouvait-il qu'Euphémia se fût trompée et que j'eusse cru si longtemps, si naïvement à ce qui ne serait, au bout du compte, que délires d'un esprit malade ?

Néanmoins, très vite, les diverses impressions que m'inspirait ce pays nouveau, tant raconté, tant rêvé, m'empoignèrent et repoussèrent ces réflexions par trop vaines. J'avançais dans cette ville immense, impressionnée par la hauteur de ses bâtiments, par la largeur et le pavage de ses rues ; tout m'ébahissait et donnait lieu à comparaisons, commentaires et rires interminables. Il y avait les robes à panier des vieilles dames, crinolines géantes, mode qui perdurait depuis le règne de feu Louis XV et que, bien heureusement, les rigueurs du climat martiniquais nous avaient épargnée. Il y avait les coiffures des dames acharnées à copier Paris, échafaudages hasardeux de faux cheveux, de plumes, de dentelles, d'animaux empaillés, d'objets les plus divers et les plus fantasques. Il y avait ces épées que les gentilshommes portaient au côté et qui me faisaient l'effet d'accessoires de parade tant je les trouvais petites auprès des sabres et des coutelas en usage à la Martinique. Mais, plus stupéfiante que tout était la hâte de ces gens qui allaient et venaient, couraient plutôt qu'ils ne marchaient, tous affairés, tous pressés par une urgence insaisissable, comme s'ils avaient décidé d'en finir au plus vite avec la journée, avec la vie. Ce rythme effréné constituait pour moi, habituée à l'indolence des tropiques, l'élément le plus déconcertant de la vie française.

Tante Élizabeth et oncle Guy avaient prévu de rejoindre Nantes par des routes buissonnières et de prendre leur temps. Sous prétexte de me faire découvrir les beautés de la France, ils envisageaient de faire étape ici et là, puisque nous avions bien au moins un cousin dans chaque ville du royaume.

Marseille était ainsi le premier relais vers lequel nous nous dirigeâmes : les Bellefonds se proposaient d'y visiter leurs cousins Saint Aurins et de Trets, et de passer les durs mois de l'hiver français sous la clémence du ciel méditerranéen.

Nous quittâmes Bordeaux sous des trombes d'eau. Les pluies d'automne avaient commencé précocement, ininterrompues, torrentielles, et nous roulions sous un véritable déluge. C'était une campagne plate et monotone qui se déroulait sous nos yeux avec ses vignobles à perte de vue, ses arbres bien alignés, et je la trouvais dépourvue d'attraits. Comment aurais-je pu alors reconnaître quelque grâce à des décors ou paysages si différents de ceux de mon Ile ? Pourtant, à présent, après plus de trente années, c'est avec nostalgie que j'évoque ces contrées françaises découvertes dans de si mauvaises conditions.

La berline tanguait sur des océans de boue, nous étions mouillés jusqu'aux os et c'est éternuant, grelottant, que nous parvînmes à Montauban. Le teint de ma bonne Zinah avait viré à cette couleur de cendres qui, chez elle, était signe d'effroi et d'épuisement. Quant à moi je me sentais ratatinée et paralysée par le froid. Pour comble d'infortune, l'auberge dans laquelle nous avions échoué ne nous offrait aucun réconfort : c'était le royaume des courants d'air sournois et nous ne pouvions même prétendre à un repas correct car, nous expliqua-t-on, la suite de l'Intendant de Toulouse, de passage ici, avait fait main basse sur les provisions de bouche. Il faudrait nous contenter d'une soupe de poireaux et tâcher de trouver un sommeil réparateur entre des draps que l'humidité ambiante avait rendus glacés.

Mais nous n'étions encore qu'au début de nos misères. Le matin suivant, alors que tremblantes et affamées nous nous apprêtions au départ, on vint nous prévenir : nous ne partions plus, tante Élizabeth avait ordonné de dételer, oncle Guy était malade ! Tante Élizabeth pensait qu'il s'agissait d'un simple refroidissement, un peu de repos et quelques précautions élémentaires suffiraient à assurer sa guérison. Hélas, trois jours plus tard, oncle Guy était à la dernière extrémité. Une pneumonie avait miné les forces de cet organisme mal aguerri aux rigueurs du climat français.

C'était ma première rencontre véritable avec la mort. Il y avait bien eu, jadis, là-bas à la Martinique, la disparition de Rose, cette petite sœur morte en bas âge. Mais j'étais moi-même bien jeune et on m'avait tenue écartée de ce drame. Aujourd'hui, sur cette terre inconnue, dans ce lieu inhospitalier, il en allait tout autrement : rien ne me séparait du malheur qui frappait ma tante et j'étais à même de mesurer tout le sordide, tout l'horrible de notre situation. Oncle Guy se mourait et nous étions seules dans ce lieu perdu, sans aide ni secours d'aucune sorte. Le médecin qui avait été appelé en consultation s'était avéré un pompeux ignorant, impuissant à soulager le malade. Quant à l'aubergiste, plus soucieux de la réputation de sa maison que d'humanité, il prétendait nous expulser avec cet homme à l'agonie. Faute d'y parvenir, il se résigna à notre présence mais sous des prétextes divers en profita pour extorquer à ma pauvre tante des sommes exorbitantes.

Et puis, un matin, après ces journées de lutte, je découvris que régnait un nouveau climat, fondé sur le sentiment le plus incompréhensible, le plus inadmissible pour moi : la résignation. La chambre où gisait oncle Guy, où veillait tante Élizabeth, sentait déjà la mort. Ils l'avaient acceptée l'un et l'autre. Devant cette évidence, le curé de la paroisse voisine fut mandé pour administrer l'extrême-onction. En dépit de la pauvreté du décor, la scène était solennelle. Oncle Guy était à bout de forces, il haletait bruyamment, mais dans un suprême effort il parvint à murmurer une phrase d'adieu à chacun d'entre nous. « Soyez toujours bonne et généreuse, mon enfant. N'oubliez pas d'obéir à votre tante et de la chérir comme elle le mérite... »

Après quoi il se tut. Tante Élizabeth se rapprocha de lui et désormais, sans plus bouger, sans plus parler, la main dans la main, ils ont attendu la fin.

Cet homme doux et noble, cet oncle bien-aimé,

s'éteignit au soir du 2 janvier 1786. L'événement me laissa désemparée, traversée de mouvements divers, tantôt accablée par le chagrin, tantôt révoltée par l'injustice de cette mort, de toute mort. Et puis je ne comprenais rien à l'attitude de ma tante. Il me semblait que les larmes, les cris, toutes les manifestations du désespoir eussent été plus adaptés aux circonstances particulièrement pénibles de cette épreuve, que le calme et la dignité avec lesquels madame de Bellefonds faisait face. Cette femme que j'avais connue maternelle et chaleureuse gardait les yeux secs et, pour la première fois, sa conduite me la révélait étrangère, inconnue.

Mon éducation à la Martinique m'avait rendue plus proche de l'exubérance de Zinah et des siens que de la réserve inculquée aux membres de l'aristocratie, qui répugnent à faire étalage de leurs sentiments. Et je me sentais seule, perdue : en ces journées de tristesse et de silence, j'avais l'impression de porter le deuil de mon enfance.

Les obsèques célébrées à la sauvette, à l'aube, dans une église glaciale, le cercueil en bois blanc, l'humble troupeau des serviteurs pour tout cortège funèbre, les tractations indignes avec le curé qu'il fallait payer pour qu'il acceptât un étranger dans son cimetière, et tante Élizabeth raide dans sa toilette de soie bleu nuit devenue sa robe de deuil, montant dans la berline sous une pluie battante aussitôt la cérémonie achevée, telles sont les dernières images que j'emportai à l'heure de quitter Montauban à tout jamais.

Bien évidemment, tante Élizabeth avait décidé de renoncer à musarder à travers la France. A présent au contraire, il s'agissait de rejoindre Nantes et Marie-Anne au plus vite. Il nous fallut une dizaine de jours pour parcourir le chemin inverse vers Bordeaux et tout autant pour gagner Nantes.

Les retrouvailles entre la mère et la fille ne furent pas celles qu'elles espéraient depuis plus d'un an. Toutes deux veuves, ce fut un élan de chagrin qui les précipita dans les bras l'une de l'autre lorsque nous atteignîmes le perron de l'hôtel où Marie-Anne nous attendait. La vie, qui ne lui avait pas ménagé les épreuves, n'avait cependant pas altéré les traits de son visage où se reflétaient les qualités d'une belle âme. Veuve à vingt et un ans du comte de Montfrabœuf et orpheline depuis quelques semaines, Marie-Anne dégageait une espèce de calme, de force consolatrice, à laquelle nous nous abandonnâmes volontiers, tante Élizabeth et moi-même.

Ainsi, peu à peu, tandis que Marie-Anne nous faisait les honneurs de sa maison, je retrouvais entrain et confiance. L'hôtel, de belle architecture, se dressait derrière la vieille cathédrale, le long du mail planté de tilleuls. Son aménagement intérieur était à la dernière mode du raffinement : ce n'étaient que boiseries à l'antique, or sur fond blanc, tentures, rideaux et portières en damas rouge et or, bleu et or, jaune sur jaune, vert sur vert, meubles dorés à la feuille, marqueteries et bronzes précieux commandés à Paris. Sur les commodes, les tables, les cheminées, la forêt des porcelaines les plus délicates, Sèvres, Meissen, Chine et Compagnie des Indes. Dans le grand salon, je m'arrêtai devant le portrait de Marie-Anne par madame Vigée-Lebrun, peintre attitré de la reine.

Tant de luxe m'éblouit, jamais je n'aurais imaginé un tel amoncellement de merveilles et de richesses. J'appris bientôt que Nantes tout entière était riche et nageait dans l'opulence depuis qu'elle était devenue la capitale de la traite des esclaves et exerçait un monopole sur la fabrication d'objets dérivés telle la pacotille pour rois nègres, vendeurs de leurs propres sujets.

Là-bas, dans la ville haute, l'ouverture d'un nouvel entrepôt, la création d'un atelier s'assortissaient immanquablement de la construction d'un hôtel somptueux. Les fortunes et ascensions foudroyantes étaient nombre dans l'ancienne capitale bretonne. La transformation même de la ville faisait foi de cette prospérité : on éventrait les vieilles rues datant du Moyen Age qui serpentaient autour de l'ancien château, pour aménager des voies rectilignes, bien aérées, plantées d'arbres et que bordaient de vastes demeures en pierre blanche de Touraine, aux balcons ornementés.

En dépit de ses splendeurs, Nantes ne réussissait pas à me séduire tout à fait. Peut-être mes réserves tenaient-elles à ses murs trop pâles, à ses pavés gris, à ses toits d'ardoise, à ses brumes d'hiver qui contrastaient si violemment avec les paysages lumineux et colorés que j'avais toujours connus.

Après nous avoir montré la ville, Marie-Anne, poursuivant son entreprise de consolation et de distraction, convoqua la parentèle nantaise, sœurs et cousines de madame de Bellefonds. Celle-ci, peu à peu, s'animait aux récits familiaux qui faisaient l'essentiel de ces réunions. On disait que le séduisant chevalier François de Laurencin dont j'avais remarqué l'assiduité était fort amoureux de Marie-Anne. Les vieilles dames clabaudaient et, lorsqu'un événement particulièrement remarquable leur était donné en pâture, leur murmure s'amplifiait en un bourdonnement de guêpes affolées par un gâteau de miel. Alors je m'approchais, l'oreille tendue, et il arrivait que je saisisse au vol des informations bouleversantes. « Cette pauvre Joséphine... Décidément, son mari, Alexandre de Beauharnais, est un bien triste sire... Comment, vous l'ignoriez ? Mais l'infortune de Joséphine est notoire, ma chère... Du reste, tout ceci était prévisible... Un tel homme, beau, je vous le concède, mais tellement mondain, capricieux, dissolu... Tantôt il submerge Joséphine de lettres passionnées, tantôt il l'insulte grossièrement... Sans compter ses escapades, ses infidélités... Mais oui, ma chère, il la trompe honteusement, il entretiendrait même une créature... »

Et l'on passait du particulier au général, à l'affaire d'État, au scandale qui troublait la France et éclaboussait Marie-Antoinette, cette reine en butte aux intrigues de palais, souillée par toutes sortes de soupçons, de rumeurs, de calomnies. Une aventurière de haut vol, la comtesse de la Motte, avait escamoté le collier le plus cher du monde... Un cardinal, Louis de Rohan, le grand Aumônier de France, était arrêté en plein palais de Versailles... Et dans les coulisses, Cagliostro, un mage affilié à des sociétés secrètes... Un procès qui faisait sensation. L'aristocratie française se délectait plus ou moins ouvertement des malheurs de la reine. Le scandale, connu de tout le pays, avait pris des proportions telles que la monarchie risquait d'en être ébranlée... Et l'on revenait allégrement de la haute politique au particulier, ce qui m'intéressait à vrai dire bien plus que « l'affaire du collier de la reine ». « Savez-vous que le bel Alexandre, le mari de Joséphine, s'en mêle lui aussi ? Le voilà qui prononce des discours pour réclamer la limitation des pouvoirs de Sa Majesté et, pourquoi pas, une constitution à l'anglaise... Où allons-nous, ma pauvre chère... »

L'état de la France ne les empêchait toutefois pas de grignoter les délicates confiseries qui leur étaient présentées, non plus que de griffer quelques jolies peaux au passage. Moi, j'avais le cœur à l'envers et l'imagination enflammée par ce que je venais d'apprendre sur le sort de Joséphine. Alexandre de Beauharnais, ce mari infidèle, serait-il cet homme destiné à mourir jeune, tragiquement, suivant la prédiction d'Euphémia au Croc-Souris, un beau jour de l'été 1781 ?

Je devais être une nature foncièrement gaie : je redevins insouciante aussi vite que je m'étais assombrie. Au demeurant, Marie-Anne m'y aidait bien. Elle continua à déployer des trésors d'invention pour nous divertir et nous faire oublier les circonstances dramatiques de notre arrivée en France. Dans ce but, après avoir invité Nantes chez elle, elle se proposait maintenant de nous offrir des réjouissances extérieures, elle voulait nous emmener au Nouveau Théâtre. J'avais déjà entendu parler de la Saint-Huberti, l'actrice la plus célèbre du royaume. Ce soir, elle jouait *Phèdre* de Racine, et j'assistai avec inquiétude à un débat autour de la question de savoir s'il était, ou non, convenable d'emmener au théâtre une jeune fille de mon âge. Dieu merci, Marie-Anne l'emporta et, en fin de compte, j'étais de la partie.

Bien avant le lever du rideau j'admirais de tous mes yeux le gigantesque portique, les dorures abondantes, les fresques du Nouveau Théâtre, les épaules nues, les bijoux et les toilettes des Nantaises. Pendant la représentation je me sentais transportée par la magie des vers de Racine, et le destin de Phèdre me fascina. Mais le jeu de la Saint-Huberti me déçut : je le trouvai ridicule, affecté, et puis elle était trop maquillée.

Ce soir-là, ce premier soir où je découvrais le théâtre, un homme m'aborda. Il profita de l'entracte et de ce que je me trouvais seule, à l'écart, absorbée dans la contemplation d'une fresque, et son audace me rendit muette : il m'invitait à souper. Plus tard, l'importun éconduit, j'appris de la bouche de Marie-Anne qu'il s'agissait du mari de la Saint-Huberti, sorte d'aventurier, personnage occulte et dangereux dont la réputation d'intrigant dépassait les frontières. Le bruit courait que le comte d'Antraigues correspondait avec la reine de Naples, l'impératrice de Russie et le roi de Suède... Le comte d'Antraigues, j'avoue qu'il me fit rêver et, à quelque quarante années de distance, je puis mesurer la candeur de l'enfant que j'étais.

Après quelques mois de cette existence partagée entre les mondanités et une agréable villégiature dans les environs de Nantes, Marie-Anne put estimer que l'effet escompté était obtenu : sa mère avait surmonté le premier choc de son deuil et, quant à moi, je n'étais plus tout à fait la sauvageonne qui avait débarqué du *Vendée Royale* un jour de juillet 1785. Ma cousine me trouvait suffisamment policée pour envisager de me confier aux nonnes qui se chargeraient de parfaire mon éducation.

Le couvent de la Visitation avait été construit au milieu du siècle précédent. Ses bâtiments étaient harmonieusement disposés autour de cours joliment fleuries et ses cloîtres en faisaient un lieu propice à la méditation ou à la rêverie.

Les dortoirs qui recevaient les petites élèves et les

chambres réservées aux plus grandes étaient coquets, spacieux, tendus de toile de Jouy bleue ou rose. Mon entrée dans cet établissement soulevait cependant un problème : qu'allait-on faire de Zinah ? La règle de la maison ne permettait évidemment pas la présence d'une gouvernante auprès d'une élève et, pour ce qui me concernait, je ne pouvais accepter de me séparer de Zinah. Il fallut donc négocier pour tenter de trouver un compromis qui satisfasse les deux parties. Enfin, la Supérieure suggéra d'admettre Zinah en qualité d'aide-jardinière. Elle logerait dans un petit pavillon au fond du potager et serait autorisée à m'accompagner dans mes leçons particulières. Quant au reste, nous étions assez futées, Zinah et moi, pour savoir que nous déjouerions les interdits et que souvent, la nuit, Zinah se glisserait jusqu'au dortoir, jusqu'au pied de mon lit, pour d'interminables entretiens.

La règle du couvent était relativement sévère : lever à sept heures en hiver, à six heures trente en été, toilette des plus sommaires, prières, petit déjeuner, messe. A huit heures les cours proprement dits commençaient : leçons de catéchisme, de latin, d'orthographe. Mais il s'agissait essentiellement d'apprendre par cœur et cela m'ennuyait mortellement.

Les journées au couvent étaient scandées par les dévotions, les aspersions d'eau bénite, et notre rythme était celui de futures nonnettes au point qu'aujourd'hui encore me revient cette prière que nous ânonnions à chaque heure :

Vive Jésus le Roi des rois
Qui m'a rachetée par sa croix
Vive Jésus de qui la mort

Montra combien l'amour est fort
Vive Jésus et Marie
Que j'aime plus que ma vie.

De surcroît, la règle du couvent comportait certaines contraintes et interdictions dont j'avais bien du mal à m'accommoder. Il était strictement défendu de posséder quelque animal que ce fût alors que, à la Martinique, j'avais vécu entourée de mes chats, de mes perruches, de mon fourmilier. De la même façon, on faisait obstacle aux attachements et amitiés qui pouvaient se nouer entre élèves, ou entre élèves et professeurs. Les nonnes s'arrangeaient toujours pour séparer celles qui se témoignaient manifestement trop d'intérêt ou d'affection. Mais le pire était cet uniforme que je trouvais lugubre, hideux, et que nous étions obligées de revêtir chaque matin : une robe noire ajustée, sans aucun pli, éclairée d'un col blanc. Un court voile blanc couvrait notre tête et un bandeau, également blanc, maintenait notre chevelure.

Les femmes bien intentionnées, bienveillantes, mais somme toute assez sottes, qui veillaient sur nous se préoccupaient davantage du salut de nos âmes que de notre culture et auraient été heureuses de susciter parmi nous quelques vocations. Toutefois, elles admettaient et même encourageaient la pratique des « goûters ».

Malgré les sollicitations pressantes et réitérées de mes compagnes qui organisaient ces goûters, je répugnais à m'y rendre. Ces réunions, fort prisées des élèves, constituaient des répétitions ou des simulacres des rencontres de salons. Les grandes, à treize ans révolus, avaient même latitude d'y recevoir les fiancés agréés par leurs familles sous l'œil vigilant des nonnes surveillantes. Comment aurais-je pu me passionner pour ces réunions au cours desquelles les petites singeaient les grandes, les grandes singeaient les adultes et où il s'agissait surtout de s'empiffrer de petits gâteaux tout en donnant libre cours au papotage le plus frivole ?

Comme autrefois au couvent des Dames de la Providence, à la Martinique, je me révélai une élève indocile, réfractaire à certaines disciplines. L'aumônier qui nous dispensait les cours de religion me surprit un jour dévorant *L'Histoire du bon roi Saint Louis* alors qu'il s'escrimait à disserter sur la Grâce. Mais qu'y pouvais-je ? Je ne savais m'intéresser et m'adonner qu'à ce que j'aimais.

Heureusement il y avait la salle de musique où je pouvais me retrancher de temps en temps et où monsieur Jolibois me donnait des leçons de harpe. Outre son nom qui prêtait à rire quelque peu, monsieur Jolibois avait un physique grotesque : un gros nez planté de verrues et chaussé de lunettes, un teint affreusement couperosé et cette perruque qu'il retirait sans façon pour l'accrocher au bouton de la porte ou s'en éventer lorsqu'une émotion, musicale ou autre, lui donnait trop chaud. A l'évidence, avec son habit constellé de taches et ses bas tire-bouchonnés, monsieur Jolibois n'était pas un parangon d'élégance. Cependant, c'était un musicien correct qui s'efforçait de me communiquer sa passion pour la harpe. Il ne se bornait pas du reste à la matière qu'il m'enseignait : cet homme qui avait des prétentions à certaine érudition n'hésitait pas, entre deux exercices, à m'entretenir des auteurs proscrits par nos maîtres, nonnes et aumôniers. Voltaire, Montesquieu, Rousseau, le ver était dans le fruit puisque monsieur Jolibois osa même me faire passer en secret les ouvrages interdits. J'étais si avide de lecture et de connaissances que j'acceptais ces prêts avec gratitude sans comprendre qu'une intention maligne conduisait la démarche de mon professeur de harpe. La chose lui était d'autant plus facile que j'avais été élevée dans le respect absolu de certaines institutions, et que j'ignorais tout du monde.

A l'insu des nonnes, mes leçons de harpe se transformèrent peu à peu en conversations au cours desquelles monsieur Jolibois ne contint plus la passion révolutionnaire et les propos séditieux. C'est étrange, il m'aura fallu rencontrer un homme qui, somme toute, m'aimait beaucoup, pour découvrir la haine. Je nous revois lors de cette dernière leçon, lui emporté dans une virulente diatribe contre l'aristocratie, écumant de rancœur et dans son égarement me tutoyant soudain... Je me revois, dressée, indignée par le tutoiement incongru plus que par ses violences verbales, quittant à tout jamais monsieur Jolibois, Zinah sur mes talons.

Au printemps de 1788, les portes du couvent de la Visitation s'ouvrirent devant moi : les fiançailles de Marie-Anne avec le chevalier François de Laurencin étaient devenues officielles et ma cousine avait décidé de m'emmener avec elle à Paris où elle allait choisir son trousseau. Naturellement, Zinah était du voyage.

La capitale nous accueillit dans les derniers jours d'avril par un temps maussade et pluvieux. Les auberges et hostelleries étaient pleines de visiteurs étrangers, aussi avait-il été convenu que nous habiterions chez notre oncle Jean Dubuc de Ramville, lequel s'était retiré à la campagne. La plupart des meubles et des domestiques avaient suivi leur maître en Touraine, en sorte que l'hôtel était une enfilade de pièces quasi désertes où nos pas résonnaient étrangement.

N'importe, à peine débarquées, Marie-Anne m'entraîna chez mademoiselle Bertin, la couturière la plus en vue de Paris, de France et sans doute même d'Europe. Jeune encore, mais ambitieuse, autoritaire, travailleuse acharnée, Rose Bertin s'était taillé dans le monde des frivolités parisiennes une réputation de tyran. Par le biais de la toilette, elle imposait sa loi à toutes les femmes riches et titrées. J'appris que ces horribles coiffures que j'avais entrevues à Bordeaux étaient les mauvaises copies de celles sorties de ses ateliers, ainsi que tout ce qui faisait autorité en matière de mode. Le dernier mot d'ordre de Rose Bertin était la simplicité : elle avait décrété qu'elle habillerait désormais ces dames avec des étoffes ordinaires jusque-là réservées aux petites-bourgeoises et aux ouvrières. Plus de satins ni même de soies pour le jour, plus de fleurs imprimées, c'était un engouement furieux pour les linons, les cotons rayés, les bayadères.

Moi-même je ne pus résister à l'enivrement suscité dans ses salons et ses ateliers par les clientes et les ouvrières partageant la même fièvre dans un désordre chatoyant d'étoffes, de rubans, d'accessoires féminins.

Dans ce tourbillon coloré et parfumé, mon attention fut soudain attirée par une fillette blonde et ravissante qui pleurait silencieusement. La dame qui l'accompagnait, sa mère selon toute évidence, avait choisi pour elle une robe verte dans laquelle l'enfant paraissait mal attifée, lamentable. Et elle se contentait de pleurer sans protester. Mais la Bertin avait l'œil à tout, elle ne put tolérer la faute de goût, et une discussion s'engagea entre les deux femmes. Marie-Anne en profita pour m'apprendre subrepticement que la mère abusive était la marquise de Coigny. La petite s'appelait Fany. Rose Bertin, forte de son expérience, clamait sur tous les tons que la robe ne seyait pas du tout à Fany. A quoi, la marquise, furieuse, rétorqua qu'elle savait mieux que quiconque ce qui convenait à sa fille.

Tout au long de cette scène dont elle était le prétexte, Fany continua à pleurer et je me pris de compassion pour elle.

Bien heureusement les choses se passèrent différemment quand le moment arriva pour moi d'être habillée. Marie-Anne, prudemment, laissa l'initiative à la couturière.

— Mais cette petite est déjà ravissante ! Voyons, voyons, apportez donc le modèle Toulouse pour cette enfant !

Rose Bertin s'était emparée de ma personne ; aussitôt un essaim de cousettes m'entoura et en un tournemain je me retrouvai vêtue du modèle Toulouse, une robe de coupe fort simple, taillée dans un coton à petits carreaux pervenche, myosotis et bleu marine. Le miroir me renvoya un reflet des plus flatteurs et, si Rose Bertin était un dictateur, la sûreté de son goût et ses compétences étaient indéniables. Jusqu'à la reine Marie-Antoinette, qui la consultait quotidiennement, s'en remettait à elle pour le choix de ses robes et des moindres accessoires de sa parure.

Marie-Antoinette, en avais-je entendu parler, de cette reine inexpérimentée, avant que de la voir !

Marie-Anne s'était engagée à m'emmener à Versailles. Là, je serais présentée à la reine, honneur réservé à toute jeune fille noble, mais dénué de l'écrasant protocole d'autrefois ; la reine recevait maintenant de façon très simple dans sa retraite du Petit Trianon. Il en allait tout autrement quelques décennies auparavant, lorsque présentations solennelles, bals de Cour et fêtes masquées faisaient le quotidien et aussi la renommée de Versailles. Mais les souverains actuels, plus timorés, moins mondains, avaient mis fin à ces plaisirs fastueux en sorte que la noblesse cherchait ailleurs ses distractions et avait pratiquement déserté le Palais.

Et, en effet, lorsque nous y pénétrâmes, j'eus l'impression d'aborder au château de la Belle au Bois dormant : nous ne croisions que quelques laquais somnolents et des courtisans désœuvrés. On s'informa de la reine : elle se trouvait, comme à l'accoutumée, dans sa « folie » du Petit Trianon. Là, ni grilles, ni barrières, ni gardes, simplement un gentilhomme qui surgit de derrière un bosquet et s'enquit courtoisement de notre identité. Nous étions bien attendues. Madame de Villeneuve, notre tante éloignée qui était dame d'honneur de la reine, avait obtenu pour nous audience et elle nous guida à travers les allées paisibles du parc sans nous ménager conseils et recommandations.

J'en tremblais d'excitation.

Au détour d'une allée, enfin, nous découvrîmes un pavillon harmonieux mais de proportions modestes : c'était le Petit Trianon. Quelques marches encore, un vestibule de poupée, une porte qui s'ouvre, et nous voici au seuil d'un salon sans prétention, plutôt exigu, meublé simplement, d'une austérité seulement corrigée par une abondance de fleurs : des bouquets exubérants couvraient chaque table.

Une vingtaine de personnages assis sans façon devisaient familièrement, les hommes en habit de drap sans broderies, les femmes en robe d'intérieur unie. Madame de Villeneuve s'était avancée avec autorité et s'inclina devant une dame, tout de blanc vêtue, installée devant un métier à tapisserie.

— Madame, Votre Majesté me permettrait-elle de lui rappeler la comtesse de Montfrabœuf.

En dépit de la modestie de sa mise, en dépit de ses trente-trois ans, Marie-Antoinette éclipsait toutes les femmes présentes, même plus jeunes et plus belles. Était-ce ce teint incomparable de fraîcheur, ce mélange de majesté naturelle et de grâce accueillante qui la rendaient si rayonnante ? Était-ce l'expression mélancolique des yeux bleus qui la rendait si séduisante ?

Elle avait interrompu la course de ses doigts sur le métier, et, tournée vers Marie-Anne :

— Madame de Montfrabœuf, j'ai appris autrefois votre deuil cruel avec autant de tristesse qu'avec joie j'apprends aujourd'hui vos fiançailles. Soyez heureuse...

Marie-Anne s'inclina respectueusement, et s'adressant à la reine :

— Madame, Votre Majesté voudrait-elle ajouter à ses bontés en me permettant de lui présenter ma jeune cousine, Aimée Dubuc de Riverie ?

Je m'avançai à mon tour et, comme il était convenu, dans une profonde révérence j'esquissai le geste de saisir le bas de la robe royale. Mais la reine arrêta ce geste et me tendit sa main que je baisai.

— Mademoiselle Dubuc de Riverie, vous arrivez de

la Martinique, me dit-on. J'aimerais tant connaître votre île dont j'ai entendu vanter les beautés... Hélas, cela me semble bien improbable. Mais écrivez à vos parents, à vos amis, dites-leur que le roi et moi-même sommes reconnaissants à ces Français qui assurent la présence de notre pays, si loin, par-delà les mers. Transmettez-leur nos vœux de bonheur et de prospérité.

La reine me gratifia d'un dernier sourire, nous saluâmes à nouveau, nous marchâmes à reculons jusqu'à la porte. L'épreuve était finie.

J'éprouvais un soulagement mêlé de déception lorsque nous nous retrouvâmes dehors, dans les allées du parc. Où étaient les pompes, les fastes auxquels je m'attendais ? La familiarité des courtisans, le petit nombre de serviteurs — à la Martinique nous en étions plus entourés que la reine de France — l'absence de bibelots précieux, ces boiseries peintes en blanc, ces meubles sans dorures aux lignes droites — l'hôtel de Marie-Anne à Nantes me semblait autrement luxueux — ce n'était pas ainsi que, dans ma tête d'enfant, j'avais imaginé que devait se présenter une reine. Surtout, je me le promettais, ce n'était pas cette image que je donnerais de la majesté si, un jour, comme l'avait prédit Euphémia, le Destin m'offrait un trône.

Mais je ne pus rien confier des sentiments que m'avait inspirés cette visite à Marie-Anne. Cette dernière était une âme loyale qui admirait sa reine sans réserve et que mes critiques auraient chagrinée.

Ce fut seulement quelques jours plus tard, auprès de Joséphine enfin retrouvée, que je pus m'en ouvrir. Joséphine vivait à Fontainebleau où elle avait loué une maison, et elle m'accueillit dans des transports de joie. Aussitôt, en dépit de notre longue séparation, en dépit de son mariage, nous retrouvâmes le ton et la complicité des confidences d'autrefois, là-bas, dans l'Ile. Je lui expliquai combien m'avaient troublée le défaut de prestige de la reine, la rusticité de sa vie à Trianon. Joséphine n'était pas de mon avis et concevait qu'une reine voulût se soustraire aux pesanteurs du protocole, qu'elle préférât être aimée, qu'elle répugnât aux cérémonies officielles.

— Mais, c'est cela être reine ! Et si elle n'aime pas son métier, elle y échouera !

Le mot métier employé en cette circonstance n'était sans doute pas le plus adéquat, il fit rire Joséphine qui m'examina, attendrie, moqueuse :

— Te voilà bien péremptoire, petite fille ! D'où tiens-tu toutes ces certitudes et ces convictions ?

— J'ai eu assez de temps pour réfléchir sur le métier de reine depuis...

Cette fois, Joséphine avait compris ; elle éclata de rire franchement :

— Oh ! petite cousine, petite folle, comme ta présence me fait du bien ! Ainsi, tu penses encore à ces vieilles histoires de destinées hors du commun... Comme je t'envie ! Hélas, les réalités de la vie se sont chargées d'abîmer mes rêves.

J'observai cette Joséphine désenchantée, résignée. Certes les épreuves qu'elle traversait étaient suffisantes pour justifier son amertume présente : elle venait de se séparer d'Alexandre de Beauharnais, ce mari inconstant et imprévisible, et elle devait assumer la charge d'Hortense et Eugène, ses deux enfants. Elle avait dû réduire son train assez considérablement, et encore était-elle couverte de dettes. Un moment il avait été question qu'elle s'en retournât à la Martinique avec la petite Hortense, mais elle n'avait pas même pu réunir la somme nécessaire pour assurer son passage.

Je me souviens de la parole pleine de naïveté et de ferveur qui me vint aux lèvres, en guise de consolation :

— Il ne faut pas désespérer, Joséphine. Un jour, tu seras plus que reine, c'est écrit !

Et j'étais sincère, j'y croyais pour elle aussi bien que pour moi.

Juin était arrivé. Marie-Anne repoussait tous les jours la date de notre départ. Les essayages, les emplettes dévoraient notre temps et n'en finissaient pas.

Une vague de chaleur s'était brutalement abattue sur Paris et l'atmosphère était tellement étouffante à l'hôtel qu'un soir, après dîner, Marie-Anne proposa une promenade. Avant de rentrer à Nantes, elle voulait connaître le Palais-Royal, cette propriété de Monseigneur le duc d'Orléans qui en laissait la jouissance aux Parisiens, l'endroit le plus élégant de la capitale et aussi, disait-on, le rendez-vous de la meilleure société.

A peine franchies les grilles des jardins du Palais-Royal, il nous fallut déchanter. C'était bien là un lieu de rendez-vous, mais les personnages qui le fréquentaient constituaient une faune étrange, inattendue, assez effrayante : nobles débauchés, grandes dames avides de chair fraîche, gandins généreux de leur corps et gourmands d'or, étrangers en goguette, badauds en quête d'aventures, sans compter les péripatéticiennes dont on pouvait obtenir les noms et tarifs aux grilles du Palais. Dans chaque coin d'ombre s'ébauchaient des liaisons éphémères qui se poursuivaient dans les chambres voisines, partout des murmures, des rires, des silhouettes enlacées. La foule excitée par l'inhabituelle chaleur avait pris d'assaut les cafés, les restaurants, les boutiques et, tout à coup, au moment même où nous prenions conscience que nous nous étions fourvoyées dans un mauvais lieu, je fus bousculée, séparée de Marie-Anne, emportée par le flot humain. Heureusement, Zinah ne m'avait pas perdue de vue, à coups de poing elle se fraya un passage jusqu'à moi, déroutant trois individus qui déjà m'encerclaient. Mais la foule était si dense qu'il était difficile d'échapper et soudain nous fûmes acculées, assaillies : une sorte de géant blond s'était emparé de moi et m'attirait contre lui tandis que son compagnon, un barbu enturbanné, plaquait ses grosses mains sur la poitrine de Zinah. Le troisième, une sorte d'échalas noir, observait la scène avec désapprobation, sans toutefois intervenir. Je fus d'autant plus épouvantée que nos agresseurs accompagnaient leurs gestes de rires et de propos obscènes. Je hurlai, je griffai, je me débattis et, à l'instant où je sentais mes forces céder, survint Marie-Anne, les traits convulsés de colère, la voix cinglante :

— Mon cousin ! Votre conduite est indigne ! Lâchez immédiatement cette jeune fille et disparaissez, disparaissez, monsieur de Beauharnais ! Et, disant, elle m'arracha aux bras de mon agresseur. J'étais à ce point retournée que j'eus du mal à comprendre qu'il s'agissait là d'Alexandre de Beauharnais, le mari tant décrié de Joséphine. Quant à lui, il était bien trop ivre pour avoir conscience du scandale qu'il provoquait. La querelle avait formé autour de nous un attroupement de badauds hilares quand une voix s'éleva ferme et tranquille :

— Je pense qu'il serait plus sage de vous éloigner, monsieur le vicomte.

Le nouveau venu était un homme jeune, très élégant, au sourire hautain et au regard bleu. A son bras, tout alanguie, la plus merveilleuse créature qu'il m'avait jamais été donné de contempler, une toute jeune femme dont le visage angélique, le corps gracieux semblaient flotter dans un nuage de mousselines pâles.

Impressionné par cette intervention, ou lassé du jeu, le trio de nos agresseurs conduit par Beauharnais abandonna enfin le terrain et disparut dans la foule. Le gentilhomme qui nous avait été secourable s'inclina avec grâce et se présenta :

— Madame, je suis l'abbé de Périgord. Permettez-moi de vous présenter mademoiselle Lange, l'incomparable séductrice de nos scènes. Je suis fort marri que votre promenade au Palais-Royal ait été troublée par ces trois individus...

Le barbu qui avait porté la main sur Zinah n'était autre, apprîmes-nous, qu'Ishak Bey, ambassadeur de Turquie en France. Le troisième larron à l'aspect clérical se nommait Pierre Ruffin. Il servait de guide à l'ambassadeur et d'espion au gouvernement français.

— L'ambassadeur de Turquie, compagnon de débauche de Beauharnais, est-ce possible ? a demandé Marie-Anne.

L'abbé de Périgord consentit à expliquer :

— Ishak Bey a longtemps été le favori du Prince Héritier Sélim. Une disgrâce soudaine l'a conduit à Paris où il fait fonction d'ambassadeur. Mais la politique l'ennuie, et, vous avez pu le constater, il lui préfère la galanterie... A présent, mesdames, me permettez-vous de vous guider hors de ces lieux et de vous mettre en sécurité ?

Cet incident si déplaisant du Palais-Royal avait marqué la fin de notre séjour parisien. Désormais Marie-Anne n'avait qu'une hâte, rejoindre Nantes et son fiancé. En chemin, nous nous arrêtâmes à Chissay, non loin d'Amboise, chez notre oncle Jean Dubuc de Ramville.

Nous fûmes reçues dans une demeure vaste et plaisante par un hôte qui, pour s'être retiré du monde, n'en était pas moins accueillant. D'emblée, je fus frappée par la stature morale et physique du vieil homme, par la sagesse de son discours. J'écoutai avec respect la parole de ce philosophe épicurien qui observait le monde à distance et analysait les événements avec une si grande finesse. Jamais, dans les salons de Paris ou de Nantes, je n'avais entendu de propos aussi lucides, aussi rigoureux et courageux que ceux que nous tint Jean Dubuc de Ramville au cours de ce dîner auquel étaient également conviés son fils Louis-François et sa fille Désirée.

Propos pessimistes sur la situation du pays, car l'oncle Dubuc déplorait la dangereuse insouciance de l'aristocratie française qui jouissait de la vie, incapable de reconnaître que de grands désordres menaçaient.

— Nous nous dirigeons vers des époques troublées, des phénomènes imprévisibles ; de grands bouleversements de société se préparent tandis que la noblesse dirigeante ne songe qu'à l'intrigue et au divertissement.

— Croyez-vous, mon oncle, que des troubles pourraient éclater à Versailles, à Paris ? a interrogé Marie-Anne.

— Non seulement à Paris et à Versailles, mais dans toute la France, ma chère enfant. Et si tu m'en crois, l'attitude la plus sage à envisager pour Aimée serait de la renvoyer au plus tôt dans sa famille, à la Martinique...

A l'évocation de la Martinique, le jeune Louis-François s'était dressé pour placer son mot : il se proposait de m'y accompagner et, dans sa fougue, me couvrit de regards éloquents. Les autres sourirent tandis que je me sentis rougir jusqu'à la racine des cheveux.

Pour répondre à la curiosité de Marie-Anne, l'oncle traça un portrait sévère de celui qui nous avait apporté une aide inespérée au Palais-Royal :

— L'abbé de Périgord ? Encore un coquin, corrompu et dépravé comme tant d'autres. Mais il faut lui concéder des qualités d'intelligence exceptionnelles. Cet homme, remarquablement habile, cynique et spirituel, passionné de politique par surcroît, ira fort loin, m'est avis... Au reste, il semble bien que l'époque où nous vivons favorise l'ambition et l'ascension de ce type d'hommes...

Mais, tant il est vrai que les préoccupations politiques ne sauraient garder longtemps le pas sur les considérations privées dans une âme adolescente, je m'aperçus ce soir-là que mes pensées voletaient autour du beau visage de mon cousin Louis-François. Sans doute les taquineries et les provocations de Zinah au moment du coucher ne furent-elles pas étrangères au trouble qui s'était emparé de moi et dont je me défendais avec trop de violence.

— Alors, Aimée, ton fiancé te plaît-il ? a-t-elle osé demander tandis qu'elle m'aidait à me déshabiller.

A cette attaque trop directe je répondis assez sottement que Louis-François n'étant pas destiné à diriger un empire, il ne saurait m'intéresser.

Pourtant, si je me refusais à l'avouer, l'hommage de mon jeune cousin m'avait émue. A peine Zinah s'était-elle endormie que je me relevai silencieusement pour aller interroger le miroir de la chambre. Ces yeux bleus, toujours vifs et étonnés, cette bouche ronde et minuscule, cette chevelure d'or pâle, la sensualité et le caractère qui se dégageaient de cette physionomie m'appartenaient-ils vraiment ? Et ce corps que trois années avaient modelé, avaient transformé en corps de femme... C'était le ravissement de Narcisse, celui de toute fille découvrant pour la première fois son image, la séduction de cette image...

Louis-François, où est-il aujourd'hui, après tant d'années ? Est-il vivant ? Est-il mort ? Quel eût été mon sort si je l'avais épousé ? Mais, trêve de spéculations, les regrets ne sont pas le mode de retour en arrière que je préfère, et ma vie s'est déroulée selon mes vœux...

Le 8 juillet 1788, en l'église Saint-Clément de Nantes, Marie-Anne de Bellefonds épousa le chevalier de Laurencin. Je ne me sentais pas peu fière d'être invitée à signer le registre de la paroisse avec les autres témoins. Après la bénédiction, une centaine d'invités étaient conviés à se retrouver à l'hôtel de Montfrabœuf.

La journée était superbe, merveilleusement ensoleillée, aussi, plutôt que de s'empiler dans les voitures, avait-on décidé de rejoindre à pied et en cortège l'hôtel de Montfrabœuf. Et c'était une véritable noce de village qui serpentait allégrement par les rues étroites et ombragées. Devisant et riant, les invités menés par les mariés débouchèrent bientôt sur le mail inondé de soleil et occupé par une foule étonnante : ouvriers, artisans, petits-bourgeois, boutiquières, marchandes des quatre-saisons s'étaient rassemblés là et écoutaient un homme maigre, juché sur le piédestal de la statue de Jacques de Bourgues, le fameux maire de Nantes. L'orateur exhortait ce petit peuple à la révolte :

— Amis, je vous le répète, imitons les habitants de l'Amérique du Nord qui se sont débarrassés de la tyrannie. Eux se sont soulevés contre l'Anglais qui les oppressait et les exploitait. A nous de chasser ceux qui nous oppriment, les princes, leurs représentants, les aristocrates...

Malgré la surprise de cette rencontre, Marie-Anne et son mari avaient affecté de poursuivre leur chemin sans s'émouvoir, la noce les suivant. Ce fut pendant quelques minutes un spectacle incongru que ce cortège nuptial devant lequel la foule, curieuse mais non hostile, s'écartait. Alors que la traversée allait s'achever sans encombre, surgirent soudain, à l'autre bout du mail, des voitures aux portes armoriées entourées de gardes : c'était l'intendant de Bretagne, monsieur de Moleville, qui ramenait chez lui l'évêque de Nantes, Monseigneur de La Laurencie. Et tout cet attelage, lancé à vive allure, se dirigea vers la foule qui, délaissant soudain l'orateur, bousculant la noce, se jeta au-devant de lui, se mit à hurler :

— A bas l'Intendant ! Du pain ! Du pain ! A bas les ministres ! Pain et Justice ! A mort l'Intendant !

Les voitures ralentirent, les gardes tentèrent de leur ouvrir un passage à grands moulinets de sabre, les chevaux hennirent et se cabrèrent. Pourtant il nous fallait continuer à progresser au milieu des hurlements, parmi cette foule en délire, sans rien laisser paraître de notre peur.

A certain moment la voiture de l'intendant de Bretagne fut complètement immobilisée et, à la portière, apparut la tête de l'évêque de Nantes qui espérait apaiser la foule. Mais une tomate, puis un œuf vinrent s'écraser sur le rochet de dentelle du prélat qui dut précipitamment battre en retraite.

A présent, la colère de la foule avait atteint son paroxysme : les cris vengeurs fusaient de toutes parts.

— A bas l'Évêque ! Du pain ! Du pain ! A bas l'Intendant !

Un garde, arraché de sa selle, tomba et glissa sous les fers de sa monture, provoquant un mouvement de panique parmi les autres gardes. Soudain, dans le bleu du ciel, un éclair d'acier : un homme du peuple s'écroula, le visage ensanglanté, dans un hurlement interminable, atroce. Je me sentis pétrifiée d'horreur, je voulais courir mais mon corps ne m'obéissait plus. A ce moment une main vigoureuse me crocheta le bras et j'entendis cette injonction :

— Ne courons pas, marchons. S'ils devinaient notre peur, ils nous écharperaient. Plus nous aurons l'air calme, plus nous leur en imposerons.

C'était François de Laurencin qui, ayant mis sa jeune femme à l'abri, était revenu me chercher. Et il m'entraîna ainsi jusqu'au porche de l'hôtel de Montfrabœuf, autant dire le salut.

Encore quelques instants, et toute la noce se retrouva en sûreté dans l'enceinte de l'hôtel. Massés derrière les fenêtres nous assistâmes à la débandade finale : un second homme avait été abattu et la foule se dispersait dans l'affolement, fuyant par les rues et les venelles adjacentes, tandis que le cortège de l'intendant se reformait et s'ébranlait en direction de l'évêché.

Un quart d'heure plus tard, le calme complet était revenu sur la place. N'étaient cette horrible tache de sang qui noircissait, ces quelques lambeaux d'étoffe, ce sabre et ces trois chapeaux qui jonchaient le sol, on aurait cru avoir traversé un mauvais songe.

Au demeurant, dans les salons de l'hôtel de Montfraboeuf, tout concourait à faire oublier l'incident. La réception battait son plein et chacun mettait un point d'honneur à montrer l'entrain et la gaieté assortis à la circonstance. Seul le service se ressentit quelque peu de la proximité du drame : des ordres étaient mal compris, quelques mains tremblaient en faisant circuler les plateaux.

La nuit était déjà fort avancée lorsque l'hôtel de Montfraboeuf retrouva sa physionomie habituelle. Les invités avaient pris congé et le lourd parfum des tilleuls pénétrait par les fenêtres grandes ouvertes. Brisée d'émotion et de fatigue, je m'apprêtai à me coucher quand Marie-Anne me fit appeler. Je la trouvai dans sa chambre, encore parée de sa toilette d'épousée : elle n'avait ôté que son voile en dentelle de Bruxelles, et les longs pendentifs de diamants scintillaient à ses oreilles.

Elle m'invita à m'asseoir sur son lit, m'attira doucement contre elle et, après une hésitation :

— Ma petite Aimée, je ne veux plus tarder à

t'annoncer la décision que j'ai prise voici déjà quelques jours. Je te renvoie chez tes parents à la Martinique. Déjà le conseil de notre oncle Dubuc m'avait ébranlée; les scènes auxquelles nous avons assisté aujourd'hui démontrent, s'il en était encore besoin, que c'est là, en effet, la solution de sagesse. Tu embarqueras dans un mois sur *La Belle Mouette.*

Un mois plus tard, au jour dit, c'était le départ, le moment des adieux sur les quais de Nantes. Outre Marie-Anne et son mari, ma tante Élizabeth de Bellefonds avait tenu à m'accompagner. Je me faisais l'impression d'être un roi mage tant j'étais chargée de paquets, de présents destinés à ceux que j'allais retrouver, et, bien sûr, de recommandations :

— Surtout, dis bien à ta mère que j'ai cherché vainement la soie qu'elle m'avait commandée. Je l'ai remplacée par une pièce de moire, j'espère qu'elle en sera contente.

— Lorsque tu reviendras l'année prochaine, il faudra amener avec toi ta petite sœur Alexandrine !

Comme elles résonnent douloureusement dans ma mémoire ces phrases anodines, contingentes, pleines de petits soucis et d'attentions aimables et qui révélaient en fait l'incapacité où nous étions d'apprécier véritablement la gravité de la situation, l'imminence de la tragédie. Depuis, j'ai souvent vérifié que l'ignorance de ce que lui réserve l'avenir est, pour l'homme, dans certains moments une grâce. Ainsi nous nous séparions à tout jamais et nous parlions chiffons, retours, retrouvailles...

Cependant j'avais la gorge nouée et je devais m'appliquer à contenir mes larmes. Existait-il alors au fond de moi un obscur pressentiment qui m'avertissait que des liens se brisaient là pour toujours, qu'une séquence de ma vie prenait fin, irrémédiablement ? Honnêtement, je ne saurais aujourd'hui l'affirmer. Mais je me souviens que malgré la présence familière et réconfortante de Zinah à mes côtés sur le pont de *La Belle Mouette,* c'est le cœur gros que je vis s'éloigner et disparaître les côtes de France.

III

Les préoccupations essentielles des passagers embarqués sur un navire pour une longue course tournent souvent autour des éléments naturels dont, plus que sur terre, leur existence dépend. Je ne faisais pas exception à bord de *La Belle Mouette.* Peut-être même étais-je plus intéressée que tout autre aux conditions de notre navigation puisque cette vieille menace d'un naufrage pesait sur moi... Dès l'appareillage, j'avais interrogé les marins : ils prévoyaient une traversée sans histoire de la baie de Biscaye puisque nous n'étions pas en période d'équinoxe. Il y avait davantage à craindre lorsque nous aborderions la mer des Antilles, laquelle, en cette époque de l'année, était la proie des tornades et des typhons.

Par conséquent, c'était le calme plat et j'attendais. La journée avait été particulièrement étouffante et nous voguions le long des côtes espagnoles à la hauteur de La Coruña. Le soir tombait, le vent était presque nul, l'air pesant. Je montai chercher un peu de fraîcheur sur le pont, où je retrouvai d'autres passagers abîmés dans la contemplation du ciel incendié par le coucher du soleil. Mais soudain, en l'espace de quelques instants, ce fut la nuit : d'énormes nuages investirent le ciel, un vent violent se leva, une pluie drue, brutale, s'abattit sur nous. Le capitaine Dudeffand invita ses passagers à regagner leurs cabines et je dus m'exécuter, pressée par Zinah grise d'épouvante. Le roulis, le tangage, le bruit d'une mer en furie, les grincements, craquements des agrès, les cris de l'équipage, les ordres, les coups de boutoir des vagues contre la coque malmenée de *La Belle Mouette*, autant dire qu'il était impossible de prétendre dormir ou trouver le repos.

Je mouchai ma lampe de crainte que l'huile brûlante ne se répandît et ne s'enflammât. Dans l'obscurité complète de la cabine je ne distinguais rien sauf, par intermittence, à la faveur d'un éclair, l'image fulgurante de cet endroit exigu où nous étions enfermées.

Toutes mes capacités de perception semblaient s'être réfugiées dans mon ouïe. J'entendais le crépitement de la pluie, j'entendais la parole d'orage et de menace, j'entendais le discours furieux de la tempête. J'avais peur, horriblement peur. Pendant des années, j'avais espéré l'accomplissement de la prédiction d'Euphémia ; en ces instants, je le redoutais. Zinah ne m'était d'aucun secours, réduite à l'état de loque par le mal de mer, étendue sur sa couchette, elle ne cessait de vomir et de se plaindre.

Et tout à coup, par-dessus le vacarme des éléments déchaînés, ce fut un brouhaha de cris, d'exclamations angoissées, de pas précipités dans les coursives. Je me redressai tant bien que mal et, jetant ma pèlerine sur les vêtements que je n'avais pas eu la force de retirer, je sortis de la cabine. Il fallait que je m'appuie aux parois, que je progresse en m'accrochant aux poignées et aux cordages, et j'avançais ainsi, cent fois déséquilibrée mais guidée par les voix, jusqu'au pont. Là, le spectacle était devenu hallucinant. Éclairées par les lanternes de *La Belle Mouette,* des vagues monstrueuses se jetaient à l'assaut du navire, se jouaient de lui comme d'une coquille de noix et accompagnaient leur jeu sauvage d'un grondement terrifiant, ininterrompu, infernal. Il semblait que l'océan se fût transformé en une entité démoniaque, avide de vengeance, qui s'acharnait rageusement sur nous.

Les marins allaient et venaient entre les ponts et la cale, mais leur activité procédait de la panique plus que de l'efficacité. Le capitaine Dudeffand lui-même avait perdu toute sa bonhomie : il vint m'ordonner sèchement de regagner ma cabine et s'éloigna, tendu, farouche. Agrippée à la rambarde, à la fois fascinée et horrifiée par le spectacle de cette mer en furie, je ne bougeai pourtant que lorsqu'un vieux marin me glissa en passant :

— Il y a une voie d'eau dans la cale. Nous coulons !

Et de fait, déjà le navire s'enfonçait. Alors je courus, je me précipitai vers la cabine, vers Zinah : je ne voulais pas voir la muraille liquide approcher, grandir, nous engloutir, je préférais mourir là, étendue sur ma couchette, les yeux fermés. Et tandis que, lentement, inexorablement, *La Belle Mouette* s'ouvrait à la mer, je me récitai la prière des agonisants :

« Au jour du Jugement, délivrez-moi, Seigneur. Pardonnez-moi mes péchés, je vous en supplie. »

— Tous sur le pont !

Ce mot d'ordre accompagné de coups répétés à la porte de la cabine m'obligea à rassembler mes dernières forces. Je secouai Zinah qui baignait dans la torpeur et les nausées et continuait à geindre. Je la tirai, je la poussai, et je l'entraînai jusqu'au pont où nos compagnons d'infortune étaient déjà réunis, troupeau pitoyable, figé d'horreur.

Les ténèbres avaient fait place à une aube sale, glauque, couleur de poussière. Les vagues gigantesques dont le vent soulevait la crête avaient cette même couleur sulfureuse, malsaine. Les passagers frissonnants, défigurés par la terreur, étaient massés à la proue : tous les yeux se portaient vers la même direction. A quelques encablures de *La Belle Mouette* dansait un gros navire. Pourrait-il nous secourir ? La houle était si forte que l'abordage en douceur semblait hors de question : restait le recours des grappins. Les marins des deux navires s'activaient sur leurs ponts respectifs : souffletés par les vagues, renversés, jetés contre les bastingages, ils rampaient quand ils ne pouvaient tenir à la verticale, ils saignaient, ils juraient.

Enfin, après quantité de tentatives avortées, ils parvinrent à assurer les filins et à rapprocher les deux navires. Le passage d'un bord à l'autre s'effectua dans la bousculade et le désordre : tout à l'heure pétrifiés par l'imminence de la mort, maintenant affolés par l'espoir de la survie, ces gens ne se contrôlaient plus : hommes qui enjambaient le bastingage au péril même de leur vie, femmes encombrées de leurs jupons alourdis d'eau, qui hurlaient. Néanmoins, le sauvetage fut réussi. Comme le veut l'usage, le capitaine Dudeffand fut, après ses marins, le dernier à abandonner *La Belle Mouette*. Les filins qui reliaient les deux navires furent ensuite tranchés à la hache. Il était temps : *La Belle Mouette* s'enfonça à vue d'œil, son pont tout entier était submergé, puis la dunette à son tour disparut. Il y eut alors une ou deux minutes poignantes : *La Belle Mouette* semblait hésiter entre deux eaux et, dans un dernier sursaut, ses mâts dressés, refuser l'engloutissement, la fin. Puis, enfin, elle céda : les mâts basculèrent et *La Belle Mouette* s'enfonça dans un remous qui porta jusqu'à nous.

Les naufragés qui venaient d'assister à cette scène formaient une horde accablée, hébétée, que leurs sauveteurs allaient s'efforcer de réconforter et de loger au mieux des moyens du bord. Sitôt descendue dans le carré, je m'écroulai comme une masse sur un banc de bois où je dormis quatorze heures de rang tant j'étais épuisée.

Lorsque j'ouvris les yeux, ce fut une Zinah échevelée, aux traits altérés par la peur, qui se pencha sur moi. D'une voix entrecoupée de hoquets pitoyables, elle parvint néanmoins à me faire le point de la situation.

Nous avions été recueillies, à quarante milles au sud-ouest de La Coruña, par un navire espagnol, l'*Aliaga*. Le bâtiment se dirigeait présentement vers Palma de Majorque, capitale des Baléares.

Ainsi nous naviguions dans une direction diamétralement opposée à la Martinique. Mais nous étions sauves, n'était-ce pas l'essentiel ? Pendant quelques jours l'*Aliaga* poursuivit sa route par beau fixe. Je vis défiler la pointe de San Vicente, Cadix et Gibraltar dont la vue déchaîna, chez les marins espagnols, des bordées de jurons ; le capitaine Dudeffand que j'interrogeai m'expliqua que nos hôtes ne se résignaient pas à la cession du rocher, faite aux Anglais soixante-quinze ans plus tôt. Gibraltar restait une pomme de discorde entre l'Angleterre et l'Espagne. Au passage, nous aperçûmes encore le port de Carthagène, complètement assoupi depuis que Cadix l'avait supplanté et avait concentré tout le trafic avec les Amériques.

Enfin, un matin, nous atteignîmes le cap de Barbarie de l'île de Formentera, la plus petite des îles Baléares. J'appris, toujours du capitaine Dudeffand, que cette étrange désignation du cap était justifiée par sa position face à la partie de l'Afrique connue sous le nom de Barbarie et repaire des corsaires barbaresques.

Mais nous n'avions pas à redouter de mauvaises rencontres, nous touchions au but. Groupés sur le pont, passagers et officiers se réjouissaient d'arriver enfin à bon port. Pour nous, c'était la fin d'une aventure éprouvante, et pour les Espagnols c'était bientôt le terme du voyage. Déjà l'îlot de Cabrera, le cap Salinas, le cap Blanc à l'extrémité de Majorque étaient en vue. Dans une demi-heure nous pourrions même distinguer Palma. Hélas, le vent qui mollissait était devenu presque nul, les voiles faseyaient et l'*Aliaga* n'avançait plus guère. Mon impatience en était exaspérée et j'arpentai les ponts en échafaudant des plans pour rejoindre la Martinique au plus vite : aussitôt arrivée à Palma je me promettais de chercher un bateau à destination de Marseille. Là, je demanderais l'hospitalité à nos cousins Saint-Aurins et je prendrais la route pour Bordeaux dès que possible. A Bordeaux, je trouverais sans peine à embarquer pour la Martinique...

— Voiles à l'arrière !

Le cri tomba de la hune, un cri qui draina aussitôt la population de l'*Aliaga* jusqu'à la poupe. A l'horizon là-bas, en effet, trois navires de petit tonnage. Alors, du groupe des marins, un second cri, strident celui-ci, monté d'entrailles nouées par la peur :

— Les pirates barbaresques !

Et, pour des raisons différentes, ce fut le cauchemar qui se renouvela : questions, ordres, interpellations, bousculades, galopades d'un bout du pont à l'autre, du pont aux cabines, ce fut la panique générale à bord. Contrastant cruellement avec cette frénésie, l'*Aliaga* se tenait immobile, se contentant désormais de se balancer au gré des flots, car le vent était tout à fait tombé. Dans le même temps, les frégates des pirates, plus légères, continuaient à progresser et gagnaient de la distance. L'une d'elles se détacha bientôt et entreprit un mouvement tournant dans l'intention évidente de couper toute voie de retraite à l'*Aliaga*.

A bord, c'était l'attente de l'assaut que tous nous savions inévitable mais que d'aucuns refusaient encore avec l'énergie du désespoir. La tension, la confusion des esprits étaient totales, chacun y allait de sa suggestion :

« Tirons du canon pour alerter Majorque », « Il n'y a pas de canon sur l'*Aliaga* », « Il faut tout de même organiser notre défense », « Sautons à la mer et nageons jusqu'à la côte », « Les requins... », « Cachons les femmes et les enfants », « Embarquons sur les canots pendant qu'il est encore temps. »

Mais il n'était plus temps, il fallut se rendre à l'évidence : aucune initiative n'aurait su nous soustraire au sort qui nous attendait. Cela aussi chacun le comprit bientôt et peu à peu l'excitation retomba. Aux protestations, à la révolte, succédèrent les gémissements et les pleurs. Je me tenais au milieu de tous ces malheureux, comme étourdie par la frayeur. Tout contribuait à donner à ce moment un caractère irréel ; la sérénité de la mer, la côte accueillante et si proche, la gloire dorée de cette soirée, la manœuvre lente, enrobante, presque protectrice des frégates pirates, tout cela semblait participer d'un rêve...

Soudain, une salve de canon, puis une deuxième, déchirèrent l'air : c'était une manœuvre d'intimidation mais aussi d'appropriation, une manière de salut des pirates pillards à leurs victimes désignées.

Peu après, c'était l'accostage : deux des frégates nous encadrèrent et les pirates, lestes comme des singes, sautèrent sur l'*Aliaga*, sabre au clair, avec force vociférations et hurlements terrifiants. Mais il s'agissait là seulement, comme par l'usage du canon, de nous impressionner et de nous réduire à merci par le seul effet de la peur. Il n'y eut aucune résistance, pas la moindre effusion de sang. En un tournemain, les pirates avaient investi l'*Aliaga*, s'en étaient rendus maîtres, et déjà ils enchaînaient sur l'opération suivante qu'on devinait parfaitement au point, aussi bien que la mise en scène de l'abordage. A la demande des officiers pirates, les clefs des malles et des réserves furent remises, et ce fut une légion de fourmis enturbannées qui disparut dans les coursives pour reparaître plus tard, chargée d'un butin hétéroclite. Je vis ainsi emporter mon sac de voyage. Cette opération de délestage s'était accomplie dans l'ordre et le calme, sans susciter la moindre protestation de la part des passagers qui furent ensuite invités à passer sur les frégates accolées à l'*Aliaga*. Lors de cet embarquement conduit à grands renforts de gestes et de mimiques, je remarquai qu'un tri subtil était opéré : les passagers, estimés pour être les prises les plus précieuses, partaient sur la frégate du commandant pirate tandis que les marins, menu fretin, étaient regroupés sur la seconde embarcation.

Le commandant de la flottille pirate devant lequel

nous fûmes aussitôt amenés était un homme grand et maigre, à la barbiche pointue, au teint bilieux. Il trônait sur le gaillard d'avant, dédaigneux et hautain. Près de lui, un secrétaire-interprète traduisait dans un français très approximatif les renseignements exigés de chaque prisonnier, et les consignait dans un très gros registre. Nom, âge, lieu d'origine, famille, fortune, il fallut tout décliner. A la fin de l'interrogatoire, nous fûmes invités à déposer sur la table argent et bijoux ; en échange de quoi un reçu nous fut remis.

La précision de cette organisation était impressionnante : en somme, la piraterie, telle que je la découvrais ici, était une sorte d'administration mobile, parfaitement éprouvée et efficace.

Alors le vent se leva, ce vent qui nous avait trahis, ce vent maudit qui, trois heures plus tôt, eût sauvé l'*Aliaga* et ses passagers. Bien évidemment, les pirates accueillirent ce souffle qui déjà gonflait les voiles avec des clameurs de joie. Il ne nous restait qu'à les regarder s'activer aux diverses manœuvres, s'encourageant d'un cri repris d'écho en écho sur les quatre vaisseaux :

— El Djezaïr ! El Djezaïr !

— Alger ! Ils nous emmènent à Alger, me murmura le capitaine Dudeffand.

Quelques instants plus tard en effet, les trois frégates et l'*Aliaga* effectuaient un demi-tour et, poussés par un vent favorable, s'éloignaient des côtes de Majorque où, un à un, les phares s'allumaient. Désormais, c'en était fini de la liberté pour nous.

Encore aujourd'hui, il me vient des frissons à la

seule évocation de cette traversée que nous fîmes dans de rudes conditions.

Parqués chaque nuit à fond de cale dans l'inconfort et la promiscuité, il fallait subir les ronflements des uns, les grognements, les lamentations des autres, l'odeur écœurante des corps entassés, sans compter les querelles qui éclataient subitement entre les prisonniers, les spéculations incessantes auxquelles ils se livraient sur le sort qui nous serait réservé à l'arrivée à Alger. Allions-nous être vendus comme esclaves, envoyés aux galères, jetés en prison en attendant notre liberté par le paiement d'une rançon ?

La nuit, pelotonnée sur le rouleau de cordages qui me faisait office de couche, malade d'angoisse et de dégoût, j'en arrivais à repousser le bras protecteur de Zinah, je me bouchais les oreilles pour ne plus entendre les refrains morbides avec lesquels mes compagnons se distrayaient de leur malheur. La captivité exacerbe l'imagination des individus, *a fortiori* celle de prisonniers groupés, soumis à des conditions de détention aussi dures : c'était sans cesse une surenchère de délire verbal, la fermentation d'esprits qui s'exaspéraient en supputations, réminiscences de récits terrifiants et assertions pessimistes.

— Si au moins nous avions la chance de croiser un vaisseau, ce serait le salut !

— Dieu nous en garde ! En admettant que nos sauveteurs aient le dessus, nos ravisseurs nous noieraient plutôt que de nous restituer. Croyez-moi, ils n'hésiteraient pas !

— Nous n'avons plus rien à espérer que l'esclavage à vie.

— Mais n'y a-t-il pas des cas de rachat, d'évasion, de libération ?

— Rarissimes. On ne sort jamais des prisons d'Alger.

— Et cette Italienne pourtant ? On prétend que sa beauté et son habileté étaient telles qu'elle réussit à séduire et même à circonvenir le Dey, ses ministres, ses amiraux. Au bout de deux années de captivité, on la renvoya dans sa famille avec tous les honneurs...

— Contes ! Légendes ! N'espérez rien de tel. Le roi de France est bien trop soucieux de conserver ses relations privilégiées avec l'Algérie pour intervenir. Il en fera le simulacre, notez bien, son consul à Alger viendra très diplomatiquement protester auprès du Dey. Mais le Dey restera sourd, fort de cette assurance que la France ne saurait compromettre sa politique pour sauver une poignée de ses ressortissants.

— Mais enfin, qui est-il, ce Dey ? Est-il si puissant qu'il puisse tout se permettre en toute impunité ?

— On dit que c'est un vieil homme, âgé de plus de quatre-vingts ans. L'Algérie est province de l'Empire Turc et le Dey vassal nominal du Sultan. Néanmoins il n'en fait qu'à sa tête. Il exige des États européens un tribut annuel en échange de la promesse de cesser d'enlever leurs ressortissants. Malheur à ceux qui refusent de payer, comme la France... Les têtes tombent facilement en Algérie. On utilise plutôt le sang que l'eau de rose pour écrire l'histoire dans ce pays...

— Assez ! Assez ! Assez ! Par pitié, assez !

Immanquablement, cela s'achevait ainsi : les nerfs mis à trop rude épreuve, quelqu'un hurlait soudain, une scène d'hystérie collective s'ensuivait. Après quoi, le silence s'installait pendant quelques instants. Mais le silence, dans ce lieu, dans ces conditions, semblait être la chose la plus difficile à endurer ; il devenait vite insoutenable. Alors quelqu'un lançait une phrase, et le délire recommençait.

En dépit de mes tentatives dérisoires pour m'abstraire et tenter de résister au désespoir, certains mots martelaient mon esprit, me harcelaient sans répit : esclave, devenir esclave. J'étais née, j'avais grandi au milieu d'esclaves sans jamais m'interroger sur leur condition, et voilà que j'étais destinée à connaître leur sort. A présent, je regardais Zinah tout autrement : depuis toujours son existence avait été liée à la mienne, elle avait quitté la Martinique pour me suivre, elle avait vécu tous les événements de ma vie, partout elle avait été là, derrière moi, comme une ombre. Devenir une ombre, ne pas pouvoir prétendre à une vie propre, était-ce cela être esclave ?

— Dis-moi, Zinah, est-on malheureux quand on est esclave ?

Je revois encore ma pauvre Zinah lorsque je lui posai à brûle-pourpoint cette question surprenante. Elle hésita quelque peu, puis répondit doucement :

— Ça dépend du maître, Aimée.

— Une esclave peut-elle avoir des esclaves ? demandai-je encore.

— Non, petite Belle, car alors elle ne serait pas esclave.

— Alors, je vais te perdre. Nous allons être séparées, Zinah.

Dans le noir, dans l'atmosphère empuantie, étouffante de ce réduit où nous étions allongées, je sentis la main de Zinah avancer jusqu'à mon visage, le caresser tendrement : il était couvert de larmes.

Un matin, grand branle-bas de combat. Nous venions de rejoindre les ponts, courbatus, meurtris par notre nuit dans la cale, quand une voile apparut à l'horizon, droit devant nous : c'était un navire de commerce battant pavillon des États-Unis d'Amérique. Aussitôt, tandis que dans une fièvre joyeuse les pirates se préparaient à la bataille, on nous pressa, on nous poussa à nouveau vers la cale.

Le capitaine Dudeffand, qui m'avait prise sous sa protection depuis le début de nos malheurs, commenta d'un air lugubre :

— Les pauvres Américains sont la proie préférée des Barbaresques. Ils sont nouveaux venus sur nos mers, ils ne se méfient pas et se laissent prendre facilement. D'autre part, les Barbaresques sont prodigieusement agacés par l'ignorance hautaine dans laquelle les tient le général Washington. Chaque fois qu'ils ont exigé de lui le paiement du tribut annuel, Washington a opposé un silence méprisant. Ils le supportent très mal.

Depuis la cale qui nous servait de geôle, tendus, l'oreille aux aguets, nous suivîmes le combat que se livraient pirates et Américains. Cris sauvages, galopades, salves de canons qui nous assourdissaient et ébranlaient le bâtiment tout entier, encore des cris, colère et dépit cette fois, et puis ce fut le silence. Ce jour-là, les pirates furieux d'avoir manqué une prise oublièrent même de nous faire remonter et nous restâmes à fond de cale tout le jour sans nourriture.

Lorsque l'humeur de nos ravisseurs ne nous condamnait pas au jeûne complet, nous avions droit à deux repas par jour. Mais l'ordinaire n'était guère varié et chaque repas donnait lieu à une comédie qui se renouvelait au déjeuner comme au dîner : on nous apportait le sempiternel couscous en nous proposant, au prix fort, quelque supplément alléchant, viande de mouton, légumes, crevettes, sauces piquantes. Chaque fois les prisonniers étaient obligés de décliner cette offre pour la raison évidente que tout argent leur avait été confisqué lors de la prise de l'*Aliaga*. Pourtant, au repas suivant, les mêmes simagrées recommençaient inexplicablement.

Tant il est vrai que dans la situation la plus désespérée l'être humain puise en ses propres ressources et trouve toujours quelque moyen d'adoucir son sort, après quelques jours de cette existence, j'avais réussi à me ménager des moments qui me faisaient oublier la cale où croupissaient mes compagnons déshérités.

A la tombée de la nuit, je me glissais jusqu'au pont avant où, en principe, la présence des prisonniers n'était pas tolérée. Mais je savais me rendre petite, invisible, pour jouir de quelques instants de paix. Lorsque le soir tombait, il y avait toujours là quelques marins assis en rond, qui fumaient le narguilé. Presque chaque soir l'un d'eux, un grand nègre, entonnait un chant qui était ensuite repris en chœur. Je n'entendais rien aux paroles de cette déchirante mélopée, mais la tristesse qui se dégageait de sa ligne mélodique me transperçait le cœur. Il me semblait alors que ces hommes rudes dont les voix se joignaient et montaient dans le ciel crépusculaire étaient étreints par une sorte de mélancolie, un sentiment universel : ce chant évoquait la maison, le foyer, la tendresse, et les larmes me venaient aux yeux à imaginer la plantation, ma chambre, mon père, ma mère, tout ce que je ne reverrais sans doute jamais.

Il y eut encore quelques moments exceptionnels dus, cette fois, à l'initiative du commandant pirate. A mesure que nous nous rapprochions d'Alger, curieusement, son humeur s'était adoucie, et il semblait qu'il fût en veine d'amabilités. Mais rien n'aurait su nous étonner désormais, même ces mondanités d'un chef pirate qui recevait dans sa cabine des hommes et des femmes qu'il s'apprêtait à livrer à l'esclavage.

Comme nombre de mes compagnons, je fus donc conviée un jour chez le commandant qui offrait, dans des tasses minuscules, un café vert du Yémen, brûlant. Assisté du secrétaire-interprète, le commandant avait entrepris de nous raconter ses exploits et aventures guerriers. Mais il faisait une chaleur d'étuve dans cet étroit logement, peu à peu l'ennui et le sommeil nous gagnaient et nos têtes commençaient à dodeliner, quand un cri, soudain, rompit cette léthargie :

— El Djezaïr ! El Djezaïr !

Alger était en vue : le commandant avait bondi, suivi du secrétaire-interprète, et nous leur emboîtâmes le pas, ravis d'être délivrés des courtoisies de notre hôte et de retrouver l'air libre.

C'était un spectacle d'une beauté inouïe qui nous attendait là-haut. Piquée au milieu de l'admirable cirque naturel de sa baie, Alger s'étageait en plans géométriques et immaculés jusqu'à la ville fortifiée elle-même couronnée d'un fort, la Casbah, sur lequel flottaient les étendards verts d'Allah. Par-delà les remparts, d'autres villes de moindre importance mais également blanches, essaimées dans la verdure de vergers opulents. Les flancs des collines qui descendaient en pente douce vers la mer étaient plantés de vigne, et les champs ocre tout hérissés de figuiers de Barbarie semblaient trembler dans l'air surchauffé.

L'activité du port vers lequel nous cinglions était intense : felouques, cotres et barques qui évoluaient autour des navires de course, légers et effilés, qui se faufilaient entre les gros trois-mâts de commerce, et longues galères plates qui glissaient à fleur d'eau. Tout cela, à distance, faisait l'effet d'un merveilleux ballet nautique orchestré pour la joie des yeux.

Un peu plus tard, c'était l'accueil triomphal que la population d'Alger réserve à ses corsaires pourvoyeurs d'esclaves et de revenus. Descendue de tous les quartiers de la ville, une foule nombreuse, bruyante, avait envahi les quais le long desquels s'étaient amarrés les trois frégates et l'*Aliaga*. Elle acclama longuement le commandant pirate et ses officiers et nous soupesa déjà du regard...

A bord, le temps des amabilités était révolu et le commandant aboyait ordres et invectives. Quant aux marins, ils laissèrent éclater leur joie d'être de retour et je m'aperçus, non sans stupeur, que même les prisonniers manifestaient leur plaisir de toucher au port.

IV

Alors que le soir tombait, notre cortège s'ébranla, défilant entre deux haies formées par la population ameutée. Tout au long de cette progression par les rues étroites et montantes de la ville, sous les torches de nos gardes qui tantôt éclairaient des visages hilares, tantôt des grappes entières de badauds penchés aux terrasses et aux balcons, notre passage déclenchait des cris de joie, des acclamations. A ce point que si nous n'avions connu les raisons de cet intérêt et de cette allégresse, nous aurions pu nous laisser abuser par l'accueil des Algérois et oublier qu'à leurs yeux nous n'étions que marchandise monnayable.

Il faisait tout à fait nuit lorsque nous atteignîmes enfin le but : c'était un bâtiment élevé, chapeauté de nombreuses coupoles tout comme les églises byzantines. Il s'agissait d'un ancien hammam transformé en prison à esclaves. Dès notre arrivée, nous fûmes pris en charge par le chef des gardiens, un grand Noir, maigre et dégingandé, qui nous conduisit, à travers un dédale de cours et de salles, jusqu'à l'endroit qui nous servirait de logement cette nuit. La pièce, dont les murs étaient recouverts de marbre, était assez vaste, ornée d'une fontaine et d'un bassin désaffectés. De mauvaises paillasses avaient été jetées à terre à notre intention et à peine étions-nous installés qu'un repas fut amené. C'était l'éternel couscous et notre geôlier nous exhorta lui-même, du geste et de la voix, à nous sustenter :

— Allons, allons, mangez ! Il faut reprendre des forces !

Là encore il ne fallait pas se méprendre sur cette sollicitude un peu rude : nos gardiens avaient le plus grand intérêt à soigner notre santé et à s'assurer de notre aspect sur lequel ils spéculeraient demain... Demain. Mes compagnons harassés, maintenant repus, s'effondrèrent sur leurs couches et, pour la plupart, s'endormirent bientôt. Quant à moi, je ne pus trouver le sommeil. A peine le dîner achevé, notre geôlier s'était retiré avec ses gardes, ses marmites, ses torches, nous livrant aux ombres inquiétantes de cette salle sépulcrale seulement éclairée par une lanterne ornée de filigranes. Dans la lumière glauque, j'éprouvais un malaise indéfinissable qui me tint les yeux grands ouverts, vigilante, aux aguets. Et soudain, s'avancèrent des visions de cauchemar, larves plutôt qu'êtres humains ; loqueteux, le visage émacié, les yeux sans regard, ils se glissèrent parmi nous, frôlèrent mes compagnons endormis qu'ils contemplèrent sans mot dire, puis s'éloignèrent, troupeau fantomatique qui se dissolvait dans cette nuit de catacombes.

Dès que l'apparition se fut évanouie, je fus prise de tremblements convulsifs, incontrôlables. Quand cette crise nerveuse fut surmontée, toute ma curiosité revint : il fallait que j'en aie le cœur net, il me fallait savoir si cette horde lamentable faisait partie du monde des vivants ou de celui des esprits.

Je me suis levée, je me suis avancée avec précaution jusqu'au porche où je les avais vus disparaître, j'ai progressé un moment dans l'obscurité avant d'atteindre la grande salle du hammam : ils étaient tous là, sur les gradins où naguère les baigneurs se reposaient et devisaient, formes accroupies, silencieuses, inertes.

— On visite, petite ?

J'ai sursauté violemment. Cette phrase venait d'être prononcée dans un français impeccable, sans aucun accent. Celui qui avait parlé était un vénérable vieillard, tout ratatiné, sagement assis sur un banc proche. Je remarquai ses mains qu'il tenait posées bien à plat sur ses genoux, des mains blanches et fines.

— Je suis français, cela vous étonne ? Plus précisément, j'étais français, car ici on perd tout, jusqu'à son identité, jusqu'à sa nationalité. J'étais noble aussi, noble, le croiriez-vous ?

Il eut un rire affreux qui lui arracha la gorge et me donna le frisson.

— Mais j'ai servi de valet à un secrétaire du Dey pendant plus de quarante ans. A votre avis, puis-je toujours dire que je suis noble ?... Lorsque les pirates m'ont enlevé, j'avais une fille un peu plus jeune que vous...

— Votre famille n'a donc pas payé votre rançon ?

— Comment savoir ? Peut-être même n'a-t-elle jamais connu mon sort.

— Si ma famille ne me rachète pas, que pensez-vous qu'ils feront de moi ? Une femme de chambre ? Une cuisinière ?

A nouveau, son rire amer, horrible, éclata. Il me

sembla tout à coup que ce rire m'éclaboussait, me souillait.

— Oh, que non ! Avec votre minois et votre fraîcheur, aucune chance que vous soyez jamais cuisinière ! D'évidence, vous êtes destinée au harem.

— Le harem ?

— Oui, le harem où tout pieux musulman conserve ses femmes et concubines.

Je n'osai plus poser de questions. Agacé par mon silence, l'odieux vieillard s'amusa alors à renchérir.

— Mais oui, chère petite, il vous faut savoir que vous allez devenir un objet de plaisir, et ne vous faire aucune illusion : lorsqu'une femme entre dans un harem, elle n'en ressort que morte. Mais avec un peu de chance, vous tomberez sur un seigneur point trop vieux et point trop laid. C'est toute la grâce que je vous souhaite, ma chère enfant.

J'ai reculé, je n'avais plus qu'une idée, fuir ce vieillard hideux et son rire atroce, courir, rejoindre les autres.

Dans l'obscurité, à tâtons, éperdue, j'ai cherché Zinah, je me suis réfugiée dans ses bras et, tremblante, à travers les hoquets et les sanglots, j'ai raconté ma rencontre avec le vieillard, ses paroles.

— Allons, petite Belle, as-tu oublié la prédiction de cette vieille sorcière d'Euphémia David ? Elle a tout vu et moi, maintenant, je dis aussi : tu seras la femme d'un grand souverain qui t'aimera.

Merveilleuse Zinah ! C'était elle qui, pour me consoler, me rassurer, évoquait la prédiction. Mais cette nuit-là, rien, pas même la promesse d'un destin fabuleux, n'aurait pu adoucir ma peine. J'étais prise au piège, enterrée avec des morts-vivants dans cet endroit sinistre et j'aurais tout donné pour me retrouver dans les bras de ma mère.

Quand l'aube arriva elle nous trouva debout, peureusement attroupés autour de notre geôlier. Celui-ci nous informa que nous allions être conduits au Méchouar, ou Palais de l'Administration, pour être soumis à l'appréciation du Dey.

A nouveau, nous traversâmes la ville, à nouveau une foule nombreuse nous entoura et nous escorta. A mi-chemin nous croisâmes un cortège d'esclaves qui se rendaient aux travaux et je remarquai qu'ils étaient enchaînés. Mais cela n'était rien, plus loin, devant le portail du Palais de l'Administration nous attendait un spectacle bien plus frappant : six têtes récemment coupées et bourdonnantes de mouches étaient alignées là.

— Des mauvais ! Des rebelles !

Et nous dûmes marcher dans le sang séché, enjamber les têtes : je m'accrochai à Zinah car mes jambes mollissaient.

Puis nous fûmes abandonnés à l'extérieur du Palais, livrés à la curiosité et à la frénésie de la foule, hommes et femmes qui s'approchaient de nous, gesticulant et vociférant, qui nous touchaient, nous palpaient, échangeaient commentaires et appréciations, se disputaient ; nous étions là, tels des bestiaux qu'on apprêtait pour l'abattoir, qu'on jaugeait, dont on évaluait les qualités et les mérites avant l'équarissage. Une peur folle s'empara de moi. Et l'attente dura, dura. Nous restâmes là quelque six heures, livrés à l'humeur et aux spéculations de la foule algéroise, parqués sous le soleil implacable.

A midi sonnant, on nous introduisit dans la première cour du Méchouar, vaste esplanade de sable bordée sur trois côtés d'une colonnade blanche. Une autre foule, différente, nous y attendait, celle des notables, des marchands, des officiers pirates. Les tenues bariolées des gens de la mer tranchaient sur la symphonie brune et grise des djellabas des bourgeois locaux. On entendait parler toutes les langues, le turc de l'administration, l'arabe de la religion, le berbère et le kabyle des indigènes, l'espagnol, l'italien, le maltais. Sur une estrade avait pris place le Keznadar, ministre des Finances, assisté du ministre de la Marine et entouré d'un essaim de scribes penchés sur de gros registres. Un petit homme s'agitait et protestait avec beaucoup de véhémence devant cette assemblée : le consul d'Angleterre, venu réclamer la relaxation d'un contingent de prisonniers anglais. Après nombre de palabres et ratiocinations, nous supposâmes qu'il avait obtenu gain de cause car les Anglais furent repoussés de son côté. Un faible espoir naquit en nous, auquel il nous fallut bientôt renoncer : aucun représentant de la France n'intervint en notre faveur quand commença le défilé des passagers pris sur l'*Aliaga*. Au demeurant un premier tri s'opéra très vite : les marins de l'*Aliaga* furent regroupés et envoyés aux galères. Quant à nous, nous allâmes comparaître devant le Dey. Notre misérable colonne s'ébranla et se dirigea vers une autre cour, plus petite, où il nous fallut encore attendre, dans le soleil et l'angoisse.

Quand le Dey d'Alger apparut avec le Keznadar, entouré de gardes en armure et d'eunuques aux livrées rutilantes, nous n'étions même plus en état de réagir : ce fut un défilé d'automates qui commença. Chacun, à l'appel de son nom, s'avançait. Un secrétaire débitait rapidement les renseignements laconiques recueillis dans son registre et alors le Dey laissait tomber la sentence : « Marché aux esclaves », « rançon », etc. Puis on passait au suivant.

Mon tour approcha. J'avais peur mais je m'étais promis de rester digne quoi qu'il arrivât.

Et lorsque, quelques instants plus tard, je m'avançai, c'est droit dans les yeux que je regardai le Dey. Baba Mohammed Ben Oman avait des yeux perçants, si profondément enfoncés dans leurs orbites qu'on n'en pouvait distinguer la couleur. Il portait une barbe blanche, longue et clairsemée. Il était entièrement vêtu de blanc, depuis le turban qui lui enveloppait la tête, jusqu'à ses babouches. Malgré son grand âge, toute sa personne exhalait l'autorité et la puissance.

Comme je m'immobilisais devant le Dey, le commandant pirate s'approcha de lui : il lui parla tout bas, assez longuement, sans ménager les courbettes et les afféteries. Tout le temps que dura ce discours, Baba Mohammed me fixa pensivement et je soutins son regard sans ciller. Enfin le Dey sortit de sa méditation et répondit au commandant pirate, brièvement, sans même le regarder. Le commandant s'inclina, recula, le Keznadar s'approcha de moi, ils m'encadrèrent et m'entraînèrent. Je perdis alors toutes mes belles résolutions de sang-froid : on me séparait de mes compagnons, on m'arrachait à Zinah. Zinah ! Le cri avait jailli malgré moi, mais lorsque je me retournai ce fut pour voir le regard du Dey sur Zinah, entendre son ordre bref : « Marché aux esclaves ! » me traduisit le Keznadar. Je l'appelai à nouveau, Zinah voulut s'élancer, mais des gardes la retinrent, la repoussèrent. On m'emmena vers l'intérieur du Palais, c'était fini.

Ainsi, Euphémia David avait raison.

Ainsi, le vieil esclave français avait raison.

Ainsi, le Destin a eu raison de moi ; je venais d'être offerte en cadeau à un homme, à un souverain, au Dey d'Alger comme me l'annonça le Keznadar avec satisfaction.

Était-il possible que j'aie pu me réjouir à la prédiction d'une pareille destinée ? Folle, ils avaient raison, petite folle inconsciente que j'étais !

On m'emmena sans que j'oppose désormais de résistance. Nous progressions par de vastes rampes d'accès voûtées qui débouchaient sur des pièces minuscules, nous empruntions des escaliers, nous traversions des cours, une enfilade de salles désertes pour enfin aboutir dans une cour longue et étroite. Là, au seuil d'un imposant portail, mes gardiens me remirent aux mains d'un vieux nègre qui agitait mollement un chasse-mouches à manche d'ivoire devant son visage fripé et ses yeux mornes, aux paupières tombantes. D'un seul geste, il m'invita à le suivre et me guida à travers de nouveaux dédales de couloirs, d'escaliers, de cours, jusqu'à cette porte ridiculement basse : je pénétrai alors dans une vaste pièce, très haute de plafond, aux murs blanchis à la chaux. D'épais tapis aux couleurs violentes couvraient le sol, et l'ameublement de la pièce se réduisait à des coussins et à quelques plateaux de cuivre reposant sur des trépieds. Une porte vitrée ouvrait sur une minuscule terrasse. De là, en me penchant un peu, je découvrais des murs aveugles badigeonnés à la chaux qui réverbéraient le soleil et des toits de tuiles vernissées.

Était-ce là le harem dont le vieux Français m'avait menacée ? Était-ce là la prison dont je ne ressortirais que morte ?

Le vieux nègre s'était éloigné après avoir donné quelques tours de clef à la porte : je me retrouvai pour la première fois emprisonnée et seule. Jamais je n'avais éprouvé un tel sentiment de dénuement, d'accablement, de solitude, et je me pris à regretter les heures pourtant difficiles passées dans la cale du vaisseau pirate : alors, au moins, malgré la désespérance de mes compagnons, je partageais le sort commun. Pourquoi m'avait-on séparée d'eux, pourquoi m'avait-on séparée de Zinah ?

Peu à peu les ombres du soir avaient envahi la pièce, la fatigue avait fini par vider mon esprit. Au bout de cette journée exténuante, au bout de cette attente dont je ne me demandais plus comment elle finirait, je me levai et me dirigeai vers la terrasse : le soleil couchant éclaboussait d'or et de pourpre les murs immaculés, il incendiait le vernis des tuiles.

A mon réveil, trois ou quatre femmes algériennes m'entouraient. Elles chuchotaient et s'amusaient de mon air ahuri : elles avaient la peau foncée, les traits fins, elles portaient toutes un tatouage bleu entre les sourcils et les paumes de leurs mains étaient colorées au henné.

Elles avaient apporté fioles, soieries et accessoires destinés à ma toilette, et déjà elles s'empressaient, elles s'activaient autour de moi. Ce fut avec un soulagement intense que je laissai tomber les vêtements empesés de crasse que je portais depuis l'attaque de l'*Aliaga*. Et quelle exquise sensation que de s'abandonner à ces mains expertes qui m'étrillaient, me massaient, m'enduisaient le corps d'huiles parfumées. Je me sentis tout à coup ragaillardie, légère, et j'eus un frisson de plaisir quand j'enfilai la première robe de soie qu'on me présenta. Ma parure se composait en effet de plusieurs robes superposées. La dernière, plus ample, taillée dans une gaze vaporeuse, était agrémentée d'une longue traîne et d'une ceinture en filigrane d'or ornée de petites émeraudes.

Enfin, l'une des femmes ramassa mes cheveux et les enferma sous un foulard de mousseline rose rebrodée de paillettes dorées.

J'étais prête à recevoir la visite du Dey.

Cette visite est le premier fait consigné dans le journal que j'entrepris de tenir à cette époque. Je passais alors de longues journées dans mon logement, sans aucune compagnie, et l'idée me vint d'occuper une partie de mon loisir interminable par la relation des événements de ma vie, comme je l'avais vu faire à ma mère, à mes cousines. Faire l'effort d'écrire dans ma langue maternelle, de rédiger aussi soigneusement que je composais mes devoirs au couvent, me rattachait à ma réalité qui me semblait m'échapper dans l'aventure et le dépaysement, aggravés par la solitude et l'incertitude où je vivais.

Le Dey d'Alger apparut un matin, me considéra longuement, en silence. Plusieurs minutes s'écoulèrent ainsi jusqu'à ce qu'il lançât un ordre bref : alors une demi-douzaine de secrétaires surgirent, auxquels il distribua des ordres sur un ton uni et très bas. Il me contempla encore sans mot dire : j'eus la pénible impression qu'une foule de réflexions me concernant s'agitaient derrière son front, que mon sort s'y décidait. Après quoi il sortit. Cet homme représentait une énigme pour moi et je me préparais à toutes sortes d'éventualités.

Le lendemain un esclave m'apporta le sac de voyage que les pirates m'avaient confisqué à bord de l'*Aliaga*. Retrouver quelques effets personnels, le collier de corail autrefois offert par Marie-Anne, me fut une joie démesurée et me rendit absurdement confiance.

Autre étonnement : les femmes algériennes chargées de mon service, la veille si enjouées et familières, se mirent à me traiter avec une particulière déférence. En outre, une garde d'honneur remplaça devant ma porte l'eunuque geôlier.

Les jours passèrent, me confirmant dans cette impression qu'on me traitait désormais comme une prisonnière de haut rang. Il ne m'était pas permis de sortir de ma chambre, mais les femmes algériennes y entraient sans cesse, chargées de mets succulents, de friandises, de fleurs, de robes, de parfums. Je m'interrogeais vainement sur cette amélioration sensible de mon statut mais, plutôt que de me perdre en conjectures anxieuses et inutiles, je m'occupais à des frivolités, changeant de toilette dix fois par jour. Le Dey ne reparut point et je restais dans l'expectative, une semaine, deux semaines.

Un matin mes Algériennes me réveillèrent à l'aube et entreprirent d'emballer prestement mes affaires sitôt ma toilette achevée. Peu après, je fus menée dans la cour du Palais, hissée dans un palanquin de velours pourpre et or assujetti sur le dos d'un chameau. Dans cet équipage je traversai successivement le Palais, puis la ville, jusqu'au port. Arrivée sur l'embarcadère, toujours à l'abri dans mon palanquin, je fus enlevée de ma monture et transportée à bord d'un navire. Je ne fus délivrée de ma prison de brocart qu'une fois l'ancre levée et le navire sorti de la baie d'Alger.

Je reconnus alors, déambulant sur le pont, le Keznadar en personne, le ministre des Finances du Dey d'Alger ! Celui-ci m'apostropha sans douceur :

— Regardez donc cette baie admirable, regardez-la bien car vous ne la reverrez jamais... Oui, je parle français. Cela a l'air de vous étonner. Les Grecs se débrouillent dans toutes les langues, et je suis grec, grec et renégat comme nombre de corsaires barbaresques. La plupart d'entre nous sont des Européens qui ont renié leur religion et embrassé la foi musulmane.

Devant mon indignation le Keznadar me rétorqua qu'à tout prendre, plutôt que d'être esclave lui-même, il avait choisi de faire des esclaves et d'en posséder.

Cette première conversation avec le Keznadar, tandis qu'Alger la Blanche disparaissait à l'horizon, me laissa songeuse et quelque peu désorientée. Je ne pus rien obtenir de lui quant au motif et au but de notre voyage et nous nous quittâmes assez froidement. Je n'avais pas la moindre idée de notre destination ni de mon sort.

Au bout de plusieurs jours en mer, l'ennui du voyage et le vin de Chypre dont il faisait ample consommation délièrent la langue du Keznadar :

— Pour avoir bénéficié du concours du Sultan de Turquie son suzerain, alors que les Espagnols menaçaient d'envahir l'Algérie, notre bien-aimé Dey se trouve son obligé. Le tribut annuel qu'il lui envoie sous ma garde se devait d'être, cette année, particulièrement fourni. Voilà pourquoi il a décidé de vous envoyer au Sultan. Notez que la répugnance notoire de Baba Mohammed à tous débours et la justesse de son goût en matière de beauté féminine se sont bienheureusement accordées sur le choix du cadeau. Vous êtes en effet, mademoiselle, un trésor inestimable, bien plus précieux que tout l'or entassé dans les coffres du Dey et dont il serait désespéré de se séparer... Je ne puis que me ranger à son avis : vous êtes digne du souverain de ce grand empire auquel on vous destine.

J'aurais pu croire que je rêvais encore. Ces mots jadis modulés par la voix d'Euphémia David, souverain, grand empire... Mais non, je ne rêvais pas le moins du monde : je me trouvais à bord d'un navire barbaresque qui cinglait vers la Turquie et le Keznadar me souriait béatement.

Nous croisâmes au large de Carthage qui m'apparut comme un amas de ruines, de colonnes renversées sur une côte plate et aride. Nous dûmes effectuer un détour pour éviter l'île de Malte et ses maîtres, des chevaliers chrétiens qui n'hésitaient pas à donner la chasse aux pirates.

Puis nous longeâmes la côte de Libye et aperçûmes Tripoli avant d'obliquer vers la Grèce. Le Keznadar ne me quittait plus et se révélait bavard intarissable. A l'approche de la Crète, sa terre natale, il se lança paradoxalement dans un panégyrique de la Turquie :

— Les Turcs ont bâti un des plus grands empires de tous les siècles. Les tribus affamées dont ils sont issus quittèrent leurs montagnes déshéritées d'Asie centrale et en moins de trois siècles se rendirent maîtresses d'un territoire qui s'étendait de l'Inde jusqu'à l'Autriche. Au passage elles avaient adopté la religion musulmane, la première que ces païens eussent rencontrée. Mais des divisions, des guerres civiles, des changements de dynastie, des révolutions de palais se sont succédé, qui ont entamé cette extraordinaire domination. L'Empire n'est plus ce qu'il était. Tout de même, il continue à contrôler des territoires qui vont de l'Atlantique à la Perse, de Belgrade au Soudan.

Profitant de ce que mon interlocuteur me paraissait particulièrement en veine de bavardages je l'interrogeai sur le Sultan, cet inconnu auquel j'étais promise et dont la pensée me remplissait d'appréhension :

— Sultan Abdoul Hamid est aussi doux que lettré. C'est un poète qui n'a jamais fait de mal à personne. Il est vieux, même assez vieux, mais, ajouta le Grec avec un petit rire salace, il aime beaucoup les femmes...

Nous franchîmes le détroit des Dardanelles, nous approchions de Constantinople. J'avais peu et mal dormi. La pensée de ce harem où m'attendait la réclusion à vie m'obsédait, et ce que m'en disait le Keznadar, comme déjà nous pénétrions dans la Corne d'Or, ne me réjouissait guère.

— C'est un palais dans un palais, un État dans l'État. C'est une ville dont les habitants ne sortent jamais ; elle a ses propres lois, ses intrigues, ses drames. Aucune information, aucune rumeur ne filtre hors de son enceinte. Mieux vaut ne pas s'en approcher. Mieux vaut ne pas chercher à savoir ce qui s'y passe.

DEUXIÈME PARTIE

Le Sultan
Abdoul Hamid Ier

I

J'ai souvent pensé que la méconnaissance de l'avenir épargne à l'individu certains états de conscience proprement insupportables. Les occasions sont rares en effet, dans une vie humaine, où l'on peut se dire avec une entière certitude : « Ce que je suis en train de vivre là ne se reproduira jamais plus. C'est l'unique fois. »

Pourtant c'est dans cet état de clairvoyance exceptionnelle, qui donnait une acuité accrue à chacune de mes perceptions, que je découvris Constantinople depuis le pont du navire déjà engagé dans la Corne d'Or, ce jour d'août 1788. La vision de la ville se grava en moi avec une netteté implacable, telle que ni le temps ni l'empreinte de nouvelles images n'ont pu l'entamer.

Le Keznadar grec du Dey d'Alger, qui décidément prenait fort au sérieux son rôle de guide, se tenait debout près de moi. J'entends encore sa voix aux accents pleins d'une étrange satisfaction tandis qu'il me commentait le spectacle de Constantinople, déroulant ses splendeurs à nos yeux.

A droite, ce sont les quartiers chrétiens de Péra et de

Galata où les grandes maisons européennes et les ambassades étrangères s'étagent parmi les jardins que domine la grosse tour pointue de Galata. Sur notre gauche, la vieille ville de Constantinople, constituée d'un amoncellement prodigieux de maisons de bois que scandent, ici et là, la longue façade d'un palais ou l'élégante découpe d'un Kiosk. Et, émergeant de cette masse confuse, une multitude de coupoles roses, vestiges des anciennes églises byzantines, un semis de mosquées et de minarets qui s'élancent droit dans le ciel, semblables aux cyprès qui les ont inspirés. A la pointe extrême de la vieille ville se trouvent les jardins, les pavillons et les coupoles du Sérail, le Palais Impérial, la résidence du Sultan avec, sur un côté, l'enchevêtrement du Harem.

— C'est là que vous vivrez désormais, ma belle enfant, me glissa le Keznadar.

A peine le navire eut-il touché le quai que les quelques caisses contenant le tribut « ordinaire » du Dey au Sultan furent descendues sans susciter d'enthousiasme particulier. La foule des badauds ici rassemblés attendait autre chose. Elle ne fut pas déçue : bientôt apparut un cortège solennel et haut en couleur, composé de gardes et d'eunuques du Sérail. Certains de ces hommes portaient pantalons bouffants, gilets aux vives couleurs et turbans rouge et or. Les nègres étaient vêtus de jupes à raies rouges et blanches sous des caftans bleu sombre, et arboraient une curieuse coiffure, sorte de chapeau de feutre conique. C'étaient les eunuques du Harem Impérial, et leur présence sur ce quai déchaîna une curiosité passionnée qui resta inassouvie : en effet, ils avançaient en déployant une étoffe blanche montée sur des bâtons, ménageant ainsi une sorte de couloir de toile entre le bateau et le quai. Ici comme à Alger, je ne devais pas être vue.

J'empruntais ce passage pour atteindre, sur le quai, un *tahtarvan*, litière de brocart portée par deux mules richement pomponnées, où je fus littéralement enfournée.

Et le cortège s'ébranla, le Grec chevauchant à mes côtés, me désignant au passage les monuments que j'entr'aperçus à travers les rideaux qui me voilaient au monde. Ce modeste bâtiment de bois abritait les bureaux du Premier ministre, le Grand Vizir. C'est la Sublime Porte, nom sous lequel le gouvernement turc est universellement connu. Plus loin, cette pyramide de dômes et de coupoles, c'est Sainte-Sophie, qui fut la plus célèbre cathédrale du monde chrétien avant d'être transformée en mosquée. « Et voici la Grande Entrée du Sérail, la Porte Impériale, qu'on ne franchit jamais en sens inverse... lorsqu'on est femme, commenta mon mentor. Nous sommes arrivés, ma chère enfant. »

Le Grec ne m'a rien épargné : il fit en sorte que je voie des têtes coupées qui formaient comme une enseigne horrible à la Porte Impériale. Les têtes étaient empilées dans des niches de pierre, de part et d'autre de la Porte, et le sang dégoulinait jusqu'à terre ; j'ai encore le cœur soulevé en y pensant. Le Grec m'a expliqué qu'on n'exposait là que les têtes des condamnés de basse condition. Il n'en était pas encore à sa dernière facétie. Comme nous franchissions la Première Cour, bordée de casernes et d'arsenaux, et que nous stationnions devant la Moyenne Porte flanquée de deux tours percées de minces fentes, il prit un malin plaisir à m'informer que c'était là la dernière halte des condamnés à mort :

— Ici, le bourreau est un artiste. Traditionnellement, c'est aussi le Chef Jardinier. Ainsi ses fonctions consistent à cultiver des fleurs et à couper des têtes. Voici ses derniers travaux.

Je crus défaillir : il me montrait des boules informes et noirâtres soigneusement étiquetées et fichées sur des pieux métalliques.

— Sachez que pour avoir sa tête exposée de la sorte il faut avoir, pour le moins, rang de Pacha. Sur ces étiquettes sont minutieusement décrits les titres et les crimes des condamnés. Après décapitation les têtes sont mises à sécher avant d'être restituées aux familles.

Je surmontai mal le dégoût et l'horreur que m'inspiraient ce spectacle, ces mœurs barbares. Le Grec ricanait. La Seconde Cour était un jardin, une roseraie, une volière parsemée de chapiteaux antiques géants, hérissée de cyprès séculaires. Nous l'avons encore traversée avant d'atteindre la Porte du Harem. La mission du Keznadar était achevée, il me remettait entre les mains du Grand Eunuque, le Kislar Aga, un des personnages les plus influents de l'Empire, qui m'attendait.

« Son Altesse Noire », comme l'appelaient les Européens, était un nègre gigantesque, aux mains larges comme des battoirs. Il portait un caftan blanc bordé de fourrure noire ouvert sur une longue chemise rouge. Il me jaugea d'un coup d'œil. Je vis la surprise dans son regard sombre puis il s'inclina devant moi avec une sorte de déférence, à la stupéfaction du Keznadar. Celui-ci, soudain nerveux, abrégea nos adieux et s'éloigna rapidement, tandis que les lourds vantaux de chêne incrustés de bronze se refermaient sur moi : je venais de franchir le seuil du Harem Impérial.

A la suite du Kislar Aga, j'ai traversé une succession de cours étroites, d'antichambres hautes de plafond, sans fenêtres, et de couloirs ténébreux. Enfin, nous avons pénétré dans une pièce obscure, passablement encombrée, où je distinguai la silhouette d'une femme assise sur un divan bas : elle fumait une longue pipe dont le fourneau reposait sur un petit brasero incandescent. Aussitôt elle s'adressa à moi dans un français impeccable :

— Je suis Vartoui, la Kaya Kadine, c'est-à-dire la surintendante du Harem Impérial.

A première vue, Dame Vartoui était une femme sans âge, très petite et si corpulente qu'elle avait quelque difficulté à se mouvoir. Sur ce corps difforme le visage était resté lisse et ferme, éclairé par des yeux bleus et très ronds qui conféraient à sa physionomie un caractère enfantin. La masse de sa chevelure sombre était relevée en un opulent chignon et je la trouvais assez majestueuse dans sa jupe de soie, avec ce bonnet et ce boléro en velours pourpre rebrodés d'or. Son accueil sans détour, dans ma langue maternelle, que cette Arménienne parlait parfaitement, m'a quelque peu rassurée :

— Tu entres à mon service car la responsabilité de ton apprentissage m'a été confiée. A présent, suis-moi, je vais te montrer ton dortoir.

La pièce ainsi nommée ouvrait sur une cour encaissée et désolée, dite des femmes esclaves. Elle était voûtée, divisée en deux par une série de colonnes basses et massives et ses fenêtres très étroites, aux carreaux de verre multicolore, étaient renforcées de grilles épaisses. D'emblée je m'y suis sentie mal à l'aise, oppressée par l'aspect sinistre et presque carcéral de l'endroit.

J'étais restée seule quelques instants dans ma nouvelle prison lorsqu'un essaim de femmes y fit irruption : toutes également jeunes et jolies, curieuses, moqueuses, elles se mirent à tourner autour de moi, à m'examiner sans vergogne. Ma peau, mes vêtements, mes cheveux, chaque détail de ma personne leur arrachaient des jacassements incompréhensibles et des rires.

Après cette curieuse prise de contact, comme si elles voulaient me signifier qu'elles m'adoptaient, mes compagnes m'entraînèrent au hammam, une succession de pièces minuscules éclairées par des lentilles de verre fixées aux coupoles. Elles me délestèrent prestement de mes vêtements européens, qu'on m'avait rendus à Alger et que j'avais tenu à revêtir pour mon arrivée. Elles les jetèrent dans le poêle sans hésitation. Tout usés et maculés qu'ils fussent, je tenais à ces vêtements : ils étaient tout ce que je possédais et qui pouvait me rappeler mon existence antérieure. Les voir brûler me fit venir les larmes aux yeux.

Les baigneuses m'enseignèrent ensuite les divers rites du bain turc dans une confusion de rires, d'appels et d'exclamations. Je fus successivement soumise au bain de vapeur pour nettoyer la peau — je crus étouffer — puis aux jets d'eau froide qui fouettent le corps — je me tordais sous cette douche glacée — puis aux jets d'eau chaude, pour activer la circulation, et enfin au massage à l'huile parfumée — je gémissais sous les coups de battoir des masseuses expérimentées, je croyais qu'elles allaient me rompre les os.

Je dus pourtant reconnaître l'efficacité du traitement.

Je sortis du hammam revigorée de corps comme d'esprit, en me faisant cette réflexion saugrenue : après un tel récurage il était impossible qu'il subsistât sur ma peau un seul grain de poussière française.

Mes nouvelles compagnes ne me lâchèrent pas un instant jusqu'à l'extinction des feux. Elles tirèrent leur matelas, et m'aidèrent à préparer le mien. Ce n'est que lorsque je fus entourée d'obscurité et du sommeil des autres que je pus me retrouver seule avec moi-même, avec mes pensées.

C'était la fin du voyage, la fin de ce périple insensé, fertile en émotions... Nantes, le naufrage, les Baléares, les pirates, Alger, les semaines sur la Méditerranée, Constantinople... C'était le bout de la route et je me retrouvais enchaînée à jamais à cet endroit, à ce palais. Cette certitude et la fatigue eurent raison de moi ; je coulai dans un désespoir peuplé d'images des miens, de ma maison, de la France, de Zinah. Zinah ! Si au moins tu étais là, près de moi, avec moi, à cet instant précis !

J'eus droit à une séance au hammam tous les jours et je m'aperçus que j'y prenais goût. Les gens d'ici se préoccupent de la propreté de leur corps. Heureux contraste avec les mœurs françaises en matière d'hygiène ! En France, on ne se lavait que parcimonieusement et sans conviction, on étouffait les odeurs corporelles à grands flots de parfums et les lieux d'aisance étaient plutôt inexistants. Ici je découvris l'eau courante, chaude et froide, les cabinets d'aisance en marbre, les chasses d'eau.

Mes compagnes entreprirent de m'initier aux mille secrets de la coquetterie. En dehors de leur service, elles passaient leur temps à se parer et se maquiller. C'était alors une débauche de khôl, sorte de pommade contenue dans de minuscules flacons de métal ouvragé qu'elles s'appliquaient sur les paupières, de rouge à lèvres que les Turques ont emprunté aux Grecques, et bien sûr de henné qu'elles utilisaient pour soigner leur chevelure.

Les femmes, ici, se plâtrent le visage comme seules auraient osé le faire en France les péripatéticiennes que j'avais aperçues dans les jardins du Palais-Royal. J'étais plus sensible à la variété et au raffinement des parfums qui nous étaient fournis avec prodigalité : essence de musc, de rose, de tubéreuse, de bois de santal, d'orange amère, de géranium, de jasmin, toutes fabriquées au Sérail même, dans les laboratoires de l'Apothicaire Impérial.

Je fus rapidement en mesure de me maquiller et de m'habiller sans aide après ces premiers jours où je me faisais l'effet d'une poupée livrée à la fantaisie de ses compagnes. J'étais vêtue à la turque : pantalons bouffants de soie unie retenus par une sorte de châle noué sur les reins, chemise de mousseline blanche brodée d'or sur laquelle nous enfilions le *dualma,* un casaquin de velours très ajusté qui peut être surbrodé d'or, d'argent, et même parfois de petites perles, voile léger pour enserrer les cheveux ou toque ornementée, le *talpoche,* crânement posé.

Il m'arrivait de penser qu'en revêtant ce costume, en adoptant les rites et usages turcs je devenais une autre. Curieusement j'en ressentais peu d'amertume. Ma jeunesse aidant, la découverte de cet univers si particulier, si différent de celui d'où je venais, m'intriguait. Néanmoins, le choc avait été trop brusque et je retombais parfois dans des moments d'accablement où je pleurais sur tout ce que j'aimais, sur ce que j'avais perdu à jamais, sur l'inéluctabilité de mon sort.

Nous vivions dans un confinement absolu, nos évolutions et déplacements ne pouvant déborder les strictes limites des bâtiments réservés aux femmes esclaves. Et puis, surtout, nous vivions les unes sur les autres, comme nous dormions les unes sur les autres. Le soir nous déroulions nos matelas, roulés le jour dans des soupentes, et nous nous couchions n'importe où.

L'entassement d'êtres humains était prodigieux dans le palais de ce puissant souverain — les nègres de notre plantation, là-bas à la Martinique, étaient mieux logés, ou tout au moins ils bénéficiaient de plus d'espace. La promiscuité avec les femmes qui partageaient mon dortoir, dont je m'étais d'abord réjouie, commença bientôt à me peser. Cette communauté singulière fonctionnait de telle sorte qu'il était impossible de prétendre s'isoler pour se ménager un instant de solitude ou d'intimité. Privée de toutes les libertés et jusqu'à celle de me retrouver seule avec moi-même, ne fût-ce que pour réfléchir ou consigner mes impressions dans mes carnets, j'étouffais.

Cette impression était renforcée par la configuration du Harem.

« Un palais dans un palais », avait dit le Keznadar du Dey d'Alger. Le Harem comprend les appartements du Sultan, ceux de sa mère, la Sultane Validé, et ceux des princesses et des princes impériaux ; les logements des Dames hauts fonctionnaires du Harem, ceux des six Kadines, les favorites « officielles » du Sultan et ceux de ses quarante favorites « inofficielles » — car d'épouse il n'en a pas, le Sultan ne se marie pas ; les dortoirs des quatre cents femmes esclaves et ceux des trois cents eunuques noirs. Le Harem possède ses mosquées, ses cuisines, ses buanderies, ses hammams, ses chambres du Trésor et son hôpital. Ariane elle-même aurait dévidé tous ses écheveaux dans ce labyrinthe oppressant sans pouvoir s'y reconnaître et moi-même, après tant d'années, il m'arrive encore de m'y perdre.

On y avance à travers une suite incohérente de pièces exiguës et rutilantes, de cours ténébreuses, d'escaliers dérobés, de salles vastes et somptueuses, de passages sinueux, d'appartements sans fenêtres qui se succèdent ou s'étagent sur plusieurs niveaux dans un enchevêtrement chaotique : la topographie du Harem échappe à toutes les lois, ou s'en moque. Ce palais a été édifié sans plan préétabli, selon la fantaisie du moment et le caprice des souverains successifs. Il est vrai que les Turcs ont longtemps été un peuple nomade : une fois installés, leur conception de l'habitat a conservé un caractère précaire et improvisé.

Vivre dans la compagnie exclusive de femmes — et d'eunuques — fut également, à cette époque de mes débuts au Harem, une réalité dont je dus, bon gré, mal gré, m'accommoder. La ségrégation radicale qui était établie ici entre les deux sexes m'apparut d'abord comme une anomalie, voire une monstruosité. Outre le Sultan, et les princes impériaux qui y habitaient, les seuls hommes admis à pénétrer dans l'enceinte du Harem étaient les *baticalar*, les hallebardiers qui servaient de portefaix. Mais la règle leur interdisait de nous voir et c'était les yeux baissés qu'ils devaient s'acquitter de leurs tâches. Quant aux ouvriers occasionnels, aux jardiniers, le cri de « *Helvet* » lancé par les eunuques à l'approche des femmes les faisait fuir dans toutes les directions sous peine d'être décapités.

Je servais de camériste à la surintendante Vartoui et je m'entendais bien avec cette volumineuse Arménienne, impétueuse, directe et bavarde. Bien qu'il lui arrivât de me rudoyer, elle semblait me porter un intérêt particulier.

A mon arrivée elle fut surtout avide de me soutirer des informations sur la dernière mode à Paris. Je m'aperçus avec une satisfaction sacrilège qu'en dépit de la fierté nationale turque, le style français avait renversé les traditions locales. Le décor des nouveaux appartements du Harem imitait naïvement celui que j'avais admiré dans les hôtels de Nantes et de Paris. De France on importait faïences, bibelots, étoffes, bref l'indispensable superflu par lequel mon pays régnait sur l'univers. Pendant que Dame Vartoui se maquillait et que je tenais devant elle le miroir sans pied au dos d'argent tarabiscoté, elle m'interrogeait inlassablement sur ce que portaient les Françaises. En contrepartie, elle m'initiait progressivement à l'invraisemblable complexité des règles et usages de ma nouvelle société.

Diverses cérémonies marquent la journée turque : la préparation des pipes et celle du café requièrent une précision, une application dont on n'a pas idée. J'appris que le Sultan avait son Préparateur de café attitré et que c'était là une des fonctions les plus enviées à la Cour. Ici, le café, brûlant, parfumé d'un grain de cardamone ou d'une goutte de fleur d'oranger, est versé avec son marc dans de minuscules tasses de porcelaine montées sur socles de métal précieux. Les services à café de Vartoui étaient en or et en émail mais elle m'assura que ceux de la famille impériale étaient incrustés de diamants et de pierres précieuses.

Outre la préparation des pipes — Vartoui était intransigeante sur le dosage et m'invectivait violemment s'il n'était pas à son goût — j'appris à manipuler les brûle-parfums, à disposer les coussins, à présenter les douceurs aux convives. Mon apprentissage se poursuivait aux heures de « récréation » dans la cuisine des femmes esclaves : là, mes compagnes confectionnaient toutes sortes de douceurs et de friandises, dont je raffolais : gâteaux secs enrobés de sucre en poudre nuageuse, gâteaux de miel ou de sirop, baklavas, kadaifis, galacto-bourikos, sans parler des rahat-loukoums aux tons pastel, littéralement les « apaise-gorges » si bien nommés. Nous préparions aussi des sorbets, les « cherbets » nationaux aux parfums les plus variés, conservés dans la glace amenée depuis le Mont Olympe, et les « douceurs à la cuillère » à base de fruits, cédrats, oranges chinoises, coings, noix, figues, mi-confit, mi-compote, que l'on offrait dans une cuillère, accompagnées d'un verre d'eau. Ai-je besoin de dire que je résistais mal à tant de délices ?

Hors ces friandises que nous consommions à longueur de journée, deux repas étaient servis chaque jour, à dix heures du matin et vers cinq heures du soir. Pour manger on se groupe dans n'importe quelle pièce autour de plateaux de cuivre apportés, couverts, depuis les cuisines impériales, et retirés aussitôt le repas achevé.

Les cuisiniers du Sérail, qui ont leur hiérarchie et leur corporation, nourrissent quotidiennement cinq mille personnes, le Harem inclus. La frugalité de la nourriture m'a étonnée après les menus compliqués et interminables de France ; des soupes aux légumes et aux herbes, beaucoup de fruits frais et, autour du sempiternel pilaf, le riz national, du pigeon, du poulet, ou du mouton — le veau est réservé aux eunuques qui en raffolent. Je fis mes délices du « pastourma », une charcuterie à base de viande de chameau, longtemps macérée dans du vinaigre et de l'ail, que les élégantes de Paris repousseraient avec horreur.

Manger assis en tailleur demande une certaine gymnastique à laquelle je m'entraînai. J'eus quelque peine, dans les commencements, à me passer de couverts puis je me servis de mes mains comme tout un chacun ici, excepté la famille impériale qui dispose de cuillères en or, agate, jade...

Sur les instructions de Vartoui, je commençai mes leçons particulières. Je fus amenée dans la petite mosquée du Harem, une pièce carrée ornée de carreaux représentant les villes saintes de l'Islam. Le mufti, le prêtre qui la desservait, était un vieillard à la bouche édentée, toujours ouverte sur un rire, ne cessant jamais de tapoter un gros livre relié en cuir, en croassant « Al-Koran, Al-Koran » : le Coran. Je récitais après lui des versets pendant des heures, comme un perroquet. Cela ne portait pas trop à conséquence, car, en vérité, la tolérance des Turcs en matière de religion est assez remarquable : aucune conversion n'est exigée des filles qui entrent au Harem et dont pas une seule n'est turque ou musulmane. Allah, en effet, interdit qu'on enlève, qu'on vende comme esclaves, ses fidèles. Or, comme le Harem ne se fournit qu'à la piraterie et à l'esclavage, on est bien obligé de se rabattre sur des étrangères non musulmanes. Celles-ci se convertissent librement à l'Islam ou gardent —

discrètement — leur religion, pourvu qu'elles sachent ânonner le Coran.

Vartoui avait également fait mander un lettré chargé de m'apprendre la langue de Cour. Ristoglou était un eunuque noir maigre et bedonnant, à la mine pathétique et à la tête penchée de côté. Il s'appelait en vérité Héliotrope — les eunuques ont des prénoms de fleurs — et son sobriquet était une altération d'Aristote, attribué par ses confrères, qui le prenaient pour un sage. La méchanceté et la culture même, Ristoglou se piquait d'être un connaisseur rompu aux subtilités de la littérature officielle. Il m'apprenait ce mélange d'arabe, de persan et de turc en usage à la Cour, très différent de la langue populaire qu'il méprisait.

En dépit de l'exotisme ambiant, la vie au Harem me rappelait celle qui était la mienne au couvent de la Visitation, à Nantes. Je retrouvais ce dont j'ai horreur, le réveil à l'aube. Mais, ici au moins, est-il en musique. L'orchestre militaire du Sultan joue des marches guerrières pour tirer du sommeil le Sérail deux heures avant le lever du jour. Puis toute la journée, les heures alternent les contraintes du service et la rigoureuse discipline des classes. Car le Harem est aussi école de musique, de danse, de chant, de peinture, de broderie, de reliure. On s'applique à découvrir et à encourager le talent de chacune pour en faire une jeune fille accomplie. Ironique était le destin qui après tant de détours inattendus me fit retrouver les règles et la réclusion du couvent. Malgré leur invite les nonnes n'avaient pas réussi à me garder parmi elles, mais le Harem, lui, ne me lâcherait pas. Je suis entrée au Harem comme on entre en religion. Néanmoins j'ignorais l'ennui que j'avais connu au couvent de la Visitation. Les loisirs, d'abord, y étaient encore plus rares. L'emploi du temps était conçu pour occuper, sans arrêt, les filles déracinées, pour les niveler sous une éducation de fer, sans leur laisser le temps pour la nostalgie ou le vague à l'âme. Et puis la curiosité que j'éprouvais envers cet univers nouveau, mon appréhension vis-à-vis de l'inconnu, ma volonté de m'y adapter par instinct de survie me gardaient dans un état de tension qui trompait l'ennui.

Le protocole et la hiérarchie, dont les Turcs sont aussi férus que les nonnes, étaient là aussi pour me rappeler le couvent. Selon les circonstances et le rang du personnage qu'on aborde, il faut soit lui baiser la main, soit le pied, soit le bas de la robe. Vartoui, très jalouse de sa position et de ses prérogatives, me décrivit inlassablement les attributions de chacun, en insistant complaisamment sur les siennes.

La Sultane Validé, mère du Sultan, aurait dû être la souveraine du Harem, mais elle était morte. Le Kislar Aga, le Grand Eunuque Noir qui m'avait accueillie lors de mon arrivée, en était l'ordonnateur suprême, mais, confident traditionnel du Sultan, ses responsabilités multiples ne lui permettaient pas de gouverner le Harem dans ses détails. Dans les faits c'est Vartoui qui régentait ici, présidant une sorte de Cabinet composé de la Maîtresse des Robes, de la Gardienne des Bains, de la Gardienne des Bijoux, de la Lectrice du Coran, de la Gardienne de la Lingerie et de celle des Entrepôts. Pourtant, bien qu'elle s'en défendît, elle avait une rivale en la personne de la Grande Trésorière, la Hazinédar Ousta, qu'elle détestait cordialement, m'avait confié perfidement Ristoglou.

Écartant le sujet pénible de la Hazinédar Ousta d'un geste négligent de son chasse-mouches, Vartoui me rappelait avec fierté qu'elle avait la responsabilité des quatre cent cinquante femmes du Harem. Celles-ci avaient des statuts très différents selon leur ancienneté, leur beauté, leur docilité, leurs talents. Quel serait le mien ? Irais-je, comme tant d'autres de mes compagnes, passer ma vie à être camériste, ou serais-je promise aux rangs supérieurs ? Atteindrais-je le sommet de l'ambition de toutes mes compagnes — servir de concubine, même éphémère, à un vieillard volage ? Car ce couvent-école surpeuplé n'avait qu'une destination, que j'oubliais ou que je voulais oublier : le plaisir du Sultan. Vartoui refusait de répondre à mes questions et me laissait partagée entre l'inquiétude et la curiosité.

Bientôt je réussis à lire les caractères arabes de la langue de Cour, moins par les soins de Ristoglou que grâce aux murs du Harem : ils étaient couverts de graffiti, comme ceux du couvent : « Je n'ai pas volé le miroir de Leila. D'ailleurs il ne vaut rien. » « Rahim l'eunuque louche. » « Hatifa garde trois boîtes de loukoums sous son matelas. » « La Kaya Kadine est trop grosse. » On me prenait pour une folle à me voir déchiffrer ces gamineries avec une application d'archéologue, et éclater de rire.

Considérant les rapides progrès que j'avais accomplis en quelques semaines, Vartoui me tira du dortoir des filles esclaves pour m'installer dans un coin de son appartement afin de parfaire mon éducation. J'eus l'impression d'avoir mérité une inscription au tableau d'honneur mais les espoirs et les ambitions que je la devinais mettre en moi me troublaient confusément.

Je touchais sans cesse le porte-bonheur, cadeau d'une de mes compagnes, une bille de verre bleu, avec un cercle blanc piqué de noir imitant l'iris, censé protéger du mauvais œil. Cette amulette, la plus populaire et la plus répandue en Orient, complète la panoplie de gris-gris dont je suis déjà bardée : mains de Fatma, faux scarabées égyptiens, médaillons gravés au nom d'Allah.

Au moment où je quittai le dortoir, mes compagnes m'avaient entourée joyeusement, chantant et répétant sur tous les tons : « Nakshidil ! Nakshidil ! » Je finis par comprendre qu'elles m'avaient choisi un nouveau prénom. Nakshidil signifiait « Empreinte du Cœur » ou « La plus belle des belles ». C'était, Vartoui l'avait décrété, le nom que je porterais désormais. Je sentis qu'on m'arrachait un dernier lambeau de mon passé et réagis violemment. Vartoui, impassible, assise sur son divan bas, toujours tirant sur sa pipe, me raisonna :

— Calme-toi. Ici la révolte est vaine, il vaut mieux plier et s'adapter. Tu es une fille intelligente, alors autant accepter ton sort le plus vite possible, en prendre ton parti, et tout mettre en œuvre pour en tirer avantage plutôt que souffrance. A cela je t'aiderai, mais tu dois renoncer à ton passé, l'oublier. Plus d'Aimée, plus de France, plus de famille. Tu es Nakshidil.

Portée par son affection pour moi, et peut-être aussi par le vin de Samos dont elle abusait en cachette, la Kaya Kadine Vartoui se lançait dans de grandes tirades lyriques :

— Vois-tu, petite, le chemin qui mène aux honneurs est long et semé d'embûches. Il y a ici beaucoup d'appelées et peu d'élues. Les Gédiklis, je te l'ai dit, sont celles qui ont le privilège d'approcher et de servir Sa Hautesse. Elles l'habillent, le savonnent dans son bain, arrangent ses coussins... tout en espérant attirer son attention. L'échelon supérieur est occupé par la Gözde : celle-là a été remarquée par le Sultan et attend son bon plaisir. Si la chose advient, s'il lui est donné de partager la couche impériale ne fût-ce qu'une seule fois, elle devient Ikbal, c'est-à-dire concubine. Une Ikbal qui met au monde un enfant dont on n'a pas décidé s'il entrera dans la famille impériale est une Haseki. Au-dessus des Hasekis se trouvent les Kadines, au nombre de six, c'est-à-dire les mères des princesses et princes impériaux. Ainsi présentées, les choses donnent à penser que Sa Hautesse peut disposer de n'importe quelle femme du Harem selon son bon vouloir. En fait, son choix est en quelque sorte « dirigé » par le gouvernement du Harem qui estime les qualités et mérites de chacune et décide laquelle sera placée sur le passage du Sultan et plus tard conduite jusqu'à sa couche.

— Mais l'amour ? ai-je alors crié. Quelle est la place de l'amour dans tout ça ?

Cette question a dérouté Vartoui : j'ai eu l'impression qu'elle ne se l'était jamais posée, qu'il était tout à fait incongru de la poser ici. Elle en est restée coite, et j'en ai profité pour exploser :

— Sans amour, sans liberté, sans décision... Ces malheureuses, vous les dressez si soigneusement pour en faire des objets de débauche. Est-ce à quoi vous me destinez, avec vos mamours et vos sucreries ? A devenir une courtisane ?

— Tu oublies la puissance, m'a-t-elle répondu sans se fâcher de mon insolence.

Et d'évoquer les Kadines depuis longtemps mortes qui avaient fait et défait l'Histoire. La plus connue de toutes, la légendaire Roxelane, une Russe rieuse, qui savait si bien se débarrasser des rivales et des vizirs peu complaisants. Elle avait transformé en esclave de ses charmes le Sultan Soliman le Magnifique, devant lequel l'Europe tremblait, et elle avait même réussi — exemple unique dans toute l'histoire du Harem — à s'en faire épouser. Et Kosem ! Kosem était grecque et possédait, outre la beauté, le charme, les manières exquises, une habileté et une ambition sans bornes. Elle avait été la favorite d'Ahmed Ier qui faisait ses quatre volontés ; lorsque son fils Mourad V monta sur le trône elle devint une Validé toute-puissante, le resta sous le règne de son deuxième fils Ibrahim et encore sous celui de son petit-fils Mehmet IV.

« La vieille a fini par être étranglée lorsque sa belle-fille a voulu être Sultane Validé à son tour », ajouta Ristoglou lorsque j'évoquai le prodigieux destin de Kosem. Intrigues, complots, assassinats semblaient avoir été pratiques courantes dans le Sérail. A l'entendre, la jalousie, la délation et la violence masquée étaient les trois piliers de la vie du Harem.

Son Sultan préféré restait le cruel Ibrahim, le Sultan fou qui, sur une dénonciation d'eunuque, fit jeter dans le Bosphore deux cent soixante femmes cousues dans des sacs.

Quant aux malheureuses qui n'avaient pas eu la chance d'attirer l'attention du Sultan, si elles n'étaient offertes à un vieux Pacha ventripotent ou si elles ne devenaient pas les souffre-douleur d'une Kadine cruelle, elles étaient chassées du Paradis, c'est-à-dire de la proximité du Sultan, elles étaient envoyées au Vieux Sérail, un ancien palais poussiéreux et croulant au fond de la vieille ville, où elles achevaient leur existence misérable dans l'oubli et la décrépitude : le Palais des Lamentations, ainsi justement surnommé : à sa seule évocation, les jeunes ambitieuses et les vieilles repues d'honneur frémissaient.

Tandis que Vartoui s'évertuait à me communiquer une vision flatteuse du Harem, Ristoglou s'acharnait à me le décrire sous ses aspects les plus terrifiants, comme s'il souhaitait me décourager. Mais me décourager de quoi ? Et m'exhorter à quoi ? Ces deux discours contradictoires m'étaient également pénibles et étrangers. Cet univers, plus qu'effrayant, me semblait frivole et mesquin. Je dormais mal. Je faisais des rêves de crimes et d'horreurs, de quoi ravir Ristoglou qui les suscitait. Je détestais l'odeur qui flottait en permanence dans l'appartement de Vartoui, faite de tabac froid, de parfum éventé et de vapeurs de vin. A certains moments je ne souhaitais que pouvoir m'échapper, recouvrer ma liberté perdue, respirer l'air libre, ne fût-ce qu'un instant.

II

Mon goût pour les promenades solitaires à travers le Harem, et mon incorrigible besoin d'explorer, me permirent de faire une découverte : je n'étais pas la seule Française recluse dans ces lieux. La deuxième Kadine, Houmasah, était provençale.

Elle vivait au fond d'un appartement hideux, composé de trois pièces étriquées qui baignaient dans une lumière avare et glauque. Une énorme armoire normande occupait la quasi-totalité de la chambre, témoignage des efforts pathétiques de la Provençale pour garder des bribes de son passé.

Le large visage d'Houmasah était encore alourdi par d'épaisses mâchoires, un nez épaté et une bouche sans grâce. Mais elle avait de l'allure et sous ses brocarts et ses satins on devinait un corps superbe.

Elle ne tarda pas à dévider un chapelet de réflexions amères.

— Ici, on perd sa nationalité, son rang, sa langue, sa religion, son éducation d'origine.

C'était presque mot pour mot les paroles du vieil esclave français que j'avais rencontré le premier soir de mon incarcération à Alger.

— Tout le système du Harem, poursuivit-elle, tend à annihiler la personnalité et la volonté des nouvelles venues, puis à les dresser les unes contre les autres dans la compétition pour une illusion de pouvoir.

La Kadine Provençale semblait obsédée par la crainte d'être un jour supplantée par une rivale plus jeune et de finir sa vie au Vieux Sérail. Je compris que son hostilité à mon endroit n'avait pas d'autre cause.

Houmasah était un étrange mélange de lucidité, d'amertume et d'agressivité. Même lorsqu'elle évoqua son fils Mahmoud, elle conserva son ton désabusé, cette physionomie farouche et tendue. L'enfant, âgé de trois ans, se trouvait présentement chez son père, le Sultan.

— Il le garde toute la journée dans son appartement, et s'amuse avec lui comme avec un jouet. Il me le rend le soir, comme un chiot à sa chienne. Dans quelques années d'ailleurs il me sera enlevé pour être confié aux hommes, et je le verrai à peine.

Elle s'inquiétait pour l'avenir de ce fils. Mahmoud avait un demi-frère aîné et, ici, ajouta-t-elle sombrement, il ne fait pas bon être cadet. On risque de finir mal... et tôt !

Brusquement, elle retrouva l'usage du turc pour me congédier sans ménagement.

— Va-t'en maintenant, siffla-t-elle. Tu me fais mal. Parler notre langue éveille en moi une nostalgie que je croyais morte et qui ne peut que m'empoisonner. Te voir, c'est voir encore notre bastide aux murs roses, des grands cèdres alentour, la moire grise des champs d'oliviers et le soleil du matin qui entrait dans ma chambre d'enfant sous les combles. Va-t'en, te dis-je !

Cette évocation inattendue des lieux de son enfance par Houmasah avait déchaîné en moi une tempête de souvenirs douloureux. Je me suis réfugiée en larmes chez Vartoui, qui ne pouvait pas comprendre.

Cette rencontre avec la Kadine Provençale m'avait laissée en proie à la détresse. Tout à coup, face à cette femme rompue et désenchantée, mais qui gardait la flammèche de révolte, j'avais pris conscience que je ne pourrais me résigner à la réclusion à vie, fût-ce dans une prison dorée, ni y envisager ma destinée, fût-elle glorieuse selon les critères du Harem.

Je ne cessais de ressasser des idées plus saugrenues les unes que les autres, qui me ramenaient à la même conclusion : il me fallait sortir d'ici. Je crus en avoir trouvé le moyen : chaque semaine, des colporteurs, admis à proposer leurs marchandises, les déposaient dans un tourniquet, placé à côté de la porte du Harem, qu'on manœuvrait ensuite de telle sorte que l'étalage se trouvait exposé aux yeux des femmes ameutées de l'autre côté de la porte. Préparer un billet pour l'ambassadeur de France, le glisser parmi les marchandises renvoyées dans le tourniquet, compter sur la providence pour qu'un marchand retrouvât la missive et la portât à son destinataire, tel était mon plan. J'ai fébrilement attendu le jour du « marché » et j'ai suivi mes compagnes, le billet serré dans la main.

Les femmes se ruèrent comme des folles sur le tourniquet qui déversait des flots d'étoffes : soieries épaisses de Chine, brocarts persans aux minuscules motifs, mousselines brodées des Indes, velours de Brousse, velours de Gênes, soieries fleuries de Lyon, mousselines multicolores d'Irak, etc. Mes compagnes palpaient les étoffes, se les disputaient dans un délire de piaillements. Pour ne pas alerter Vartoui qui s'étonnait de mon manque d'enthousiasme, je me mêlai à la cohue. Je pus enfin approcher le tourniquet et lui confier mon message.

J'ai retrouvé ce que je griffonnai dans mon journal, le même soir :

Je suis soulagée : jusqu'ici tout s'est passé selon mes prévisions. J'ai confié ma « bouteille » à la mer et à la grâce de Dieu. Reste à savoir maintenant si celui qui aura découvert mon billet le portera effectivement à la Maison de France, à Péra. Mon sort est entre les mains d'un inconnu. L'attente commence, faite d'incertitude et d'angoisse : serai-je délivrée ?

Trois jours plus tard, Vartoui me fit convoquer, interrompant mes leçons du soir. Son accueil me parut tout aussi suspect que le moment choisi pour cet entretien. Elle me fit asseoir auprès d'elle et commença à m'entretenir de futilités tout en me manifestant une gentillesse et des prévenances inhabituelles. Elle me parla des étoffes qu'elle avait acquises l'avant-veille et sollicita mes suggestions sur l'usage qu'elle pourrait en faire. Je sentais qu'elle s'ingéniait à m'égarer en m'entraînant dans ces papotages de boudoir et j'étais sur des charbons ardents.

Et puis, brutalement, Vartoui abattit ses cartes. Sans un mot, elle posa devant moi le billet que j'avais rédigé pour l'Ambassadeur de France. Vraisemblablement, le marchand qui l'avait trouvé, trop couard pour s'exposer à d'éventuelles représailles, l'avait incontinent rapporté au Palais.

Alors ce fut, d'une voix dépourvue de toute colère, sur un ton monocorde, étale, la litanie des reproches. J'avais trahi sa confiance, j'étais une ingrate qui ne reconnaissait pas les bienfaits et le dévouement qu'elle me témoignait, elle qui avait tant investi dans ma personne.

Elle ne comprenait pas que je puisse concevoir le projet de quitter le Harem alors que je jouissais d'un statut privilégié. Non, vraiment, elle ne comprenait pas. Je vis dans ses yeux l'ombre d'une véritable tristesse : Vartoui, en cet instant, devait éprouver la déception et le chagrin que ressent une mère devant l'enfant qui a gravement démérité.

Une telle faute méritait un châtiment. En conséquence, ils m'ont fouettée ! Deux eunuques noirs commis à cet office sont venus et m'ont fouettée, là, dans l'appartement même de Vartoui. Et ils ricanaient, ils semblaient jouir de la souffrance qu'ils m'infligeaient. Vartoui a assisté à la scène de flagellation, sans dire un mot.

Curieusement, les coups de fouet ne m'ont ni entamé, ni abîmé la peau : il est vrai que le travail a été exécuté par des spécialistes soucieux de ne pas gâter la marchandise. La douleur, je l'ai ressentie sur le moment, puis je l'ai oubliée. L'humiliation... je ne l'ai jamais oubliée.

Alors que je gisais, meurtrie et pantelante, Vartoui me releva sans brutalité mais fermement. Broyant ma main dans la sienne, elle m'entraîna à travers le Harem jusqu'à un escalier étroit qui s'enfonçait sous terre. Elle me tira, trébuchante, de marche en marche. L'escalier aboutissait à une sorte de vaste hangar, aux murs de pierre nue, à la voûte très haute, dénué de la plus petite fenêtre. Des échafaudages de bois reliés par des échelles formaient trois étages. Sur chacun de ces niveaux, des femmes de tous les âges se préparaient à la nuit. Combien étaient-elles, ces ombres du souterrain ? Cent ? Deux cents ? Toutes avaient été jugées inaptes à être candidates à la couche du Sultan et avaient ainsi été condamnées à servir, jusqu'à la mort, d'esclaves aux autres. Elles firent silence à notre entrée et tournèrent leurs yeux apeurés vers Vartoui.

— Veux-tu vivre ici, me demanda celle-ci, et partager ce sort ? Ou préfères-tu te montrer raisonnable et suivre docilement mes instructions ? Car dis-toi bien que, de toute façon, tu ne sortiras pas du Harem.

Ces femmes n'étaient pas maltraitées ni désespérées, elles étaient résignées. L'horreur de cette vision, de ces femmes entassées comme du bétail dans cette cave, devenues aussi grises que les murs à force de soumission, me poursuivit longtemps. Puis je réfléchis, plus loin que ne l'aurait souhaité Vartoui. Elle avait voulu me faire peur. Mais elle-même avait peur, je l'avais senti. Peur pour elle bien plus que pour moi. Peur de sa responsabilité si je lui échappais des mains. Peur au point de m'épargner. D'ordinaire toute tentative de fuite ou de communication avec l'extérieur était sanctionnée par la mort. Je n'avais pas été jetée dans le Bosphore cousue dans un sac et je me demandais ce que signifiait cette mansuétude exceptionnelle à mon égard.

Peu après cet incident, je fus présentée à la Kadine Mirizshah, favorite du feu Sultan Moustafa III et mère du Prince Héritier Sélim. Elle vivait retirée au Vieux Sérail, au Palais des Lamentations, mais elle était loin de se lamenter : elle restait importante, car un jour elle serait Sultane Validé, lorsque son fils régnerait. Elle avait déjà l'oreille du Sultan régnant, Abdoul Hamid, et venait souvent au Nouveau Sérail voir sa fille, la Princesse Hadidgé.

Un soir donc le Kislar Aga vint me prendre, et me mena au premier étage du Harem, dans l'aile des

Princesses impériales, qui donnait sur la vaste Cour de la Sultane Validé. L'appartement se composait de deux pièces lumineuses. Les bouquets de fleurs aux couleurs vives, peints sur les panneaux de boiseries, se retrouvaient sur les tapis persans. Le long des murs couraient des divans bas recouverts de velours de Brousse, pourpre, brodés de grands œillets d'or. Nul autre meuble que les boîtes à Coran et les guéridons bas en écaille incrustés de nacre, et les grands braseros tarabiscotés en cuivre doré.

Debout près d'une fenêtre se tenait la princesse Hadidgé, fille de Mirizshah. Une grande fille aux yeux liquides et sombres, à la lourde bouche sensuelle. Le regard vague, se désintéressant de ce qui se passait dans son dos, elle affectait la mélancolie. Elle était célèbre dans le Harem pour ses amours passionnées et malheureuses. Tout le temps que nous sommes restées là, elle conserva le visage buté et tragique et ne daigna se mêler à notre conversation.

A l'inverse de Hadidgé, sa mère Mirizshah me reçut avec une grande bienveillance. Cette Circassienne était restée étonnamment belle et séduisante pour son âge : grande et imposante, le teint très blanc, de magnifiques yeux verts étirés vers les tempes, et un nez très busqué qui, loin de l'enlaidir, ajoutait du caractère à sa beauté. Elle portait avec le plus parfait naturel une invraisemblable quantité de bijoux : plusieurs sautoirs de perles et d'émeraudes, boucles d'oreilles et boutons en très gros diamants, toque incrustée de perles et hérissée d'épingles en émeraude, bracelets d'émeraudes et de diamants. Pour s'adresser à moi, elle s'appliqua à parler lentement afin d'être bien comprise. De temps à autre elle risquait dans un français hésitant une phrase qui s'achevait sur un petit rire confus.

Avec sollicitude elle m'interrogea sur mes premières impressions du Harem, sur les progrès et les difficultés de mon éducation. Puis elle me posa des questions très pertinentes sur la France pour laquelle elle éprouvait un intérêt passionné. J'étais étonnée de trouver au fond de ce palais coupé du monde une femme si cultivée et si informée des événements lointains. La politique française, la situation européenne, les philosophes, les réformes, la Constitution anglaise, Mirizshah aborda tous les sujets avec la plus grande aisance.

J'étais souvent incapable de lui répondre. Elle ne se formalisa pas de mon ignorance, mais sous sa bienveillance je sentis qu'elle me jaugeait. Sous les paupières à demi baissées les yeux verts m'observaient sans relâche. Mirizshah savait tout de moi et je compris que derrière Vartoui c'était elle qui tirait les fils de la marionnette que j'étais. Mais pourquoi s'intéressait-elle à moi ? Qu'attendait-elle de moi ?

A l'issue de cette audience, je compris en voyant l'air radieux de Vartoui que je venais de passer avec succès mon examen : j'étais agréée par la future Sultane Validé.

Lorsque le Kislar Aga m'eut ramenée, Vartoui se précipita sur un coffret en bois incrusté d'ivoire où elle serrait ses bijoux. Elle y fouilla frénétiquement avant d'en retirer une ravissante paire de boucles d'oreilles persanes : des corolles d'or et d'émail de tailles décroissantes qui se terminaient par de petites émeraudes et des perles baroques. Elle me les tendit en déclarant avec un rien d'emphase :

— Garde-les en souvenir de moi. Souviens-toi, lorsque tu les porteras, que Vartoui a été bonne pour toi et qu'elle t'aimera toujours.

Vartoui tenait-elle à s'assurer de ma reconnaissance dans l'éventualité où j'accéderais à une position enviable ?

Mon statut devint si ambigu, que je ne pouvais même plus me dire la camériste de Vartoui. Une nouvelle venue, Nür, me remplaça dans cette fonction et je n'eus plus d'autre obligation que celle de mes leçons. Nür était une fille primesautière, toute blonde, au visage constellé de taches de rousseur, et le moins qu'on pouvait dire était qu'elle n'avait pas froid aux yeux.

Sous le feu des questions de Mirizshah, j'avais avoué mon goût pour la harpe, tout en sachant bien qu'il n'existait pas un tel instrument au Harem et qu'aucune fille n'en jouait. Comme par miracle apparut une harpe toute neuve et toute dorée qu'on mit à ma disposition. Je répétais dans l'école de musique, réservée aux « élèves » les plus douées du Harem qui se perfectionnent avant d'être admises dans l'orchestre privé du Sérail. Ces petites pièces situées au sous-sol ouvrent sur un maigre jardin ceinturé de très hauts murs. La demi-pénombre perpétuelle, le balcon de la Sultane Validé qui surplombait, les étroites fenêtres, le lourd rideau de brocart qui dissimulait un escalier conduisant à l'étage supérieur, tout cela m'inspirait un malaise indéfinissable. Je ne pouvais me défendre de l'impression que ces lieux étaient hantés. Mais j'étais heureuse de pouvoir à nouveau jouer de mon instrument préféré et d'effacer pour un moment, grâce à la musique, l'incroyable aventure que je vivais.

Un après-midi, pendant toute la durée de mes exercices de harpe, je sentis qu'on m'observait à travers la fente des rideaux qui cachaient l'escalier. A plusieurs reprises, j'avais été tentée de me lever et d'aller vérifier mais je m'en étais finalement abstenue ; la peur de découvrir ce qui doit rester caché, ou d'enfreindre quelque règle du Harem m'avait retenue. J'étais si tendue, si nerveuse, que malgré mes efforts de concentration, je fis énormément de fausses notes. Le soir tombait et j'étais restée immobile, à l'écoute alors que du dehors me parvenait le chant mélancolique des muezzins appelant à la prière.

— *O illah Kibiz, Allah salah.* Dieu est grand, venez prier, se répondaient-ils de minaret en minaret.

Soudain les rideaux se sont violemment écartés, livrant passage à une espèce de furie qui se mit à m'invectiver avec violence. Cette femme, plutôt jolie, une rousse aux yeux verts, me prit à partie à propos de la religion que, selon elle, j'insultais. Comment pouvais-je négliger l'heure de la prière pour continuer à jouer de la harpe ! Elle m'abreuva d'injures, me promettant la décapitation pour sanction de mon sacrilège prétendu. Me voyant complètement hébétée par la brusquerie et l'outrance de cette scène elle s'écria : « A genoux ! A genoux devant la fille de ton Sultan ! » J'avais donc devant moi la Princesse Esmée, rejeton préféré d'Abdoul Hamid. Elle commençait à m'agacer.

— Si j'avais su qui vous étiez, lui ai-je répondu, je vous aurais saluée comme il convient.

Ces mots ont semblé calmer la harpie.

— Fais attention, fais très attention. Être jolie fille n'est pas ici un métier de tout repos. Il te faut savoir exactement qui respecter et à qui obéir. Sinon tu pourrais très vite finir avec un ravissant cordon de soie qu'un eunuque serrerait autour de ton petit cou !

Puis elle décocha un coup de pied dans ma harpe et disparut dans un grand éclat de rire.

La scène fut si inattendue que j'aurais pu me croire victime de la berlue. J'aurais juré qu'une autre personne s'était tenue derrière le rideau, celle dont j'avais senti le regard haineux posé sur moi. Et cette personne n'était pas la Princesse Esmée.

Vartoui à qui je rapportai aussitôt l'incident tenta de le réduire :

— La Princesse Esmée, tout comme son père notre Sultan, adore jouer la comédie et faire des farces. Celles-ci peuvent être parfois cruelles mais elle n'en a pas conscience. Esmée est une écervelée sans réelle méchanceté. Malheureusement elle est sous l'influence de sa mère Sinéperver, la Première Kadine. Et Sinéperver est un être malfaisant.

Ainsi, ce regard dont je me suis sentie transpercée tout au long de la leçon serait celui de Sinéperver, la Première Kadine.

Je commençais à ressentir les effets des rivalités féroces qui sous-tendent cette société : j'étais prise entre, d'une part, les prévenances de Vartoui et la sollicitude de Mirizshah et, de l'autre, les mises en garde de Ristoglou sous forme de noires prédictions et une hostilité impalpable mais puissante qui avait pris pour nom Sinéperver.

Le froid arriva. Vartoui fit sortir des coffres les pelisses de fourrure que l'on conserve ici dans du poivre. Ayant enfilé sa zibeline elle se rendit au Salon du Sultan où l'on donnait un ballet. A peine était-elle sortie que Nür, la nouvelle camériste, surgissait, toujours aussi rieuse et effrontée. Comme je m'étonnais qu'elle ne fût pas à cette heure dans le dortoir des femmes esclaves, elle me tendit une petite boîte en jade incrustée d'arabesques d'or et de rubis.

— Un cadeau pour toi de la Kadine Provençale, expliqua-t-elle.

La boîte était remplie de petites pastilles qui me parurent d'or pur.

— Ce sont des sucreries réservées aux seules Kadines, que le Confiseur Impérial recouvre de plusieurs couches d'or fin. Goûte-les, ce sont des merveilles !

J'en croquai une, puis deux : elles avaient la saveur du chocolat, mais je leur ai trouvé un arrière-goût un peu âcre et bizarre. Nür, qui m'observait avec son espièglerie habituelle, s'était installée sans façon sur le sofa de Vartoui où elle m'invita bientôt à la rejoindre.

Nous bavardions, et lentement, je me sentais envahie d'un bien-être étrange, livrée à des sensations inconnues et délicieuses. Il me semblait que j'étais miraculeusement allégée de mes peurs, de mes soucis, de mes chagrins et que je pourrais rester là des heures, des jours, sans dormir. Je sentais mes facultés aiguisées, et les objets autour de moi, les meubles, les étoffes, les tapis me paraissaient plus colorés.

Nür avait entonné à voix très basse une mélopée envoûtante qui me berçait, dans laquelle mon corps entier baignait délicieusement. Ce fut à ce moment je crois que Nür commença à caresser mes seins, à parcourir mon visage, ma gorge de baisers dont je ne songeais pas à me défendre. J'étais seulement occupée à enregistrer chacune de ces sensations nouvelles, et je jouissais d'un bien-être total.

Quand Vartoui fit irruption je ne réagis pas davantage, et j'ai bien du mal à me remémorer la fin de cette scène que je vécus dans un état second. Il y eut le hurlement de rage de Vartoui devant le spectacle de nos embrassements, le bond de Nür, brusquement dressée comme un serpent. Puis je reçus une grêle de coups dont je ne me protégeai pas plus que des baisers de Nür, les cris de Vartoui, la recrudescence de sa colère cette fois tournée contre Nür lorsqu'elle découvrit la boîte à pilules, lorsqu'elle comprit que Nür avait tenté de me droguer et de me violer.

Ce fut ensuite dans l'appartement de Vartoui une confusion d'appels, d'ordres, d'explications furibondes, l'apparition du Kislar Aga, en tenue de nuit, accompagné de ses serviteurs. J'assistai à cela impavide et sereine, je vis les eunuques noirs s'emparer de Nür qui se débattait et l'entraîner, j'entendis ses cris de bête dans une indifférence absolue.

Je restai toute une journée au lit en proie à d'horribles nausées. Puis les frissons, la migraine, l'envie de vomir s'estompèrent. Vartoui ne quittait pas mon chevet.

— Les pastilles contenaient de l'opium, expliqua-t-elle, le « sublime corrosif », comme on l'appelle ici. L'opium, plaie de l'Empire en général et du Harem en particulier. Bien des Turcs en consomment pour justifier leur paresse, et les idiotes du Harem s'en étourdissent pour supporter une existence qu'elles s'imaginent faite d'amertume et d'ennui. Certaines de nos Kadines même... ce qui explique les couches d'or sur ces maudites pilules.

Puis, après bien des hésitations, avec toutes sortes

de circonlocutions, Vartoui m'avoua que le lesbianisme était une autre pratique courante au Harem, concevable dans une société de femmes cloîtrées, et sur laquelle on fermait les yeux. Cette tolérance ne pouvait évidemment s'étendre aux agissements de Nür, laquelle avait voulu me gâcher. Une fille déflorée et droguée n'était plus bonne pour le Sultan ; on ne lui soumettait que des produits intacts et sans déformation.

— Bien sûr, ce n'est pas cette crétine criminelle de Nür qui a conçu ce plan diabolique. J'avais déjà compris en voyant la bonbonnière de jade. Elle pouvait avoir volé les pastilles d'opium, mais non la bonbonnière.

C'était Sinéperver qui la lui avait confiée et qui était à l'origine de cette machination ! La Première Kadine, jalouse de son emprise sur le Sultan, était prête à tout pour barrer la route à celles qui risquaient de l'entamer. Je reconnus enfin ce que je me refusais jusqu'alors à admettre : j'étais un produit qu'on faisait soigneusement mûrir avant de l'offrir à point au Sultan. Concubine du maître de l'Empire, et, qui sait, sa favorite... il y avait de quoi éblouir l'ambition de chacune, la mienne incluse. Mais je ne me résignai pas à être un mouton qu'on pomponnait avant de le mener abattre. Je refusai qu'on décidât de moi, en dehors de moi. Si je voulais accomplir mon destin exceptionnel, je tenais à le poursuivre librement, par mes propres moyens.

— Et Nür ? demandai-je.

— Jetée dans le Bosphore ce matin, répondit-elle négligemment.

J'imaginais Nür, la jolie Nür si jeune et si rieuse, cousue dans un sac rude, jetée du haut des remparts, un poids aux pieds, tombant dans l'eau glaciale, mourant noyée dans sa prison de jute. Jamais je ne me ferais à cette barbarie. Un sursaut de révolte me souleva. Je me rappelle m'être élancée hors de la pièce et avoir couru longtemps sans savoir où j'allais, le cœur en feu. Lorsque je m'arrêtai j'étais dans une galerie déserte et silencieuse, suintant la mélancolie à cette heure crépusculaire.

Je compris que j'étais au Lieu du Conseil des Djinns dont mes compagnes m'avaient parlé avec une terreur quasi religieuse et dont elles refusaient de s'approcher dès la nuit tombante. Elles prétendaient que les Djinns, ces esprits redoutables, tenaient là leurs réunions et venaient faire leurs ablutions dans le grand bassin en contrebas.

Je restai là longtemps, me laissant envelopper par les ténèbres, par cette atmosphère mystérieuse et vaguement menaçante. Dans ces instants, avec mon esprit frappé par le sort horrible de Nür, je redoutais moins la rencontre des esprits, ces Djinns farceurs, que celle des êtres vivants : ceux-là m'apparaissaient bien les plus cruels.

A relire mes carnets, je m'aperçois que je n'y ai pas relaté la rencontre que je fis ce soir-là. Est-ce parce qu'elle se grava en moi avec une telle force que son évocation devenait inutile ? Sans doute, car chaque moment, chaque détail de cette soirée me reviennent avec la même netteté que si je l'avais vécue hier. Et pourtant, il y a presque trente ans...

Il y avait une porte entrouverte près du Lieu du Conseil des Djinns. Encore sous le choc, je me glissai, sans trop savoir pourquoi, dans cet entrebâillement, et je découvris alors la pièce la plus ravissante qu'on pût imaginer. La lumière du couchant, filtrée ici par des treillis de marbre immaculé, et là par des vitraux, jouait sur les céramiques somptueusement décorées des murs : grands bouquets de tulipes et d'œillets mêlés à des motifs géométriques bleus et verts, inscriptions du Coran, blanches sur fond bleu de mer, entrelacées de vignes, artichauts stylisés. Au milieu de ce jardin de faïence scintillait une cheminée conique en bronze doré.

Je m'approchai des livres : il y en avait partout dans les niches, sur les sofas, sur le sol. A ma grande surprise, je m'aperçus que cette bibliothèque comportait aussi des ouvrages français et des plus récents. Le *Voyage du jeune Anarchasis en Grèce* de l'abbé Barthélemy, et même *Paul et Virginie* de Bernardin de Saint-Pierre, dont je remarquai qu'il était couvert d'annotations en turc. Soudain une voix dans mon dos demanda :

— Par quel miracle es-tu entrée ici ? Sais-tu que tu risques ta tête ?

Je fis volte-face. L'homme était grand, jeune, légèrement voûté. Le front d'un penseur, le nez aquilin, la longue barbe très noire. Quelques traces de petite vérole marquaient la peau mate de son visage sans en altérer l'austère beauté. Il était coiffé d'un turban vert et portait une modeste « abaya » de couleur beige.

L'homme réitéra doucement sa question :

— Que fais-tu ici ? Tu n'as pas le droit...

Ce mot exécré mit le feu à ma colère :

— Pas le droit ! Pas le droit ! Vous n'avez que ce mot à la bouche, tous ici. Je vais où je veux, moi, et surtout où je crois pouvoir être seule. Et toi, es-tu sûr d'avoir le droit de m'interroger ? Cherche dans le règlement : un eunuque blanc peut-il interroger une esclave ?

Alors il éclata de rire, un rire frais et franc, et avant qu'il eût parlé je compris ma méprise.

— On voit que tu es nouvelle ici car tu sembles ignorer que les eunuques n'ont pas de barbe.

Ses grands yeux sombres taillés en amande ne me lâchaient pas. Son regard de chaleur et d'intelligence avait quelque chose d'insondable. Il remarqua le *Paul et Virginie* que je tenais encore.

— Tu lis le français ? Tu es la nouvelle, la Française. Est-ce que je me trompe ? Ma mère Mirizshah m'a parlé de toi.

C'était le Prince Sélim, l'héritier de l'Empire Turc, appelé à devenir le trentième Sultan de la dynastie ottomane...

— Comment se fait-il que vous lisiez le français ? lui ai-je rétorqué. Est-ce nécessaire pour un Sultan ? Je croyais qu'il était suffisant à un Sultan de savoir ordonner les exécutions et massacres.

Mon insolence ne fit qu'amener un sourire.

— Je lis le français — hélas bien trop mal à mon gré — parce que j'aime vos romans et que cette langue véhicule le libéralisme et le progrès.

Je grommelai quelque remarque acerbe sur la sauvagerie des mœurs turques peu compatibles avec le libéralisme et le progrès dont il se réclamait, mais il ne s'en offusqua pas davantage. Il me parla longuement de sa mère, Mirizshah. Il vénérait cette femme intelligente et libérale.

— Ma mère m'a ouvert au monde. Elle m'a fait lire, elle a placé auprès de moi des hommes de valeur. Malgré les difficultés quasi insurmontables pour les introduire au Sérail, elle m'a mis en contact avec des étrangers qui m'enseignaient leur pays et leurs coutumes. Il y a eu un jardinier français, un peintre polonais, il y a eu ce médecin italien, le docteur Lorenzo, qui était censé me soigner mais qui, en réalité, m'apportait des livres de politique, d'économie et de droit.

Irrésistiblement le nom de monsieur Jolibois, porteur de livres interdits, me vint à l'esprit. Spontanément, je me mis à raconter l'histoire de monsieur Jolibois, je décrivis le couvent de la Visitation, la ville de Nantes, ma vie en France. Le Prince Sélim m'écoutait et m'interrogeait avec une concentration intense.

Mes confidences l'entraînèrent à se livrer davantage. Il me parla de la Cage où les princes impériaux vivaient enfermés.

— La Cage est le moindre mal. Autrefois, les princes étaient purement et simplement éliminés. Le principe de succession dans l'Empire Ottoman est une affaire compliquée : il est fondé sur l'ancienneté, le sultanat ne se transmet pas de père en fils, mais de plus âgé en plus âgé. Ainsi Abdoul Hamid, mon oncle, a succédé à mon père Moustafa III, car il était le membre le plus vieux de la dynastie. Cet ordre de succession a longtemps suscité un foisonnement d'intrigues meurtrières entre oncles, cousins, neveux, tous acharnés à éliminer leurs aînés pour accéder au pouvoir. Pour assurer le trône à leurs fils, les sultans régnants n'avaient pas d'autre moyen, à leur avènement, que de faire assassiner tous leurs parents, frères inclus. Cette pratique sanguinaire subsista jusqu'à ce que l'un de mes ancêtres, Ahmed Ier, décidât d'y mettre fin. Il fit construire des appartements où il enferma sa parenté plutôt que de la massacrer. Désormais les princes ne sont plus étranglés mais seulement séquestrés dans la Cage. L'amélioration est appréciable.

— Mais depuis quand êtes-vous dans la Cage ?

— Depuis quinze ans, depuis la mort de mon père Moustafa III. J'avais treize ans, et, dès lors, je n'en suis jamais sorti. Néanmoins, mon oncle Abdoul Hamid est très bon : il me permet de communiquer avec l'extérieur, de recevoir des lettres, des messages, des livres comme tu vois... Et puis j'ai mes esclaves, mes professeurs et mes kadines...

Soudain il se troubla et je sentis qu'il n'en dirait pas plus. Il appela Billal Aga, son précepteur, un vieil eunuque noir à besicles, un penseur timide, et le pria de me reconduire à mes appartements. Je me retournai avant de franchir le seuil : Sélim était assis en tailleur sur le tapis, affectant de lire avec concentration. Mais ses mains tremblaient...

Pour la première fois dans ce lieu où tous étaient formés, déformés, conditionnés par les règles du Sérail, je m'étais trouvée en face d'un être qui, bien que prisonnier lui-même, m'avait paru libre et ouvert. Pour la première fois ici j'avais eu l'impression de parler d'égal à égal avec un être humain. Et puis, le mélange de douceur et de virilité chez cet homme m'avait émue.

Très tôt un matin, Vartoui, que je trouvai anormalement nerveuse, me conduisit à l'école de musique. Là elle m'enjoignit de m'asseoir, puis de me lever, enfin me fit changer de place une dizaine de fois, transportant chaque fois elle-même l'escabeau et la lourde harpe. Enfin lorsqu'elle estima avoir trouvé la place et l'éclairage convenables, elle m'ordonna :

— Maintenant, assieds-toi et ne bouge plus !

Et elle entreprit de mettre en ordre ma chevelure, d'arranger les plis de ma chemise, au point que je me demandai si elle était en train de me préparer à une séance de pose devant un peintre. Je ne comprenais rien à ce manège.

— Choisis le plus beau morceau que tu connaisses et surtout continue à jouer jusqu'à ce que je vienne te chercher.

Et elle me laissa sans autre explication. Je pensais qu'il s'agissait là d'une nouvelle lubie de Vartoui, dont j'aurais bientôt le fin mot, et je me mis donc à jouer une chanson prétendument composée par Marie-Antoinette, que m'avait apprise ma cousine Marie-Anne.

Seulette suis à porte ou à fenêtre,
Seulette suis en un angle mussée,
Seulette suis pour mieux de pleurs repaître,
Seulette suis dolente ou apaisée,
Seulette suis et rien tant ne m'agrée,
Seulette suis en ma chambre enserrée,
Seulette suis sans ami demeurée.

Seulette suis partout et en tout aître,
Seulette suis marchant ou arrêtée,
Seulette suis plus qu'autre rien terrestre,
Seulette suis de chacun délaissée,
Seulette suis durement abaissée,
Seulette suis souvent tout éplorée,
Seulette suis sans ami demeurée.

Peu à peu je me laissai prendre moi-même par la mélancolie de cette mélodie, de ces paroles, lorsqu'un léger bruissement me fit lever les yeux. Un homme apparut entre les rideaux, un vieillard à l'expression bienveillante mais chargée de tristesse et de fatigue. Je fus frappée par la pâleur quasi maladive de son visage et remarquai que les poils de sa barbe étaient teints. Peut-être à cause de son allure majestueuse, peut-être à cause de la richesse de son costume, je sus immédiatement qu'il s'agissait du Sultan Abdoul Hamid. Il était vêtu d'un caftan de soie à fond noir brodé de grandes feuilles d'or et de fleurs rouges avec des taches de turquoise. Il portait des babouches jaune citron et un turban blanc surmonté d'une aigrette retenue par une cascade de diamants.

Ses longues mains jouaient avec un précieux tchespi, le chapelet de patience de tout bon Oriental, et j'entendais, dans le silence, le crissement des perles qui s'entrechoquaient.

Nous nous dévisageâmes un moment sans rien dire. Ses yeux n'étaient que deux fentes noires surmontées de sourcils très arqués qui lui donnaient un regard dubitatif. Je n'étais pas intimidée, je me demandais simplement ce qu'il fallait faire lorsqu'on était mise en l'Auguste Présence, Vartoui ayant omis, peut-être à dessein, de m'en prévenir. Avec effort, il esquissa enfin un sourire et remarqua :

— Il fait froid aujourd'hui.

Sur ces mots, il sortit de sa vaste manche un mouchoir de mousseline qu'il laissa tomber devant moi, se retourna lentement et s'éclipsa aussi silencieusement qu'il était venu.

A peine eut-il disparu que Vartoui passa sa tête dans l'entrebâillement de la porte, jeta un rapide coup d'œil dans la pièce, et se précipita vers moi aussi vite que le lui permettait sa respectable corpulence. Elle était suivie de sa grande alliée, la Maîtresse des Robes, et du Kislar Aga. Ces trois-là se jetèrent sur moi, me cajolant, me serrant dans leurs bras, m'embrassant, s'embrassant entre eux. Ils riaient, pleuraient tout à la fois. Lorsqu'ils découvrirent le mouchoir abandonné par le Sultan ils allèrent jusqu'à s'agenouiller sans oser le toucher. Enfin Vartoui le ramassa, avec autant de componction que s'il s'agissait d'une relique sacrée de l'Islam. Et tout au long de cette scène de délire ils glapissaient « Nakshidil Gözde, Nakshidil Gözde ».

Lorsque, enfin apaisée, elle m'eut ramenée dans notre appartement et allumé sa chère pipe, Vartoui m'expliqua :

— A présent tu es une Gözde, c'est-à-dire une femme « dans l'œil » du Sultan. Il t'a remarquée. Il te trouve belle. Il te désire.

Je trouvai ces conclusions bien péremptoires.

— Mais il n'a rien dit, rien fait !

— Il t'a adressé la parole.

— Oui, pour dire une banalité...

Elle m'interrompit sèchement :

— Il t'a adressé la parole, c'est le signe. Par cela, il t'a marquée. Et le mouchoir ? Te rends-tu compte, le mouchoir ?

— Il l'a laissé tomber par mégarde, fis-je, renfrognée.

— Par mégarde ! Ah ! Petite barbare ! Le mouchoir, c'est la marque suprême de l'Auguste Intérêt. Elle est réservée à celles qui lui plaisent beaucoup. Tu as eu la parole et le mouchoir, grâces soient rendues à Allah !

Vartoui m'avoua encore que ce qui venait de se passer la surprenait heureusement car elle ne me jugeait pas encore assez épanouie pour séduire le

Sultan, lequel appréciait d'ordinaire les femmes pleines et opulentes et non les fruits verts. Mais l'œil du Maître était infaillible et il était le plus qualifié pour juger de la beauté féminine.

III

On me fit déménager au premier étage dans l'aile réservée aux Gözdes au-dessus de la cour qui porte leur nom. La clarté et la nudité de ma nouvelle chambre contrastaient avec la pénombre surencombrée de l'appartement de Vartoui. Le lit à colonnes en cuivre ornementé, d'inspiration européenne, était trop grand pour la pièce dont il occupait presque la moitié, mais je le préférais à mon étroit matelas, déroulé dans un coin de la chambre de Vartoui.

Plus de leçons ni d'heures de service, ni d'expéditions dans le Harem. J'avais été choisie et je passais sans transition de l'activité incessante d'une esclave houspillée à l'oisiveté totale d'une odalisque en puissance. Soumise au régime des oies, on m'apportait chaque jour des montagnes de gâteaux et de sucreries dont la seule vue en vint à me donner la nausée.

Les cadeaux coutumièrement offerts aux Gözdes ne cessaient d'affluer : rangs de perles, pelisse doublée de zibeline, caftans en velours de Brousse, quantité de longues chemises d'intérieur en soie rayée, avec de surcroît plusieurs esclaves et eunuques attachés à mon service exclusif. Je pouvais devenir une élue, c'est-à-dire peut-être une puissante du jour, et je fus immédiatement étouffée sous la servilité, base de la société orientale. On ne me laissait plus rien faire, pas même porter un plateau. Chacun de mes pas, de mes gestes était observé avec inquiétude. On me traitait comme si j'étais de verre et risquais de me briser à chaque instant.

D'après les confidences de Vartoui, qui passait son temps à me « couver », j'appris que ma rencontre avec Abdoul Hamid n'était pas fortuite comme j'avais eu la naïveté de le croire mais qu'elle procédait d'une somme de ruses et de longues préméditations. Le Sutan avait fait rouvrir les appartements de sa mère, la défunte Sultane Validé, où il venait fréquemment évoquer son souvenir; Vartoui avait donc organisé mes exercices de harpe, escomptant bien qu'un jour, attiré par ce son inhabituel et son goût de la musique, le Sultan me découvrirait.

J'appris aussi que dès mon arrivée au Harem j'avais été « fichée ». J'étais, de l'avis des experts, un objet d'une grande rareté dont on pouvait tirer un vaste parti : j'étais française, j'étais blonde, j'avais du caractère. J'avais donc été sélectionnée, mais on s'était gardé de m'en avertir, de peur de gâter ma spontanéité qui, paraît-il, ajoutait à mes attraits.

Je m'enquis de mes commanditaires. Le Kislar Aga m'avait immédiatement remarquée, mais c'était Vartoui, elle me l'annonça fièrement, qui m'avait signalée à Mirizshah. Ce nom fit lever en moi une crainte absurde, irraisonnée :

— Le Prince Sélim est-il au courant ? demandai-je.

— Certainement pas. Il désapprouverait ce genre... d'action.

J'en ressentis un soulagement. Vartoui, elle, nageait

dans la béatitude, voyant enfin ses mois d'efforts et de soins récompensés. Désormais le ciel s'ouvrait pour elle... et pour moi.

— Gözde, ce n'est pas mal, me susurra Ristoglou venu me rendre visite pendant une absence de Vartoui. Mais le Sultan peut t'oublier comme il en a oublié tant d'autres, ajouta-t-il. Et alors, du jour au lendemain, plus de bijoux, plus de robes, plus d'esclaves. On t'enlève tout, tu te retrouves toi-même esclave, et pour te punir de ta disgrâce on te réserve les plus basses besognes...

Le poison de Ristoglou fut la goutte qui fit déborder ma coupe. Je n'en pouvais plus de mon oisiveté, des bavardages de Vartoui, de mon attente. Pour vivre ici j'avais dû admettre quantité de contraintes qui blessaient ma nature et niaient ma personne. Tant bien que mal, je m'étais résignée à la rupture avec mon passé, à la réclusion, à l'isolement dans un monde étouffant. J'avais joué le jeu de la docilité et je m'étais pliée à leurs règles. J'avais adopté leurs mœurs avec toute la bonne volonté dont j'étais capable. Mais à présent tout mon être se révoltait contre le sort qu'on me proposait. Je me refusais à être une oie blanche propulsée dans la couche d'un homme inconnu, fût-il Sultan, pour être déflorée. Je ne voulais pas être sacrifiée à la lubricité d'un vieillard. J'étais alors une adolescente à peine sortie de l'enfance. J'étais donc excessive. Je choisis tout simplement de me laisser mourir.

Je ne fus pas loin de réussir. Je décidai de ne plus me nourrir et de périr de faim. Je n'acceptai d'avaler que de l'eau. Vartoui tournait autour de moi comme un fauve en cage, essayant l'un après l'autre tous les moyens de me ramener à la raison, depuis le chantage jusqu'aux supplications. A ses questions comme à ses objurgations j'opposai un silence, une indifférence absolus.

Au bout d'une semaine de jeûne, j'avais beaucoup maigri, mon teint avait pris une vilaine couleur jaunâtre, et j'étais trop faible pour me tenir debout. Je restais toute la journée étendue sur des coussins, perdue dans le vague, les lèvres serrées. Vartoui, à mon chevet, se désolait et se lamentait. Je crois qu'elle-même s'était mise à dépérir. Elle semblait avoir renoncé à m'interroger et à me persuader de m'alimenter. Elle se contentait de demeurer près de moi, me tenant la main, hochant parfois la tête et pleurant silencieusement. Mon état devint si grave que je fus transportée à l'hôpital du Harem en contrebas de l'aile des femmes esclaves.

J'y reçus la visite de Véli Zadé, le théologien conseiller de Mirizshah, qui avait réputation d'érudit et de sage. A l'hôpital, considéré comme l'antichambre de la mort, la barrière entre les sexes s'abaissait. N'y avait-il pas dans la cour la Porte des Cadavres, dont le seul nom suffit à indiquer la fonction ? J'avais presque perdu conscience et pourtant je me rappelle encore aujourd'hui Véli Zadé, penché sur moi, son long visage pâle, sa moustache grise, sa mine bienveillante, ses yeux fixés sur les miens. Des yeux perçants, extraordinairement bleus et lumineux de mage.

Véli Zadé alliait à une grande habileté politique une redoutable connaissance de l'âme humaine. Il commença par m'assurer qu'il me comprenait parfaitement, qu'il n'était pas dans ses intentions de me contraindre, affirmant que je pouvais me laisser mourir de faim si telle était ma volonté. Néanmoins il me demandait une faveur, une seule : il voulait que j'accepte de l'écouter.

Je ne réagis pas à cette proposition ; j'en aurais été bien incapable. Il suggéra alors de me sustenter quelque peu, juste assez pour être en mesure d'expliquer mon point de vue et, au besoin, de le défendre. Ce fut moins ma faiblesse que les yeux de Véli Zadé qui me firent opiner de la tête. Aussitôt une légère collation apparut, un dosage de riz décortiqué, de jus de fruits et de cordial sucré.

Lorsque j'eus retrouvé quelques forces, je murmurai que je ne voulais plus être gavée, pomponnée, enrubannée pour n'être que l'esclave d'un homme, pis, l'esclave du désir d'un homme. On s'inquiétait de mon état physique et de ma santé, mais nul ne songeait à se préoccuper de mes pensées.

Véli Zadé, qui jusque-là m'avait écoutée tranquillement, m'interrompit :

— Tu te trompes, ma chère enfant. C'est justement parce que nous avons su reconnaître tes qualités d'âme et d'esprit que nous t'avons choisie pour la Mission.

Je n'étais pas en état d'en écouter plus. L'effort de parler m'avait épuisée. Véli Zadé revint les jours suivants pour surveiller le rapide rétablissement de ma jeune constitution. Il reprenait ses discours endoctrinants. Il se lançait dans de véritables tirades sur la politique turque. Le corps encore faible mais l'esprit alerte, je le suivais avec intérêt.

L'Empire Ottoman était encore une grande puissance mais pour le rester il lui fallait sortir des ornières du passé et de la tradition, il lui fallait se réveiller, s'adapter aux changements de l'époque. Il avait besoin de réformes urgentes et radicales, faute de quoi les puissances voisines et rivales auraient raison de lui. Le Sultan Abdoul Hamid était un homme intelligent et ouvert, mais il était vieux, usé, et un parti puissant, fondé sur le conservatisme et le fanatisme, travaillait à maintenir les affaires en l'état. Ce parti comprenait le clergé avec ses Oulémas, ses muftis, et une partie de l'armée avec ses redoutables Janissaires, ces gardes prétoriens, terreurs de l'Empire qui faisaient, ou plutôt défaisaient les Sultans; grâce à l'influence de Sinéperver, ce parti contrôlait la politique.

Je compris ce qu'on attendait de moi. Je devais séduire Abdoul Hamid et le dominer pour neutraliser le rôle de Sinéperver. J'ouvrirais ainsi la voie aux réformateurs, à Mirizshah et à ses conseillers, au Prince Sélim... Véli Zadé avait su me toucher en me traitant en adulte : il m'avait parlé sans détour ni mièvrerie. Je retrouvai bientôt mon appartement de Gözde, les bavardages de Vartoui, et les visites semi-clandestines de Ristoglou.

— Une mission ! Des réformes ! Le progrès ! s'indignait ce dernier. Mais ils s'en moquent, ma pauvre enfant ! Tout ce qu'ils désirent, c'est avoir près du Sultan une fille entièrement dévouée à leur cause, qui soit l'instrument de leur pouvoir et qui endorme la méfiance de Sa Hautesse à leur égard. Car ça complote ferme autour du Prince Sélim. On aurait même songé à détrôner notre Sultan. Et il y a eu des contacts avec l'étranger, une conjuration. Si nous vivions sous un souverain moins bienveillant que Sa Hautesse, ton Prince Sélim aurait déjà fini avec un lacet de soie autour du cou. Dis-toi bien qu'ils ne te veulent que pour le protéger !

L'odieux Ristoglou avait peut-être raison; on voulait faire de moi l'instrument d'un parti dans une lutte sourde et âpre pour le pouvoir — mais ce parti était celui de l'avenir, c'est-à-dire celui du Prince Sélim. Comme j'étais exaltée ! Avait-elle bien conscience de ce vers quoi elle allait pour « protéger Sélim », cette enfant de seize ans que j'étais alors ? Je me le demande aujourd'hui.

Un soir de novembre, l'ordre laconique fut apporté par le Kislar Aga : il apparut, laissa tomber un mot, un seul, mon nom : Nakshidil. Ce fut une explosion de joie de la part de Vartoui qui convoqua aussitôt les instances féminines du Harem, la Maîtresse des Robes, la Gardienne des Bijoux, la Gardienne des Bains et même la Grande Trésorière, sa rivale détestée. Heure après heure elles se succédèrent autour de ma personne et dirigèrent les opérations qui leur incombaient.

On m'emmena tout d'abord au hammam de la Sultane Validé où je fus lavée, étrillée, massée aux huiles. Puis on brossa mes longs cheveux qu'on décida de laisser libres dans mon dos, et la Gardienne des Bains, jouant d'une collection de flacons en cristal de Bohême, parfuma chaque partie de mon corps d'une essence différente. Après quoi la Gardienne de la Lingerie me fit enfiler une chemise en mousseline blanche de Dacca à peine transparente, légèrement brodée d'or. La Maîtresse des Robes apporta ensuite un pantalon bouffant en satin rouge, une robe d'intérieur en soie ornée de galons de fleurs argentées, et Vartoui noua sur mes hanches une ceinture de brocart persan violet.

La phase ultime revenait à la Gardienne des Bijoux

qui s'était fait apporter ses petits coffres à multiples tiroirs où elle choisit pour moi un très long collier en torsades de perles intercalées entre des anneaux d'or incrustés de rubis. On suspendit à chacune de mes oreilles une énorme perle et l'on fixa sur ma chevelure un voile de mousseline rose à l'aide d'épingles torsadées de rubis et de diamants. J'étais prête, c'est-à-dire que j'étais pétrifiée de terreur.

Alors, Vartoui me fit ses ultimes recommandations :

— Dans une demi-heure, Sa Hautesse se retirera dans ses appartements. Alors tu seras conduite jusqu'à lui. N'oublie pas que tu dois t'approcher du lit à genoux, prendre un coin de la courtepointe, la baiser, et attendre.

Jusque-là, pendant ces interminables apprêts, je n'avais pas bronché, Mais à présent, devant l'imminence de l'événement, je fus prise de panique.

— Je n'irai pas ! Faites de moi ce que vous voudrez ! Fouettez-moi, tuez-moi, mais je n'irai pas chez le Sultan ! Je ne veux pas ! Je ne veux pas !

Vartoui se mit à m'abreuver d'injures et de menaces. Elle pleurait, bafouillait, courait ici et là, rameutant les dames du conseil qui, toutes à la fois, m'invectivaient, m'imploraient, rivalisaient en démonstrations de désespoir. Apparut le Kislar Aga dans tout l'apparat de ses soieries rouges, de ses zibelines, de sa suite d'eunuques : il venait me chercher. Son irruption, l'ordre qu'il lança, brisèrent net cette agitation. Instantanément, gestes désordonnés et gémissements cessèrent.

Le Kislar Aga, tirant son poignard à manche d'or, s'était avancé vers moi, et, m'empoignant fermement, appuyant sa lame sur ma gorge, il dit :

— Tu iras, femme, ou tu seras égorgée sur-le-champ.

— Je n'irai pas ! criai-je encore. Égorgez-moi, mais je n'irai pas !

Mais dans un mouvement que je tentai pour me dégager, la lame piqua ma peau et une goutte de sang perla. A cette vue, les femmes présentes recommencèrent à pousser des hurlements.

Le nègre m'avait lâchée. Il rengaina soigneusement son poignard et, tourné vers Vartoui, il ordonna :

— Mirizshah ! Elle est chez la Princesse Hadidgé.

Relevant ses jupons et les pans de sa pelisse, son maquillage dégoulinant sous les larmes, Vartoui obtempéra avec une rapidité incroyable. Peu après elle réapparut, rouge et suante, avec, dans son sillage, la Kadine Mirizshah admirablement composée et élégante, aussi gracieuse et souriante qu'à l'ordinaire.

— Laissez-moi seule avec Nakshidil, énonça-t-elle.

Lorsque tous furent sortis, elle me parla, sans élever la voix, du même ton uni et amical qu'elle utilisait dans les conversations anodines :

— Tu as un choix difficile à faire, mais tu dois le faire vite car le temps presse. D'un côté t'attend le néant, je ne parle pas de châtiment et de mort, je te connais, je sais que tu es prête à les affronter. Non, mais une vie obscure dénuée de sens, sans intérêt ni joie. De l'autre, ce pourra être la gloire avec son cortège de difficultés, de souffrances, de renoncements, mais au bout du compte, une réussite. Regarde-moi, crois-moi, j'ai connu un moment semblable : moi aussi, j'ai eu ce mouvement de refus, d'horreur, bien que je ne l'aie pas manifesté car j'étais moins brave que toi... Et voilà, j'ai connu l'amour d'un homme, fût-il subi. J'ai aujourd'hui un fils, une position, un pouvoir. Crois-moi, petite Nakshidil, soumets-toi aujourd'hui et tu iras bien plus loin que nous toutes...

Elle prononça cette dernière phrase avec un accent fervent, qui me rappela étrangement la prophétie d'Euphémia David. « Tu inspireras l'amour à un souverain malheureux... Tu commanderas à un grand empire... »

Alors, je dis d'une voix aussi assurée que possible :

— Je suis prête.

Toutes les lumières des couloirs et des cours étaient baissées et le Harem se préparait au sommeil lorsque je suivis le Kislar Aga. Nous franchîmes les appartements de la Sultane Validé, et le couloir du Hammam Impérial, long, sombre, et vide. Parvenus devant l'ultime porte, le Kislar Aga s'inclina très bas devant moi, baisa ma manche, et me livra le passage. Je pénétrai dans la chambre du Padishah Abdoul Hamid Ier, plongée dans la pénombre. La pièce me parut étriquée, toute en hauteur, surchargée de décorations et de dorures. Je me tins un instant figée près de la porte, contemplant le baldaquin scintillant et tarabiscoté qui devait abriter le lit. Deux vieilles femmes vêtues de sombre étaient assises par terre, immobiles et silencieuses, sans doute les gardiennes chargées d'entretenir les torches.

— Approche, approche, enfant, et n'aie pas peur.

Je ne distinguais pas encore l'homme qui m'appelait doucement : je fis un pas, puis deux, et, malgré les consignes de Vartoui, c'est debout, très droite, que je m'approchai de la couche impériale. D'un geste, le Sultan m'invita à m'asseoir au bord du lit couvert de coussins brodés. Il me regardait tranquillement et je soutenais son regard sans ciller.

De près, en longue chemise bleu marine, sans son turban, sans ses diamants, le Padishah n'était pas impressionnant. Ce n'était plus qu'un homme presque chauve sur lequel le temps avait mis sa griffe. Tout à coup, de la bouche de cet homme qui appuyait sur moi un regard amusé, attendri, coula un flot harmonieux de paroles :

Ma folle capricieuse, d'où tiens-tu cette audace ?
Et cette taille élancée qui défie les cyprès ?
Ce teint parfumé qui fait pâlir les roses.
L'as-tu pris mon amour à l'étreinte de cette fleur ?
Ta robe pourprée de roses ne blesse-t-elle pas ta peau fine,
Mignonne, car la rose n'est jamais sans épines.
Quand tu viens, tendant la rose et la coupe,
Mon cœur cède...

Je mis un instant à comprendre qu'Abdoul Hamid me récitait un poème. Puis, sans me quitter des yeux, il s'approcha de moi et se mit à caresser lentement mes cheveux, mes épaules, mes bras, et bientôt, à travers l'étoffe légère qui les couvrait, mes seins. Il me murmurait à l'oreille des mots sans suite, des compliments banals, mais le son, le rythme des intonations me troublaient étrangement. Peu à peu je me sentis envahie d'une torpeur irrésistible, d'une sorte de chaleur, et lorsqu'il commença à me dévêtir, je le laissai embrasser mon corps au fur et à mesure qu'il le dénudait avec une lenteur savante qui exaspérait mes sens. Quand je me trouvai nue, rose et blonde sur le velours sombre, j'eus un sursaut de gêne à l'idée des deux vieilles femmes accroupies dans la chambre. Mais déjà les mains d'Abdoul Hamid, douces et précises, écartaient mes cuisses et j'oubliai toute pudeur ; un désir neuf, violent, me tendit vers cet homme, et je m'offris, je ne voulus plus que le poids, que la chaleur de ce corps sur le mien.

Plus tard, comme nous reposions côte à côte, apaisés, j'eus un frisson et ma main se crispa sur la couverture. Abdoul Hamid perçut cette contraction et caressa ma main, mon visage, avec douceur. De sa voix rauque et chaude, déjà alourdie par le sommeil, il murmura :

— Merci, enfant, pour ce que tu viens de me donner. Ta jeunesse, ton innocence sont les plus beaux cadeaux que puisse recevoir un vieillard comme moi. Sois heureuse autant que tu m'as rendu heureux.

A mon réveil, je me retrouvai seule dans la chambre. Un jour sale pénétrait par les fenêtres hautes et étroites, jetant une lumière froide sur les dorures excessives du lit et des boiseries. Les vêtements que je portais la veille gisaient épars sur le sol mêlés à ceux du Sultan et, au pied du lit, bien en évidence, était allongée une pelisse neuve, en drap bleu cobalt à brandebourgs d'argent, doublée de chinchilla. Sur un coussin à mon chevet reposaient une bourse rebondie et un rubis énorme et rond, d'un rouge éclatant, serti de diamants... les cadeaux laissés par Abdoul Hamid à mon intention.

Au premier mouvement que je fis, la porte s'ouvrit sur le Kislar Aga et ses eunuques postés là à guetter mon réveil. Empressés et pleins de déférence, ils me drapèrent dans ma nouvelle pelisse et m'emmenèrent jusqu'à Vartoui. Celle-ci s'extasia à la vue des présents du Padishah, compta minutieusement les pièces d'or, et dans son allégresse, m'étouffa sous ses baisers.

Humiliée, je lui opposai que j'avais été récompensée

comme une vulgaire courtisane, et à nouveau elle me traita d'ignorante.

— Comment peux-tu dire de pareilles idioties ? L'importance des cadeaux indique le degré d'appréciation et de reconnaissance de Sa Hautesse. Et, crois-moi, de mémoire de Harem on n'a jamais vu pareille somme et pareil bijou offerts après une première nuit. Le rubis que le Grand Mogol des Indes offrit naguère à Abdoul Hamid, te rends-tu compte ?

Ainsi, après une nuit passée dans le lit du Sultan, j'étais devenue une Ikbal, une « favorisée », la douzième dans la hiérarchie, et une fois de plus je dus déménager, cette fois-ci dans l'aile des « favorisées ». Mon nouvel appartement se composait de deux petites pièces situées sous les combles, mal éclairées par des vasistas qui donnaient sur des hectares de plomb, de tôle et de bronze : les toits du Sérail. Recevoir un tel logement représentait le sommet de la fierté et du bonheur pour toutes les filles du Harem mais je ne pus réprimer une moue de déception en remarquant l'exiguïté du lieu, le brocart élimé des garnitures de sofas, l'or et le brun des boiseries qui s'écaillaient. Pour me consoler, Vartoui me fit remarquer le tapis tout neuf dont je jugeais les tons criards, et l'horloge à pied en acajou, fabriquée à Londres mais dont les heures étaient marquées en chiffres arabes.

Sans doute n'étais-je que la douzième Ikbal, mais pour moi le Sultan délaissa les onze qui me précédaient. Chaque soir, dès que le couvre-feu du Harem avait sonné, le Kislar Aga me menait jusqu'à la chambre étouffante et disgracieuse de son maître. Je détestais les fenêtres trop hautes, le baroque trop lourd des volutes grises sur fond jaune, les imitations trop naïves de paysages français incrustées dans les boiseries.

J'étais peu expérimentée dans les jeux de l'amour et pourtant je devinais que cet homme expert en voluptés appréciait en moi précisément une sensualité naturelle, instinctive et franche. Généreux en amour autant qu'il était prodigue en largesses, Abdoul Hamid m'apprenait avec délicatesse les secrets du plaisir et se réjouissait de mes progrès. Avec lui, grâce à lui, je découvris les joies et aussi le pouvoir attachés au désir et à la possession. Je m'étonnais moi-même d'oublier, dans de tels moments, l'âge d'Abdoul Hamid, ses rides, sa calvitie, sa barbe teinte, ses épaules trop étroites, son ventre flasque, tout ce qui aurait dû me répugner.

Jamais je ne me posai la question du bien ou du mal selon les lois morales de ma religion, de ma famille, de mon éducation. Je n'agissais qu'en vertu de mon instinct, et cet instinct m'assurait que l'intimité, la tendresse, le plaisir que je partageais avec mon amant ne sauraient être répréhensibles. Car cette relation nous comblait l'un et l'autre : il me donnait, après l'amour, l'affection et la protection d'un père et, en échange, j'avais l'impression de redonner confiance en lui à ce vieillard qui achevait sa course. Son expérience et sa sagesse me furent précieuses, je le respectais infiniment et parfois même il m'arrivait de penser que je l'aimais.

Abdoul Hamid ne se contenta bientôt plus de mes nuits : il réclama mes journées. Un matin, le Kislar Aga vint me chercher et me fit prendre un itinéraire inconnu. Nous parcourûmes le Couloir des Gözde au premier étage, et puis descendîmes un escalier très sombre et très étroit, sorte de boyau qui semblait s'enfoncer dans les entrailles du Harem, pour arriver devant un panneau de bois que le nègre fit pivoter. Cette porte secrète, dissimulée dans une boiserie, donnait sur un salon orné d'une cheminée sculptée et de peintures fleuries et gaies ; la pièce attenante où j'entrai était vaste, assez basse de plafond, et toutes ses parois étaient recouvertes de miroirs enchâssés dans des baguettes d'or.

Abdoul Hamid m'attendait là. Il abandonna aussitôt son narguilé et, flatté de ma surprise et de ma curiosité, me fit les honneurs de ce qu'il appelait modestement sa « tanière ». Il me montra une à une les images naïves, peintes sur les trumeaux, des principales villes de l'Empire : Andrinople, Belgrade, Bucarest, Athènes, Bagdad, Jérusalem, Damas, Le Caire, Tripoli, Alger, etc.

Si le Sultan habite et passe la nuit au Harem, domaine des femmes, il se tient de jour dans le Sélamlik, domaine des hommes. Servi par les pages et les eunuques blancs qui n'ont pas le droit d'entrer au Harem, il y travaille et reçoit dans l'un des Kiosks ou pavillons que son caprice lui a fait construire au milieu des terrasses et des jardins. Abdoul Hamid avait établi ses quartiers à la limite entre le Harem et le Sélamlik et le pavillon qu'il avait bâti portait le surnom de « Mabeyn », c'est-à-dire d' « Entre-Deux », car il pouvait y recevoir alternativement les personnes des deux sexes. « Surtout du sexe faible », l'interrompis-je au milieu de ses explications.

Je lui demandai combien de femmes empruntaient subrepticement chaque jour ce passage secret dont je supposais qu'il était réservé à l'amour... Un peu gêné il se mit à me parler en poème selon son habitude charmante.

L'appel de ta fossette, ma foi, est assez clair,
La verve nous fait défaut, mais non pas la raison.
Entre la coupe d'amour que tu tends et nous,
Il est plus d'une entente secrète : Donne...
Mignonne, dans le vieux quartier de Besiktas,
Ma vieille bicoque t'attend, sois-en la maîtresse...

Je ne savais pas si je serais la maîtresse de ce somptueux pavillon que sa poésie lui faisait traiter de « vieille bicoque », mais j'ai en effet été sa maîtresse dans la vieille bicoque. Le soudain désir de voir mon corps nu, démultiplié par les miroirs et reflété à l'infini, l'avait troublé.

— Déshabille-toi, Nakshidil, implora-t-il tendrement.

Plus tard, il me confia que jamais jusqu'à ce jour il n'avait fait l'amour ici, en plein jour. Je lui rétorquai que j'avais bien de la peine à le croire.

Si les rendez-vous d'amour dans le Mabeyn constituaient une innovation, ils devinrent une habitude. Je m'étonnais qu'Abdoul Hamid ait fait condamner par des miroirs toutes les fenêtres de la « vieille bicoque ». Il prétendit que pour atteindre à la parfaite concentration dans ce cabinet de travail il fallait se préserver de vues divertissantes.

— Il ne veut pas être vu parce qu'il a peur des attentats, me glissa méchamment Ristoglou à qui je racontai ce détail.

Abdoul Hamid se sentait en confiance dans le Mabeyn et, peu à peu, cet homme timide, réservé comme tous les Turcs, consentit à me parler de lui-même, à évoquer ses souvenirs.

— Mon père, Ahmed III, est mort lorsque j'avais cinq ans. Pendant la durée de leurs règnes, mes cousins, Mahmoud I et Othman III, m'ont oublié dans la Cage. Bienheureusement pour moi car sinon, j'aurais fortement risqué de ne pas vivre assez longtemps pour te connaître. J'ai passé toutes ces années avec pour unique réconfort la présence de ma mère. C'était une femme stricte et rigoureuse qui me faisait lire la seule chose qu'elle connût, les anciennes chroniques. Je dévorais l'histoire de notre dynastie et, bien souvent, seule la conviction de notre grandeur m'a empêché de sombrer dans le désespoir. Pense, Nakshidil, que je suis resté quarante-trois ans enfermé dans la Cage. Et puis un jour mon frère Moustafa III, le père de mon héritier Sélim, est mort et je me suis retrouvé Sultan... sans transition de la Cage au pouvoir suprême...

— Parmi toutes les femmes que tu as connues, Seigneur, en as-tu aimé beaucoup ? lui demandai-je brusquement.

— Une seule. Elle s'appelait Rousah. C'était une entêtée et une insoumise, elle ne se rendait ni à mes menaces ni à mes supplications... Les lettres que je lui ai écrites ! Du délire pur ! Et je n'avais déjà plus dix-huit ans... J'en ai encore honte. Elle avait un caractère indomptable, c'était peut-être ce qui me séduisait. Tu me la rappelles un peu...

— Qu'est-elle devenue ?

— Elle a obtenu de moi de partir en pèlerinage à La Mecque il y a quelques années, et là elle a été touchée par la Grâce. Elle a décidé de se retirer du monde et de vivre en ermite. Je ne l'ai plus jamais revue...

Abdoul Hamid me fit trois cadeaux : d'abord, Ali Effendi, un eunuque noir très petit et très gras, à la figure rubiconde surmontée d'une tignasse toujours ébouriffée. Abdoul Hamid m'assura l'avoir choisi en raison de son intelligence et de son habileté également remarquables. Le rusé compère, doté d'une verve éblouissante, me faisait surtout rire sans arrêt.

Le second cadeau se nommait Cévri ; c'était une Géorgienne gigantesque, bâtie en lutteur de foire, à la face camarde et aux petits yeux scrutateurs.

— La fidélité même, m'assura Abdoul Hamid. De plus, elle est dotée d'une telle force qu'elle saura te protéger et, au besoin, te défendre.

Quant à la troisième « attention » du Sultan... Je m'habillais un soir dans mon appartement, m'apprêtant à aller le rejoindre, lorsqu'une voix curieusement étouffée me fit sursauter :

— Bonsoir, belle Nakshidil.

J'étais seule dans la pièce et je crus avoir rêvé.

Mais la voix reprit :

— Bonsoir, belle Nakshidil.

Je bondis alors vers un petit coffre d'où semblaient provenir ces mystérieuses salutations et là je découvris un perroquet. Je l'appelai « Monsieur Jolibois » car sa voix me rappelait celle de mon professeur de harpe.

Un matin de décembre, je trouvai Abdoul Hamid arpentant le Mabeyn de long en large, visiblement nerveux. La guerre avec la Russie le préoccupait. Avec une véhémence inhabituelle, il me peignit sa vieille ennemie la Tsarine Catherine II comme une sorte d'ogresse aux prétentions exorbitantes :

— Après s'être fait proclamer Tsarine de toutes les Russies grâce à l'assassinat de son mari, son ambition est de restaurer l'ancien empire byzantin et de se faire couronner Basilissa des Grecs, ici même à Constantinople, dans la basilique Sainte-Sophie. Elle ne cesse de harceler mon empire, et, lorsqu'elle ne nous fait pas la guerre, elle fomente des complots et soulève nos provinces contre nous. Les choses ont trop duré, aussi ai-je décidé d'attaquer. Cent cinquante mille de mes soldats ont pénétré en Russie et sont déjà sur le Dniepr. Aujourd'hui j'envoie ma flotte les seconder. Viens avec moi, je vais la passer en revue.

Abdoul Hamid m'avait proposé de l'accompagner, porté par l'exaltation ou la distraction, sans se rendre compte qu'il risquait de déclencher une affaire d'État. Comment une Ikbal aurait-elle pu franchir quelques mètres hors du Harem pour gagner la terrasse du Sélamlik à la suite du Sultan ? Il fallut convoquer Vartoui, puis le Kislar Aga qui tous deux proposèrent des solutions saugrenues et inacceptables. Enfin le rusé Ali Effendi suggéra un compromis satisfaisant : peut-être l'une des Princesses Impériales pourrait-elle décider d'assister à la revue et s'y rendre en litière ? Dans ce cas, qui trouverait à redire à ma présence dissimulée aux yeux de tous, en compagnie de la Princesse ?

Il fallut encore convaincre celle-ci d'abandonner ses travaux de parfumerie, et je me retrouvai enfin étendue auprès d'une Esmée hostile, ballottée au pas des eunuques.

Nous suivîmes le couloir de la « Voie d'Or » sur tout son long, passâmes devant le Mabeyn, arrivâmes devant une petite porte voûtée en bronze. Derrière s'étendait le Sélamlik, la Quatrième Cour, le Domaine des Hommes, le quartier privé du Sultan, un damier de terrasses, de bassins, de jardins hérissés de cyprès et de platanes centenaires ponctués des gracieux Kiosks d'Erivan, de Bagdad, de la Circoncision, de la Tente, du Médecin-Chef, de Moustafa le Noir...

Le cortège s'immobilisa entre le Pavillon d'Erivan et celui de la Circoncision, au milieu d'une forêt de colonnes, devant un grand bassin de marbre. Abdoul Hamid s'installa sur son trône-sofa en argent et fit déposer près de lui la litière. Puis, sortant simultanément des deux Pavillons, apparurent deux cortèges bariolés d'eunuques et courtisans entourant le Prince Moustafa — dix ans — fils de Sinéperver, et le Prince Mahmoud. J'étais curieuse de voir le fils de la Kadine Provençale. Le petit garçon vêtu d'un caftan de brocart s'avançait avec une lenteur et une dignité inusitées pour son âge.

J'aperçus soudain un énorme lion qui s'approchait doucement, tenu en laisse par un eunuque. Un sursaut de terreur me jeta dans les bras d'Esmée.

— Mon meilleur ami, Karayoz, laissa tomber Abdoul Hamid. Il est apprivoisé et aussi doux qu'un agneau.

Doux ou pas, je remarquai que les dignitaires s'écartaient prudemment du fauve.

Le Capitan Pacha ou Grand Amiral arriva en dernier, entouré d'un état-major d'officiers en culotte bouffante et turban à frange. Tout le Sérail se répétait les victoires de Hassan Pacha, la plus haute figure, le défenseur de l'Empire. Ce vieillard grave et mesuré, à barbe blanche et caftan de soie, ne cadrait pas avec l'image que je me faisais d'un prestigieux chef de guerre.

— Un aventurier sorti de rien, remarqua Esmée qui le haïssait. Il a dû s'enfuir d'Alger après avoir volé le Dey.

— Je l'ai tiré de prison pour en faire mon Capitan Pacha, compléta Abdoul Hamid.

Chacun se plaça selon son rang et enfin tout fut prêt, à un détail près : comment pourrions-nous assister à une revue navale de cet endroit où nous n'apercevions ni le port ni la mer ? J'étais dans cette énigme lorsque sur un signe d'Hassan Pacha une nuée d'eunuques se matérialisa, chacun porteur d'une maquette de bateau qui fut posée dans le bassin.

— Ces maquettes sont d'exactes reproductions de mes navires, me chuchota fièrement Abdoul Hamid. Regarde, vingt-cinq vaisseaux de haut bord, quinze frégates, et quarante-cinq bombardes !

Les jets d'eau du bassin furent mis en action et les turbulences qu'ils créaient à la surface de l'eau entraînèrent cette flotte miniature. Au fur et à mesure qu'ils défilaient devant nous, Hassan Pacha nommait les navires qui tous portaient noms de sultans défunts : Othman, Orkan, Mourad I, Bajazeh I, Soliman I, Sélim I, Ibrahim...

Montrant ces jouets dérisoires, Abdoul Hamid répétait à Hassan Pacha :

— Avec cela, nous les battrons, ces maudits Russes !

Le Capitan Pacha, tout en renchérissant respectueusement, tentait de modérer l'enthousiasme de son maître. Les Russes étaient bien entraînés, leur chef, le borgne Potemkine, dernier amant en date de l'Impératrice Catherine II, un général expérimenté, et son lieutenant, Souvaroff, un diable inquiétant.

Mais rien n'entamait l'enthousiasme d'Abdoul Hamid, ce qui acheva de m'irriter.

— N'as-tu pas envie, Seigneur, d'inspecter tes vaisseaux de ligne, au lieu de cette flotte d'opéra ? lui demandai-je lorsque nous eûmes retrouvé notre intimité.

— Elles me suffisent, ces maquettes, que tu appelles une flotte d'opéra.

— Ne crains-tu pas qu'on dise que la flotte d'opéra appartient à un sultan d'opéra ?

— Le vent d'hiver sur le Bosphore est trop aigre pour que je m'y expose en cette saison.

— Est-ce parce que c'est le vent de la réalité ? Comment peux-tu défendre ton Empire, Seigneur, sans jamais sortir de ce palais, hermétiquement clos aux vérités et au présent ?

— Le Sérail, il est vrai, engendre l'illusion. Mais qu'est-ce qui n'est pas illusion ? La puissance de l'Empire : illusion; la grandeur de mon règne : illusion tout juste bonne aux vers des poètes de Cour. Tout n'est qu'illusion ici et chacun s'en trouve bien.

— Et toi, Seigneur, toi qui décèles l'illusion, t'en contentes-tu ?

— A mon âge, Nakshidil, je ne dois plus compter que sur l'illusion pour m'y accrocher. Toi-même, ton amour pour moi, n'est-il pas illusion...

J'allais protester mais Abdoul Hamid ne m'en laissa pas le temps.

— Regarde, Nakshidil, le cadeau d'Hassan Pacha.

C'était un nain que le Capitan Pacha lui avait offert pour ajouter à sa collection de bouffons. Mais un nain doté de toutes les qualités pour en faire une rareté recherchée : muet, eunuque, borgne, manchot et boiteux. Enthousiasmé par cette merveille, Abdoul Hamid l'a nommé « Fateh », le « Conquérant », espérant que le nain lui porterait chance à la guerre.

Survint un incident bizarre. Le cérémonial de mes visites au Sultan s'était quelque peu relâché les derniers temps. Je me rendais au Mabeyn non plus conduite par le Kislar Aga et les eunuques, mais accompagnée par la seule Cévri, la géante Géorgienne attachée à ma personne.

La journée avait été pluvieuse et le soir était vite tombé d'un ciel maussade, ennuagé. Nous progressions dans l'ombre des couloirs et des escaliers. Je marchais en avant, portant une lanterne, et je pressais le pas car l'obscurité s'ajoutait à la solitude de ces lieux.

Nous avions descendu l'Escalier des Favorites, franchi le Lieu du Conseil des Djinns et nous nous dirigions vers la Voie d'Or quand, sur ma gauche, provenant d'un renfoncement, je perçus un mouvement, une présence. Presque simultanément, un coup violent porté à ma main me fit lâcher la lanterne qui s'écrasa et s'éteignit. Instinctivement je reculai. Tout se passa très vite : je sentis Cévri derrière moi, je devinai plus que je ne vis son bras énorme se lever et son poing s'abattre sur une forme indistincte. Il y eut un gémissement de douleur, puis ce fut le silence. Aussitôt je me sentis soulevée dans les bras de Cévri et emportée au pas de course. Elle ne me déposa que lorsque nous eûmes atteint la zone éclairée de la Voie d'Or. Elle était à peine essoufflée par sa performance et seuls ses petits yeux fureteurs qui observaient alentour trahissaient quelque inquiétude. Je tremblais encore, mais une fois ma frayeur surmontée, la curiosité me poussa à retourner sur les lieux de l'agression. Nous prîmes deux torches dans la Voie d'Or et rebroussâmes chemin : mais nous eûmes beau explorer chaque recoin, chaque renfoncement, l'endroit était désert, nulle trace d'agresseur. Néanmoins nous découvrîmes sur le sol un objet, un poignard recourbé...

Le poignard, ce n'est pas le mode d'élimination au Harem. Était-ce un excès de zèle d'un eunuque amateur ? Avait-on voulu me faire peur ? Attenter à ma vie ? Aurait-on vraiment osé assassiner en plein Harem la favorite du Sultan ? Justement parce que j'étais la favorite ? Mais qui ? Il m'avait semblé — mais je ne pouvais en jurer — que j'avais reconnu la voix qui avait émis ce gémissement de douleur : celle de Ristoglou. Mais je ne voyais à Ristoglou ni raison, ni intérêt à me supprimer. Aurait-il agi sur commande ? Sinéperver ? L'incident avait été trop bref et restait trop confus. Je craignais d'être emportée par l'imagination. Peut-être m'étais-je trompée ? Pourtant je ne le pensais pas.

En tout cas je décidai de garder le secret sur cette affaire. Je n'en parlai ni à Abdoul Hamid, ni même à Vartoui. A quoi bon déclencher une agitation stérile, que le Harem savait si bien sécréter autour de ses mystères ?

Noël arriva, le premier loin des miens. La nostalgie, la tristesse s'abattirent sur moi, nées des souvenirs des anciens Noëls, des Noëls heureux de mon enfance à la Martinique où on s'appliquait à maintenir la tradition : la fête familiale, la messe de Minuit en l'église du Robert, et puis l'échange des cadeaux devant la crèche... Je songeais aussi aux Noëls de France que j'avais vécus dans la féerie blanche de l'hiver avec ma cousine Marie-Anne, le retour de la cathédrale dans les rues de Nantes enneigées, le souper devant la chaleur de la cheminée, le premier verre de champagne qu'on m'offrit...

Pour comble, ce soir-là, Abdoul Hamid, retenu avec ses conseillers — toujours la guerre avec la Russie — ne put me voir. Je finis par accepter l'invitation de Vartoui, toujours heureuse de pouvoir s'épancher et me raconter les potins du Harem entre un verre de vin de Samos et une boîte de loukoums.

La soirée fut calme, j'écoutais distraitement la chère bavarde lorsque soudain des détonations déchirèrent l'air. Nous nous précipitâmes vers les fenêtres pour découvrir un formidable feu d'artifice qui illuminait de proche en proche le Harem et la ville tout entière. De toutes parts partaient des fusées qui éclataient dans le ciel en compositions multicolores. Il ne s'agissait bien entendu pas de célébrer Noël mais la naissance de la Princesse Hibetoula, fille de Abdoul Hamid et de sa quatrième Kadine.

Cette nouvelle qui m'était assenée par Vartoui déchaîna en moi un sentiment violent, inconnu, irrésistible. J'eus beau tenter de me raisonner, en me répétant que cette enfant avait été conçue avant mon entrée dans la vie d'Abdoul Hamid, je souffrais pour la première fois à cause d'un homme. Et Vartoui, inconsciente des effets de son bavardage, insistait.

— Sur l'ordre du Sultan, on a déjà constitué la dot de la Princesse : on a acheté pour elle vingt-huit boutiques, trente et un bureaux à Argos, deux importants vignobles en Anatolie et on lui a fait don d'un palais à Kourousene...

Soudain, au milieu de cette insupportable énumération, j'éclatai en sanglots. Vartoui me regarda, stupéfaite, ses yeux bleus plus ronds que jamais. Comment lui expliquer les sentiments qui m'agitaient, qui m'agitèrent les jours suivants ? Soudain je me sentais une étrangère, malgré tous mes efforts pour m'adapter à ma nouvelle condition et me plier aux lois et aux usages de cet univers. Tout aimant et généreux que fût Abdoul Hamid, j'étais soumise à son bon plaisir, passant de longues heures à ne rien faire d'autre qu'attendre qu'il me fasse appeler. Je n'étais que son esclave. Et une esclave parmi d'autres. Car, bien qu'il s'en cachât et que nul ne s'aventurât à m'en parler, je sentais plus que je ne savais qu'il n'avait pas renoncé à ses Kadines. Étais-je donc jalouse ? Non, je refusais simplement de partager avec d'autres un homme que je considérais mien. Mais, alors, c'est que j'étais amoureuse. Amoureuse de ce vieillard volage ? Je refusais de me répondre. La confusion régnait dans mes sentiments, la seule idée claire étant de prendre une revanche.

Le lendemain soir, avant de rejoindre Abdoul Hamid dans le Salon aux miroirs du Mabeyn, je mis un soin tout particulier et intentionnel à ma toilette. Je me parai comme je ne l'avais jamais fait de tous mes bijoux, émeraudes, perles, diamants, affectant d'en omettre un seul, le très gros rubis dont il m'avait fait cadeau après notre première nuit d'amour. Ce fut une reine qui apparut devant le Sultan : il béait d'admiration.

Mais une reine qui était aussi une esclave. Ce soir-là, j'assumai le service du Sultan comme la plus humble des Gediklis, les « privilégiées » qui lui servaient de femmes de chambre. Tout le temps que je mis à préparer son narguilé, à arranger ses coussins, à régler ses lampes à huile, il me contempla sans rien dire, jouant tantôt avec son tchespi, son chapelet de perles, tantôt avec le chaton en diamants de sa bague.

C'était un fin connaisseur de la pensée féminine, à la différence de la pauvre Vartoui. Tout en fixant le fourneau incrusté d'émeraudes de son narguilé, il se mit à me parler. Il m'aimait, disait-il. Il me préférait à toutes ses femmes, mais je ne pouvais être l'unique. Il était trop vieux désormais pour modifier les habitudes de toute une vie, les mœurs ancestrales. Du reste, ajouta-t-il, la monogamie n'était pas un signe d'amour, je devais l'admettre. Au cours des siècles passés, les Kadines les plus aimées et les plus dominatrices n'avaient jamais exigé de leur Seigneur une telle conduite. Kosem et même Roxelane, qui avaient gouverné le Harem, le Sultan et l'Empire tout entier, ne s'étaient jamais offusquées lorsque leur Seigneur couchait avec d'autres femmes.

Au bout de ce plaidoyer, Abdoul Hamid s'arrêta et attendit : je m'entêtai dans mon silence. On apporta le dîner et là encore je me conformai strictement au protocole. Je lui tendis le pain blanc — privilège du Sultan — fait de farine de maïs de Bithynie et de lait de chèvre. Je lui offris le bol à soupe en porcelaine de Chine ancienne, la tasse à sorbet en or incrustée de diamants. Je soulevai le couvercle des plats contenant le mouton bouilli, l'agneau grillé sur une pyramide de riz, les pigeons rôtis — délices des Sultans. Je gardai le silence et Abdoul Hamid ne chercha pas à le rompre, se conformant d'ailleurs à la coutume orientale d'hygiène et de courtoisie qui veut qu'on mange sans parler. Son dîner achevé, et son verre de raki en main — les Turcs boivent après et non pendant le repas — il se pencha vers moi et commença en souriant :

Un jour tu seras l'esclave
De cet amour que tu dédaignes,
Et tu verras combien c'est rude,
Ce temps viendra, j'en suis certain.

Malheureusement pour lui je connaissais le poème et sa suite — les leçons du lettré Ristoglou avaient porté leurs fruits. Aussi poursuivis-je :

Infidèle ? Tu le fus mille fois !
Et tu cherchas du plaisir ailleurs :
Ce que tu fis à ton amante
Te sera rendu au centuple.

L'à-propos de ma citation amena des larmes d'émotion dans les yeux de mon amant. Enthousiasmé, il poursuivit la joute, sachant déjà que je me rendais :

Un jour sans être payée de retour,
Tu aimeras : ça fera mal.
Ne me lance pas ce regard perfide,
Et ne souris pas comme ça...
Ne fais pas fi de mes paroles,
Tu verras bien que je dis vrai !

Ma crise de jalousie eut des retombées diverses. J'appris par les rumeurs du Harem et sans qu'Abdoul

Hamid me l'avouât qu'il avait cessé désormais de passer ne fût-ce qu'une seule nuit chez l'une ou l'autre de ses Kadines et qu'il s'abstenait de lutiner des Gediklis comme il en avait l'habitude. Les dames qui escomptaient ses « infidélités » envers moi en furent quittes pour leurs frais. En manière de réparation, mais sans le formuler, il décida d'élever en ville une fontaine qui porterait mon nom. Il me laissa le choix du lieu, et j'émis le vœu qu'elle fût bâtie en face de la grande prison de Constantinople, de façon à être vue des détenus, mes compagnons d'infortune. Abdoul Hamid ne parut pas remarquer ma perfidie et l'ordre fut donné pour que fussent entrepris les travaux. Elle est toujours là, en face de la prison, la fontaine de Nakshidil Kadine.

Mon perroquet Monsieur Jolibois devait aussi conserver le souvenir de ma jalousie et des imprécations que j'avais lancées contre mon amant. « Ce vieux cochon d'Abdoul Hamid ! Satyre libidineux ! » croassait-il, surtout en présence de mes serviteurs, et je frissonnais de peur à l'idée que l'un d'eux comprît le français. Impossible de rabattre le caquet de Monsieur Jolibois. On ne peut pas plus faire taire un perroquet que le cœur humain.

Un matin Abdoul Hamid fit irruption dans l'école de musique, interrompant mes exercices de harpe. Ses yeux pétillaient de malice. C'était jour de Divan, de conseil des ministres. Le Sultan ne le préside pas mais y assiste, dissimulé dans sa loge grillagée au-dessus du siège du Grand Vizir, afin que les ministres ne sachent jamais s'il est présent ou absent. Il ne prend aucune part aux délibérations mais il a tout loisir, à l'issue de la séance, d'approuver, de critiquer, ou de faire appel au bourreau...

— J'arrive du Divan, me dit-il, où je faisais mon travail d'espion. Mon Grand Vizir est à la guerre où il remporte d'ailleurs victoire après victoire sur les Russes, et c'est son lieutenant, le Caïmankan, qui le remplaçait. Il est si vieux, le débit de ses paroles est si lent qu'au bout d'un moment toutes les têtes dodelinaient, et moi-même je commençais à m'endormir dans ma loge. Je suis donc sorti dans la Cour des Eunuques Noirs pour me dégourdir et là j'ai rencontré ton Ali Effendi. Sa vue m'a donné une idée... Viens!

Je l'ai donc suivi dans l'étroit escalier en spirale jusqu'à sa loge de la salle du Divan. A travers les mailles de la grille dorée je voyais, en dessous de moi, le gouvernement de l'Empire Turc au travail. Seules les robes vertes des Kasaskeris, les grands juges, tranchaient avec les caftans blanc et or, rose et or, jaune et or des vizirs et des ministres. Le turban respectable du Rais Effendi, le ministre des Affaires étrangères, semblait modeste à côté des échafaudages blanc et jaune du Kiaya Beg, le ministre de l'Intérieur, rouge et blanc du Jenisseri Agassy, le chef des Janissaires.

Plus de la moitié des dignitaires étaient assoupis sur leurs sofas. Dans un coin le Tchaouch Batchy, le ministre de la Justice, bavardait avec le Stamboul Effendessy, le préfet de Constantinople, pour se tenir éveillé. Soudain on entendit, très proche, un formidable rugissement qui fit sursauter l'assemblée assoupie, et les vizirs s'entre-regardèrent avec effarement. Là-dessus, poussé par Ali Effendi, le lion Karayoz fit son apparition dans la salle du Divan et ce fut alors une panique indescriptible parmi les notables de l'Empire. Ministres et scribes se ruèrent vers les issues, se jetèrent par les fenêtres, s'écrasèrent sur les sofas. Le vieux Caïmankan se retrouva suspendu à la grille de la loge impériale tandis que le Kiaya Beg, le ministre de l'Intérieur, qui dormait si paisiblement quelques instants auparavant, fut piétiné par les scribes en fuite. Devant ces fonctionnaires d'ordinaire si pompeux et solennels qui s'empêtraient dans leurs pelisses, qui piaillaient comme volatiles affolés, je ris aux larmes auprès d'un Abdoul Hamid qui s'esclaffait. Ce goût de la farce, ce besoin de rire, m'attendrirent. Le puissant Sultan se faisait gamin pour la gamine que j'étais. J'aimais sentir que je faisais resurgir l'enfant dans cet homme couvert d'années, de femmes, de malheurs.

Finalement, si je ne pouvais parler de bonheur, mon existence ne manquait pas d'éléments pour en tenir lieu. Le passé auquel j'avais été arrachée, l'avenir que j'aurais pu espérer, me rendaient parfois nostalgique. Néanmoins l'amour, la liberté, la famille étaient des mots qui me semblaient lointains, tellement hors de contexte. J'éprouvais aussi un sentiment grandissant d'irréalité, comme si je vivais une existence qui n'était pas la mienne, comme si je rêvais éveillée. En même temps, tout ce qui m'arrivait me semblait naturel. J'aimais presque d'amour un vieillard qui m'idolâtrait. J'avais à mes pieds le maître tout-puissant d'un immense Empire. L'invraisemblable m'apparaissait parfaitement vraisemblable. Plus prosaïquement, j'étais parfaitement consciente des privilèges et avantages dont je jouissais. Je pensais parfois aux filles moins heureuses qui passaient leur vie à laver les planchers, à servir les Kadines en attendant le bon plaisir du Sultan, et je frissonnais à l'idée que tel aurait pu être mon sort.

En février 1789 les toits du Sérail se couvrirent d'ouate blanche. Avec la neige arriva une mauvaise nouvelle : le Capitan Pacha, Hassan, qui avait tenté un débarquement au sud de la Russie, avait été repoussé par les Russes et il ne lui restait à peu près rien de la flotte dont Abdoul Hamid avait fièrement passé en revue la réduction. L'information me fut communiquée à mon réveil par Ali Effendi qui savait toujours tout avant tout le monde.

Je me hâtai par les couloirs intérieurs jusqu'au Mabeyn. J'allais ouvrir la boiserie de l'escalier secret lorsque j'entendis une voix d'homme. Je reconnus celle de Hassan Pacha. Je restai dissimulée mais je poussai un peu le panneau pour entendre sans être vue.

— Nous sommes tombés dans un véritable traquenard, racontait Hassan Pacha. Souvaroff avait dissimulé son artillerie derrière les dunes des rives du Dniestr. Il laissa notre flotte s'engager sur le fleuve avant de nous foudroyer sous les boulets. Six de nos vaisseaux coulèrent aussitôt, sept autres s'ensablèrent, le mien s'échoua. Nos marins écrasés sous les bombes russes se jetèrent à l'eau pour tenter de gagner la rive à la nage. Moi-même je me retrouvai assis sur le sable, pleurant et assistant, désarmé, au désastre de notre flotte. Je réussis à en recueillir les débris et à échapper au piège de feu. Ce fut pour trouver notre retraite coupée. Un pirate américain, Paul Jones, allié des Russes, dissimulé jusqu'alors dans une crique, nous attaquait par-derrière. Nous étions pris dans une tenaille. Je parvins pourtant à passer et à regagner la haute mer mais nous avons perdu quinze vaisseaux de ligne et dix-huit frégates. Cinq mille de nos hommes ont péri et six mille autres sont restés aux mains de l'ennemi. Hélas, Seigneur, le ciel veut que j'aie subi cette défaite et je suis venu, ici, t'offrir ma tête. Le mauvais sort est sur moi.

Abdoul Hamid ébaucha un geste de dénégation :

— Non, Hassan Pacha, c'est sur moi que s'acharne le mauvais sort, et ta tête ne le conjurera pas. Retire-toi, va prendre du repos et prier pour ton Sultan.

Sur tous les fronts la situation était catastrophique comme je l'appris d'Abdoul Hamid lui-même lorsque je l'eus rejoint. Effondré, il répétait qu'il ne comprenait pas qu'on lui ait si longtemps caché la vérité. Qui donc l'avait escamotée sinon lui-même, mais ce n'était pas le moment d'épiloguer là-dessus. En Serbie, en Bosnie, les armées du Grand Vizir avaient dû battre en retraite. La Moldavie était perdue pour les Turcs, et leurs lignes de communications coupées. Plus rien ne protégeait les Balkans d'une invasion ennemie.

Au milieu de cette litanie de désastres, je vis Abdoul Hamid porter soudain la main à son cœur et ouvrir la bouche comme si l'air lui manquait. Je me précipitai vers lui et l'aidai à s'étendre. Son visage prenait une couleur de cire. J'enjoignis le Kislar Aga d'aller chercher les médecins, mais Abdoul Hamid, d'une voix à peine audible, nous arrêta :

— Cela n'est pas nécessaire, j'ai déjà eu ce genre de malaise. Qu'on m'apporte seulement un verre de raki. Ne t'inquiète pas, enfant, ce n'est rien. Laisse-moi me reposer maintenant.

Plus tard dans la soirée je le retrouvai dans le Salon des Miroirs, remis mais très abattu.

— Elle avait donc raison la prophétie qui voyait une femme du Nord entrer en triomphe à Constantinople et se faire couronner Impératrice des Grecs, nouvelle Basilissa byzantine, à Sainte-Sophie. Je m'en suis souvent moqué mais mes sujets savaient... Ainsi Catherine finira par me prendre ma capitale...

— Que feras-tu alors, Seigneur ?

— Je franchirai le Bosphore. La rive asiatique a toujours été notre refuge traditionnel.

Dans la journée il avait commencé les préparatifs pour se transporter en Asie avec sa Cour et son Trésor... Déjà plusieurs chargements avaient traversé le Bosphore et il avait ordonné de préparer un vieux palais désaffecté, à Bostanci, sur la rive asiatique de la mer de Marmara.

— Et je t'ai fait réserver les plus beaux appartements sur la mer, ajouta-t-il. J'espère que tu t'y plairas, Nakshidil.

— N'est-il pas vrai, Seigneur, que lorsque ton ancêtre mit le siège devant Constantinople, l'Empereur byzantin pouvait encore fuir, mais qu'il choisit de rester, se battre et mourir avec les siens ?

— Il avait des armes, lui ! objecta Abdoul Hamid. Nos arsenaux sont vides. Nous ne tiendrons pas vingt-quatre heures si nous sommes assiégés.

— Mais que penseront tes sujets de ton départ ?

— Ce sont eux, Nakshidil, qui donnent l'exemple. Tous ont déjà préparé leur retraite. Mon fidèle collaborateur, le Kislar Aga, a vidé son appartement au Harem et ses maisons en ville. Mon Grand Vizir, du front où il se trouve, a ordonné de faire fuir les capitaux qu'il a accumulés depuis des années à mon service. Sinéperver, ma première Kadine, est brusquement partie il y a quelques heures, pour mon palais le plus lointain.

Je découvris soudain la solitude totale du vieil homme. Pourtant j'insistai pour le retenir de fuir. Il m'écouta pensivement, puis m'expliqua qu'il se battait non pas contre Catherine mais contre le *Kismet*, le sort, la fatalité, « bien plus puissante que la Tsarine », ajouta-t-il.

— Depuis le début, mon règne était sous le signe du malheur. Je n'ai connu que des échecs. J'ai vu mon Empire s'affaiblir, se dégrader. On ne peut pas lutter contre le *Kismet*, Nakshidil. Quand on est jeune... encore... peut-être peut-on espérer. Mais quand on est vieux et fatigué comme moi, il ne reste plus qu'à capituler.

— Tout est-il perdu ?

— Un faible, un très faible espoir subsiste. Nos troupes tiennent toujours la forteresse d'Oczakof sur le Dniestr. Les Russes l'assiègent mais notre garnison est prête à mourir plutôt que de se rendre. Cependant, Potemkine, avec ses cent vingt mille hommes, aura tôt fait d'écraser notre garnison de vingt-cinq mille soldats !

— Tu peux leur envoyer une flotte de secours...

— Tu connais les faits : Hassan Pacha vient d'être battu et sa flotte réduite en pièces.

— Justement ! Il n'en mettra que plus de zèle à prendre sa revanche !

— Certes, mais avec quels navires ? Nous n'avons plus que ceux qui assurent la défense de nos ports.

— Envoie-les là-bas, Seigneur ! Oczakof ne doit pas tomber !

Il me contempla avec étonnement, puis il murmura en caressant ma joue :

— Comme tu es passionnée, Nakshidil !

L'étonnant fut qu'Abdoul Hamid se rendit à mes arguments : il rassembla en un temps record une nouvelle flotte et la confia à Hassan Pacha qui repartit à l'attaque.

Le monde qui pariait déjà sur la victoire russe, le monde qui croyait Hassan Pacha vaincu à tout jamais et les forces turques anéanties apprit la nouvelle avec stupeur.

Hier, la fatalité voulait que la Tsarine Catherine entrât triomphalement à Constantinople. Aujourd'hui la fatalité qui avait pris pour nom Nakshidil voulait qu'on résistât... Les Turcs savent accommoder à toutes les sauces le *Kismet* qui domine leur vie... et Abdoul Hamid passait avec une déconcertante facilité du pessimisme le plus noir à l'optimisme le plus hasardeux. Sous les couches de lassitude, laissées chez cet homme par les ans et l'existence, survivait une noble fierté de sa position et de son pays, et le désir instinctif de les défendre.

Abdoul Hamid retrouva son entrain. Il crut qu'il pouvait encore triompher. Après l'y avoir encouragé, je n'osai pas lui dire que j'étais moins confiante que lui. Si je l'avais connu dans sa jeunesse, peut-être aurions-nous pu faire de grandes choses ensemble. Quant à moi, je découvrais à quinze ans le pouvoir qu'un frais minois, un brin de caractère et un discours direct avaient sur les hommes...

IV

Peu après mourut la Kadine Provençale, d'une brusque maladie, je ne peux me rappeler laquelle. Je trouvai un matin le Prince Mahmoud, fils de la défunte, auprès du Sultan son père dans le Salon aux miroirs. Vêtu de blanc — couleur de deuil chez les musulmans — il était assis immobile sur le sofa, très droit, et encore plus composé que la première fois où je l'avais vu, le jour de la « revue navale ». Sa dignité naturelle, impressionnante chez un enfant de quatre ans, m'intimidait. Ses grands yeux noirs ne me lâchaient pas. Il n'y avait pas d'hostilité dans son regard, mais de la curiosité mêlée à une profonde réserve et une pointe de méfiance. Son père se racla la gorge :

— J'ai pensé, Nakshidil, que tu pourrais servir de mère à Mahmoud...

Cette proposition me parut si saugrenue, je m'y attendais si peu, qu'elle me fit d'abord rire de stupeur. Abdoul Hamid devait être devenu fou pour songer à confier un enfant de quatre ans à une fille de quinze.

Mais ni Abdoul Hamid, ni l'enfant ne riaient. Ils continuaient à m'observer. Bardé dans sa gravité,

Mahmoud paraissait muré en lui-même. Un enfant sans amour, pensai-je ; la Kadine Provençale, qui se détestait elle-même, n'avait pu aimer personne, pas même son fils.

— Et lui, Seigneur, veut-il que je devienne sa mère ?

Abdoul Hamid se tourna vers son fils, une interrogation dans le regard. L'enfant ne répondit pas, ne bougea pas. Ses yeux restaient fixés sur moi. Alors je lui dis très doucement, en français :

— Viens, mon petit, viens dans mes bras.

Sans doute sa mère lui avait-elle enseigné sa langue car sur ces mots l'enfant abandonna son attitude hiératique, ses yeux s'agrandirent, sa bouche s'ouvrit sans qu'il pût émettre un son et, silencieusement, de grosses larmes se mirent à couler, roulèrent sur ses joues. Je m'approchai de lui, je m'assis à ses côtés et, comme je l'enlaçais, il jeta ses petits bras autour de mon cou et continua à pleurer sur mon épaule.

Abdoul Hamid nous contemplait, ravi.

Je remplaçai donc la Kadine Provençale, c'est-à-dire qu'une fois de plus je changeai de logement. Ces descendants de nomades ont vraiment le goût du déménagement. J'avais supplié Abdoul Hamid de ne pas me donner le logement de la défunte. On m'attribua donc le seul appartement de Kadine disponible, qui donnait sur la même cour que le dortoir de mes débuts. Une entrée, une chambre assez vaste pour Mahmoud et moi, un réduit pour mes esclaves. Par mes fenêtres décorées de verres de couleur j'apercevais le jardin étriqué du Harem, les remparts du Sérail et le chaos de la ville basse, avec les minarets de la mosquée de la Sultane Validé et les coupoles du Bazaar égyptien. Mon appartement n'avait pas été redécoré à la française. Il conservait ses panneaux de faïence éclatants de fleurs et de fruits, ses boiseries traditionnelles, vert, rouge et doré, ses étoiles à l'or passé, incrustées au plafond. Au Harem on considérait ce décor affreusement démodé, mais je le préférais aux lourdes imitations de l'Europe. On y transporta mes coffres d'écaille et de nacre, mes boîtes d'ivoire à multiples tiroirs; je rangeai dans les niches mes flacons à parfum en verre de Bohême. J'aimais mon nouveau logement mais je passais le plus clair de mes journées et de mes nuits au Mabeyn ou dans la chambre d'Abdoul Hamid.

Je me retrouvai donc, à quinze ans, Seconde Kadine et mère d'un Prince Impérial de quatre ans qui n'était pas mon fils. Personne ne s'en étonna. En Orient, je le découvrais petit à petit, tout est possible, même et surtout l'impossible. De prime abord l'Orient est hérissé de règles et d'interdits; ce n'est qu'une apparence pour tromper et décourager les imbéciles et les intrus, les étrangers. Derrière cette façade, l'insistance, l'ingéniosité et la puissance suscitent en toute simplicité les solutions les plus extravagantes et les situations les plus extraordinaires : c'est la réalité réservée aux malins, aux initiés.

Peut-être pour fêter ma « promotion », Abdoul Hamid donna une fête, la première à laquelle j'assistai. Je devais apparaître devant le Harem au grand complet et je décidai que ce serait à mon avantage. Je revêtis une longue robe de satin blanc dont les manches balayaient le sol et, par-dessus, un caftan de velours noir, sans manches, bordé de zibeline. Connaissant le goût outrancier des femmes du Harem pour les accessoires et les bijoux, j'avais parié sur la simplicité : aucun autre bijou sinon des rangs de très grosses perles au cou et dans les cheveux, aucune broderie, aucun maquillage.

Accompagnée de toute ma « maison », Cévri, Ali Effendi, mes caméristes, mes eunuques noirs, je gagnai le Salon du Sultan. A distance nous parvenait la rumeur confuse de la foule nombreuse massée là et quand la porte s'ouvrit devant moi à deux battants, j'avais la peur au ventre, la gorge nouée. A mon apparition les invités s'étaient tus et cette foule intéressée, curieuse, me dévisageait. Je me sentis jaugée par un seul bien que multiple regard.

Je demeurai là, figée sur le seuil, éblouie par le spectacle bigarré et scintillant qu'offrait cette assemblée, jusqu'à ce que le Kislar Aga en personne, rompant cette tension, s'avançât vers moi et me conduisît jusqu'à ma place.

Les favorites étaient installées sur une sorte d'estrade surélevée, en bois doré, et placées selon l'ordre strict du protocole : les sofas étaient réservés aux Princesses Impériales tandis que des coussins confortables avaient été disposés à l'intention des Kadines. Les Hasekis et les Ikbals étaient assises sur des coussins moins somptueux et toutes les autres femmes se tenaient debout.

A la suite du Kislar Aga je fendis la foule muette jusqu'à l'estrade et je m'assis prestement, trop prestement, sur un coussin vide. Du coup un murmure général et choqué s'éleva de la foule. J'avais pris la place de la Première Kadine. Le Kislar Aga, roulant des yeux horrifiés, se pencha vers moi et me chuchota de me relever. J'obtempérai, le plus dignement que je pus dans ma confusion, et pris le coussin voisin, le mien. A mes côtés, la place de la Première Kadine, de Sinéperver, resta vide tout au long de la fête, cette absence exprimant clairement et publiquement une intention sans aucun doute désagréable.

Peu après moi arrivèrent Mirizshah, qui me sourit, et la mélancolique Princesse Hadidgé, sa fille, l'éternelle amoureuse malheureuse. Elles précédaient la Princesse Esmée qui à son tour passa devant moi et détourna la tête de façon ostensible.

Le Salon du Sultan était la plus vaste, la plus haute pièce du Harem. Contre les murs s'alignaient dans un négligent désordre les cadeaux des souverains étrangers : horloges anglaises et françaises — les Sultans les collectionnaient avec fureur — potiches chinoises, fauteuils vénitiens, vases russes colossaux. La richesse, la beauté, la variété des costumes constituaient à elles seules un spectacle. Dans ce décor surdoré, au milieu des mille bougies qui illuminaient l'immense salle, les femmes ruisselaient de toutes leurs pierreries qui scintillaient et se reflétaient dans les miroirs encadrés d'or. Toutes avaient revêtu leurs plus beaux atours, et ma stricte parure blanc et noir contrastait délicieusement avec ce bouquet de femmes couvertes de brocart chamarré, de diamants, d'émeraudes.

Un mouvement se fit bientôt vers la grande porte et l'assistance se leva : Le Sultan faisait son entrée. Abdoul Hamid portait un caftan rouge à brandebourgs noirs, orné de fourrure. L'aigrette de son turban blanc était retenue par une broche fermée de deux rubis et d'une émeraude vraiment énorme, disposés en trèfle. Il avançait majestueusement au milieu de cette foule dressée et vint prendre sa place sous le baldaquin en bois doré, à côté de l'estrade des favorites. Aussitôt on lui apporta sa pipe en ambre, au manche constellé de diamants, sa tasse de café et sa boîte à pilules taillée dans une seule émeraude. Le tourbillon d'eunuques qui l'avait accompagné jusqu'à son trône se tempéra bientôt ; le spectacle lui-même pouvait commencer sur la danse du *tavsan*, ou danse du lièvre. L'orchestre du Harem, constitué des musiciennes les plus ravissantes et les plus douées, prit place dans la tribune au-dessus de notre estrade : guitares, cithares et violons commencèrent alors à produire une musique aigrelette, entraînante et nostalgique tout à la fois. Les danseuses, toutes également jeunes et jolies, bondirent sur la scène, imitant le lièvre, se poursuivant, légères et gracieuses dans leurs mousselines multicolores. Cette danse me parut si bizarre que je laissai échapper un rire qui résonna étrangement sous les coupoles de la salle. Aussitôt la musique et la danse cessèrent, tous les regards se portèrent sur moi : cramoisie, je vis dans un brouillard Abdoul Hamid se pencher légèrement, chercher la provenance de ce rire choquant, découvrir mon visage décomposé... Alors il sourit finement dans sa barbe, se redressa, reprit sa pose hiératique, signifiant ainsi que le spectacle pouvait continuer.

La danse fut suivie par le *Karayoz*, le fameux théâtre d'ombres dont l'origine se perd dans la nuit des temps et dont chaque Turc connaît par cœur les personnages traditionnels.

Le héros principal, Karayoz en personne, bossu et pauvre, chargé d'enfants, incarne le peuple avec sa misère, sa gouaille et son esprit critique. Il sort de son taudis pour se plaindre de la rudesse de l'existence et de la dureté des autorités à son inséparable compagnon, Hatziavandi, et pour lui décrire en détail ses exploits amoureux. Dès le début, l'incroyable obscénité des propos échangés, la crudité des allusions me déplurent. J'étais bien la seule car les femmes qui m'entouraient manifestaient au contraire leur enthousiasme par toutes sortes de petits rires, d'exclamations excitées, de gloussements...

Un nouvel orchestre occupait la tribune au-dessus de nous, cette fois composé des pages du palais; ces jeunes garçons efféminés jouèrent les yeux bandés car ils ne devaient pas voir les femmes du Harem. Sur un rythme de mélopée orientale lancinante et suggestive, ils accompagnèrent les évolutions de trois danseuses dont les corps ondulaient, s'offraient, se dérobaient avec une extraordinaire sensualité. Leurs vêtements les rendaient encore plus indécentes que si elles avaient été nues. La mousseline laissait deviner leurs jambes et leurs bras, tandis que le velours épousait fidèlement leur poitrine et leur taille. L'une d'elles surtout se contorsionnait avec toute la science de la lascivité devant Abdoul Hamid. Elle était belle, enveloppée de cette musique évocatrice, et chaque geste de son corps était un appel. Je voyais les yeux égrillards de mon amant la suivre et la déshabiller, pendant que ses doigts battaient nerveusement la mesure sur la bonbonnière d'émeraude. A nouveau, bêtement, je ressentis la morsure de la jalousie tout en étant exaspérée de son absurdité.

Je sentis un regard peser sur moi. Je me retournai brusquement et rencontrai les yeux noirs du Prince Sélim. Dans l'agitation qui avait précédé le spectacle, je ne l'avais pas encore aperçu et même je n'imaginais pas qu'il pût assister à cette fête. Il était là pourtant, non loin du trône du Sultan, adossé au mur, et il me regardait, il ne regardait que moi : ce regard fixe brûlait d'une telle intensité que de peur d'en comprendre l'expression, de peur d'y répondre, je détournai la tête. Une violente bouffée de chaleur, la flamme d'un incendie imaginaire, m'embrasa. Je haletais, figée, oppressée. Les yeux exorbités, je regardai, sans le voir, le spectacle. Intolérable était la tentation de chercher ce regard, de le rencontrer à nouveau. Vingt fois je m'empêchai de tourner la tête dans la direction de ces yeux que je sentais toujours attachés à moi.

Cette nuit-là je me donnai à Abdoul Hamid avec un élan nouveau, avec sauvagerie. Plus tard, lorsqu'il fut endormi, je restai éveillée à ses côtés, laissant défiler les images de la fête. Dans ce kaléidoscope de visages, de diamants, de lumières, de silhouettes colorées, deux yeux revenaient sans cesse, deux yeux sombres et lumineux sur lesquels ma mémoire insistait.

Un soir, alors que, déjà parée, je m'apprêtais à aller rejoindre Abdoul Hamid, Mahmoud arriva, rentrant de chez son père où il avait passé l'après-midi. Il se plaignit de douleurs à la tête et au ventre et, comme je m'apprêtais à le coucher, il vomit sur ma robe. Je supposai que Mahmoud était tout bonnement victime d'une indigestion, pour s'être gavé de loukoums chez son père, et j'étais furieuse contre celui-ci. De plus, je voyais ma robe souillée, et j'étais en retard. Bref, irritée plus qu'alarmée, je mis l'enfant au lit sans aucun ménagement et, sans même attendre qu'il fût endormi, je gagnai la Chambre Impériale.

Je dis à Abdoul Hamid ce que je pensais de ses méthodes éducatives, et je le tançai vertement pour avoir gâté son fils jusqu'à l'en rendre malade. Le Sultan eut l'air penaud et contrit d'un enfant qu'on réprimande, si bien que je finis par rire.

Cependant j'étais vaguement inquiète au sujet de

Mahmoud et, contrairement à mon habitude, je décidai de regagner mon appartement au milieu de la nuit pour m'assurer de son état. Je le trouvai au plus mal, râlant et grelottant de fièvre. Il semblait souffrir de violentes contractions de l'estomac et respirait avec peine.

Affolée, je réveillai Cévri et je la dépêchai auprès de Vartoui.

L'arrivée de Vartoui accompagnée de l'Apothicaire Impérial accrut encore mon angoisse car, tandis que l'enfant se tordait de douleur, ces deux-là songeaient encore à discuter de questions de protocole. L'Apothicaire ne pouvait voir une Kadine, c'était une règle qu'on ne pouvait transgresser quelles que fussent les circonstances. Comme je trépignais et refusais de quitter la chambre du malade, on se mit d'accord sur un compromis : j'allai me couvrir d'un voile et d'une abaya et quand je fus entièrement dissimulée sous ces vêtements le médecin consentit enfin à entrer dans la chambre.

Il semblait doté d'un optimisme à toute épreuve et ne cessait de plaisanter. Il examina à peine Mahmoud et, concluant à une légère indigestion, prescrivit un émétique qui, selon lui, devait soulager instantanément l'enfant.

La potion ne calma nullement Mahmoud et je commençai à m'affoler. Pourtant je m'efforçai de le rassurer, de me rassurer, en lui murmurant des paroles apaisantes :

— Tu vas aller bien. Tu vas guérir très vite, demain tout sera fini.

Mahmoud alors me posa d'étranges questions :

— Est-ce que je vais voir Allah bientôt ?... Comment

est-il habillé ?... Comment est-ce que je le reconnaîtrai ?

Il montrait des signes de plus en plus alarmants et j'envoyai Ali Effendi prévenir Abdoul Hamid, dont j'espérais la présence et l'assistance.

Au bout d'une demi-heure d'attente insupportable, je vis revenir Ali Effendi : il était seul. Abdoul Hamid ne viendrait pas, il ne pouvait endurer le spectacle de la souffrance de son enfant. Il demandait qu'on le tînt informé de l'évolution du mal minute après minute.

Je me sentis ulcérée et complètement abandonnée. Je voulus alors changer la litière souillée du malade et j'appelai Cévri, mais je n'obtins aucune réponse. Même Cévri, pourtant si fidèle, s'écartait dans le pire moment.

Assise au chevet de Mahmoud, accablée, je me mis à sangloter en continuant à répéter machinalement :

— Cévri... Cévri... Cévri...

Et soudain, dans l'embrasure de la porte, elle fut là, avec, sur ses talons, la Kadine Mirizshah. De sa propre initiative, Cévri était allée chercher la femme de tête. Mirizshah, dérangée dans son sommeil, avait passé une pelisse sur ses vêtements de nuit et elle s'avançait, tranquille et sereine, ses longs cheveux noirs dénoués dans le dos. A peine l'éclat de ses yeux verts trahissait-il une particulière tension.

Elle se pencha vers Mahmoud et aussitôt émit son diagnostic :

— Cet enfant a été empoisonné.

— Mais comment ?

— Dans n'importe quelle nourriture. Dans son dernier repas, dans les pâtisseries offertes par son père, tout est possible ; le poison, ici, est partout.

— Mais qui ? Qui ?

Mirizshah soupira, inclina sa belle tête.

— Bien sûr, celle à qui la mort de Mahmoud profiterait doublement, par l'élimination d'un cadet gênant, ensuite en jetant le blâme et le discrédit sur toi qui avais la responsabilité de l'enfant.

— Sinéperver.

— Oui, Sinéperver.

Puis se tournant vers Cévri, Mirizshah ordonna :

— Va chercher Rashah, vite !

Quelques instants plus tard je vis arriver une vieille esclave complètement édentée que je connaissais pour être, depuis soixante ans, une laveuse de carreaux du Harem. Que pouvait cette gâteuse pour l'enfant qui mourait ?

Mirizshah eut un sourire lumineux :

— Fais-moi confiance, Nakshidil, fais confiance à Rashah, c'est la meilleure guérisseuse du Sérail. Elle connaît tous les contrepoisons, tous les sortilèges. Rashah a le don d'Allah, elle sait guérir.

La vieille attacha au cou de l'enfant une main de Fatma en cuivre, puis elle s'agenouilla au pied du lit et se mit à dévider une longue litanie de prières où des formules incompréhensibles dans une langue inconnue se mêlaient aux versets du Coran. Je dus bientôt convenir que visiblement Mahmoud se détendait, que ses contractions s'atténuaient. La vieille Rashah sortit de sous ses guenilles un flacon empli d'un liquide noirâtre et nauséabond et elle en glissa quelques gouttes entre les lèvres de l'enfant. Elle chuchota ensuite quelques mots à l'oreille de Mirizshah, qui se releva.

— L'enfant est sauvé !

Et là-dessus elle regagna ses appartements, me laissant seule avec la vieille sorcière qui s'était remise à prier. Brusquement les râles et les soubresauts de l'enfant reprirent de plus belle et je crus que la fin arrivait. La vieille ne s'en émut pas. J'enfouis ma tête dans les draps, et, tenant la main de Mahmoud, j'essayai aussi de prier. Je récitai à voix basse les prières que j'avais apprises dans mon autre vie. Je ne sais combien de temps je restai ainsi, paralysée par l'angoisse, attendant la mort de Mahmoud, mais lorsque enfin je me redressai je vis l'enfant paisiblement endormi, le rose aux joues. Seule l'ombre gigantesque de Cévri, debout contre la porte, se projetait dans la chambre. Je m'endormis, brisée, contre l'enfant.

Toute la nuit Ali Effendi fit la navette entre mon appartement et le Mabeyn d'où Abdoul Hamid, défait par la fatigue et l'anxiété, suivait la situation. Lorsqu'il avait su son fils sauvé, seulement alors, il était venu le voir.

— Il a enfilé une pelisse de fourrure et sans même remettre son turban il m'a suivi jusqu'ici, me dit Ali Effendi. Il vous a contemplés longtemps, toi et l'enfant. Je crois avoir vu des larmes couler sur son visage... Comme tu dormais, encore agenouillée près du lit, il t'a prise doucement dans ses bras, il t'a déposée à côté de l'enfant et a ramené sur vous la couverture...

Les émotions et les angoisses de cette nuit interminable m'avaient comme enchaînée à Mahmoud. Jusqu'alors il avait été une responsabilité. Désormais il fut ma chair et mon sang. Tout m'émouvait chez cet enfant : la curiosité de son intelligence, sa solitude d'orphelin, sa fierté, sa tendresse sous sa crânerie. Je voulus non seulement m'occuper de lui, mais le rendre heureux, le faire rire.

Je compris enfin l'astucieux calcul d'Abdoul Hamid que j'avais pris pour un caprice commode. Il m'avait confié Mahmoud sachant que la fragilité de l'enfant me retiendrait bien plus solidement que l'amour du vieillard. Mon incarcération au Harem était devenue volontaire.

Je me remettais lentement de l'épreuve lorsqu'un après-midi Ali Effendi m'invita à venir jouer de la harpe chez la Princesse Hadidgé dans son appartement. Je n'avais aucun intérêt pour Hadidgé ni la moindre envie de faire de la musique. J'étais encore fragile, je refusai. Ali Effendi se fit insistant et même mystérieux. Il avait le don de persuader. Je cédai.

Lorsque je pénétrai dans le salon de la Princesse, je compris : ma harpe avait été amenée là, mais le Prince Sélim s'y trouvait aussi. L'appartement de sa sœur était le seul endroit du Harem où il pouvait se rendre en dehors de la Cage.

Hadidgé m'accueillit et me récita comme une mauvaise actrice :

— Mon frère Sélim aime la musique ainsi que toi, Nakshidil. J'ai pensé vous réunir pour que vous puissiez vous entretenir de votre passion commune.

Sa mission accomplie, et comme épuisée par l'effort, Hadidgé disparut dans sa chambre.

Sélim me considéra d'un air grave et tendre, sans parler. Le café que nous sirotions, les sucreries que nous grignotions meublèrent tant bien que mal un silence embarrassé. Puis tel un homme qui se jette à l'eau, Sélim se mit à déverser un flot de questions avec la même curiosité insatiable qu'il avait manifestée lors de notre première rencontre fortuite. Il m'interrogea avidement sur les œuvres et les compositeurs contemporains et je dus lui apparaître fort décevante car, si j'avais pratiqué la musique dès mon plus jeune âge, j'étais fort ignorante des modes et des gloires de l'époque. Il connaissait Mozart, Gluck, Piccinni et Haydn beaucoup mieux que moi, me montra des partitions de ces compositeurs qu'il s'était procurées et qu'il déchiffrait avec aisance. Comme je m'étonnais de ses connaissances, il remarqua tristement qu'il fallait au moins une passion de cette envergure pour combattre les rigueurs de la Cage. Nombre de ses prédécesseurs s'étaient livrés à une occupation favorite pour supporter leur sort. Et d'évoquer le talent d'orfèvre du Sultan Sélim I, le talent de calligraphe du Sultan Ahmed III...

— Et un jour on évoquera le Sultan Sélim III qui fut un musicien de talent, remarquai-je.

Il eut encore ce beau sourire triste et me pria de jouer sur ma harpe une fantaisie de Mozart. Peu à peu je me laissai envahir par cette musique délicate qui coulait de mes doigts, je ressentais avec une particulière acuité son émotion contenue et profonde. Alors, sur la mélodie que je jouais, Sélim se mit à réciter :

Sais-tu ce que veut le poète ?
Il veut t'entourer de ses bras
En murmurant : « Accepte-moi
Pour serviteur et pour esclave. »
Viens, approche-toi, mon amour
Essaie de me comprendre, veux-tu ?
Donne-moi une de tes tresses pour
Que je la respire comme une rose.

Malgré le trouble que suscitaient en moi ces paroles si transparentes, je poursuivis mon jeu. Lorsque j'en eus terminé, Sélim saisit sa flûte de bois, son ney, et à son tour se mit à jouer. Tout d'abord les sonorités trop aigrelettes me frappèrent désagréablement. Il s'agissait, je le sais maintenant, de cette musique étrange, magique, qui accompagne les évolutions des derviches tourneurs. Sélim savait en jouer admirablement et, petit à petit, malgré moi, je me laissai posséder par cette mélopée envoûtante qui m'arrachait à mon propre corps, me transportait hors de moi-même. Alors, instinctivement, presque involontairement, je me levai et me mis à esquisser des mouvements, à tournoyer lentement dans mes voiles, inventant la danse fascinante et fascinée que suggérait la musique. J'étais dans un tel état de transe que je ne sus pas que le musicien s'était interrompu, je ne sus pas comment il fut là, près de moi, ou si ce fut une figure de ma danse ou un geste de lui qui nous rapprocha et me jeta dans ses bras...

Brusquement, Hadidgé apparut sur le seuil de sa chambre, contemplant notre embrassement sans s'émouvoir, avec son air habituel d'indifférence et d'ennui souverain. Que son frère, le Prince Héritier, osât porter la main sur la Seconde Kadine du Sultan ne semblait pas la troubler. Elle se contenta d'observer, d'une voix mondaine, qu'il était temps pour moi de rejoindre mes appartements.

Sans dire un mot, le cœur, l'âme et les joues en feu, je tournai les talons et quittai la pièce. Rentrée chez moi je me sentis comme écrasée. Le prodige était arrivé : j'aimais pour la première fois et j'étais aimée, mais cet amour ne pouvait espérer ni épanouissement ni accomplissement. J'étais la Kadine du Sultan et seule la mort attendait l'adultère au Harem. Cet amour ne pouvait vivre et pourtant il existait. Je trahissais l'affection et l'estime que j'éprouvais pour Abdoul Hamid. J'insultais l'amour et la confiance qu'il m'avait donnés. Les sentiments s'entrechoquaient en moi, pendant qu'au-dessus de la tempête brillait la lumière terrible de mon amour.

Mirizshah me convoqua dans le petit jardin du Harem. Je la trouvai qui se promenait par les allées désolées du jardin, affable et souriante comme à l'accoutumée, enveloppée d'une pelisse car l'air était encore vif. L'endroit était lugubre en cette saison, avec ses parterres défleuris, ses tonnelles où se tordaient les silhouettes décharnées des rosiers, et le vert sombre, presque noir, du lierre qui tapissait les murs d'enceinte. Tout, ici, jusqu'aux fontaines, était figé par la disgrâce de l'hiver. Néanmoins Mirizshah aimait l'exercice, ne craignait pas le froid, et affirmait que le confinement nuit à la beauté. Que d'amabilités dans son long monologue, que de compliments sur ma beauté, sur mon élégance, sur mon comportement, sur mon dévouement pour Mahmoud ! Que de fleurs, mais aussi que d'épines ! L'Orient s'y connaît en allusions. Sous les circonlocutions elle se fit clairement comprendre. C'était elle, me rappela-t-elle, qui m'avait mise auprès d'Abdoul Hamid, et elle était assez puissante pour m'en arracher et me rejeter dans le néant. N'avait-elle pas réussi à limiter l'influence d'une Sinéperver ? Si j'étais la favorite du Sultan c'était pour accomplir une mission et non pas pour batifoler avec son héritier. Elle n'ignorait rien des sentiments de Sélim pour moi et des miens pour lui. Elle consentait à ignorer cet amour — il n'était pas question de le tolérer — pourvu que j'y puise la force et les accents nécessaires pour rappeler constamment au Sultan l'existence de son héritier, pour le lui faire mieux connaître, pour lui en vanter les qualités et les idées, bref pour pousser mon aimé auprès de mon amant.

— Mais tu dois faire attention, Abdoul Hamid est un homme clairvoyant et perspicace : si tu éprouvais pour mon fils des sentiments troubles, tu manquerais de naturel et il le percevrait très vite...

Je demeurai silencieuse, frissonnante dans l'air froid, tout le temps que Mirizshah prit à conclure.

— Ma chère enfant, n'oublie jamais que je suis là et qu'à tout moment tu peux faire appel à moi. Viens vers moi si parfois tu as le désir ou le besoin de parler, de t'épancher, je te prêterai toujours une oreille attentive et amicale... Nous sommes égales, Nakshidil, nous sommes alliées et engagées dans la même et noble cause...

Sur ces mots elle fit une volte-face gracieuse par laquelle elle me signifiait mon congé, et elle poursuivit sa promenade.

Toute la journée, je fus de méchante humeur. Je rembarrais Vartoui pantelante de curiosité de connaître la teneur de mon entretien avec Mirizshah, j'insultais Monsieur Jolibois, mon perroquet, je rudoyais Ali Effendi, et les mines misérables qu'il prenait en ces circonstances ne réussirent pas à me dérider. Mirizshah connaissait mon amour pour son fils et ne songeait qu'à l'exploiter ! La honte d'être découverte, la rage de sentir violée l'intimité de mes sentiments, la révolte contre l'oppression dont j'étais la victime jusque dans le secret de mon cœur, le disputaient en moi à une admiration haineuse et envieuse pour

Mirizshah qui ne reculait devant rien pour servir son fils et qui me tenait dans ses serres de velours. Même avec Abdoul Hamid, je restai renfrognée.

— Qu'as-tu, mon enfant ? Quelle contrariété abaisse le coin de tes lèvres ? Quel souci plisse tes sourcils ?

Il me fallait dissimuler, mais je n'en avais guère le courage. Je ne pouvais plus supporter les caresses, les mots d'Abdoul Hamid, et moins encore me prêter à un simulacre d'amour avec lui. A chaque instant j'étais tentée de lui avouer la vérité et je me taisais.

Toutes sortes de raisonnements se succédaient dans mon esprit : tantôt, m'appuyant sur ma connaissance des mœurs et de la mentalité de ce pays, je me disais qu'Abdoul Hamid, homme, turc et sultan, si bienveillant et ouvert qu'il fût, ne pourrait pas même concevoir que l'une de ses femmes puisse aimer un autre homme ; tantôt, je me persuadais que l'aveu, quelles qu'en fussent les conséquences, était le seul parti à prendre.

Néanmoins les heures, les jours passaient et je me taisais. Ce fut Abdoul Hamid qui parla, lors d'un de nos tête-à-tête dans le Mabeyn.

Ce soir-là plus que jamais, j'étais sensible à l'intimité et à la féerie du Mabeyn, aux flammes des bougies qui se reflétaient dans les miroirs, aux parfums denses et lourds qui montaient des cassolettes mêlés à celui des bûches de cèdre brûlant dans la cheminée. Dehors c'était la nuit, je savais qu'il faisait froid et que le vent soufflait, et nous dînions paisiblement dans cet abri chaleureux. Je me sentis si bien qu'à la fin du repas je ne pus résister à une curiosité gourmande : sous le regard indulgent d'Abdoul Hamid je pris une pâtisserie que je n'avais encore jamais goûtée, une galette faite de fils d'ange de sésame et arrosée de sirop de sucre. Tandis que je léchais mes doigts dégoulinants de sirop, Abdoul Hamid se faisait servir son café parfumé à la cardamone et allumait sa pipe. Ce parfum de cardamone mêlé à l'odeur du tabac de Macédoine évoquera toujours pour moi Abdoul Hamid.

Pendant tout le dîner, Abdoul Hamid me conta ses ancêtres. Il avait acquis une connaissance approfondie de l'histoire de la Turquie et de sa famille, au cours des longues années passées dans la Cage.

Soudain il m'interpella directement :

— Évidemment, si tu m'avais connu alors que j'étais plus jeune, tu aurais pu m'aimer vraiment... Mais je suis vieux, tu n'as pas vécu... Il n'est pas possible que tu consacres ta vie à aimer, ou à faire semblant d'aimer un vieillard. Tu es faite pour aimer un homme beaucoup plus jeune, tu es faite pour être aimée par un homme qui aurait un avenir alors que je n'ai qu'un passé à t'offrir.

De toute évidence Abdoul Hamid savait, il savait tout... Abdoul Hamid reprit après un lourd silence de sa même voix basse, lasse :

— Je suis vieux, Nakshidil, je sais qu'il me reste peu de temps à vivre. Je ne suis pas malade, mais je suis épuisé. Même l'amour que j'ai pour toi ne peut plus me rajeunir, me rendre la vie qui me quitte. Bientôt je vais mourir, je le sais, je le sens. Je te suis reconnaissant pour tout ce que tu as fait pour moi : ces derniers mois tu as illuminé ma vie, aucune femme ne m'a donné autant que toi... Je ne te demande pas ton amour, je te demande seulement ta tendresse, ta présence. Je souhaite que tu restes auprès de moi quelques mois encore, jusqu'à ma mort. Lorsque j'aurai disparu, mon successeur aura une tâche écrasante, il lui faudra sauver l'Empire que je n'ai pas su défendre, il lui faudra instaurer des réformes que je n'ai pas su imposer. Pour réussir là où j'ai échoué, pour accomplir cette œuvre immense, il aura besoin de l'aide d'une femme... Il aura besoin de l'amour de cette femme. Je souhaite que mon successeur ait tout ce qui m'a manqué, l'énergie et le courage nécessaires pour sauver l'Empire, et l'amour d'une femme. Vois-tu, Nakshidil, c'est ce que je lui souhaite de tout mon cœur, c'est ce que j'espère qu'il aura, c'est ce que je veux qu'il ait !

Je voulus tomber aux genoux de ce vieillard pathétique et magnanime qui non seulement pardonnait à l'amour coupable mais encore encourageait son accomplissement.

Je me jetai dans ses bras, mais il m'écarta avec douceur :

— Non, je suis fatigué, Nakshidil, va-t'en !

J'insistai.

— Non, non, Nakshidil, retire-toi, répéta-t-il. J'ai besoin d'être seul, crois-moi... Et puis toi-même tu dois être lasse : on se fatigue à arpenter des heures entières les jardins du Harem...

Je souris : décidément, il savait tout, l'allusion à ma récente rencontre avec Mirizshah était claire. Il mit à profit cette détente pour ironiser légèrement à propos de Mirizshah.

— Mirizshah est une femme très intelligente pour laquelle j'ai la plus grande estime. Cependant, elle fait un peu trop de zèle dès qu'il s'agit de son fils. Elle n'a rien à craindre, je m'entends parfaitement bien avec lui. Et je peux même dire que nous nous entendons parfaitement bien en dehors d'elle...

Il eut alors un petit rire qui très vite s'est cassé et, à nouveau, il m'exhorta à aller me coucher. J'obéis.

J'avais envie de pleurer, à la fois allégée et accablée. J'avais tout imaginé, excepté cette réaction d'Abdoul Hamid. L'amertume de l'échec n'avait pas gâté son âme : il souhaitait à d'autres le bonheur qu'il n'avait pas connu et même il le favorisait. Comme j'avais mal compris cet homme, sa grandeur d'âme, sa générosité et comme j'y avais mal répondu ! J'aurais pu tellement mieux le choyer, l'assister, et je me sentais indigne de lui, honteuse. Mais, après tout, me laisser avec ce remords, n'était-ce pas m'injecter le plus subtil et le plus durable des poisons ?

Au cours d'une de nos leçons quotidiennes, je m'étais proposé d'apprendre à Mahmoud une nouvelle chanson française. Mais, ce matin-là, il était morne, sans entrain, et il refusa tout bonnement de chanter avec moi. Croyant à un caprice d'enfant, je n'insistai pas et je décidai de lui raconter des histoires, ce dont il était très friand. Mais la première histoire finie, contrairement à son habitude, il n'en réclama pas d'autres.

— Qu'y a-t-il, Mahmoud ? Tu ne te sens pas bien ?

Silence, puis, à brûle-pourpoint, la question fusa :

— Est-ce que tu aimes mon père ?

J'ai tenté de répondre avec naturel :

— Mais bien sûr, Mahmoud. Je l'aime pour lui-même et je l'aime aussi parce qu'il est ton père.

Comme s'il examinait les termes de ma réponse, Mahmoud est resté silencieux un temps puis, insatisfait sans doute de sa réflexion, il se risqua à la formuler :

— Tu ne voudrais pas que mon père meure, n'est-ce pas ?

Je me levai, je marchai vers l'enfant, je le saisis par le bras et, le secouant rudement, je le sommai de me dire qui avait bien pu lui mettre en tête de telles idées. Mahmoud ne chercha pas à se dégager mais il conservait son air buté. Enfin il se décida.

— Mon frère Moustafa m'a dit que tu voulais empoisonner mon père pour que Sélim prenne sa place et devienne Sultan. Il dit que tu aimes mon cousin Sélim.

Jc m'écartai de l'enfant. Je ne pouvais pas lutter contre des moyens aussi abjects : cette fois, Sinéperver n'avait pas hésité à dresser deux enfants l'un contre l'autre, à souiller leur esprit. Je me mis à pleurer de dégoût, de désespoir, de lassitude.

Alors, soudain, je sentis des petits bras autour de mon cou : Mahmoud s'était approché en silence.

— Ne pleure pas, je t'en prie, ne pleure pas... Moustafa est méchant, je sais... Il dit des choses fausses pour faire mal. Moi aussi il m'insulte, il me traite de giaour...

Un giaour ! Un chrétien, un infidèle, un sous-homme, la plus sanglante injure pour un Turc !

Sinéperver avait compté sans l'intelligence de Mahmoud. Au lieu de le détacher de moi, elle n'avait fait qu'accroître sa clairvoyance et consolider nos liens. L'opprobre avait rapproché le Prince giaour et la Kadine empoisonneuse.

Peu après Abdoul Hamid tomba malade. Nous étions en avril mais l'hiver ne lâchait pas prise et le vieil homme toussait sans cesse, avec une fièvre point trop élevée mais tenace, et une grande faiblesse. Bien qu'il se moquât de mes alarmes, je réussis à le persuader d'appeler l'Apothicaire en consultation. L'homme, dont j'avais déjà pu apprécier la désinvolture au chevet du petit Mahmoud, examina son Maître et conclut avec jovialité :

— Ce n'est rien qu'un petit rhume tout à fait de saison. Notre Sultan est fort et son organisme résistant. Dans quelques jours il sera sur pied.

Mais la fièvre persistait, ainsi que les difficultés à respirer. Abdoul Hamid ne se rétablissait pas et il prétendait se livrer à ses activités tout comme à l'ordinaire.

Un matin, dans le Mabeyn, il me montra le joyau le plus prodigieux que j'aie jamais vu : c'était un pendentif de quelque soixante-dix centimètres de longueur, une plaque d'or incrustée d'émeraudes hexagonales ou rondes de taille gigantesque, de perles piriformes et de diamants monstrueux. Je remarquai que sa taille rendait cette merveille impossible à porter.

— Ce bijou n'est pas destiné à une femme, mais au tombeau du Prophète, m'expliqua Abdoul Hamid amusé. Il fait partie du *Surëy*, du tribut annuel que le Sultan envoie aux Villes Saintes, La Mecque la Révérée et Médine l'Illuminée.

Le départ du *Surëy* donnait traditionnellement lieu à une procession à laquelle le Sultan était tenu d'assister. Je protestai qu'il était encore trop faible pour sortir et s'exposer au froid mais ni supplications ni exhortations ne surent le fléchir.

— Tous les dignitaires de la Cour m'attendent au Kiosk de Faïence pour charger le *Surëy* sur le chameau qui le transportera. Il y aura les prières des moulahs et des muftis, après quoi je confierai le dépôt sacré aux gardiens chargés de le convoyer à travers l'Asie Mineure et le Moyen-Orient jusqu'aux Villes Saintes.

Un dernier regard, et il s'en fut, suivi de son cortège d'eunuques, me laissant seule dans le Mabeyn.

Dehors, un vent aigre, glacial, venu de la mer Noire, soufflait. Je ne pus me décider à rejoindre mon appartement ni à me livrer à aucune occupation précise, et je restai là.

Il me sembla que le temps de la cérémonie était largement dépassé et Abdoul Hamid ne revenait toujours pas. Cette attente pesait sur moi, lourde de vagues pressentiments.

L'après-midi était fort avancé lorsque enfin Abdoul Hamid reparut, grelottant. Après la cérémonie du *Surëy*, il était allé au Pavillon de la Circoncision, à l'autre bout du Sérail, voir son fils Moustafa.

Je l'installai près du feu sur un sofa et lui apportai du thé vert, très chaud. Mais il ne parvenait pas à se réchauffer. Il voulut travailler mais il dut bientôt abandonner les rapports sur lesquels il ne pouvait se concentrer. Je lui proposai de lui envoyer Mahmoud pour le distraire. Laissant le père et le fils ensemble, je passai chez moi.

Monsieur Jolibois m'observait du haut de son perchoir et s'efforçait de me dérider avec ses pitreries. Tout d'abord je l'ignorai puis je me pris finalement au jeu de ses plus fameuses imitations : la voix haut perchée de Ristoglou, les gloussements de Vartoui... Il réussit même à me faire éclater de rire lorsqu'il exécuta ce curieux claquement de langue qu'émettait Vartoui au moment où elle approchait un loukoum de sa bouche.

Je ne saurais dire combien d'heures ou de minutes s'étaient écoulées lorsque Ali Effendi fit irruption. Hassan Pacha avait subi une nouvelle défaite, écrasante. Il n'avait pas pu sauver Oczakof.

Lorsque je rejoignis Abdoul Hamid dans le Salon aux miroirs, le Kislar Aga lui lisait le rapport d'Hassan Pacha :

— Les Russes ont réussi à ouvrir une brèche et trente mille des nôtres, militaires et civils, ont péri en tentant de sauver la ville. Maître des lieux, Potemkine a ordonné des représailles ; non seulement les cinq mille survivants de notre garnison, mais encore vingt mille enfants, femmes et vieillards ont été massacrés.

Je voyais des flots de sang courir les rues d'Oczakof, je voyais les incendies, les viols, j'entendais les hurlements des victimes.

Une voix d'outre-tombe, celle d'Abdoul Hamid, me tira de ce cauchemar.

— Oczakof est tombé. Il n'y a plus d'espoir.

Toute couleur s'était retirée de son visage, ses traits s'affaissèrent. Il demanda son écritoire. A peine eut-il commencé à écrire qu'il se renversa en arrière, lâchant sa plume, entraînant dans sa chute écritoire, papier et encrier. Je vis l'encre noire se répandre : il me semblait que c'était là le propre sang d'Abdoul Hamid qui coulait.

Je courus vers lui : recroquevillé sur le sol, une main sur le cœur, il haletait affreusement. Je tentai de le relever mais je n'en eus pas la force et nous restâmes là une éternité, me sembla-t-il, jusqu'à l'arrivée de l'Apothicaire.

Il décida de saigner Abdoul Hamid malgré son extrême faiblesse et m'engagea rudement à l'assister, bon gré, mal gré. J'apportai le bassin et le tins pendant la durée de la saignée. Après quoi, satisfait, l'Apothicaire prit congé avec sa formule habituelle :

— D'ici deux jours tout sera rentré dans l'ordre !

Petit à petit, Abdoul Hamid reprit ses esprits et sa respiration devint plus régulière. Je lui répétai les paroles de l'Apothicaire auxquelles moi-même je ne croyais pas. Il tapotait ma joue, s'efforçait de sourire, mais il n'était pas dupe.

— Non, Nakshidil, mon cœur me lâche, je suis condamné, je le sais bien. Il ne me reste plus que quelques heures à vivre et je veux en jouir. Je ne veux pas m'étendre, je ne veux pas risquer de mourir dans mon sommeil. Tout ce que je désire à présent, c'est que tu demeures là, près de moi, cette nuit. Je ne souhaite qu'une chose : passer mes dernières heures à bavarder avec toi, à te regarder, à t'écouter.

Il fit apporter du Mavrodaphné, un vin doux de Corfou, grâce auquel nous oubliâmes peu à peu que nous vivions nos derniers instants ensemble. Plus que jamais, en cette dernière nuit, nous fûmes proches et complices, presque heureux.

La mort approchait mais, ranimé par le vin, Abdoul Hamid se mit à évoquer son passé, ses souvenirs les plus anciens. Pour la première fois il me parla de son père :

— Le Sultan Ahmed III avait de nombreuses femmes et il les aimait beaucoup ; mais il ne savait jamais sur laquelle porter son choix. Aussi laissait-il ce soin au hasard : il avait instauré une sorte de concours pour désigner l'élue du jour. Chacune de ses femmes possédait une tortue ; on les plaçait en ligne à l'extrémité d'un champ de tulipes et on les faisait courir. La première tortue arrivée en bout de course valait à sa propriétaire les honneurs de la Couche Impériale.

Abdoul Hamid évoqua encore des femmes qu'il avait aimées, cette Roussah qui l'avait tant maltraité et qui s'en était allée, Houmasah, la Kadine Provençale, qui n'avait pas su trancher avec son passé, et même Sinéperver, si malfaisante mais si belle.

Il parla beaucoup et il s'affaiblit mais son intérêt pour la vie, pour moi, demeurait. Il m'invita à me raconter à mon tour.

Pour lui, je fis défiler toutes les images de mon enfance à la Martinique, je lui décrivis par le menu nos maisons et nos coutumes, la végétation et la faune de l'Île, les tempêtes d'équinoxe si spectaculaires. J'évoquai les figures de mon passé, mes parents, Joséphine, Zinah et même Pierre Dubuc, mon ancêtre fameux, cet aventurier normand qui avait assuré la gloire et la fortune de notre lignée. Je lui racontai mon séjour en France, mes occupations et mes farces d'écolière au couvent de la Visitation, ma visite à la reine Marie-Antoinette, le mariage de Marie-Anne.

Abdoul Hamid ferma les yeux, son souffle devint à peine perceptible. Il trouva encore la force de murmurer :

— J'aimerais mourir en musique.

Dans l'antichambre du Mabeyn, le Kislar Aga et ses eunuques veillaient, ombres silencieuses. Un ordre de moi et ils coururent sans bruit me chercher ma harpe. En l'installant un eunuque effleura les cordes de l'instrument qui gémit. Je jouai... Je ne me rappelle plus ce que je jouai ni combien de temps je jouai. J'ai encore dans l'oreille les accords doux et mélancoliques de la harpe répondant au vent qui frappait aux fenêtres invisibles et pleurait dans la cheminée.

Devant moi le vieil homme ne bougeait plus, n'était le lambeau de vie qui soulevait encore sa poitrine.

Je savais que la fin était proche mais je restais sereine : l'expression même du visage d'Abdoul Hamid, la conscience que sa mort était telle qu'il l'avait souhaitée rendaient désormais l'événement acceptable. Je me déplaçai et je pris l'une de ses mains dans les miennes. Le temps passa, je crois que je sombrais dans une légère somnolence jusqu'à ce qu'une crispation de sa main m'alertât : je me penchai vers lui, c'était fini.

J'embrassai doucement son visage et sortis dans l'antichambre du Mabeyn. Par la fenêtre, très loin sur l'horizon, vers l'Asie, je vis une lueur rose et rouge : c'était l'aube du 22 avril 1789.

TROISIÈME PARTIE

Sélim

I

Sélim fut proclamé Sultan le matin même de la mort d'Abdoul Hamid. Le Kislar Aga, suivi des deux plus hautes autorités civile et religieuse de l'Empire, le Grand Vizir et le Cheik Oul Islam, se rendit dans la Cage pour informer Sélim qu'il était le nouveau maître de l'Empire. Ils ont baisé le bas de sa robe, puis le Cheik Oul Islam lui a remis le sabre de son ancêtre Osman, le fondateur de la dynastie, qui se transmet de sultan en sultan. Cette arme, une simple lame d'acier à pommeau de fer, le Cheik l'a présentée avec la formule traditionnelle :

— Reçois-le avec confiance, car c'est Dieu qui te l'envoie.

Après quoi, Sélim alla prier dans la Chambre du Manteau Sacré où, sous un dais d'or, dans des coffres incrustés de pierreries, sont conservées les reliques sacrées de l'Islam : le manteau noir du Prophète, son sabre et sa bannière, le *Sandjak i Chérif*, l'Étendard de l'Empire.

Les jours suivants je restai enfermée dans mon appartement à m'occuper surtout de Mahmoud. L'enfant ne pleurait pas, tout au moins devant moi, mais je mesurais son chagrin à ses silences et à ses airs butés. Abdoul Hamid avait gâté ce fils préféré et l'avait entouré de cette gentillesse chaleureuse et souvent primesautière qui était son apanage. Nul ne pourrait le remplacer, je le savais, mais je m'employais à ne pas laisser Mahmoud un instant désœuvré, le faisant jouer ou réciter ses leçons.

Je m'astreignais à mes tâches quotidiennes, mais Abdoul Hamid me manquait. Ce gentilhomme d'un autre âge, ce noble poète, raffiné d'âme comme de manières, m'avait séduite. Il m'avait fait découvrir l'étrange satisfaction d'être aimée, en m'en épargnant les inquiétudes. Dans mon affection reconnaissante j'avais aussi pitié de ce malchanceux qui avait fini sa vie et son règne dans la défaite et le désastre. Ce viveur, égoïste il faut bien le dire, aimait le confort jusque dans sa manifestation suprême, le bonheur ; il l'aimait chez ceux qui l'approchaient et l'avait créé autour de lui, chez moi. Il avait mis toute son expérience et sa finesse bienveillante à guider mes premiers pas de femme et d'adulte comme s'il avait été pour moi un père plus qu'un amant. Avec lui j'avais perdu la protection dont il m'entourait et me retrouvais face à la solitude et à l'appréhension de l'avenir. Abdoul Hamid laissait deux vrais orphelins : Mahmoud et moi. Et pourtant, aussi désagréable que cela fût de me l'avouer, la mort de l'homme à qui je devais tant me libérait, en quelque sorte, vis-à-vis de l'homme que j'aimais. Cependant celui-ci était devenu le Padishah,le Calife de l'Islam, l'ombre d'Allah sur terre, le Sultan et le Maître des territoires qui s'étendaient sur trois continents et de millions d'âmes. Le rang suprême qui était désormais le sien mettait une distance nouvelle entre lui et moi.

Le couronnement de Sélim eut lieu au jour fixé par le Chef Astrologue de la Cour. Naturellement, aucune femme ne pouvait assister à la cérémonie, mais, grâce à Ali Effendi, j'eus un aperçu du spectacle. Il me conduisit par une succession de passages, de couloirs et de petits escaliers jusqu'à la Tour de Justice où autrefois un vigile se tenait et d'où l'on domine le Sérail.

Comme des enfants excités par le risque d'une escapade interdite et dangereuse, nous escaladâmes avec des fous rires l'étroit escalier en colimaçon, noir comme dans un four, jusqu'au sommet. De là, nous surplombions la Seconde Cour avec le Hall du Divan et les Cuisines Impériales. Au-delà, nous distinguions la Première Cour où se tenaient dans leurs uniformes d'apparat les Janissaires, les *baticalars* ou hallebardiers, les gardes du corps au bonnet surmonté d'un éventail de plumes blanches, les écuyers au casque doré et pointu, les messagers du Sultan, en robe jaune et bonnet conique brun.

Le pratique Ali Effendi s'était muni d'une boîte de loukoums et, riant, la bouche poudrée de sucre, le doigt pointé entre les créneaux, il me commentait la représentation.

Le printemps tardif permettait aux seules tulipes d'éclairer les parterres de la Seconde Cour. Alignés le long des murs et des allées, aussi raides que les cyprès avec lesquels leurs uniformes violets contrastaient, les Janissaires se tenaient, immobiles, en armes. Au jour de la Seconde Cour devant la Porte de la Félicité, sous un auvent de bois doré, sur un tapis multicolore, on avait installé le trône dit du Bayran, sorte d'énorme caisse recouverte d'or et incrustée de milliers de tourmalines vert pâle.

Les Grandes Charges de la Cour avaient déjà pris place alentour : le Grand Écuyer et le Petit Écuyer ; le Bostandgy Baj, le seul dignitaire à porter des babouches orange ; les Maîtres des Cérémonies en caftan or et rouge et les Chambellans. Et le Capou Agassy, le chef des eunuques blancs, l'équivalent en blanc du Kislar Aga. Et encore le Porte-Manteau, le Porte-Étrier, le Porte-Aiguière, le Plisseur du Turban, le Maître de la Garde-Robe, le Premier Maître d'Hôtel, le Premier Intendant des Chiens de Chasse, le Premier Barbier de Sa Hautesse, le Grand Fauconnier, l'Intendant des Bains... J'étais ahurie par cette avalanche de titres que récitait avec gourmandise un Ali Effendi féru de protocole. A droite une plantation de bonnets noirs et pointus, ceux des *bostandgys*, les domestiques-soldats du Sérail, à gauche une masse fleurie, or, rose et bleu, des pages en différentes livrées. Dans un coin les muets en caftan sombre, naguère chargés de porter les ordres de mort du Sultan, et les nains-bouffons en robe jaune et rose.

A l'heure prescrite par l'Astrologue, les majestueux vantaux de la Porte de la Félicité se sont écartés et Sélim est apparu, soutenu selon l'usage par le Kislar Aga et le Porteur du Sabre. Il portait une longue robe de soie, recouverte d'un caftan cérémoniel, sans manches, en brocart rose et or bordé de fourrure. Sur sa tête le plus vaste turban que j'aie jamais vu. Je distinguais sur la broche qui reliait les plumes blanches de héron trois très gros rubis, comme trois gouttes de sang.

S'asseyant sur son trône, Sélim prit la pose traditionnelle, également fixée par le protocole depuis des temps immémoriaux, et alors commença le défilé des dignitaires jusque-là parqués dans la salle du Divan.

Fonctionnaires, vizirs, juges, agas, moulahs, généraux, amiraux, parmi lesquels je distinguai la haute silhouette d'Hassan Pacha. Ils s'avançaient un à un dans l'allée bordée de Janissaires et de cyprès, s'agenouillaient devant le trône et baisaient le bas de la robe de Sélim en signe de soumission et d'allégeance, puis se rangeaient autour du trône.

Ici, tout est strictement déterminé par le protocole : la place de chacun, la couleur des costumes, la forme et la hauteur des turbans. De mon poste je voyais se former, autour du bloc doré du trône, le mur mouvant de brocart des caftans, le champ de turbans multicolores, la forêt de plumes qui se balançaient doucement.

Sélim se leva pour accueillir en dernier lieu le Grand Vizir, détenteur du pouvoir civil, et le Cheik Oul Islam, chef suprême du Clergé.

Il ne se rassit pas. A la stupéfaction d'Ali Effendi, à la stupéfaction de tous, il entama un discours. Il parlait, sur un ton familier, comme s'il se fût adressé à un ou deux interlocuteurs dans l'intimité d'une chambre. Ce n'était pas là un orateur habitué à la foule, néanmoins ses paroles se détachaient, distinctes, portées par ce ton grave et modéré jusqu'aux spectateurs, et ceux-ci les accueillaient dans un silence étonné. Il exhorta les Janissaires, les gradés, les fonctionnaires et à travers eux le peuple entier de son Empire à poursuivre la lutte contre la Russie. Lui-même, Sélim, ne remettrait son sabre au fourreau que lorsque tous les territoires de l'Empire seraient repris aux infidèles.

Il enchaîna enfin sur ses projets de réformes : restant sagement dans des généralités mais décidé à marquer le coup, il annonça qu'il combattrait l'injustice et rétablirait la prospérité de l'Empire.

Alors, de la foule jusque-là si attentive monta un énorme cri, par trois fois répété :

— Puisses-tu vivre mille ans, ô Padishah !

Cette formule traditionnelle devait conclure la cérémonie mais un murmure, un grondement d'approbation la prolongea : le discours de Sélim avait porté ; depuis mon observatoire, je sentais l'onde d'excitation qui se prolongeait de cour en cour jusqu'à la foule massée hors du Sérail.

Sélim enfourcha un cheval blanc aux harnais d'or incrustés de cabochons, pour se rendre en grande pompe à la Mosquée du Conquérant. Entouré des dignitaires de sa Maison, protégé d'un inoffensif soleil par un large parasol vert brodé d'or, il se mit en route. Derrière lui venaient les deux Princes Impériaux, Moustafa et Mahmoud. Le cortège traversa les cours, salué par les hourras des soldats, et longtemps après qu'il eut franchi la Porte Impériale et disparu de ma vue, j'entendis les vivats du peuple de Constantinople qui acclamait son nouveau Sultan.

Le peuple avait entendu l'appel de Sélim et y répondit massivement. Venus de toutes les provinces de l'Empire, cent cinquante mille volontaires partirent arrêter les Russes dont l'avance avait tué Abdoul Hamid.

L'avènement de Sélim entraîna un fantastique remue-ménage au Harem : les femmes d'Abdoul Hamid devaient céder la place à celles de Sélim : elles déménageaient avec esclaves et bagages pour se retirer dans le Vieux Sérail où elles allaient végéter jusqu'à leur mort. Aux lamentations de ces « reines » brusquement déchues, répondait l'insolence des eunuques inamovibles qui après avoir servi ces femmes s'en vengeaient par un mépris ouvert.

Je me réjouissais du départ de Sinéperver qui semblait emporter avec elle un danger latent. Malheureusement elle aurait la faculté de revenir au palais pour voir son fils Moustafa, qui continuerait à résider au Pavillon de la Circoncision, Sélim ayant pris l'initiative inouïe d'abolir la coutume de la Cage.

Pendant ma promenade, un après-midi, je vis qu'on fermait définitivement le Mabeyn. Les volets étaient condamnés, les portes scellées, désormais cet appartement où j'avais vécu des heures heureuses avec Abdoul Hamid serait abandonné.

Les abords des appartements de la Sultane Validé étaient gardés par des eunuques qui m'empêchèrent d'entrer : des ouvriers, des hommes les remettaient en état pour l'arrivée de Mirizshah, désormais mère du Sultan régnant.

Pendant la période de transition, un vent de folie secoua le Harem : déjà habituée à tout régenter, Vartoui avait pris les allures d'un général en chef. Cramoisie et suante, ses gros yeux bleus flamboyants, elle était partout le commandement à la bouche et je la retrouvais parfois le soir, exténuée, soufflant, se plaignant toujours qu'on ne respectât pas ses ordres. Mon eunuque Ali Effendi était en état permanent d'excitation ; affolé par la multitude de potins qu'il avait à me rapporter, il bégayait et montait dans les aigus si bien que je ne pouvais plus le comprendre. Même l'imperturbable Cévri, si discrète à l'ordinaire, abandonnait son mutisme.

Tout ce monde, et moi-même bien sûr, attendait

avec curiosité l'arrivée des triomphatrices — les femmes de Sélim — qui jusque-là avaient vécu claquemurées dans des sortes de greniers à rats au-dessus de la Cage et qui allaient investir les appartements des Kadines sortantes. Housnoumah, Nourousem, Tabirafa, Zibifer, Safizar, Refet. Cette dernière — je le savais — avait été la favorite de Sélim. L'aimait-il encore ? J'éprouvais une irritation confuse chaque fois que j'imaginais Refet installée dans les appartements de la Première Kadine.

Les « intruses » étaient quelque peu encombrées de leur nouvelle position et les eunuques en profitaient pour contribuer à leur malaise par toutes sortes de petites mortifications et de malices. Nous vécûmes des jours de totale désorganisation : ce n'était qu'ordres et contrordres, scènes et drames, allées et venues, galopades et cris dans les couloirs. C'était le grand spectacle de la confusion dont l'Orient a le secret. Instruite par l'expérience, je me tenais écartée de ce volcan, claquemurée dans mon appartement, mais les grondements du Harem en éruption me parvenaient tout de même.

A quinze ans je me retrouvais « veuve » d'un Sultan sans avoir été mariée et, sans avoir engendré, mère d'un Prince Impérial : quel serait mon sort ? Pourquoi n'avais-je pas, comme les autres femmes, reçu l'ordre de faire place nette ? Vartoui, interrogée, m'avait affirmé qu'elle ne savait rien. Le bruit courait que le Sultan prendrait ses dispositions à mon égard, une fois le calme revenu. Peut-être attendait-on que Mahmoud ait atteint ses cinq ans et soit remis entre les mains des précepteurs pour m'expédier au Vieux Sérail ?

Cette perspective me hantait. Je m'imaginais séparée de Mahmoud, éloignée de Sélim, condamnée à vivre le restant de mes jours dans un palais démodé au milieu de vieux eunuques perclus et de Kadines oubliées et amères qui se laissaient aller parce qu'elles n'avaient plus rien à attendre. Je frissonnais en pensant à Cébicefa, cette Kadine d'Abdoul Hamid dont j'avais eu la faiblesse d'être jalouse lorsqu'elle en avait eu une fille. A peine plus âgée que moi, elle était déjà une morte vivante enfermée au Palais des Lamentations.

En comparaison de cet univers de décrépitude et d'ennui, le Sérail où je vivais peut-être mes dernières semaines et qui si souvent m'avait semblé une insupportable prison, m'apparaissait comme le Paradis. Un paradis dont je ne voulais pas être arrachée. L'incertitude me rendait si anxieuse que je préférais l'endurer en secret et que j'avais renoncé à interroger — d'ailleurs inutilement — qui que ce soit.

Mais je devenais irritable et ne pouvais plus supporter les visites de Vartoui qui faisait irruption chez moi sous les prétextes les plus futiles. Il m'arriva même de la chasser sans ménagement.

On m'avait laissé ou plutôt j'avais gardé la jouissance de la chambre d'Abdoul Hamid. Je m'y réfugiais pour échapper aux indiscrétions du Harem, aux visites de Vartoui, aux potins d'Ali Effendi.

Après tant d'années, je revois encore cette pièce que j'avais prise en horreur à force d'y demeurer cloîtrée. Je revois ces fresques naïves, peintes à mi-hauteur des murs, qui représentaient des paysages de campagne pseudo-européenne. Je détestais le gris des murs, un gris lugubre qui prétendait évoquer le style Louis XVI. Les fenêtres à trois mètres du sol aggravaient l'impression d'étouffement et d'enfermement.

Un soir enfin, alors que la lumière baissait et que je faisais les cent pas dans cette horrible chambre, la porte s'ouvrit brusquement et Sélim apparut, seul, sans s'être fait précéder. Il portait encore la tenue d'apparat car en ces jours de début de règne les cérémonies se succédaient sans arrêt. Trois broches constellaient son turban, privilège réservé au seul Padishah. Il s'inclina cérémonieusement devant moi. Je sentais qu'il hésitait à parler, qu'il cherchait ses mots. Enfin, d'une voix basse, où je percevais un tremblement, il réussit à dire :

— Nakshidil, je suis venu te dire que, si tu le souhaites, tu pourras retrouver ton pays et ta famille. Je suis prêt à te renvoyer vers les tiens.

Avais-je bien entendu ? Jamais de mémoire de Harem une telle proposition n'avait été formulée. Des images tourbillonnèrent en moi : la maison au Robert, le château Dubuc, mon père, ma mère, mes sœurs, les négrillons, Nantes et ses quais, ses bateaux, les rues de Paris... Tout mon passé... qu'il me proposait de retrouver !

Et pourtant je n'ai pas dit oui.

Aujourd'hui encore, après tant d'années, je me demande ce qui alors m'a empêchée d'accepter. Fut-ce l'affection de Mahmoud, la conscience de ma responsabilité à son égard ? Fut-ce la conscience de ma destinée, ou plutôt l'instinct de cette destinée qui retint ce oui sur mes lèvres ? Fut-ce encore le regard de Sélim, l'intonation de sa voix lorsqu'il avait si malaisément énoncé sa proposition ? A ce jour, je le jure, je ne le sais toujours pas et j'en suis encore étonnée.

Mais, si je n'avais pas dit oui, je n'avais pas dit non. Mon sang normand me rend quelque peu retorse, j'aime à prendre mon temps. Simplement, je répondis :

— Pas tout de suite.

Cette phrase fit basculer l'effet de surprise du côté de Sélim. Son visage exprima tour à tour la stupéfaction, le doute, l'espoir. Oui, dans son regard je lisais tout à la fois l'incrédulité et la joie. La joie dominait, qui illumina alors tous ses traits, qui amena sur ses lèvres un sourire d'une telle douceur que je n'en ai jamais revu de comparable sur aucun autre visage.

Au bout de ce sourire, il ne sut que demander :

— Pourquoi ?

— Parce que, répondis-je, dans un an Mahmoud aura cinq ans. Il passera aux hommes et alors seulement je serai libérée. Alors je pourrai partir... si je le veux.

Sélim ne me regardait plus, il fixait le sol. Il bafouilla une phrase presque inaudible mais dont le sens était, je crois, « Nous avons un an devant nous » ou « J'ai un an devant moi ». Je n'étais pas certaine d'avoir bien entendu.

Il s'inclina encore plus cérémonieusement en prenant congé :

— Qu'il en soit fait selon tes désirs, Nakshidil.

Mirizshah, la Sultane Validé, quitta le Vieux Sérail et prit solennellement possession de ses nouveaux appartements au Harem dont elle devenait la Souveraine.

Sélim attendait sa mère à la Porte Moyenne, à l'entrée de la Seconde Cour. Conformément à l'usage, il prit la main de Mirizshah, la baisa, puis il l'aida à descendre de voiture. A côté de lui se tenait Véli Zadé, le théologien qui m'avait fait interrompre mon jeûne volontaire, le conseiller de Mirizshah que Sélim venait de nommer Cheik Oul Islam, chef religieux de l'Empire.

Toute la population du Harem, esclaves, eunuques, nouvelles Kadines, commandée par Billal Aga, l'ancien précepteur de Sélim devenu Kislar Aga, stationnait dans la Cour de la Validé attendant Mirizshah pour lui rendre hommage. A cause de ma position singulière, je restais à l'écart dans le couloir qui mène aux appartements de la Validé. Me tenait compagnie le Contrôleur de ma Maison : Ali Effendi récemment promu à cette fonction honorifique qui comblait sa vanité. Avec la pelisse jaune et l'imposant turban auxquels il avait désormais droit, il ressemblait, tout petit et gras, à une guêpe grasse.

Je vis s'avancer les deux hautes silhouettes de la mère et du fils. Mirizshah, superbe et gracieuse à la fois, riait et devisait, appuyée au bras de Sélim. Elle ne m'aperçut qu'au tout dernier instant et je crus discerner dans son regard, l'espace d'un éclair, une ombre désapprobatrice. Aussitôt elle se reprit et m'ouvrit les bras.

Manifestement, Mirizshah, malgré sa maîtrise d'elle-même, avait été décontenancée et contrariée de me trouver là. Peut-être me croyait-elle déjà remise à mon ambassade ou en route vers mon pays ?

Tant qu'Abdoul Hamid vivait et que j'étais sa favorite, j'étais utile, je servais ses plans. Mais à présent que Sélim régnait, j'étais devenue encombrante et, pire, je risquais de me trouver entre elle et son fils, entre elle et le pouvoir.

Je continuais à m'occuper de Mahmoud et y puisais

un intérêt grandissant, qui doublait mon amour pour cet enfant.

Mon statut trop vague échappait aux agencements protocolaires du Harem. Aussi avait-on préféré « m'oublier » dans l'appartement de Seconde Kadine, tant pis si les autres, les nouvelles, avaient dû se serrer un peu. Les bruits du Harem qui atteignaient ma retraite m'apprenaient que leur Seigneur et Maître n'en visitait ni n'en recevait aucune et j'en éprouvais une secrète satisfaction. Moi-même je ne voyais Sélim qu'en présence de Mahmoud lorsqu'il se le faisait amener et que je l'accompagnais. Sélim avait élu domicile dans deux pièces superposées, voisines de la chambre d'Abdoul Hamid, désormais fermée. Un escalier intérieur reliait son salon du rez-de-chaussée, mi-européen, mi-oriental, à sa chambre-oratoire, jaune et argent, du premier étage, qu'il avait redécorée dans le plus échevelé des styles rocaille.

Sélim avait à cœur de remplacer le père de l'enfant dans ses charges et son affection. Mahmoud le comprit et s'attacha, avec toute l'exclusivité et la possessivité de son âge, à ce cousin devenu un grand frère. Je soupçonnais chez Sélim une détermination à ne jamais rester seul avec moi et j'en restais perplexe. Me fuyait-il ? Pourquoi ? Je me perdais en conjectures...

Ma première sortie du Sérail depuis mon arrivée eut lieu à l'occasion d'un déjeuner sur l'herbe. Je me rappelais ceux de mon enfance, quand nous partions en char à bancs, mes parents, mes sœurs et moi passer la journée entière dans la forêt les jours de trop grande chaleur. Je revoyais ma mère, en jupon de toile, mon père en chemise, les enfants courant çà et là sous l'œil vigilant de Zinah qui nous criait de ne pas nous éloigner et de prendre garde aux insectes.

Comme tout, ici, l'excursion a nécessité une formidable organisation et a mobilisé eunuques et esclaves par centaines.

Tout le long de notre trajet jusqu'à l'embarcadère du Sérail, des murs de toile destinés à protéger les femmes des regards avaient été dressés et, quand nous avons été à proximité des barques, les rameurs se sont écartés pour nous laisser nous installer dans des petits habitacles aux rideaux baissés. Je me suis serrée avec deux nouvelles Kadines et Cévri.

Les rameurs ont alors repris leurs places et les barques se sont mises à glisser sur l'eau. Nous formions une flottille d'une quarantaine d'embarcations effilées, à dix ou douze paires de rameurs en livrée rouge et or. Au centre se détachait la grande Barque Impériale, la seule à vingt-six rameurs, toute de bois doré : sur le château arrière, abrité par un dais de velours rouge, se tenait Sélim.

Des voitures aux rideaux bien sûr baissés, les *kotchis,* tirées par des mules aux harnachements garnis de pompons, nous attendaient sur la rive asiatique du Bosphore.

L'endroit choisi pour le déjeuner, l' « Échelle du Grand Seigneur », est une sorte de vallée où courent quantité de ruisseaux entre les lauriers, les jasmins sauvages, les arbousiers, et qu'enchantent de leurs trilles rossignols, fauvettes et tourterelles.

Sur une vaste prairie des tentes avaient été dressées, tapissées de velours de Brousse, garnies de coussins brodés et de tapis de Perse.

Le service du déjeuner fut accompagné de musique. Ces dames babillaient à perdre haleine, Refet accumulant les minauderies pour attirer l'attention de Sélim, tandis que je profitais de la nature étalée sous mes yeux.

A l'heure de la sieste tous et toutes se retirèrent sous les tentes pour le sommeil, les rêves, le narguilé ou le hachisch. Moi, j'avais envie de profiter de cette journée d'exceptionnelle liberté. J'ai échappé au regard des eunuques somnolents et me suis aventurée dans les sentiers qui serpentent à travers la forêt.

J'ai débouché sur une clairière toute piquetée de fleurs des champs. D'un geste où je retrouvais mon enfance, je commençai à les cueillir. Soudain, une voix, derrière moi, m'a arrêtée :

— Est-ce pour moi que tu cueilles ces fleurs, Nakshidil ?

C'était Sélim.

— Oh ! non, Seigneur, ces fleurs sont bien trop modestes et ne peuvent égaler celles de tes jardins.

Il avait dû me voir partir et m'avait suivie, échappant à son essaim d'eunuques et de gardes.

Comme si cela allait de soi, il se mit à cueillir les fleurs avec moi. Puis nous avons réuni nos bouquets et nous nous sommes assis dans l'herbe pour parler. Sélim attendait ce moment pour parler de son Empire, sa responsabilité, son obsession. Il voulait que son nom restât dans l'Histoire comme celui de Sultan réformateur. Il voulait faire la guerre aux habitudes qui avaient pris force de lois, aux traditions absurdes qui excluaient toute possibilité de progrès. Depuis plus de cent ans, l'Empire ne faisait que s'affaiblir : dans les provinces, les Pachas n'en faisaient qu'à leur guise et l'étranger guettait cette agonie. Partout triomphaient la corruption, l'injustice et la misère.

— Seigneur, l'interrompis-je, si ton Empire est à l'image de ton Sérail, il a en effet bien besoin d'être épousseté et aéré.

Sélim ne souhaitait rien de moins que de faire de cet Empire décadent une puissance contemporaine. Les obstacles étaient légion. Il y avait les Janissaires, l'élite si férocement conservatrice de l'armée, trop jalouse de ses privilèges pour ne pas s'opposer aux réformes par tous les moyens, surtout les pires. Il y avait les Oulémas, les religieux, obtus et intransigeants, accrochés à un fanatisme qui servait leur suprématie. Il y avait les notables de province, hostiles à tout changement de peur d'y perdre leurs intérêts et de voir mettre fin à leurs exactions. Il y avait les partis de la Cour, occupés à s'entre-déchirer à coups d'intrigues pour obtenir le pouvoir.

Sélim se demandait s'il parviendrait à les persuader tous, sinon à les vaincre. Je voulus l'encourager :

— Tu es jeune, Seigneur, et tu as la foi en ta mission.

— Cela ne suffit pas. Mes années dans la Cage m'ont écarté de l'évolution du monde. J'ignore notre époque.

— Interroge ceux qui en sont au fait.

— A commencer par toi, Nakshidil. Tu as connu la liberté et le progrès de la France.

Il quêtait mes conseils sans s'arrêter à mon âge, tant étaient infaillibles pour lui le prestige de la lointaine et fabuleuse Europe et tout ce qui en venait, moi incluse. De quelle utilité pouvais-je être au maître d'un empire alors que j'étais moi-même si ignorante ? Je battais le rappel de ma mémoire pour retrouver les propos de mon oncle Dubuc de Ramville et les principes des philosophes dont M. Jolibois me prêtait les ouvrages. Puis je me lançai :

— L'absolutisme sera bientôt hors de saison. Les monarques tireraient profit à écouter leurs sujets et à permettre aux classes de la société de prendre part aux décisions.

— Par quel moyen, Nakshidil ?

— Il y a les États Généraux.

J'expliquai à Sélim ce mécanisme des monarchies européennes où les représentants des divers États de la nation étaient assemblés pour donner au souverain leur avis et leurs suggestions.

Soudain l'étrangeté de tout cela m'apparut : nous étions là assis dans une prairie, qui discutions de sujets graves comme deux enfants naïfs : j'étais jeune, j'étais inexpérimentée et il l'était tout autant, ce Sultan tout neuf.

Mais il avait de l'enthousiasme et moi j'avais de l'amour.

Les ombres du soir envahissaient le sous-bois autour de nous. Il fallait rentrer. Nous nous sommes trompés de chemin et nous avons débouché sur une route qui traversait la forêt. Nous marchions paisiblement côte à côte et nous croisions les paysans qui ramenaient le bétail et qui nous honoraient du salut traditionnel :

— La paix soit sur toi, Effendi, et sur ta *hanoum*.

Ils nous prenaient pour mari et femme. Sélim leur répondait, bénissant à son tour l'homme, ses femmes, ses enfants, ses troupeaux.

Je n'oublierai jamais ce retour sur la route des fermes, dans cette lumière rose et grise du crépuscule où le Seigneur de l'Empire Turc m'entretenait de l'avenir d'une partie du monde.

Sélim convoqua bientôt les États Généraux ou ce qui en tenait lieu, c'est-à-dire des représentants des classes et des provinces de l'Empire. Je me crus l'instigatrice de cette innovation et peut-être l'étais-je. Elle suscita la stupeur générale car jusqu'alors le Padishah omnipotent avait disposé de tout et de tous sans jamais en référer à quiconque. L'Assemblée s'ouvrit le 14 mai 1789 dans les jardins du Sélamlik au pavillon de Bagdad, naguère affecté aux fêtes et aux plaisirs, et où Sélim aimait travailler. Je me demandai comment on avait réussi à y entasser deux cents juges, administrateurs, scribes, professeurs, officiers et soldats.

Sélim ouvrit les débats en invitant les participants à énumérer les maux de l'Empire et les solutions à y apporter. Un silence absolu accueillit ce préambule. L'assemblée était décontenancée ; aucun de ses membres n'était habitué à exprimer franchement sa pensée, surtout en présence du Maître de l'Empire. Alors, Véli Zadé, le nouveau Cheik Oul Islam, parla comme il en avait été convenu avec Sélim. Il décrivit les souffrances, les injustices, les inégalités et les vexations continuelles auxquelles était soumis le peuple. Le stratagème réussit, quand Véli Zadé se rassit, d'autres se levèrent.

Alors furent dénoncés la corruption des juges, le malheur des paysans chassés de leurs terres quand ils ne pouvaient s'acquitter des taxes trop lourdes, le favoritisme qui entravait l'administration, les abus et l'incompétence, partout, à tous les niveaux.

Tout au long des séances qui suivirent, Sélim découvrit, au fil d'un torrent de doléances, des réalités qui l'horrifièrent : la situation de l'Empire était plus désespérée qu'il ne l'avait imaginé.

Il avait fait consigner les observations des notables dans un grand registre. Ce livre où pleurait tout un empire serait, me confia-t-il, son guide.

Désormais je le voyais souvent en tête à tête. Au cours des visites que nous lui rendions, Mahmoud et moi, il s'arrangeait pour renvoyer l'enfant et rester seul avec moi. J'attendais impatiemment ces entretiens qui bientôt devinrent quasi quotidiens. Sélim m'entretenait de tout ce qui lui tenait à cœur, sollicitait mes avis, et partager ses préoccupations m'exaltait singulièrement.

Il avait décidé de réunir ses amis, ses sympathisants en une sorte de conseil pour préparer les réformes qu'il projetait. Il appelait auprès de lui des compagnons de jeux de son enfance, d'anciens esclaves qui avaient partagé ses années de Cage, des personnalités qui, pour avoir servi dans les ambassades turques à l'étranger, s'étaient frottées à l'Europe et à ses institutions. Ses partisans, qui sous le règne d'Abdoul Hamid étaient restés dans l'ombre ou l'exil, accouraient pour le servir. Parmi eux, un nom me fit sursauter : Ishak Bey... N'était-ce pas cet énergumène qui, avec mon cousin Beauharnais, avait tenté de nous violenter, Zinah et moi, un soir, dans les jardins du Palais-Royal ? Fort de la vieille amitié qui le liait à Sélim, il revenait en Turquie certain d'y recevoir un poste important. Un sort bien différent l'y attendait, dont la nouvelle, immédiatement rapportée par Ali Effendi, défraya les conversations du Sérail. A peine avait-il posé le pied à Constantinople, qu'il était arrêté, embarqué sur un navire et conduit sur l'île de Lemnos où il devait être décapité sur l'ordre de Sélim.

C'était la première fois que j'entendais parler d'exécution depuis le règne du Sultan Réformateur. D'insidieuses questions vinrent me troubler. Pourquoi Sélim faisait-il exécuter un ami de longue date, un partisan des réformes, qui aurait pu lui apporter une aide précieuse ?

Serait-ce parce que je lui avais raconté la scène du Palais-Royal ? Était-il jaloux ? Était-il capable d'une jalousie poussée jusqu'à une cruauté inconnue chez lui ?

J'hésitai plusieurs jours avant de l'interroger. Lorsque je m'y aventurai je n'obtins qu'une réponse sèche.

— Ishak Bey a trahi ma confiance.

Et Sélim enchaîna en se lançant dans l'énumération de ses premières réformes, les plus urgentes, qu'il venait d'arrêter : il promulguait des lois destinées à encourager les paysans à retourner à leurs terres et à les cultiver. Il modifiait fondamentalement le système judiciaire et les administrations provinciales qu'il voulait soustraire aux caprices des Pachas. Il réorganisait l'armée afin d'y rétablir ordre et discipline. Il prohibait l'alcool introduit par les étrangers, il limitait l'utilisation de l'or, de l'argent, des étoffes précieuses.

Les réformateurs comme Sélim, comme moi-même, avaient les yeux tournés vers la France. Nous avions appris la prise de la Bastille le 14 juillet et, comme tant de mes contemporains, je ne vis qu'un incident dans ce qui était le début de la Révolution, naguère prévue par mon oncle Dubuc de Ramville.

Pour l'heure nos libéraux se réjouissaient des événements français. L'abandon de l'absolutisme monarchique, l'apparition d'une assemblée, l'élaboration d'une constitution, cette cascade de changements faisait souffler un vent de liberté et de progrès dont nous espérions sentir les effets jusque dans l'Empire Turc.

Pendant un de mes entretiens quotidiens avec Sélim, Cévri vint m'informer qu'une visite m'attendait. Je trouvai dans mon antichambre une femme tout enveloppée de voiles qui dissimulaient complètement ses traits.

— Qui es-tu et que me veux-tu ? demandai-je.

La femme, très lentement, se retourna et se dévoila : c'était Zinah ! Était-ce un fantôme ? Était-ce un rêve ? Pendant quelques secondes je restai là, pétrifiée, n'osant bouger, n'osant parler de crainte de faire s'évanouir cette apparition. Ce fut Zinah qui s'approcha, m'ouvrit les bras, m'attira contre elle. Alors je me mis à pleurer comme il m'était arrivé de le faire si souvent dans ces bras-là, autrefois. Zinah me laissait pleurer tout en caressant doucement mes cheveux. Je l'accablai alors de questions. Non, elle n'avait pas trop souffert : elle avait été achetée par un riche marchand algérien dont le principal défaut était l'avarice. Mais ce n'était pas un mauvais bougre et il ne l'avait point trop maltraitée.

— Mais comment as-tu pu arriver jusqu'ici ?

Un matin, les gardes du Dey d'Alger avaient débarqué chez son maître, et après nombre de palabres, l'avaient emmenée et conduite jusque devant le Dey en personne. Celui-ci annonça qu'elle venait d'être achetée par le Padishah lui-même. On l'embarqua sur un vaisseau qui était venu tout exprès la chercher et qui cingla droit vers la Turquie. On l'avait amenée au Sérail et jusqu'au Sultan qui, très longuement, l'avait interrogée à mon sujet. Zinah m'avoua avoir mal compris sa curiosité. Il l'avait tenue des heures, essayant d'obtenir d'elle les plus menues informations sur mon passé, mon enfance, ma vie en France, mon caractère, mes goûts...

Ainsi, malgré les préoccupations qui l'assiégeaient, il avait pensé à organiser pour moi cette surprise inestimable. Je lui avais raconté ma séparation d'avec Zinah et il m'en savait inconsolable. Sa sollicitude et l'exacte tenue des registres d'esclaves d'Alger avaient fait le miracle.

Zinah m'avait manqué plus que quiconque. Elle avait partagé le début de mes aventures et, seule des êtres chers de mon passé, elle aurait eu sa place dans mon nouvel univers. Qu'auraient fait au Sérail mes parents, mes cousines ? Sélim m'avait rendu Zinah ! Elle était ici avec moi ! Elle représentait le lien entre mon passé et mon présent, entre celle que j'avais été et celle que j'étais. Elle me rendait à moi-même. Elle me connaissait et me comprenait, elle était l'amie, l'aînée, la confidente. Je ne connaîtrais jamais plus l'abîme de solitude où j'étais tombée dans ce palais surpeuplé. Je ne connaîtrais jamais plus le désarroi, j'étais désormais protégée à nouveau par Zinah. Armée de sa solidité, et de son bon sens, je pouvais affronter mon périlleux avenir.

Par délicatesse, pour nous laisser à la joie des retrouvailles, Sélim ne me convoqua pas de plusieurs jours, et pour épuiser tout ce que nous avions à nous dire, nous avions bien besoin, Zinah et moi, de jours entiers, que dis-je, nous aurions eu besoin de semaines.

Lorsque je revis Sélim, l'émotion et la reconnaissance me firent bredouiller, je ne savais que lui répéter « merci » en français. Il n'aimait pas que je fusse son obligée et, très vite, prétextant une audience, il me renvoya.

L'arrivée de Zinah provoqua des remous : nous ne nous quittions plus et Sélim se tenait à l'écart. Cévri restait sur son quant-à-soi et tolérait tout juste la présence de Zinah. Ali Effendi se sentait supplanté et, dans les premiers temps, en manifesta de l'irritation. Mais bientôt leur jovialité commune rapprocha ces deux êtres, toujours prêts à la farce et à la dérision. Partout dans les couloirs on entendait leurs gloussements et leurs rires.

Mahmoud fut plus difficile à séduire. Zinah, obéissant à sa nature, le traita en petit garçon plus qu'en Prince Impérial comme naguère elle m'avait traitée en petite fille plus qu'en fille du Maître. Ce manque de déférence heurta Mahmoud au premier abord. Il fuyait Zinah parce qu'il la craignait. Mais elle trouva le secret pour atteindre cet enfant si réservé ; seule de nous tous elle le fit rire, par ses plaisanteries, par ses histoires et son jargon. Mahmoud en vint à considérer ses audaces verbales comme le plus excitant des sacrilèges.

Un matin de décembre, Sélim m'emmena sur la rive asiatique du Bosphore dans un palais abandonné qu'il se proposait de remettre en état. Cette sortie se faisait incognito, aussi n'avait-elle pas mis en branle l'appareil et l'agitation habituels. Une litière close m'avait transportée jusqu'au quai où l'inévitable couloir de toile était tendu. Deux barques nous attendaient, la mienne et celle de Sélim, discrètement noires, avec seulement huit paires de rameurs.

Un prédécesseur de Sélim avait fait édifier ce palais

à Beylerbey quelque soixante-dix ans plus tôt. Ces lieux dont la nature et l'hiver s'étaient emparés dégageaient une douce mélancolie. Sur ordre de Sélim, eunuques et gardes étaient restés plantés sur le quai pour nous laisser seuls à notre découverte.

Les terrasses de marbre aux balustrades brisées étaient défoncées et envahies d'herbes jaunies. Le jardin qui avait dû être autrefois admirablement dessiné était retourné à la sauvagerie. Entre les troncs noirs des arbres pendaient des lianes grisonnantes et des buissons parasites avaient fermé les allées. Le palais de bois avait dû être peint à l'origine en vert pâle, mais les intempéries avaient délavé le badigeon qui s'écaillait.

Nous avons découvert une petite porte branlante par laquelle nous nous sommes faufilés à l'intérieur. Il y faisait terriblement froid et sombre car tous les volets étaient fermés. Plus encore qu'à l'extérieur, je fus saisie par la tristesse de ce lieu livré à la décomposition du temps, à la voracité des insectes : les tentures pendaient lamentablement, déchiquetées, les tapis moisis avaient perdu leurs teintes et les cristaux des lustres leur éclat.

Le salon principal, au premier étage, avait dû être ravissant. Sélim s'est acharné sur les volets gonflés d'humidité et, après bien des efforts, a réussi à les ouvrir ; alors le pâle soleil d'hiver a coulé dans la pièce. Des sofas recouverts d'un brocart mauve et or couraient le long des parois. D'immenses miroirs de Venise au tain terni encadraient une cheminée en pierre jaunâtre d'Alep dont Sélim m'a expliqué qu'elle avait la particularité de répandre un parfum délicieux sitôt qu'on allumait le feu.

— Reste ici, m'a-t-il dit. Je vais chercher du bois.

Je me suis accoudée à la fenêtre : par-delà la végétation sombre et dense, les terrasses éventrées, je découvrais le Bosphore baignant dans une lumière gris et or, jusqu'à la rive européenne, étagée de parcs déserts.

Pendant ce temps, Sélim, le Grand Seigneur, l'Ombre d'Allah sur terre, était à la recherche de son bois. Il est revenu tout essoufflé, les bras chargés de bûches. Dès que les flammes se sont mises à crépiter, la pierre d'Alep a laissé échapper un parfum musqué. Nous étions là comme deux enfants en maraude qui se seraient introduits par effraction dans une propriété. Nous nous tenions debout l'un près de l'autre devant le feu. Sans me regarder Sélim s'est mis à parler. Il me semblait que ses paroles me brûlaient tout autant que les flammes que je continuais à fixer et qui rougissaient mes joues, mon front, mes mains. Il m'aimait et m'avait aimée dès le premier jour où j'étais entrée inopinément dans la Cage. Il m'avoua quelles souffrances il avait endurées depuis, sachant son amour impossible, puisque j'appartenais à un autre. Il avait lutté contre cet amour et il avait tremblé quand il m'avait proposé de me rendre à ma famille. Et même avec le sursis que j'avais fixé, cet amour restait impossible. La Kadine d'un défunt Sultan, de surcroît mère d'un de ses fils, ne pouvait devenir la Kadine de son successeur. La loi religieuse ne l'interdisait pas expressément mais aux yeux du Harem Impérial qui avait ses propres lois, c'eût été inconcevable. Les Sultans passent mais les traditions du Harem, bien plus solides, restent. Elles avaient déjà été considérablement dérangées par le fait que je n'aie pas suivi mes compagnes au Vieux Sérail. Devenir la Kadine de Sélim aurait déchaîné un scandale qui eût ébranlé le

Harem jusqu'en ses fondements et menacé le trône même de Sélim. Au-delà de la mort d'Abdoul Hamid, notre amour restait un adultère sacrilège.

Cependant Sélim ne pouvait plus se passer de ma présence, il avait besoin de moi pour vivre, j'étais la seule à qui il pût parler librement, parce que j'étais libre, d'esprit et de caractère, la seule qui partageât son aventure parce que j'étais désintéressée. Il espérait qu'il parviendrait à m'oublier lorsque, dans quelques mois, je partirais.

Cet aveu me désorienta même si je l'avais attendu : jamais un homme ne s'était ainsi livré à moi, ne me demandant rien en échange. Abdoul Hamid, qui m'avait traitée avec tous les égards, m'avait néanmoins prise contre mon gré. Soudain je me sentais gauche et mal à l'aise, plus empêtrée qu'heureuse. L'enchantement de cet après-midi, de ces lieux, avait disparu. Je ne désirais plus que partir. Il n'a pas protesté. Très vite nous avons repris le chemin du retour et, sur le quai du palais, nous nous sommes séparés.

Je frissonnais pendant que ma barque fendait l'eau morne. Le scandale, je n'en avais pas peur. Au contraire, à seize ans, braver les lois, surtout par amour, est acte d'héroïsme. Mais j'avais peur. Peur inconsciente de l'amour, de cette fièvre qui déjà ne me laissait plus de repos, de cet engagement de tout mon être et de toute ma vie. Il m'est facile aujourd'hui de disséquer les sentiments confus qui me déchiraient alors. A l'époque je comprenais seulement que j'étais en proie à un pressentiment imprécis.

Le soir, Zinah, mise dans la confidence, se moqua de mon trouble. Puisqu'il m'aimait, puisque je l'aimais, était-ce pécher, assura-t-elle, que de résister à l'amour.

Je ne savais plus si j'espérais les visites de Sélim ou si je les redoutais. J'hésitais encore, alors que j'étais déjà engagée sur une voie sans retour.

Fort heureusement pour moi, la situation de l'Empire qui s'était brusquement aggravée retint le temps et l'attention de Sélim. Conduits par Hassan Pacha qu'il avait nommé Grand Vizir, les cent vingt mille volontaires qui avaient répondu à son appel le jour de son couronnement avaient réussi à arrêter les Russes dans les Balkans et même à les repousser. Ils se reposaient sur leur succès lorsque l'ennemi qu'ils croyaient replié au loin avait fondu sur eux et les avait taillés en pièces.

Il ne restait de cette armée que 27 000 blessés, 10 000 prisonniers et 60 000 fugitifs qui dans leur déroute avaient abandonné tentes, paquetages et canons. Cette terrible débandade acheva de décourager les troupes et, coup sur coup, nous perdîmes la Valachie, Belgrade et la Serbie. Le Conseil Impérial supplia Sélim de faire la paix avec les Russes. Il refusa de céder et envoya sa vaisselle d'or à la fonderie, pour la transformer en monnaie et gonfler le trésor de guerre.

Infatigable, Hassan Pacha repartit à l'assaut. Mais les Janissaires se révoltèrent contre ses mesures autoritaires et entravèrent son action.

Hassan Pacha revint à Constantinople, épuisé et désespéré. Trois jours plus tard il était mort. Sa disparition débarrassait l'État du seul homme qui le dominait de son poids et de son prestige. Une féroce compétition pour sa succession s'engagea. Mirizshah proposait son candidat au Grand Vizirat. Hussein

Pacha, le meilleur ami de Sélim, le chef de ses conseillers occultes, prétendait faire nommer un réformateur. Les conservateurs, appuyés sur les Janissaires et les oulémas, redressaient la tête. Du fond du Vieux Sérail, Sinéperver les agitait en sous-main. Ces différents partis harcelaient Sélim et le tiraient à hue et à dia.

J'étais comme détachée des événements que je suivais de loin, de très loin. J'étais à la fois malheureuse et soulagée de ne pas voir Sélim. Il réapparut pourtant, un après-midi à l'heure de la sieste. Entrant chez moi, il me pria de l'accompagner. Je le suivis à travers le dédale, désert à cette heure, jusqu'au Kiosk d'Osman III.

Ce palais miniature, fermé depuis cinquante ans, était situé dans la partie la plus éloignée du Harem. C'était, suspendue au-dessus des remparts, une sorte de nacelle percée de multiples fenêtres par lesquelles on découvrait une vue incomparable sur la vieille ville, la Corne d'Or, les quartiers chrétiens. Nous avons traversé le salon central tout en glaces et en cristaux et plusieurs chambres qu'on venait visiblement de refaire et de redorer.

Nous étions arrivés devant la porte de la dernière pièce. Quand Sélim l'ouvrit devant moi je criai de surprise. C'était, à peu de chose près, la reproduction de la chambre dans laquelle j'avais vécu à Nantes, chez ma cousine Marie-Anne. On s'était ingénié à en reconstituer le décor avec un souci invraisemblable du détail. Je reconnus les boiseries bleues et blanches, les tentures en toile de Jouy, imprimées de scènes pastorales, le couvre-lit de percale blanche. Jusqu'aux meubles de bois peints en blanc, le dernier cri de la simplicité, qui, indubitablement, provenaient de

France et sur lesquels on avait disposé porcelaines et bibelots. Et ma harpe était là, trônant au milieu de la chambre, posée sur un tapis d'Aubusson. Sélim ouvrit les portes de la garde-robe l'une après l'autre : tout un trousseau à la dernière mode française y était suspendu, rien n'y manquait, robes, jupes, fichus de linon, dentelles, bas, chapeaux, chaussures. Non seulement Sélim avait longuement interrogé Zinah sur mes goûts, sur le décor où j'avais vécu, mais il s'était enquis de mes mesures pour commander ces vêtements à Paris.

— C'est pour que tu t'habitues à nouveau aux robes de ton pays avant d'y retourner, me dit-il avec un mince sourire.

Que ferais-je des créations de Mademoiselle Bertin, où les porterais-je au Harem, alors que j'avais adopté le raffinement de l'habillement turc ? Et cette chambre Louis XVI, le comble du luxe au Sérail que seul le Padishah pouvait se payer, comme elle me semblait pauvre dans ce palais regorgeant de décors féeriques que j'avais appris à apprécier. L'intention de Sélim me bouleversait tout autant que sa naïveté.

Lorsque je me jetai dans ses bras, il les referma sur moi pour ne plus jamais les rouvrir, me sembla-t-il, tant il m'étreignit, parcourant mon visage de baisers légers. Nous demeurâmes longtemps ainsi, enchaînés et nous donnant l'un à l'autre dans ce baiser. Puis, sans pouvoir se départir de moi, il commença à me déshabiller. Dehors le vent sifflait dans les arbres, les malmenait, et l'agitation incessante des branches faisait danser et pirouetter la lumière.

Jusque-là je n'avais connu que les étreintes d'un homme expert dans les plaisirs de l'amour, qui en usait avec raffinement, qui savait tirer toutes les jouissances possibles de l'instrument que la femme était pour lui. Mais avec Sélim, je découvris dès la première fois la joie du don, de l'amour et de la sensualité partagés. Nos caresses, le moindre de nos gestes étaient dictés par l'instinct, le désir de rejoindre l'autre, de se fondre dans l'autre.

Le soir tombait sur cet abri, bienheureusement oublié du monde, et il nous fallait nous séparer. Sélim disparut silencieusement. Je me souviens comme je fus frappée ce soir-là, après ces heures d'amour, par cette habitude qu'avait Sélim de se déplacer sans bruit, comme un chat.

Ma nouvelle chambre fit rire Mahmoud aux larmes. Il sautait de fauteuil en fauteuil avec des cris à ameuter le Harem. Il finit par se suspendre aux tentures et fit si bien que la masse des rideaux s'effondra sur lui et qu'il se trouva enseveli sous un amas de toile.

Mon service explora les lieux, ne ménageant ni avis, ni commentaires. Ali Effendi trouva ma chambre hideuse et ne me le cacha pas : il préférait de beaucoup les dorures et les brocarts turcs. Zinah s'amusait de la surprise des autres et Cévri, chose rarissime, souriait.

II

Sélim et moi découvrions l'amour, nous nous découvrions l'un l'autre. Chaque jour, chaque heure nous apportait des joies et des plaisirs nouveaux. L'harmonie de nos corps se doublait de l'entente de nos âmes. Nous nous racontions : lui se délivrait de longues années de solitude, je me lavais de mes épreuves anciennes ou récentes.

Depuis notre premier jour d'amour, Sélim ne m'appela plus qu'Aimée. Il prononçait mon prénom avec un terrible accent. Cela donnait, je l'entends encore : « Aamé ».

La prudence et la discrétion obligées nous confinaient dans le Kiosk d'Osman III et nous bénissions notre sort. Nous n'avions pas assez de nos jours et de nos nuits pour être ensemble, pour parler, pour faire l'amour. Ali Effendi et Zinah, qui seuls nous servaient, établissaient un mur de silence autour de nous, et nous protégeaient des commérages du Harem. A la lumière de l'amour chaque détail de la vie quotidienne prenait une vraie couleur. J'attendais avec une faim impatiente les repas auxquels jusqu'alors je faisais à peine attention. Je trouvais chaque loukoum, chaque baklava que je croquais le plus délectable de la terre, et plus frais que jamais me semblait le sorbet, le *sherbet* que je lapais. Plus belle apparaissait sur le mur de ma chambre la lueur du soleil levant lorsque je la contemplais étendue à côté de Sélim, et plus poétique le crépuscule lorsque je le regardais descendre sur la ville, accoudée à la fenêtre avec Sélim. J'apportais un soin extraordinaire à m'habiller, à me déguiser plutôt en Française à la dernière mode, comme si je n'avais pas revu depuis des mois l'amant qui m'avait quittée cinq minutes plus tôt. Tout était source de bavardages et tout bavardage était source de baisers et de caresses.

Je doutais que Mahmoud comprît la véritable nature de nos relations mais il se réjouissait de ce rapprochement car nous étions, Sélim et moi, les êtres auxquels il était le plus attaché. J'étais pour lui à la fois la mère et la grande sœur, tandis que Sélim faisait désormais figure de père et de grand frère.

Un matin, Sélim me dit avec le plus grand sérieux :

— Aamé, il faudrait songer à commencer tes préparatifs de départ.

— Où allons-nous ? lui demandai-je, tout excitée à l'idée d'un voyage.

— Il ne s'agit que de toi. D'ici quelques jours Mahmoud aura cinq ans et tu pourras alors partir comme tu l'as décidé.

Je le battis en riant et le traitai de Turc retors. Il m'avoua alors combien il avait été hanté par l'approche de cette date fatidique qui devait marquer notre séparation. Puis il me tendit un bijou, une perle poire, unique au monde, moitié blanche, moitié noire. Sélim l'accompagna de ces mots :

— Je te donne cette perle, symbole et gage de

fidélité. Je l'ai choisie en forme de larme, pour que tu n'oublies jamais celles que j'ai versées en secret à l'idée que tu me quitterais.

La crise politique, ouverte par la mort d'Hassan Pacha, battait les murs de notre intimité, mais Billal Aga, notre Kislar Aga, pour justifier les longues absences de Sélim, affirmait aux tenants d'un parti que son maître conférait avec la partie adverse et vice versa.

Les querelles de partis atteignirent pourtant un tel paroxysme que Sélim dut prendre une décision : il nomma au Grand Vizirat le plus terne de ses sujets, un certain Chélébi qui gouvernait jusque-là une province éloignée. Cette nomination satisfaisait tout le monde, chacun estimant qu'avec un homme si insignifiant la course au pouvoir restait ouverte. Notre intimité connut ainsi un répit. Cette décision, calculée pour protéger notre amour, fut la seule que Sélim prit sans consulter sa conscience et son devoir.

Sélim avait la passion des fleurs, héréditaire chez les sultans ottomans. Il redessina les parterres de la cour-terrasse qui bordait ma nouvelle résidence, où l'on planta les fleurs champêtres que je préférais. Autour du bassin central poussèrent bleuets, œillets de poète, pois de senteur et campanules.

Une nuit, en secret, il y fit installer une immense volière dorée pleine d'oiseaux de tous ramages et tous plumages dont les chants saluèrent mon réveil et accompagnèrent désormais le bruit familier des jets d'eau.

Seul Monsieur Jolibois n'apprécia pas l'intrusion de ces volatiles dans son voisinage. Il manifestait son dépit par toutes sortes de raclements, de borborygmes et même, dans sa fureur, il mordit cruellement Ali Effendi.

Sélim fit aussi venir de France un jardinier réputé, qui prétendait avoir travaillé à Versailles, pour lui confier les serres et le potager du Sérail. Sélim m'y entraîna, dûment voilée et emmitouflée, par des sentiers écartés. Il y avait à profusion tulipes et œillets, les marottes des sultans qu'on retrouvait en faïence vernissée sur tous les panneaux et en or brodé sur tous les velours. Sélim avait aussi fait venir des plantes des régions les plus reculées : cactus géants qui portaient en crêtes des fleurs éclatantes, rouges et jaunes; orchidées venues de Ceylan; fleurs des montagnes transplantées de Grèce en variétés prodigieuses. Mais notre jardinier, monsieur Quinteux le bien nommé, brûlait de montrer à Sélim le fruit extraordinaire qu'il venait d'obtenir après des mois de recherche et d'effort. C'était une pêche de taille et de velouté parfaits, mûre à point, qui laissa Sélim tout à fait indifférent. Ce qu'il attendait, je le savais, c'était un concombre. Le concombre ! Passion primordiale des Turcs ! Sélim en voulait un plus gros, plus vert que les autres, un concombre qui surpasserait tous les concombres de l'Empire. Sa position interdisait à Sélim de se risquer en français et sa dignité empêchait le jardinier d'utiliser ses rudiments de turc. Alors eut lieu entre les deux hommes la plus étonnante scène de mime : Sélim dessinait dans l'espace la forme du concombre, appuyant ses gestes de demandes en langue de Cour. Monsieur Quinteux, ulcéré qu'on ne fît aucun cas de son chef-d'œuvre, toujours tenant sa pêche, grommelait son mécontentement dans un français de paysan normand. Certain de ne pas être compris, il devint carrément insultant et finit par traiter Sélim de sauvage incapable d'apprécier les bonnes choses...

N'y tenant plus, j'intervins en français :

— Monsieur Quinteux, il est inutile de crier. Sa Hautesse essaie de vous faire comprendre qu'elle veut des concombres.

Là-dessus, je tournai les talons, laissant le jardinier mué en statue de pierre et Sélim quelque peu abasourdi.

Les événements interrompirent notre intimité et forcèrent Sélim à sortir de notre bienheureuse retraite.

Les Russes se tenaient cois depuis quelques mois lorsque, soudain, ils fondirent sur les Balkans. Très vite ils furent sur le Danube, gobant un à un les forts turcs qui contrôlaient le fleuve. Chaque jour apportait son lot de mauvaises nouvelles, et les Russes avançaient toujours vers le dernier rempart qui nous protégeait, la forteresse d'Ismaël.

Potemkine avait ordonné à son lieutenant Souvaroff de l'emporter « à n'importe quel prix ». A quoi Souvaroff avait répondu en donnant à ses soldats le laconique mot d'ordre « Ismaël ou la mort ».

Notre Grand Vizir, l'incapable Chélébi que Sélim avait nommé, avait réussi à injecter quarante mille hommes dans la forteresse assiégée. Confiant, mais prudent, il était lui-même resté à quelque distance. « On verra, écrivait-il à Sélim, le firmament tomber sur la terre avant qu'Ismaël tombe devant les Russes. »

L'attente des nouvelles nous rendait nerveux. Moi surtout. Je maudissais les Russes et leur guerre qui nous avaient arrachés à notre bonheur. Je maudissais la politique qui m'empêchait d'être autant que je l'aurais voulu avec Sélim, retenu au Sélamlik par ses conseils et ses audiences.

Un soir je trouvai Sélim en compagnie de Mahmoud penché sur une grande carte que j'imaginais une carte du front. Il s'agissait en fait d'un des plus étranges trésors de la bibliothèque du Sérail, la carte de Piri Reis. Ce capitaine turc du XVIe siècle avait, on ne sait comment, représenté non seulement les continents les plus inconnus à l'époque, mais encore les terres immergées dans leurs moindres détails. Nul ne savait par quel miracle Piri Reis avait obtenu ses informations et on le soupçonnait d'avoir frayé avec des puissances surnaturelles pour dresser sa carte.

Sélim en expliquait l'histoire à un Mahmoud captivé. Son calme m'irritait et je l'interrompis :

— Le Sultan n'a-t-il rien de plus important à faire en ce moment que compulser des cartes magiques ?

Sélim leva les yeux et répliqua posément :

— Il n'y a rien d'autre à faire qu'attendre.

— Attendre ! Attendre ! Est-ce ainsi qu'on sauvera Ismaël ? Tu es comme ton oncle Abdoul Hamid qui, lui aussi, se contentait d'attendre. Serais-tu aussi marqué par le sceau de la fatalité ?

— *Allah verah,* laissa-t-il tomber, Dieu a ordonné ce qui doit arriver.

Ce n'était pas le *Kismet,* la fatalité si chère à Abdoul Hamid, c'était la soumission d'un croyant sincère aux impénétrables desseins du Tout-Puissant. Le Dieu de Sélim était trop différent du mien pour que je comprenne. Plus que le destinataire des prières de mon enfance que je continuais à réciter quotidiennement, mon Dieu était devenu un personnage bien différent de celui des prêtres et des nonnes d'autrefois, mais peut-être plus proche de la vérité que ne l'auraient voulu ceux-ci. La solitude m'avait appris à dialoguer avec Dieu, faute d'autre interlocuteur. Je lui parlais à voix haute, je lui faisais mes confidences, je lui formulais mes demandes et mes reproches lorsqu'il ne s'exécutait pas. J'étais impétueuse avec Dieu comme avec Sélim.

— *Allah verah*... non, Seigneur, Dieu n'ordonnera pas si le Sultan n'ordonne rien. Tu décourages Allah comme tu décourages tes sujets en te contentant d'attendre.

Sélim replia la carte de Piri Reis et me regarda pensivement sans mot dire. Mahmoud lui aussi me fixait d'un air de reproche.

Sous son impassibilité Sélim était cependant tendu. Un incident agaçant nous fit nous disputer. La perle blanc et noir qu'il m'avait offerte disparut du coffre de Goa à multiples tiroirs où je rangeais mes bijoux, et fut retrouvée sous le matelas de Cévri dans le dortoir des esclaves. Était-ce une intrigue contre mon garde du corps ou plutôt une farce d'esclave jalouse ? Les larcins du Harem montaient jusqu'aux vols sérieux. Sélim fit incontinent arrêter Cévri. Je protestai de son innocence. Sélim, libérant son anxiété dans une colère aveugle, n'avait que tortures et exécution à la bouche. Je le traitai de tyran cruel. Il céda de mauvaise grâce et l'on ramena Cévri, qui, pas plus qu'elle n'avait cherché à se défendre, ne montra de soulagement à être sauvée.

Le Noël chrétien vint et en guise de cadeau, je reçus un souvenir qui m'est particulièrement désagréable. Je me rendais souvent dans le Sélamlik suivant un itinéraire lesté de dignitaires et de gardes jusqu'au

Pavillon de Bagdad où le Sultan préférait travailler. J'étais ainsi parfois présente, dûment voilée, lorsque le Sultan recevait des hommes, et j'assistais à certaines audiences.

Le 25 décembre 1789, je trouvai Sélim avec le Grand Vizir Chélébi, revenu du front, et un simple sous-officier. L'homme, qui avait été blessé, contait péniblement, encore hagard et fatigué :

— Le double assaut fondit sur Ismaël pendant les ténèbres. Le jour n'éclairait pas encore les dômes des mosquées que les Russes, montés sur des étages de cadavres, escaladèrent les remparts et que Souvaroff, passant sur le corps du commandant de la place mort sur la brèche, précipitait ses bataillons dans la ville. Chaque maison attaquée au canon s'écroulait sur ses assaillants et sur ses défenseurs. Chaque armée tenait son serment avec un égal acharnement d'héroïsme, les Russes de vaincre, les Turcs de ne pas être vaincus. Les soldats de Souvaroff s'avançaient lentement, en huit colonnes, par des avenues de feu vers le centre d'Ismaël. Les Turcs, les Tartares, les femmes, les enfants, s'y laissaient foudroyer par la mitraille, consumer par le feu, écraser sous les minarets. Les jeunes filles, le yatagan à la main, s'enlaçaient corps à corps avec les Russes et les poignardaient sur les corps de leurs parents. Les habitants, combattants et victimes de tous âges, prolongèrent pendant dix heures leur résistance et leur agonie. Le massacre des blessés et le pillage des maisons durèrent trois jours et trois nuits. Souvaroff, aussi féroce dans le triomphe qu'intrépide dans l'assaut, livra les Turcs à ses soldats comme on livre des dépouilles à la meute. La terre, profondément durcie par l'hiver, refusait la sépulture aux morts. Une semaine suffit à peine à l'armée de

Souvaroff pour traîner à la rive et jeter aux ondes du Danube trente-trois mille cadavres de combattants tués sur la brèche ou dans les rues, dix mille chevaux mitraillés par le canon et quinze mille cadavres de femmes, d'enfants, de vieillards immolés par le feu.

Un seul Turc avait pu échapper à ce massacre en se jetant dans les eaux du Danube et en rejoignant le campement du Grand Vizir. C'était le sous-officier qui venait de nous faire ce récit.

Nous restâmes, Sélim et moi, silencieux, accablés : nous savions que la perte d'Ismaël était imputable à l'incompétence et à la couardise de Chélébi. Mais qui avait nommé le Grand Vizir ?

La nouvelle de la chute d'Ismaël plongea le peuple de Constantinople dans la stupeur, à laquelle succéda la colère, et on assista alors à une explosion de révolte : la foule déchaînée investit la rue, lapidant les gardes, allumant des incendies, pillant et molestant.

Des fenêtres du Kiosk d'Osman III, j'entendais cette fureur et j'assistais à cette folie. Le petit Mahmoud, à mes côtés, ne manifestait nulle peur :

— Quand je serai grand, disait-il, ils ne se permettront pas des choses pareilles.

Un soir d'émeute, Ali Effendi arriva tout essoufflé et m'annonça que le Grand Vizir venait d'être exécuté sur l'ordre du Sultan. Et exécuté de la façon la plus cruelle et traditionnelle qui transformait sa mort en un spectacle passionnément suivi par le Sérail. Selon « la coutume », le Sultan condamnait le Grand Vizir à l'exil seulement, et celui-ci devait se précipiter jusqu'à une certaine porte des remparts, dite la Porte des Pécheurs, qui donnait sur la mer. Le Chef Jardinier qui était aussi le Bourreau, prévenu du départ du Grand Vizir, se hâtait lui aussi vers la Porte des

Pécheurs. S'il y arrivait après le Grand Vizir celui-ci gardait la vie, s'il y parvenait avant le Grand Vizir, il l'y attendait pour le décapiter. Ainsi, entre le Grand Vizir déchu et le bourreau, entre le gibier et le chasseur, se disputait une course haletante pour la vie ou la mort. J'imaginais le malheureux Chélébi, alourdi par son caftan, courant autant que le lui permettaient ses nombreux ans, poussé par un espoir insensé, arrivant à la Porte des Pécheurs, y trouvant le Jardinier-Bourreau qui l'exécutait prestement et jetait son corps à la mer.

Sélim avait sacrifié le ministre qu'il avait lui-même choisi, il l'avait donné en pâture à la foule. Plus encore que la cruauté du geste, je ressentis la faiblesse qu'il dévoilait. Ali Effendi, devant mon désarroi évident, voulut me consoler :

— C'est l'habitude ici. Chaque fois qu'il y a un désastre, on sacrifie le Grand Vizir et tout rentre dans l'ordre.

Mais justement, j'avais cru Sélim déterminé à casser ces traditions antédiluviennes et barbares. Était-il un souverain moderne décidé à sortir son Empire de l'ornière des siècles ou restait-il prisonnier du passé et de ses coutumes cruelles ? Était-il différent ou ressemblait-il à ses ancêtres, les sultans cruels ? Avait-il le courage de braver l'opinion pour aller de l'avant ou cédait-il lâchement à la populace ? M'étais-je trompée ? Sélim m'avait-il dupée par ses promesses ?

Sélim se garda bien de venir ce soir-là. Il ne se présenta que le lendemain, et encore à l'heure où il me savait avec Mahmoud.

L'expression de mon visage parlait pour moi. N'y tenant plus, il murmura :

— Je devais le faire.

— Non, Seigneur, répliquai-je, tu ne devais pas le faire. Car si aujourd'hui tu consens à sacrifier un ministre pour apaiser la foule, un jour cette foule exigera ta tête.

Maladroitement, il argua qu'au moins, les émeutes avaient cessé. Mahmoud s'était discrètement éloigné. Sélim fit un geste vers moi. Je le repoussai.

— Viens, Aamé, supplia-t-il. Ne m'abandonne pas. Toi seule peux m'aider, aujourd'hui plus que jamais.

Je l'aimais et il avait besoin de moi : je lui ouvris les bras et il s'y réfugia. Mais il était trop fin pour ne pas percevoir la fêlure qui venait de s'établir entre nous.

Mon malaise s'aggrava lorsque, pour la première fois, Zinah m'eut invitée à avaler une potion brunâtre destinée à assurer mon infécondité. Je savais qu'il était hors de question pour moi d'espérer un enfant de Sélim. Notre liaison devait rester clandestine... même si tout le Harem s'en doutait. La « veuve » d'un Sultan, engrossée par son successeur : ce scandale n'aurait pu être étouffé. Au reste, je ne souhaitais pas vraiment d'enfant. Mais je souffrais de me savoir privée de cette possibilité par des instances autres que mon propre arbitre. Il fallait pourtant qu'à nouveau, dans ce domaine si intime, je me soumette. Zinah, qui eut la primeur de ma mauvaise humeur, eut beau essayer de me persuader qu'il était plus sage de prévenir que de s'exposer à des manœuvres abortives, je ne décolérais point. Autrefois, les enfants qui, par accident, naissaient des princes enfermés dans la Cage étaient étouffés dans leur berceau. Aussi, des générations d'apothicaires s'étaient employées à mettre au point les remèdes les plus efficaces pour éviter les naissances intempestives qui auraient pu menacer la dynastie...

Les moyens les plus expéditifs ou les plus scientifiques protégeaient les coutumes du Harem dans toute leur inhumanité.

Sélim m'annonça bientôt qu'il comptait demander la paix aux Russes. Une nouvelle défaite, catastrophique, l'y avait acculé, et les vizirs, alarmistes, l'y poussaient de toutes leurs forces. Je ne comprenais pas ce changement dans sa détermination, et je le lui dis. Jusqu'ici j'avais aimé, j'avais respecté en lui son entêtement à vaincre coûte que coûte.

— Il faut préserver ce qui peut l'être encore, me rétorqua-t-il. Comment prétendre vaincre avec une armée sans entraînement ni discipline, avec une intendance défaillante, avec un armement insuffisant et démodé ?

Je m'entêtai :

— Vingt fois déjà on m'a annoncé une défaite comme l'ultime défaite, on m'a parlé d'armées anéanties et, pourtant, toujours de nouvelles troupes partaient au combat.

L'impassibilité de Sélim m'enflamma. Je lui reprochai de m'avoir trompée, de s'être assuré mon amour en me faisant croire à sa fermeté quand il n'était qu'un pleutre. Il ne se départit pas de son habituelle douceur.

— Donne-moi du temps, m'a-t-il simplement demandé. J'en ai besoin par-dessus tout. Pour mener mes réformes, mon combat. Pour regagner ta confiance. Donne-moi seulement du temps, Aamé.

Notre discussion avait lieu au soleil couchant dans le Kiosk de la Perle, caché tout au fond des jardins à l'extrême pointe du Sérail. De tous les pavillons qui poussaient sur les remparts extérieurs, c'était mon préféré.

Un sentier y conduisait qui vaguait parmi les buissons fleuris. Les femmes n'osaient s'aventurer jusqu'à ce lieu éloigné et peu fréquenté, aussi pouvions-nous nous retrouver en toute tranquillité sur ce balcon suspendu au-dessus de la mer, où nous venions d'ordinaire écouter le murmure des vagues léchant les remparts. Les bouquets de fleurs vives des panneaux en faïence se mariaient aux marbres multicolores d'une église byzantine sur les fondations de laquelle s'élevait le Kiosk de la Perle, le bien nommé. Des ruisseaux de perles pendaient de son dôme doré, retenant des boules d'or et de diamants. Des motifs, de perles encore, se dessinaient sur les garnitures de brocart d'or des sofas. Le décor poétique et somptueux contrastait avec mon humeur. Je ne cherchais plus à savoir si j'avais raison...

Quelques jours plus tard, Sélim décida de donner une fête.

— Est-ce pour célébrer notre victoire sur les Russes ? lui demandai-je.

Non ! Ce serait pour honorer le mariage de la Princesse Esmée et de Hussein Pacha. Hussein Pacha était le compagnon d'enfance, le meilleur ami de Sélim et le chef du conseil secret des réformateurs. La Princesse Esmée, fille d'Abdoul Hamid et de Sinéperver, était cette folle qui un jour avait fait irruption pendant mes exercices de harpe pour m'abreuver d'injures. Cette union relevait à la fois de l'usage pour les Princesses Impériales de choisir elles-mêmes leurs époux, et de la coutume des Sultans d'offrir leurs sœurs et cousines aux serviteurs les plus méritants de l'État, nonobstant la modestie de leurs origines. Pour échapper à l'ennui du Vieux Sérail où elle séjournait depuis la mort d'Abdoul Hamid, Esmée Sultana avait jeté son dévolu sur Hussein Pacha, et Sélim avait été ravi d'unir son plus proche ami à une de ses parentes.

Après la cérémonie du mariage, très simple et rapide en la seule présence de la famille impériale, à laquelle je n'assistai donc pas, il y eut « grand couvert », comme on eût jargonné à Versailles.

La soirée avait lieu dans les jardins du Sélamlik dont tous les hommes, gardes et dignitaires, avaient été exclus, y compris le mari, Hussein Pacha. Des tapisseries d'or et d'argent entouraient un vaste parterre jonché de plusieurs épaisseurs de tapis. Les allées étaient bordées de veilleuses en verre rouge et, des arbres, pendaient des guirlandes de fleurs et des lanternes aux filigranes d'argent. Des vases de Chine, débordants de fleurs rares, étaient disposés, çà et là sur le gazon, et des dais de soie étaient tendus audessus des coussins brodés de perles et de pierreries, où nous avions pris place.

Musiciennes et danseuses du Harem offrirent un divertissement plutôt terne. Nous étions loin des folies inventées par les Sultans du passé, et même des représentations piquantes offertes sous Abdoul Hamid. Le Maître, à présent, était un fin mélomane et il voulait imposer son goût à cette assemblée frivole, peu disposée à goûter l'excellente musique jouée par l'orchestre du Harem. Tout le temps que dura le concert, les dames chuchotèrent, papotèrent. Leurs parures rivalisaient de raffinement et d'invention et, bien qu'accoutumée à la somptuosité des costumes et des ornements orientaux, je n'avais jamais vu un tel étalage de splendeurs.

C'était la première fois que je voyais Sinéperver, sortie du Vieux Sérail pour assister au mariage de sa fille. Tout en noir, or et diamants, les traits figés sous l'épais maquillage, le regard plus brillant que ses pierreries, elle semblait une reine de la nuit, magicienne sombre et superbe. Elle avait incontestablement beauté, éclat et caractère. Je constatai néanmoins que l'âge et les sucreries avaient épaissi fortement un corps qui avait dû être irréprochable. Bien entendu je me gardais de la fixer, évitant même de diriger mes yeux vers elle. A ce jeu elle fut la plus forte car plus d'une fois elle se tourna vers moi, son regard me traversa et s'attarda sur quelqu'un derrière moi comme si j'avais été transparente.

Mais, éclipsant toutes les femmes, la Kadine Refet, naguère aimée de Sélim, resplendissait. Elle était extraordinairement belle et sensuelle, ses longs cheveux noirs déroulés jusqu'à la taille, son corps mince et souple voilé et dévoilé par un savant drapé de mousselines blanches et or. Elle avait la grâce fragile d'un androgyne et ses immenses yeux noirs brillaient ce soir d'un éclat singulier. Sans doute le collier de diamants et d'émeraudes que le Sultan venait de lui offrir n'était-il pas étranger à sa jubilation. Sélim devait bien quelques compensations à ses Kadines pour les avoir négligées en ma faveur.

Mais ce soir-là son ancienne favorite se conduisait comme si elle l'était toujours, avec toutes les roueries et l'assurance de son pouvoir. Tantôt elle s'agenouillait devant Sélim dans une posture de suppliante, pour lui présenter son café ou sa pipe, tantôt elle se renversait et riait à gorge déployée d'un mot qu'il lui avait murmuré.

Sélim s'amusait à faire pivoter l'émeraude de la poignée de son poignard qui dissimulait une montre minuscule, mais il coulait des regards caressants à Refet. Je le devinais sensible à ses chatteries.

Je n'avais pas le cœur à apprécier ces mélodies orientales qui montaient dans la nuit de pleine lune, chaude et parfumée. Je n'aurais pas souffert davantage si Sélim et Refet s'étaient enlacés sous mes yeux. Je savais que, pour protéger notre liaison, Sélim devait donner le change au Harem et prétendre honorer ses Kadines. Mais comment pouvait-il se prêter à cette comédie ? Et à qui jouait-il la comédie, après tout, ce soir-là ? Abdoul Hamid me l'avait bien dit. Le Sultan, même s'il s'appelait Sélim, n'allait pas renoncer aux plus belles femmes de l'Empire qui n'attendaient que son bon plaisir, pour se consacrer à une seule.

Je me suis levée et j'ai quitté la fête le plus discrètement possible. Je courais plus que je ne marchais dans les couloirs du Harem. Je voulais être seule, chez moi, à l'abri. Je me suis arrêtée sur la terrasse du Kiosk d'Osman. Le clair de lune bleuissait le sol de marbre. Les oiseaux, petites silhouettes immobiles, dormaient dans la volière et seul le murmure de la fontaine rompait le silence.

Zinah m'a trouvée, accoudée sur la balustrade, pleurant à chaudes larmes. Sélim qui s'inquiétait de ma soudaine disparition l'avait envoyée à ma recherche.

— Qu'il s'inquiète, ai-je hurlé avant de reprendre mes sanglots.

— Tu n'es qu'une enfant gâtée et tu es devenue infernale ces temps-ci, m'a assené Zinah.

J'étais folle, selon elle, de douter de Sélim, et je ne méritais certainement pas l'amour d'un tel homme.

— Pourquoi n'ai-je pas quitté le Harem ? Pourquoi ne suis-je pas partie de Turquie, quand il me l'a offert ? Pourquoi ? Dis-le-moi, Zinah.

— Au lieu de dire des bêtises, viens te coucher. Après une nuit de sommeil, peut-être seras-tu plus raisonnable.

Zinah m'a tirée doucement et m'accompagnait vers ma chambre lorsque, dans la pénombre laiteuse, nous avons distingué une forme vague qui me parut accrochée à ma porte. Zinah leva sa lampe : mon perroquet, Monsieur Jolibois, était là, sanguinolent, cloué sur ma porte.

Devant l'oiseau sacrifié, Zinah perdit son sang-froid et se mit à gémir en se balançant comme une possédée et à bégayer des incantations en dialecte martiniquais. Elle conjurait l'envoûtement. Son agitation achevait de me glacer :

— Tu vois que j'avais raison, Zinah. Le Harem ne nous convient pas. Nous partirons, toi et moi, il en est encore temps et nous retournerons à la maison.

Je ne croyais pas comme Zinah que le meurtre de mon perroquet fût un acte de sorcellerie ; par contre il était manifeste que j'avais dans les ombres de ce palais des ennemis qui cherchaient à m'intimider. Refet ? Sinéperver ? Qu'importait ! Ma position de favorite, même si je l'entourais de toute la discrétion possible, ne satisfaisait pas tout le monde, elle inquiétait plutôt. Cette violence perpétrée par des coupables introuvables m'affolait moins qu'elle ne m'exaspérait.

Curieusement, ce fut Cévri qui marqua le plus de

chagrin de la mort de Monsieur Jolibois. Peut-être son mutisme avait-il cédé avec le volatile ? Pour la première fois je la vis pleurer. Sélim, informé, promit des châtiments. On avait jeté des coupables dans le Bosphore pour moins qu'un perroquet. Il se déclara prêt à arrêter, à torturer, à exécuter. A peine avait-il prononcé ces mots qu'il s'arrêta net. Décidément la panacée dans ce pays était toujours la cruauté.

Je lui déclarai que je ne voulais ni de ses châtiments ni de ses vengeances. Alors, selon la coutume charmante d'Abdoul Hamid, sa réponse fut en forme de poème.

Belle au grain de beauté à l'œil
Miel, en étranger ne me traite.
Que je sois ta ceinture d'or et que
Je m'enroule à ta taille fluette.
Cœur, ne te dérobe pour peu,
Mêle-moi donc à ta chevelure
Que je brille au moins sur ta tête.

Le remède de la poésie ne produisit pas l'effet sans doute attendu. J'en avais assez des poèmes sucrés, j'en avais assez de tout. Je déclarai à Sélim :

— J'ai décidé d'accepter l'offre que naguère tu me fis, je souhaite repartir avec Zinah et rentrer chez moi, dans ma famile. Me le permettras-tu, Seigneur, ou astu l'intention de me retenir prisonnière ?

J'étais libre de partir, répondit-il, et je le serais toujours. Il craignait cependant mon retour dans une France agitée par la Révolution. Je le rassurai : je regagnerais la Martinique sans délai où je pourrais vivre à l'abri, heureuse près des miens.

Les protestations et les supplications qui ne vinrent pas me dictèrent une mauvaise excuse :

— A présent Mahmoud n'a plus besoin de moi et ma présence ici est devenue inutile.

— Il en sera fait selon tes désirs, Aamé.

Puis il prit sa flûte, s'assit à l'écart et se mit à jouer. Je n'oublierai jamais cet après-midi, la poix de brume qui collait aux fenêtres, les accents poignants qu'il tirait de sa flûte tandis que je m'évertuais à m'accoutumer au projet insensé que je venais d'annoncer.

— C'est bon, partons ! Mais partons dès demain, me lança Zinah. Comme tu le dis, nous n'avons aucune raison de rester ici un jour de plus.

Demain ! Partir, quitter Sélim, pour toujours ! Demain ! Le bon sens et la ruse de Zinah me donnèrent à penser. Mais j'étais, moi aussi, rusée, et j'avais appris de l'Orient à ne pas perdre la face.

— Mon départ précipité bouleverserait Mahmoud. Nous attendrons quelque temps pour qu'il s'habitue à cette idée.

La crise que nous traversions, Sélim et moi, était peut-être le fait d'un envoûtement, comme le soutenait Zinah, mais aujourd'hui je lui attribuerais une origine plus naturelle : nous nous étions jetés l'un vers l'autre alors que mille ans de civilisation nous séparaient. Nous procédions d'éthiques si éloignées qu'immanquablement nous nous entrechoquions, nous nous déchirions.

Un matin Sélim vint me chercher. Par la Cour des Eunuques Noirs nous atteignîmes une sorte de boyau de pierre qui descendait vers le jardin du Harem. Sélim entrouvrit une petite poterne de fer. Elle donnait sur une des cours des hallebardiers. Deux cents à trois cents hommes s'y livraient à des exercices militaires. Je fus surprise de voir qu'ils ne portaient pas le rutilant harnachement de la soldatesque turque mais des uniformes modernes, d'inspiration étrangère. Ils manœuvraient dans un ordre impeccable, inconnu dans l'armée impériale, et ils maniaient des armes légères que je n'avais jamais vues ici. Sélim me laissa un long moment à ma curiosité avant d'expliquer. Ces hommes et ces armes avaient été ramassés sur les champs de bataille, abandonnés par l'ennemi russe. Les prisonniers de guerre, dotés d'un équipement européen, étaient entraînés par des instructeurs européens, selon les méthodes européennes.

— Ce que tu vois là, Aamé, est le noyau de ma nouvelle armée, le *Nizam i Jedid* comme je l'ai appelé. Voilà des mois que j'y travaille en secret.

— Pourquoi as-tu tardé à m'en parler, Seigneur ?

— Ces temps-ci, Aamé, tu semblais plutôt mal disposée à m'écouter.

Cette réponse que je méritais me mortifia. Je revois avec précision la scène. Les pavés antiques et arrondis, les hauts murs de pierre sales qui se terminaient en une sorte de souterrain. Nous étions seuls, moi dans ma pelisse rose bordée de chinchilla, Sélim dans son caftan à l'ancienne en satin rouge brodé d'arabesques bleu et or, dont les couleurs brillaient dans la grisaille environnante.

— Je t'avais demandé de me donner du temps, Aamé. As-tu vraiment cru que j'acceptais la victoire des Russes ? Avant tout il me fallait réorganiser l'armée ou plutôt créer une force nouvelle, moderne, européenne. Sans attirer l'attention pour ne pas soulever l'opposition conservatrice. Avec mon armée nouvelle, nous battrons les Russes, nous libérerons l'Empire... Nous remplacerons, nous éliminerons les Janissaires.

— Les Janissaires ! Je les croyais l'élite de l'armée.

— Ils l'étaient, mais ils se sont laissé vicier. A l'origine, les Janissaires étaient des enfants chrétiens enlevés à leurs parents pour être élevés, dès leur âge tendre, dans des casernes. Au fil des siècles, ils avaient acquis un pouvoir considérable car ils étaient à la fois un ordre militaire et un ordre religieux, ce qui en faisait les alliés naturels des Oulémas, les docteurs de la loi.

« Ils font et défont les gouvernements et même les sultans, ajouta amèrement Sélim. Pour des raisons évidentes liées à leurs privilèges, ils restent férocement conservateurs. Pire, au cours des dernières décades, ils ont perdu leur ardeur et leur courage sur le front des guerres mais ils continuent à contrôler l'Empire, voire par la terreur.

« Après en avoir été les gardiens, les Janissaires sont devenus les ennemis de l'Empire, donc les miens. Mais je ne peux agir qu'avec prudence et patience, attendre d'avoir constitué mon armée nouvelle. Je regrette que tu ne sois plus là pour assister à leur succès, dans quelques mois, dans quelques années...

Je baissai la tête et restai coite. Ce fut la première allusion de Sélim à mon projet de départ. Mahmoud, Zinah, plus personne autour de moi ne le mentionnait. C'était la conspiration du silence.

En janvier 1792, les négociations turco-russes engagées par Sélim aboutissaient enfin à la signature du traité de Jassy. Sur instructions de Sélim, le commandant en chef turc avait âprement défendu nos intérêts, refusant de céder aux Russes. En définitive, il avait obtenu un retour à la situation antérieure à la guerre.

On était loin de la reddition sans conditions que j'avais reprochée à Sélim. J'étais honteuse d'avoir méconnu ses intentions et sa fermeté. La paix avec la Russie avait été déclarée « perpétuelle et solide » et à l'époque nous y avons cru. En même temps la paix revenait entre Sélim et moi.

Il m'arrivait encore d'envisager mon départ mais, chaque jour, je me persuadais que le moment n'était pas venu. Sélim y fit une nouvelle allusion avec un cadeau, un carrosse de conte de fées, d'un modèle européen et d'une somptuosité orientale. A l'extérieur, incrusté de morceaux de verre taillés en forme de diamants, à l'intérieur tapissé de nacre, coussins et rideaux en soie blanc et argent.

— Ce carrosse, Aamé, te conduira au port le jour où tu embarqueras pour ton pays.

Je rétorquai que je ne manquerais pas de l'utiliser au plus tôt... mais je ne devais jamais monter dans le carrosse du départ.

III

Un jour, alors que je me trouvais dans ma chambre, les accents martiaux d'un concert incongru m'attirèrent à la fenêtre d'où je découvris ce spectacle étonnant : derrière le mur d'enceinte du Sérail, sur une petite place, un groupe d'hommes, visiblement des étrangers, agitaient des drapeaux tricolores et, s'accompagnant d'un orchestre, chantaient en chœur : « *Allons enfants de la Patrie, le jour de gloire est arrivé.* » C'était, je devais l'apprendre plus tard, le nouvel hymne français, *La Marseillaise.* Puis ils plantèrent solennellement un arbre de la Liberté, sur la place même, bien en vue du Sérail. Là-dessus, l'un d'entre eux grimpa sur une estrade improvisée et entama une harangue dont je saisis au vol des bribes. Le tribun amateur dénonçait avec virulence l'arbitraire et la cruauté du Sultan, il invitait le peuple turc à suivre l'exemple du peuple français, à se soulever et à renverser le tyran. Il continuait en décrivant les délices d'un paradis où régneraient la liberté, l'égalité, la fraternité. Le « peuple turc », c'est-à-dire les badauds habituels, s'était attroupé autour de lui. Ils ne comprenaient pas un traître mot de ce discours en français. Simplement ils étaient là, curieux, amusés, comme à un spectacle de baladins.

Cet incident grotesque me fit rire, mais la Révolution Française ne faisait rire personne. Les nouvelles qui nous en parvenaient étaient de jour en jour plus stupéfiantes.

La monarchie française avait été renversée. Sélim et moi, nous avions longuement épilogué sur ce bouleversement que nous ne pouvions tout simplement pas comprendre. Comment cette monarchie puissante et respectée, cet ordre établi depuis un millénaire avaient-ils pu basculer si facilement ? Rien n'était donc acquis à jamais, tout pouvait s'effondrer un jour.

Puis était arrivé l'inconcevable : le roi Louis XVI avait été jugé et décapité. Malgré ma maigre estime pour ce souverain maladroit et faible je fus horrifiée par cette exécution sacrilège.

Cela n'avait pas empêché de nombreux membres de la colonie française de Constantinople de s'enthousiasmer pour les idéaux révolutionnaires et de les répandre dans les cafés et les lieux publics. J'en avais eu un exemple lorsque ces excités avaient planté l'arbre de la Liberté devant le Sérail. Leur audace rivalisait avec leur naïveté car leur langage avait autant de signification pour le « peuple » turc qu'un poème chinois. Ils se querellaient quotidiennement avec les émigrés qui, fuyant la France, s'étaient refugiés à Constantinople. Ceux-ci rapportaient des faits terrifiants. Des centaines d'hommes et de femmes de l'aristocratie avaient été massacrés dans leurs prisons par une foule ivre de vindicte et de sang. La plupart des noms de ces listes sanglantes m'étaient familiers. Je les avais souvent entendu prononcer lors de mon séjour en France, ou chez mes parents à la

Martinique. Les aristocrates étaient partout pourchassés, arrêtés, guillotinés. La terreur régnait en France. Je tremblais pour les miens qui y étaient demeurés. Je tremblais pour ma cousine Joséphine. Ces dernières années, elle n'était revenue que par intermittence dans ma mémoire mais l'inquiétude que j'éprouvais pour son sort me rendit son souvenir vivace.

Le plus remarquable fut que Sélim, malgré le coup de semonce que constituait la Révolution Française, ne déviait pas d'un pouce de sa volonté de réformes. Je l'admirais de persister dans son option libérale et de s'inspirer les idées françaises tout en sachant à quels excès et à quels désastres pouvait conduire un tel courant.

Un temps retardé par la guerre avec la Russie, Sélim s'était remis à son projet de moderniser l'Empire. Il y travaillait d'arrache-pied avec ses amis du Conseil secret et... avec moi. J'étais devenue quasiment sa secrétaire particulière. A l'instar des Turcs, je me levais de bon matin et me mettais aussitôt au travail. Assise tout le jour sur un sofa, rivée à mon écritoire d'agate et d'or, cadeau de Sélim, je dépouillais des dossiers que je résumais. Je recopiais des documents, je rédigeais des rapports d'après des minutes, je traduisais les textes diplomatiques, tous en français. Homme de cabinet, Sélim vivait dans les papiers. Une armée de scribes se tenait à sa disposition, mais comme il ne faisait totalement confiance à personne excepté à moi, il m'incombait un travail énorme. Je n'avais même plus le temps de jouer de la musique. En avais-je encore l'envie ? J'avais rangé ma harpe, depuis la mort d'Abdoul Hamid, depuis que ses accords avaient accompagné ses derniers instants.

Je ne prenais aucun exercice et m'en désolais. Je ne voulais pas devenir une grasse *hanoum* comme la plupart des femmes du Harem dont la beauté s'alourdissait vite par l'oisiveté et les sucreries. Je devais faire fi des loukoums, sorbets, gâteaux, particulièrement les baklavas qui m'attiraient singulièrement. Ah ! ces baklavas à la pâte croquante, dégoulinants de sirop ! Que d'efforts, alors, pour me retenir d'en avaler un, puis un autre, et encore un... Maintenant je pourrais en consommer autant que le voudrait ma boulimie et je n'en ai plus envie. J'ai perdu jusqu'à la gourmandise.

J'avais les études de Mahmoud à surveiller. Depuis qu'il avait atteint ses cinq ans, il était « passé aux hommes », c'est-à-dire qu'il était passé sous la férule bénigne de son *hocca*, son précepteur. Il se rendait quotidiennement dans l'école des Princes, un appartement plutôt sinistre situé au-dessus de la Cour des Eunuques Noirs où un docte Ouléma venait lui donner ses leçons. Il surgissait chez moi aux heures les plus diverses. Tandis que je poursuivais mon travail, il s'asseyait à côté de moi et faisait ses devoirs que je corrigeais ensuite.

Je travaillais principalement chez moi, au Kiosk d'Osman. J'aimais ces pièces aérées et lumineuses si différentes des autres appartements du Harem. Je ne comprendrai jamais que les Kadines toutes-puissantes et glorieuses du passé aient préféré s'entasser dans des arrière-cabinets sans lumière. En outre, dans cette aile isolée je me sentais à l'abri des indiscrétions, si tant est qu'on puisse l'être au Harem.

Le créateur de cette merveille, Osman III, était réputé fou. Il avait passé plus de cinquante ans dans la Cage et en était sorti malade d'amertume et de haine.

Il n'avait d'autre passion que la gourmandise et on raconte qu'il se déguisait pour aller, sans être reconnu, s'acheter des douceurs dans le Bazaar. Ce misanthrope bizarre avait pourtant créé le décor gai d'une fête perpétuelle, tout en fenêtres, en miroirs et en boiseries dorées.

Sélim m'interrompait à tout bout de champ pour me demander un avis ou un travail. Ou alors il me faisait venir au Sélamlik, dans le Pavillon de Bagdad dont il avait fait son cabinet. Je rencontrais ses conseillers les plus intimes qui y élaboraient dans la fièvre et le secret les réformes destinées à bouleverser l'Empire. Je sympathisai particulièrement avec le meilleur ami de Sélim, le mari de la Princesse Esmée, Hussein Pacha. Ce Circassien était un ancien esclave comme tant de puissants de l'Empire que la faveur des Sultans avait tirés du néant. Il rappelait, non sans affectation, qu'il n'était toujours pas affranchi, qu'il avait refusé de l'être et qu'il resterait esclave tant qu'il n'aurait pas repris pour Sélim les provinces turques arrachées par les Russes. Il avait le même âge que Sélim et depuis le temps lointain où il avait été acheté pour être affecté à son service, il avait partagé sa vie. Grand, osseux, blond et frisé, les yeux bleus étirés et le regard scintillant d'intelligence et de malice, Hussein Pacha respirait la loyauté et l'énergie. Ce charmeur persuasif était l'âme des réformateurs. Il avait su m'enrôler sous sa bannière. Il requérait souvent mon assistance dont il m'avait convaincue qu'elle était indispensable. Hussein Pacha restait en toute circonstance réaliste tandis que Sélim était un idéaliste. Il voulait aller trop vite et trop loin et ne comprenait pas qu'on voulût le modérer par des considérations pratiques. Hussein Pacha me chargeait de les lui faire admettre, répétant que toute la science des hommes n'équivalait pas l'habileté d'une femme. Il avait fait de moi un pont entre le rêve de Sélim et la réalité. Là se borna mon rôle dans les réformes. J'étais alors trop jeune et trop ignorante pour soutenir Sélim autrement que par mon amour. J'ai lu un peu plus tard des pamphlets insinuant qu' « une favorite créole avait eu une influence désastreuse sur le Sultan Sélim ». Le Harem, tenu à l'écart du Pavillon de Bagdad, m'attribuait un pouvoir bien plus étendu qu'il ne l'était en réalité. A commencer par Mirizshah. Elle avait poussé Sélim depuis son adolescence dans la voie des réformes. Mais elle restait une femme du passé. L'étendue des changements que lui annonça Sélim l'affola. Elle tenta de l'arrêter. Il ne l'écouta pas. Elle chercha l'influence derrière l'entêtement de son fils. Là-dessus Hussein Pacha persuada Sélim de renvoyer les créatures de Mirizshah que celle-ci avait fait nommer vizirs et que leur nullité ou leur opposition rendait impropres à faire appliquer les réformes. Mirizshah vint me trouver. Elle fit une visite impromptue au Kiosk d'Osman et je mesurai ce qu'avait dû coûter à sa fierté de venir jusqu'à chez moi. Elle admira sans réserve et peut-être avec envie le décor français de ma chambre. Puis elle attaqua de front, sans transition.

— Je suis inquiète, Nakshidil. Le peuple n'est pas prêt pour les changements que projette le Sultan. Ils ne feront que provoquer le désarroi et le désordre. L'opposition, les Oulémas, les Janissaires s'en mêleront, se dresseront contre le Sultan, menaceront son trône. Je connais et j'estime tes sentiments pour le Sultan. Aide-moi à prévenir le danger qu'il va s'attirer.

Je remarquai que pendant qu'elle parlait, Mirizshah se frottait nerveusement les mains, du même geste que Sélim. Je pris mon temps avant de répondre.

— Même si je voulais ce que tu me demandes, Princesse, je ne le pourrais. Le Sultan décide seul.

— Certes mais non sans avoir pris avis. Jusqu'ici le Sultan m'écoutait. Maintenant il reste sourd à mes conseils. C'est donc qu'il en écoute une autre, toi, Nakshidil.

— Il n'écoute que sa conscience.

— Je suis sa mère et je le connais mieux que toi. Le Sultan a toujours eu besoin d'être guidé.

— Il n'est plus un enfant, Princesse. Il est devenu un homme responsable, un souverain imbu de son devoir.

— Grâce à toi, certainement, ironisa Mirizshah.

Elle s'était retournée si brusquement que les perles et les émeraudes de son sautoir s'entrechoquèrent.

— As-tu oublié notre alliance, Nakshidil ? Pourquoi cherches-tu à m'évincer ? Pourquoi as-tu fait renvoyer les sages conseillers que j'avais placés comme vizirs auprès du Sultan ?

Je me défendis contre l'accusation de Mirizshah qui ne voulait rien entendre. Elle ne voulait pas comprendre que son rôle admirable d'éducatrice de Sélim était terminé et elle cherchait à tout prix à attribuer la perte de son influence à une rivale. J'insistai sur le respect qu'elle m'inspirait, sur la reconnaissance que je lui devais.

— Ma seule intention, Princesse, est de servir le Sultan.

— La mienne aussi, Nakshidil, et depuis beaucoup plus longtemps que toi. Je servais déjà mon fils avant que tu ne sois née. Et je continuerai de le servir de toutes mes forces, même si je dois écraser ceux qui le mettent en danger.

Cette menace voilée m'enflamma...

— C'est-à-dire, Princesse, que tu écraseras ceux que tu crois être entre toi et lui, au risque de lui faire mal, au risque de le briser. Aimes-tu ton fils ou le pouvoir, Princesse ?

Mon insolence ne la fit pas sortir de ses gonds. Mais son port se fit plus altier, ses yeux flambèrent et la rage contenue fit légèrement trembler sa voix.

— Mon fils peut aimer une femme, mais pas pour longtemps. La Kadine Refet en sait quelque chose. Il est sensible comme notre époque, mais volage comme ses ancêtres. Il changera de favorite mais il me gardera sa vénération. Lorsqu'il t'aura remplacée, il me reviendra et alors peut-être auras-tu besoin de l'amie que je suis disposée à rester pourvu que tu m'aides.

Mirizshah avait réussi à m'ébranler. La perspective d'être abandonnée par Sélim me fit venir les larmes aux yeux. Je murmurai :

— Si le Sultan me quitte, inutiles me seront les amis car je n'aurai plus besoin de rien ni de personne.

Le regard de Mirizshah s'adoucit un peu. Elle me considéra pensivement.

— Peut-être as-tu raison, Nakshidil, et n'es-tu pas aussi puissante qu'on le croit.

Sur cette considération qui était sans doute une perfidie, elle partit avec une lente dignité.

Le conflit éternel de la mère et de « l'épouse » avait fait de Mirizshah mon ennemie. Je me confiai à Hussein Pacha à qui je répétai fidèlement l'entretien. Je regrettais d'avoir involontairement dressé contre moi une femme remarquable, que j'admirais, qui pouvait être encore utile à son fils, et je voulais éviter que celui-ci fût la victime d'un conflit entre elle et moi. Hussein Pacha prit les choses à la légère, calma ma conscience et même plaisanta :

— La Sultane Validé a soutenu que tu n'étais pas puissante !

Il éclata d'un rire joyeux.

— C'est ce qu'elle a dit, Hussein Pacha.

— Pas puissante, toi ! Je vais te prouver le contraire. Je vais te demander de ressusciter un mort.

J'ouvris des yeux ronds. Sa voix claironnante baissa jusqu'à murmurer.

— Il s'agit d'Ishak Bey.

— Notre agresseur dans les jardins du Palais-Royal à Paris ! Mais il a été exécuté sur ordre de Sélim !

— Justement pas, Nakshidil Kadine.

L'énergumène que tout le monde tenait pour mort avait été sauvé par deux juifs émus par son sort et, depuis, se morfondait au secret chez le consul de France à Smyrne. Hussein Pacha me suppliait de lui accorder mon pardon, arguant que ses connaissances et compétences étaient indispensables au grand œuvre des réformateurs. Je me défendis.

— C'est au Sultan de lui accorder sa grâce.

— Le Sultan la lui accorde pourvu que tu y consentes. Il me l'a expressément dit.

J'agréais la résurrection d'Ishak Bey ! Toutefois j'y mis une condition : à aucun prix et sous aucun prétexte je ne voulais me retrouver en sa présence. C'est ainsi qu'Ishak Bey, disgracié, condamné, exécuté, rentra la tête haute au Sérail.

Pendant ce temps, la France glissait dans le sang. A son tour, la reine Marie-Antoinette avait été décapitée et, peut-être parce qu'il m'avait été donné de l'approcher, peut-être parce qu'elle était femme, je fus hantée par cette fin atroce.

Les gazettes françaises m'apprirent que « la ci-devant Marie-Anne Bellefonds-Laurencin, et son mari, François Laurencin » avaient été arrêtés et incarcérés dans l'attente de leur jugement. Le citoyen Carrier qui gouvernait, c'est-à-dire décimait la ville de Nantes, avait mis en place un système original pour se débarrasser de ses prisonniers : il les entassait sur des barques qu'on amenait au milieu de la Loire et, là, on ouvrait des trappes sous les pieds des malheureux... Ce monstre était assisté, disait-on, d'un procureur général qui s'avérait un pourvoyeur zélé des barques de la mort, le citoyen Jolibois ! Ainsi, mon professeur de harpe du couvent de la Visitation avait trouvé au sein du Tribunal Révolutionnaire l'occasion de donner libre cours à son ressentiment et à sa haine contre les aristocrates. Avait-il encore le temps, entre deux sentences de mort, de jouer de la harpe ?

A Paris, la guillotine fonctionnait sans relâche grâce aux lois promulguées par Robespierre, l'impitoyable dictateur de la France. On envoyait à la mort sans procès les « ennemis du peuple », très vaguement et très largement définis. Les seules prisons de Paris contenaient huit mille prisonniers et, en sept semaines, mille trois cent soixante-six de ceux-ci furent guillotinés. J'avais lu dans les gazettes que « le Comité de Sûreté Générale arrêtait qu'Alexandre Beauharnais, ci-devant général, serait conduit et mis dans une maison d'arrêt à Paris ». Le même Comité ordonnait l'arrestation de « la nommée Beauharnais, femme du ci-devant général ».

Quelques semaines plus tard, j'apprenais qu'Alexandre avait été condamné à mort par le Tribunal Révolutionnaire et exécuté avec cinquante-cinq autres prisonniers. A compter de ce jour, la lecture des journaux français devint une torture. Je les ouvrais chaque fois m'attendant à trouver le nom de ma cousine Joséphine dans les listes des victimes.

Pour me distraire de mon angoisse, Sélim m'offrit un matin une promenade au grand Bazaar de Constantinople. Incognito. « Le pouvoir du Sultan s'étend jusqu'à ne pas être reconnu par ses sujets », m'expliquait-il en souriant. Idole chamarrée et inaccessible, le Sultan en effet n'apparaissait à son peuple que de loin. Ses portraits n'existaient pas, la loi musulmane interdit la représentation humaine. Aussi pouvait-il passer discrètement dans la foule.

Sur sa suggestion, j'ai revêtu le costume des femmes du Kurdistan, un grand voile noir qui m'enveloppait tout entière, tandis que lui-même avait choisi de se travestir en saint homme du désert syrien et se dissimulait sous un burnous brun à capuchon. Nous avons suivi Ali Effendi jusqu'à une poterne discrète pratiquée dans le mur d'enceinte du Sérail. Chemin faisant, mon « saint homme » m'expliqua que c'était une sorte de tradition pour les souverains de l'Empire que d'aller déambuler incognito dans le grand Bazaar de Constantinople. C'était en effet leur moyen le plus efficace de tâter le pouls de l'opinion. Le Bazaar avec ses traditions, ses lois et ses hiérarchies servait de chaudron aux événements et de baromètre politique au sultan.

A peine nous sommes-nous retrouvés hors les remparts que j'ai été comme renversée par le bruit, l'agitation, la lumière. Il faut dire que c'était la première fois depuis quatre ans que je me retrouvais dans la rue. Voir les gens marcher, se croiser, s'interpeller, vaquer à leurs occupations, entendre les marchands héler le chaland, tout ce brouhaha, cette animation pourtant naturelle me donnait quasiment le vertige. Nous avancions doucement, ballottés par la foule, Sélim me soutenant car je trébuchais sans cesse comme un convalescent qui fait ses premiers pas après être resté longtemps alité.

Je regardais tout avec étonnement : les hauts murs ceinturant les jardins derrière lesquels pointaient les cimes des arbres, les façades des palais des Pachas, et les venelles, si étroites que les balcons en encorbellement avaient l'air de se rejoindre au-dessus de nos têtes. Les treilles qui projetaient sur nous leur ombre fraîche, les pavés inégaux, polis par l'usure, les petits cafés devant lesquels les hommes tranquillement assis fumaient le narguilé ou jouaient au jacquet, c'était le visage jusque-là inconnu de Constantinople que je découvrais, émerveillée.

Des gardes courant vers nous criaient aux passants de faire place, le cortège d'un dignitaire s'approchait. Nous nous poussâmes dans le renfoncement d'une porte. Au milieu des valets et des pages je reconnus sur son cheval la silhouette menue et la mine chafouine d'Ishak Bey. Sentit-il mes yeux fixés sur lui, reconnut-il Sélim qui pourtant avait rabattu son capuchon sur son visage ? Plusieurs fois il se retourna pour nous dévisager.

Nous avons traversé le jardin charmant de la mosquée Nourosmaniye, édifiée par le même Osman qui fit construire le Kiosk où je réside, avant d'atteindre la grande entrée du Bazaar.

Sitôt celle-ci franchie, on se sent acteur d'une

représentation admirablement orchestrée. Le Bazaar est un labyrinthe étourdissant, et pourtant impeccablement ordonné, de larges allées et de ruelles bordées de boutiques. Avec ses cafés, ses restaurants, ses infirmeries, ses bains publics, ses mosquées, ses caravansérails, le Bazaar est une cité dans la cité, à l'instar du Sérail. Chacun de ses quartiers regroupant un des différents corps de métier a ses bruits, ses odeurs tout à fait spécifiques. A voir les marchands assis derrière leurs étals ou tapis au fond de leurs minuscules boutiques, on a peine à imaginer leurs prodigieuses fortunes. Pourtant Sélim assure que la plupart d'entre eux sont de grands propriétaires fonciers possédant villas et palais. Le vieux bijoutier, chez qui Sélim m'entraîna, est le Sultan non couronné du Bazaar, le Sage que l'on vient consulter en cas de litige, l'Arbitre qui tranche de la politique et d'un mot peut déclencher une émeute. Nous l'avons trouvé, tout comme ses voisins, modestement installé derrière son éventaire et attendant paisiblement le client. Nous avons choisi une paire de boucles d'oreilles composée de chaînettes d'or au bout desquelles pendaient des sous minuscules frappés au monogramme de Sélim, le Sultan régnant. Selon l'usage, le bijoutier nous a demandé le prix fort et Sélim s'est mis à marchander : c'était le jeu rituel, le théâtre codifié, indispensable et cocasse qui préside à toute transaction commerciale dans le Bazaar. Mais Sélim n'en connaissait pas — et pour cause — toutes les répliques et finesses : quand le vieux marchand s'est emporté, se plaignant qu'on voulait sa ruine, il a éclaté de rire. Chaque protestation rituelle augmentait son hilarité et je sentais que le vieil homme s'irritait que l'on faussât ainsi le jeu sacré, qu'on lui gâtât le plaisir légitime du marchandage. Alors je suis moi-même intervenue et j'ai âprement discuté le prix du bijou, au soulagement du marchand. J'ai fini par obtenir mes boucles d'oreilles pour le quart du prix initialement demandé. Tout le monde était satisfait et le bijoutier a même félicité Sélim d'avoir une femme telle que moi, aussi habile à défendre l'économie du ménage.

Plus tard nous nous sommes assis sur un banc devant un café, à l'intersection de deux allées. Nous avons dégusté les « délices du Harem », des glaces appelées *dondourmas*, en regardant défiler la foule. Tous allaient à leurs affaires ou musardaient en rangs serrés mais sans bousculade ni précipitation, avec une sorte d'entraînement séculaire. Les Turcs côtoyaient des Arabes, des Roumains, des Nègres, des Yéménites, des Arméniens, des Caucasiens, des Juifs, des Grecs, reconnaissables chacun à leurs costumes nationaux.

— Regarde, Aamé, regarde la mosaïque de notre Empire. Toutes les races, toutes les religions s'y côtoient. Et elles le pourront tant que notre Empire repose sur ses deux piliers, autorité et tolérance. Tolérance... parce qu'autorité et... autorité parce que... tolérance.

J'écoutais à peine Sélim tant le spectacle autour de moi me fascinait. Je le buvais comme si j'avais voulu m'en rassasier. Je me sentais libre pour la première fois en cinq ans. Et pourtant j'avais peur. Cinq ans de Harem m'avaient imprégnée de son atmosphère confinée et feutrée, m'avaient habituée à ses rites et à ses visages familiers. Pour me sentir à l'aise au milieu de la foule, à l'air libre, dans le quotidien, il m'aurait fallu me réadapter. En avais-je seulement envie? Naguère, j'aurais tout donné pour une escapade, pour un brin de liberté. Maintenant l'amour m'enchaînait volontairement à la prison dorée du Harem Impérial.

Le cafetier se tenait sur le seuil de son estaminet, non loin de nous, et bientôt Sélim engagea la conversation avec lui. De fil en aiguille, il l'interrogea sur la situation politique. L'homme hocha la tête et nous expliqua que le Sultan régnant était bon, qu'il désirait soulager le peuple grâce à des réformes généreuses, mais qu'il n'y parviendrait pas.

— On ne le laissera pas faire. Trop d'intérêts sont en jeu et il est entouré de trop de gens acharnés à faire obstacle à ses réformes. Il ne peut rien.

Déjà le cafetier s'était éloigné, appelé par de nouveaux clients. Nous avons fini nos *dondourmas* sans le moindre commentaire puis nous sommes rentrés tranquillement, nos emplettes faites, comme deux bourgeois. Mais comme Ali Effendi nous ouvrait la porte secrète, Sélim s'est tourné vers moi et a dit avec un drôle de sourire :

— Ah ! Il ne peut rien faire, il est prisonnier de la Cour... C'est ce que nous allons voir !

Le lendemain même, les réformes de Sélim étaient annoncées partout au son de la trompe.

Elles touchaient à la fois l'économie, l'administration et le gouvernement. Il était prévu de remettre en ordre les finances de l'État, de réorganiser l'administration en vue d'une plus grande efficacité, en supprimant de nombreux fonctionnaires inutiles. Le recrutement serait plus juste et se ferait sur un concours ouvert à tous. La pratique des « cadeaux » offerts par les administrateurs à leurs employés était supprimée pour être remplacée par l'attribution d'un salaire régulier. Les taxes levées dans les provinces étaient allégées tandis qu'un contrôle rigoureux réduisait autant que possible la corruption, plaie millénaire de l'Orient.

Un plan d'organisation des réserves de céréales et de leur acheminement rapide vers les villes tenterait d'éviter les famines chroniques. Des mesures protectrices contre les importations étrangères sauvegarderaient l'équilibre économique de l'Empire. Enfin, Sélim annonçait la fondation d'une gazette rédigée en turc et en français, le premier journal publié en Turquie.

— L'Empire archaïque et pourri est bien mort, dis-je à Sélim. A la place tu as fait naître un État moderne. Tu as réussi !

— Grâce à toi, Aamé.

— Moi, Seigneur ! C'est toi qui as tout fait, tout décidé.

— Je ne l'aurais pu sans toi, sans ton amour, sans le soutien de ton amour. Sans la confiance que tu m'as rendue.

Tout le monde, à divers degrés, se trouvait concerné par ce train de mesures. Tout l'effort de Sélim tendait vers plus de justice et d'égalité.

Bien évidemment la population accueillait favorablement la perspective d'une amélioration de son sort tandis que les nantis qui allaient pâtir des mesures audacieuses de Sélim en demeurèrent tout d'abord médusés. Les opposants, même les plus féroces, furent désarçonnés au point de ne pas réagir. Dans les rangs des Janissaires, comme parmi les Oulémas, au sein du parti de Sinéperver ou même de celui de Mirizshah, personne n'osa broncher.

Zinah m'écoutait à peine lorsque je l'entretenais de ces changements qui bouleversaient de fond en comble l'Empire Turc. Depuis quelque temps, elle semblait indifférente à tout ce qui se passait autour d'elle. Intriguée et quelque peu heurtée, je l'interrogeai. Comme toujours lorsqu'elle avait quelque chose à cacher, elle fit toutes sortes de mines et de simagrées pour finir par m'avouer qu'elle était amoureuse. Je m'attendais à tout, sauf à ce qu'elle m'opposât un motif aussi frivole et je ne voyais pas comment, enfermée au Harem, elle avait pu rencontrer un homme et s'en éprendre. Alors, sans aucunement se démonter, elle m'a répondu que l'élu de son cœur était un eunuque ! J'en restais un moment sans voix, puis un fou rire irrésistible s'empara de moi au point que j'en pleurais et ne pouvais plus articuler un mot.

Zinah, les bras croisés sur sa forte poitrine, attendait que je retrouve mon calme pour prendre sa revanche. En quelques phrases sèches elle m'a appris ce que j'ignorais jusqu'alors, à savoir que le cas n'est pas unique et que certains eunuques, pour avoir été mal opérés, s'ils sont incapables de procréer, peuvent connaître l'amour avec une femme. Puis Zinah se complut à me raconter son roman d'amour, qui avait commencé sur le bateau qui l'a amenée à Constantinople. Idriss, car il s'appelait Idriss, était un esclave noir donné en cadeau à Sélim par le Dey d'Alger. Le hasard avait voulu qu'il fût du même voyage que Zinah et ce fut donc pendant la traversée entre Alger et Constantinople que leur idylle avait commencé.

Je priai Zinah de m'amener son fiancé. Au lieu de l'homme adipeux et ridé, à l'image de la plupart des eunuques du Harem, tel que je l'imaginais, je vis apparaître un grand garçon noir, très athlétique et fort bien bâti, d'une rare beauté. Il avait des yeux veloutés dans un large visage aux pommettes marquées, une bouche sensuelle, et sa physionomie générale reflétait la bonté. Séduite, je promis aux deux amants qu'ils se marieraient avec ma bénédiction et celle de Sélim. A cette nouvelle, le visage de Zinah prit une expression alarmée que je connaissais bien. Pressée de questions, elle finit par m'avouer qu'elle redoutait qu'une fois mariés on les envoyât servir dans quelque palais, loin de moi, ainsi qu'on le faisait lorsque, par extraordinaire, deux esclaves s'unissaient en mariage. Bien évidemment il n'était pas question que je me sépare d'elle et ils resteraient l'un et l'autre à mon service. Zinah me sauta au cou, et si Idriss n'en fit pas autant, ce fut, je crois, seuls la pudeur et le respect qui le retinrent.

En janvier 1795, le projet favori de Sélim était devenu une réalité. L' « armée nouvelle », le *Nizam i Jedid* dont j'avais vu le noyau secrètement entraîné, avait été officiellement créée. Depuis, on avait étoffé, on avait recruté, formé, armé douze régiments, indépendants de l'armée régulière.

Simultanément, Sélim réorganisait celle-ci. Il introduisait les méthodes européennes dans la cavalerie, l'artillerie, l'infanterie. Il ouvrait une école de génie militaire, une école de marine. Les chantiers, récemment ouverts, construisaient une flotte moderne de guerre. La bonne volonté, l'énergie et les fonds ne faisaient pas défaut, mais les instructeurs étrangers manquaient. Il n'y en avait jamais assez pour remplir les nouvelles places qui se créaient.

— Fais venir des Français, répétai-je à Sélim.

Depuis que la France que j'avais si peu connue traversait les horreurs de la Révolution, je pensais souvent à mes anciens compatriotes. Je m'en sentais confusément proche, avec un mélange de pitié et de fierté. Depuis trois ans ils étaient en guerre contre l'Europe coalisée. A la stupéfaction générale, leurs hordes de va-nu-pieds résistaient victorieusement aux armées des Puissances.

— S'ils savent si bien se battre, ils sauront t'être utiles, insistais-je auprès de Sélim.

Mais Sélim hésitait. Un coup d'État avait renversé Robespierre, le sanguinaire dictateur, qui avait été jugé et guillotiné à son tour. Des extrémistes notoires subirent un sort analogue : Carrier, le bourreau de Nantes, et son pourvoyeur, le procureur général Jolibois, étaient de ceux-là.

Mais la Révolution continuait et Sélim, comme tous les monarques, craignait son prosélytisme. Introduire des instructeurs français dans son armée, n'était-ce pas lâcher dans l'Empire une légion de propagateurs acharnés à renverser le trône !

— Tous les Français n'ont pas le couteau entre les dents. N'en suis-je pas la preuve ? faisais-je remarquer à Sélim.

Cet argument douteux et la volonté de moderniser rapidement son armée lui firent prendre le risque. Encore fallait-il les trouver, ces Français ! Or depuis le début de la Révolution, l'Empire Turc avait rompu les relations diplomatiques avec la France et nous ne disposions plus d'aucun contact, d'aucun canal pour faire venir les instructeurs. Ce fut alors que nous reçûmes l'aide inattendue d'un Français qui avait passé toute sa vie à Constantinople. Pierre Ruffin était ce diplomate d'allure cléricale que j'avais vu dans les jardins du Palais-Royal en compagnie d'Ishak Bey. Après la fermeture de l'ambassade de France, le départ de l'ambassadeur, il s'était fait tout petit pour rester en ville. Mais il gardait ses antennes au Sérail. Il apprit que Sélim souhaitait reprendre contact avec la France. Il s'entremit discrètement. Bientôt le Sultan reconnut le gouvernement révolutionnaire. Il était le premier souverain à le faire. La France, reconnaissante, dépêcha, non pas des fervents de la guillotine ni des fanatiques propagandistes de la Révolution, mais des militaires sérieux et capables, qui entraînèrent notre armée et notre marine. J'avais gagné mon pari et la satisfaction de Sélim fut ma récompense.

Depuis que nous avions reconnu le gouvernement révolutionnaire français, nous avions bien entendu dépêché à Paris un ambassadeur, Ali Essaid Effendi. Celui-ci se révéla un épistolier spirituel. Il nous abreuvait de lettres plaisantes, bourrées d'indiscrétions sur le Directoire, comme on appelait le nouveau régime français. Nous en étions encore à la Révolution ininterrompue par l'exécution de Robespierre, à la guerre civile, aux répressions, et aux massacres ponctués par l'omniprésente et sinistre guillotine. Ali Essaid nous faisait découvrir un Paris stupéfiant, assoiffé de plaisirs, emporté dans le tourbillon d'une fête perpétuelle et d'une licence effrénée. Le soulagement d'avoir survécu à l'horreur et à la terreur faisait se jeter la capitale entière dans la danse, la débauche et le cynisme. Il n'y avait plus que les jacobins de Constantinople, toujours en retard d'une étape, pour prolonger leur zèle révolutionnaire et continuer à se gaver de discours et pamphlets subversifs. Les Parisiens, surenchérissant dans l'extravagance, s'entichèrent de notre ambassadeur et ne jurèrent plus que par la Turquie. Son costume faisait des ravages et toutes les « lionnes » de la société s'ingéniaient à le copier. La mode était aux turbans, aux tuniques vaporeuses et aux pantalons bouffants ! Qui était la reine des salons parisiens, le tyran de la mode qui ne s'habillait plus qu'en odalisque et imposait sa tenue aux autres femmes ? La citoyenne Joséphine de Beauharnais... !

Joséphine, reine de Paris, alors qu'aux dernières nouvelles elle croupissait dans un cachot, attendant son tour de guillotine ! Joséphine, maîtresse en titre de Barras, le chef du Directoire et de la France ! Joséphine, légère comme une plume... ou comme une chatte qui savait toujours retomber sur ses pattes. Je souriais en imaginant la tête de sa mère, ma tante Tascher de la Pagerie, si elle avait pu voir sa fille vivant en concubinage avec un révolutionnaire.

Sur ordre de Sélim, Ali Essaid, son ambassadeur, bien qu'étonné de cette requête, avait recherché les traces des miens. Après des semaines d'enquête, il fut en mesure de nous certifier que ma cousine Marie-Anne de Bellefonds, sa mère, tante Élizabeth, et son mari, François de Laurencin, étaient sains et saufs, de même que mon oncle Jean Dubuc de Ramville. Tout ce petit monde végétait modestement en province après avoir échappé à la guillotine. On y recevait peu de nouvelles de la Martinique. L'Ile n'avait pas échappé à la tourmente révolutionnaire. Il y avait eu des troubles. Ma famille avait été épargnée. J'appris seulement que mon père, ma mère, ma sœur et mon frère continuaient de vivre au Robert.

Chaque lettre de notre ambassadeur amenait de

nouvelles surprises. Voilà que ma cousine Joséphine avait épousé à la sauvette un jeune général d'avenir, de six ans son cadet, Napoléon Bonaparte. Ce nom ne me paraissait pas inconnu. N'était-il pas celui d'un officier dont j'avais eu entre les mains, deux ans auparavant, l'offre de services ? En effet, à cette période, les demandes d'engagement avaient afflué de France. Sélim s'intéressait lui-même aux candidats et m'en faisait traduire les dossiers. La lettre que Bonaparte avait adressée à ses supérieurs contenait cette phrase étonnante : « Je serai utile à mon pays si je puis rendre la force des Turcs redoutable en Europe. » La demande étant accompagnée d'une appréciation défavorable des autorités françaises, lesquelles estimaient le demandeur peu digne de confiance en raison de ses amitiés dans l'entourage de Robespierre, avait été rejetée.

Le marié, après un temps de disgrâce, s'était gagné la faveur du gouvernement du Directoire en matant une révolte populaire à coups de canon et en rétablissant l'ordre dans les rues de Paris. Il était devenu un familier de Barras, chez qui il avait rencontré la citoyenne Beauharnais...

Sélim me proposa d'écrire à Joséphine pour la féliciter et lui annoncer ainsi que j'étais toujours vivante. Je refusai.

Déjà, et à plusieurs reprises, Sélim m'avait invitée à renouer avec ma famille : j'avais toujours éludé. Cette fois il me fallut lui expliquer ma décision irrévocable de ne jamais donner signe de vie ou de survie à qui que ce soit de mon passé. Je ne pouvais avoir deux appartenances et surtout je voyais clairement les dangers d'une telle démarche. Une lettre de moi à mes parents ou à Joséphine, et aussitôt connue ma présence au Harem, la rumeur en reviendrait jusqu'à Constantinople où mon existence et le rôle que je jouais auprès de Sélim ne devaient pas filtrer hors des murs du Harem. Divulguer le fait qu'une Kadine française « régnait » sur Constantinople ou tout au moins sur le cœur du Sultan donnerait un atout définitif aux ennemis de Sélim. Notre amour ne pouvait vivre qu'au prix du secret absolu sur ma personne.

Sélim était trop sensible pour ne pas deviner ce que me coûtait le sacrifice que je lui offrais ainsi. Même si j'avais renoncé depuis longtemps aux miens et à mon pays, le regret et la nostalgie ne m'épargnaient pas.

Pour fuir la chaleur accablante de l'été, Sélim et moi avions pris l'habitude de passer nos soirées dans la cour-terrasse du Kiosk d'Osman III, profitant d'une fraîcheur relative.

Un soir le vent nous apporta les échos d'une musique irrésistiblement joyeuse qui semblait provenir du quartier des esclaves, mais à cette heure tardive, le Harem était censé dormir. Là-bas on célébrait le mariage de Zinah et d'Idriss.

Malgré mes prières, Sélim refusa de venir, prétextant que sa présence ne pouvait que gêner les esclaves en fête. Je m'y rendis donc seule avec Cévri.

La fête avait lieu dans cette partie du Harem où j'avais passé mes premières semaines, et plus précisément dans les cuisines des femmes esclaves où, naguère, mes compagnes et moi confectionnions des sucreries. Un brouhaha de rires, de cris mêlés aux sonorités des tam-tams et des flûtes grandissait à mesure que j'avançais. Je me suis approchée de la fenêtre sans me montrer : c'était la fête véritable, apanage des Noirs, héritage de l'Afrique, la fête telle que je l'avais vue à la Martinique de mon enfance, dans les communs de nos esclaves. Les eunuques ordinairement si graves et si empotés avaient recouvré pour un soir le génie de leur race : ils s'acharnaient comme des diables sur leurs instruments, riaient à belles dents, dansaient, gesticulaient et tous, hommes et femmes, s'en donnaient à cœur joie. Il y avait là ce qui manquait à toutes les fêtes les plus somptueuses du Harem, la liesse. Au milieu de cette foule en joie trônaient les mariés dans leurs plus beaux atours. Zinah, superbe, portait la parure de diamants et d'émeraudes que la Gardienne des Bijoux lui avait prêtée, selon l'usage des mariages d'esclaves au Harem.

Cette musique, cette gaieté m'attiraient irrésistiblement : j'entrai. Aussitôt, tous se figèrent. J'avais droit aux sourires, à la déférence, mais comme m'en avait prévenue Sélim, je les embarrassais. Alors Zinah s'est approchée et m'a prise par la main. Sur un signe d'elle la musique a repris. Elle a commencé à tournoyer en m'entraînant dans la danse. Ce soir c'était elle la reine et elle m'accordait droit de cité, droit de fête. Les autres l'ont compris et se sont remis à danser. Le rythme devenait de plus en plus rapide. Ce n'était plus la danse orientale, lascive, symbolique et savante. C'était le déchaînement de forces primitives entraînées par des accords sauvages et obsédants, c'était l'exubérance du corps. C'était pour moi le défi au Harem, l'oubli de la prison, l'éclatement du confinement. Je dansais n'importe comment, uniquement guidée par les trépidations des tambours. Quel spectacle devait offrir la Kadine Nakshidil, suante, ses colliers et ses voiles au vent, tournoyant comme une folle ! Les autres Kadines, lorsqu'elles l'apprendraient, sursauteraient d'horreur et Mirizshah laisserait tomber quelque remarque aigrelette. Qu'importe ! Ce soir-là, je dansai inlassablement, enivrée de cette musique barbare, enivrée de moi-même. Je dansais avec les esclaves et ils m'acceptaient pour l'une des leurs. Je ne m'arrêtai que lorsque je fus saisie d'une brusque nausée. Je dus quitter la fête. A regret. Depuis plusieurs jours, il m'arrivait de ne pas me sentir bien du tout.

Ces troubles persistèrent les jours suivants et m'indisposèrent au point qu'un moment je crus être enceinte. Il n'en était rien. Cependant nausées et vomissements continuaient et, incapable de rien avaler désormais, je m'affaiblis rapidement. L'astrologue du Harem assura que je traversais en effet une période néfaste mais passagère. Mais mon état empirait et je ne pouvais même plus tenir debout.

Sélim, affolé, appela alors Mirizshah dont le diagnostic était réputé infaillible. Je n'oublierai jamais l'expression de son regard tandis que, dressée à mon chevet, elle me dévisageait ; mon sort se débattait derrière ce beau front, ma vie était entre les mains de Mirizshah, je le comprenais malgré mon extrême faiblesse. Allait-elle sauver celle qui constituait une entrave à son pouvoir, la Française qui avait poussé son fils à ces bouleversements qu'elle désapprouvait ? Ou allait-elle l'abandonner au mal ? Son regard passa sur Sélim prostré à mes côtés, éperdu d'amour et de désespoir. Alors elle se pencha vers moi, m'examina attentivement et, se redressant, elle prononça laconiquement : « Poison. Probablement de l'arsenic. » Pendant plusieurs jours, on me fit ingurgiter tous les contrepoisons connus et principalement du lait. Mais rien n'y faisait ; je continuais à dépérir et mes cheveux commencèrent à tomber par plaques.

C'est alors que j'appris, par une indiscrétion de Zinah, la nouvelle qu'on voulait m'épargner : Vartoui se mourait. J'implorai qu'on m'amenât jusqu'à elle car je n'étais pas capable de marcher. On me transporta donc dans cet appartement où j'avais vécu mes premiers mois au Harem. On dut m'étendre à ses côtés, tant j'étais faible moi-même. L'énorme dame était au plus mal et chacune de ses respirations lui coûtait une souffrance. Elle parvint tout de même à murmurer que j'avais été sa plus grande joie, sa plus belle réussite mais qu'elle souhaitait encore mieux pour moi. Oui, me confia-t-elle, depuis le paradis d'Allah, elle espérait pouvoir penser que je deviendrais Sultane Validé à l'avènement de Mahmoud. Je ne me sentis pas le courage de la contrarier et je l'assurai que si j'accédais jamais au rang suprême, je m'efforcerais d'être digne de ses enseignements.

Je ne sortais plus d'une espèce de léthargie à travers laquelle je voyais ceux qui m'aimaient, Sélim, Zinah, Mahmoud, se désoler de leur impuissance à me sauver.

La nouvelle de la mort de Vartoui, un soir, perça à peine mon inconscience.

Je me sentais mourir et mon délire était le siège d'un perpétuel tourbillon où surgissaient, chaotiquement, souvenirs et visages du passé. C'était mon escapade avec Joséphine un jour de canicule, à la Martinique, c'était Ristoglou m'enseignant le turc, c'était moi, tremblante, m'approchant de la couche d'Abdoul Hamid, la première nuit. Et dans mes rares éclairs de lucidité, je songeais à ma mère, j'imaginais son chagrin si elle avait pu connaître mon état et le désespoir qu'elle concevrait à l'idée qu'un de ses enfants pût mourir sans les secours de la religion.

Sélim rappela sa mère en consultation. Elle vint, accompagnée de la guérisseuse laveuse de planchers, qui jadis avait sauvé Mahmoud. La vieille sorcière m'ausculta longuement puis se redressa et hocha la tête d'un air désolé : elle ne comprenait pas, elle ne pouvait rien. Pourtant elle se mit à observer ma chambre, scrutant les meubles, les objets et jusqu'aux murs et aux moulures du plafond. Sélim, Mahmoud, Zinah et même Mirizshah contemplaient ce manège en silence, avec étonnement. Soudain la vieille se porta vivement vers Mirizshah, se lança dans un discours véhément, s'exprimant dans un jargon incompréhensible pour tout autre que Mirizshah. Aussitôt cette dernière donna un ordre : il fallait m'emmener sur-le-champ et m'installer dans une autre chambre. Sélim me prit lui-même dans ses bras et me porta, geignante, inerte, jusqu'à la chambre la plus éloignée.

Il fallait me desserrer les dents à l'aide d'une cuillère pour m'administrer les contrepoisons préparés par la vieille et plus ignobles encore que ceux de l'Apothicaire Impérial. La réaction immédiate fut violente, mes entrailles se révulsaient et je crus véritablement que je mourais. Mais dès le lendemain j'émergeai de ce brouillard où je m'enfonçais depuis des jours.

Peu à peu la vie revint, et avec elle la curiosité. Et d'abord, pourquoi étais-je couchée dans cette chambre étrangère ? Avec bien des ménagements Sélim me révéla ce que la vieille sorcière avait découvert : dans la peinture qui enduisait les murs de ma chambre, on avait introduit d'effarantes quantités d'arsenic. Je me rappelai alors un incident vieux de quelques semaines. J'avais dû laisser ma chambre à des ouvriers venus la repeindre. Je croyais à une nouvelle attention de Sélim, lequel avait découvert que je n'appréciais pas particulièrement la couleur de mes murs. Mais non, il n'avait jamais donné un tel ordre. On avait convoqué Billal Aga, le Kislar Aga, on avait convoqué Vartoui : ni l'un ni l'autre n'avait pu fournir le moindre éclaircissement. Le Harem drainait tant d'ordres et de contrordres, qu'on avait fini par supposer que les ouvriers s'étaient tout bonnement trompé de chambre. Que non point ! Les ouvriers, qui depuis demeuraient introuvables, étaient venus enduire mes murs d'arsenic. A en respirer continuellement les émanations nocives, je m'étais peu à peu empoisonnée. Cette pratique, m'expliqua Sélim, provenait de l'Égypte Ancienne où les prêtres imprégnaient ainsi les parois de tombeaux afin que les violeurs de sépultures fussent châtiés sur les lieux mêmes de leur crime. Cette science avait perduré jusqu'à nous et ceux qui la possédaient savaient pouvoir administrer de la sorte une mort lente.

L'audace de mes ennemis et leur perfidie m'épouvantaient. Comment échapper à un tel acharnement, à une telle cruauté ? J'avais failli périr sous les menées de ceux qui se savaient assez forts pour agir en toute impunité. Qui pouvait jurer que Sélim ne deviendrait pas leur cible un jour prochain ?

Bientôt je pus reprendre le cours normal de mon existence. Je sortis de l'aventure armée contre la naïveté et l'indulgence, plus rigoureuse, aguerrie, fermement décidée à me défendre et à lutter contre mes ennemis qui se tenaient dans l'ombre. A travers ma personne on avait aussi voulu atteindre Sélim en le privant de son soutien et je ne pouvais tolérer cela.

La maladie m'avait aussi métamorphosée physiquement. A vingt-quatre ans, je n'avais plus rien de l'adolescente aux joues rondes qui avait séduit Abdoul Hamid. J'avais maigri, mes traits s'étaient accusés et le regard que Sélim portait sur moi prouvait que la transformation n'était pas à mon désavantage.

IV

Nous allions avoir besoin de ma jeune fermeté car ce que nous redoutions depuis longtemps se produisit bientôt : les Janissaires, mécontents des réformes, se révoltèrent.

Afin de les bien disposer, Sélim avait commencé par prendre des mesures en leur faveur. Aussi avaient-ils accueilli ses réformes civiles sans murmures. La création du *Nizam i Jedid*, l'armée nouvelle, les émut. L'introduction d'instructeurs étrangers venus leur enseigner la guerre moderne les fit gronder. Ils refusèrent l'accès de leurs casernes aux officiers français venus les instruire. Sélim ferma les yeux et laissa faire.

C'est alors que se déclenchèrent dans les rues de Constantinople de violentes manifestations secrètement orchestrées par le parti conservateur, dont ils étaient les piliers. Les désordres furent tels que, pour rétablir l'ordre, Sélim dut faire intervenir les soldats du *Nizam i Jedid*, l'armée nouvelle. Du coup, les Janissaires entrèrent ouvertement dans la danse et l'on assista à de véritables combats de rues entre l'armée d'hier et l'armée de demain.

Pour comble, Mirizshah, intriguant avec les Janissaires et les Oulémas, avait rallié ouvertement les adversaires des réformes. Le revirement de sa mère bouleversa Sélim et me renversa. Comment cette femme pouvait-elle s'allier aux pires ennemis de son fils qu'elle voulait sincèrement défendre ?

Sélim assistait traditionnellement chaque vendredi à la distribution solennelle aux Janissaires du riz, le fameux pilaf turc, dans la Seconde Cour du Sérail. Cette cérémonie tenait lieu de baromètre de leur humeur. Les porte-chaudrons de leurs régiments portaient leurs ustensiles jusqu'aux cuisines impériales. Ces chaudrons étaient le symbole immémorial des Janissaires, bien plus sacrés qu'un étendard. A la guerre ils étaient précédés par les porte-chaudrons qui étaient des personnages importants dans la hiérarchie, et la perte d'un chaudron au cours d'une bataille signifiait le déshonneur pour le régiment.

Si, au cours de la distribution hebdomadaire, les Janissaires renversaient leurs chaudrons, c'était la marque quasi officielle de leur mécontentement et le signal de la révolte.

Un vendredi donc, Sélim se rendit comme à l'accoutumée dans le petit Kiosk où il présidait à la remise du riz. Il était inquiet : les signes avant-coureurs et l'infaillible prémonition orientale lui disaient qu'il se fomentait quelque chose.

J'attendais son retour dans ma chambre lorsque soudain j'entendis, lointain et amplifié, un vacarme de ferrailles. A l'expression terrifiée qui altéra le visage d'Ali Effendi, je compris : les Janissaires avaient renversé les chaudrons. Vert de frayeur, bégayant, Ali Effendi piaillait sur un ton suraigu :

— Ils tapent sur leurs chaudrons ! Ils vont tuer le Padishah !

Sélim ! Déjà je m'élançais. Ali Effendi bondit, me devança à la porte, la ferma à double tour et mit la clef dans sa poche.

— Donne-moi la clef tout de suite !

— C'est inutile, Nakshidil Kadine. Tu ne pourras pas sortir du Harem.

— Je veux voir Sélim !

— Le Sultan m'a confié ta garde. Je ne te laisserai pas faire une folie.

Je pleurai, je criai. Je souffletai Ali Effendi, je le bourrai de coups. Il se laissa faire.

— Donne-moi la clef ! Défends-toi !

— Un esclave n'a pas le droit de porter la main sur une Kadine.

Cette soumission me fit honte et je repris un peu mes esprits.

Le vacarme des chaudrons avait cessé. Sélim ne revenait pas. Chaque minute s'allongeait comme un siècle. Ils allaient massacrer Sélim... Ils l'avaient déjà mis en pièces...

Enfin Sélim entra. Si je ne l'avais aussi bien connu, j'aurais pu croire que nous nous étions mépris, qu'il ne s'était rien passé. Il consentit enfin à me décrire la scène. Il s'attendait à une épreuve de force. Aussi, lorsque les Janissaires avaient renversé les chaudrons, s'était-il avancé sans gardes, sans autre arme que son poignard d'apparat, vers les régiments alignés. Les Janissaires furent désarçonnés par l'audace de cet homme qui les affrontait seul. Sélim leur intima l'ordre de faire cesser leur vacarme. Ils obéirent. Alors il leur parla. Il fustigea leur inaptitude au combat, leur manque de discipline qui nous avait fait perdre des guerres. Il leur rappela combien par leur faute l'Empire s'était affaibli. Nombre de choses devaient être révisées afin de recouvrer leur grandeur passée et celle de l'Empire. Ils n'avaient qu'à exécuter les ordres du Sultan.

Ce discours inattendu, sans fard, frappa les Janissaires. L'excitation était tombée, les porte-chaudrons ramassèrent leurs ustensiles. Le coup de main avait avorté.

— Et maintenant, Seigneur, comment comptes-tu sévir ?

Sélim me regarda avec étonnement.

— Sévir ? Mais les Janissaires se sont soumis après que je leur ai parlé.

— Les bonnes paroles n'auront jamais l'efficacité d'un châtiment exemplaire. Tu as conservé l'avantage. Mais ce ne sera qu'un sursis si tu n'exécutes pas les meneurs de la révolte.

— Est-ce toi, Aamé, qui parles ainsi ? Aamé la libérale, toi qui me réprouvais lorsque je parlais d'exécutions ?

— Depuis, j'ai appris ma leçon de politique turque, et quelques têtes coupées ne sont pas ici pour surprendre qui que ce soit.

— Je veux comme tu l'as souhaité que mon règne soit celui de la clémence.

— Il n'y aura ni clémence ni règne s'il n'y a pas d'autorité. Et l'autorité se paye...

Et Sélim paya. Le lendemain, on pouvait voir, ornant les niches de la Porte Impériale du Sérail, les têtes des porte-chaudrons rebelles et celles de quelques officiers désignés parmi les mutins. Je me souviens de l'horreur et du dégoût que m'avait inspirés la vue de ces têtes sanguinolentes, dix ans auparavant, lors de mon arrivée au Sérail. A présent j'étais celle qui conseillait les exécutions, si elles étaient fermeté et non pas caprice, intimidation et non pas cruauté. L'exemple fut salutaire : tout rentra dans l'ordre et les Janissaires se soumirent.

Par ailleurs, j'enjoignis à Billal Aga de répandre par tout le Harem la rumeur que j'étais à l'origine de la répression : je tenais à ce que mes ennemis sachent que j'étais déterminée à rendre coup pour coup.

Les Janissaires muselés, il fallut s'occuper des révoltes en province. Constamment des Pachas se soulevaient, des chefs rebelles apparaissaient qui combattaient l'autorité centrale. Si ce n'était pas le Levant au sud, c'étaient au nord les Balkans qui bougeaient et l'Empire semblait être bâti sur des sables mouvants. Les seigneurs de la guerre faisaient la loi dans tous les azimuts.

De tous ces personnages hauts en couleur, mais bas en scrupules et en moralité, le Pacha de Iannina, Ali de Tebelen, m'inspirait le plus de curiosité. Sa vie aventureuse l'avait rendu célèbre à travers tout l'Empire et j'en connaissais les épisodes comme tout un chacun. Très jeune à la mort de son père, il avait suivi sa mère, cette Chamco si belle et si farouche qui commandait une bande de brigands dans les montagnes de l'Albanie. Vaincue, violée et emprisonnée avec ses enfants, elle avait séduit ses gardiens et repris son existence guerrière, acharnée à faire de son fils un véritable bandit. Elle avait admirablement réussi. Ali de Tebelen était devenu le plus redoutable coquin de l'Empire. Ses crimes dépassaient tout en horreur et en nombre, et les trésors qu'il avait amassés à coups de rapines surpassaient ceux du Sultan.

C'était un personnage insaisissable, aux réactions imprévisibles, qui tantôt se montrait farouche musulman, tantôt buvait avec les Grecs à la santé de la Vierge Marie, tantôt intriguait contre le Sultan, tantôt lui prêtait main-forte.

Le royaume qu'il s'était taillé à la pointe de son sabre allait des montagnes d'Albanie jusqu'au golfe de Corinthe. Et il continuait à s'agrandir, tantôt s'étendant sournoisement, tantôt encourageant ses voisins à la révolte. On ne pouvait laisser cet État se créer dans l'État, contre l'État.

— Envoie des troupes le mettre au pas, conseillai-je à Sélim.

Celui-ci haussa les épaules.

— Une armée a déjà été envoyée en Bulgarie pour tenter de réduire un seigneur de la guerre qui nous tient tête depuis plusieurs années. Une autre est partie au secours des princes grecs qui administrent la Roumanie, les Hospodars, dont les territoires sont saignés à blanc par des bandes de brigands. Une troisième a dû être dépêchée en Syrie pour soumettre le Pacha de Damas qui s'est rebellé.

— Pourquoi n'envoies-tu pas à Ali de Tebelen un courrier avec ordre de l'exécuter ?

— Il est passé le temps où les Pachas recevaient à genoux les messagers de mort dépêchés par le Sultan. Désormais ils déchirent le Firman d'exécution lorsqu'ils ne renvoient pas à Constantinople la tête du messager en place de la leur.

Notre impuissance m'enrageait, elle me faisait mal. Sélim le comprit qui poursuivit :

— Pourquoi crois-tu, Aamé, que je sois si pressé

d'opérer mes réformes ? Seule la modernisation de l'État et de l'armée rendra son autorité au Sultan.

— En attendant, Seigneur ?

— En attendant, il nous reste la ruse. L'Empire dans sa faiblesse en a fait son arme préférée.

— Quelle ruse utiliser contre le rusé Ali de Tebelen, Pacha de Iannina, roi non couronné de Grèce ?

— La flatterie, Aamé ! Depuis toujours Ali de Tebelen hait son voisin Kara Mohammed, autre bandit de son espèce, qui « règne » sur le Monténégro. Je n'ai qu'à le charger de réduire Kara Mohammed. Il sera flatté de ma confiance et ravi de détruire son rival.

— Et si la balance penche en faveur de Kara Mohammed ?

— Je lancerai Kara Mohammed contre Ali de Tebelen.

— Et si, par improbable, Ali de Tebelen et Kara Mohammed font cause commune contre toi ? Que feras-tu alors, Seigneur ?

— Je les nommerai tous deux Pachas à trois queues, l'honneur le plus recherché de l'Empire. Recevoir la même distinction les rendra rivaux donc ennemis.

— Sélim III le Réformateur sait aussi être cynique.

— Non pas cynique, Aamé, simplement connaisseur des faiblesses humaines. Le souverain d'un Empire affaibli se doit de les étudier pour en jouer, conclut-il avec un sourire amer.

Mais Sélim n'eut pas la honte de devoir nommer Pachas à trois queues deux bandits de l'espèce d'Ali de Tebelen et de Kara Mohammed. Le premier, enflammé par sa mission, avait écrasé le second. Il avait agrandi ses territoires mais il était rentré dans le giron de l'Empire. Il fut tellement reconnaissant à

Sélim de sa confiance qu'il dépêcha à Constantinople sa mère Chamco.

Sur ces entrefaites eut lieu l'inauguration du Palais de la Joie. Sélim achevait de faire construire ce pavillon à l'intention de sa mère, autant pour lui rendre hommage que pour la consoler de ne plus écouter ses conseils.

On annonça pour la fête des danses et musiques européennes. Mesure tout à fait révolutionnaire, Sélim avait introduit au Harem un maître de ballet français avec mission d'enseigner le menuet aux odalisques non encore converties, cela pour ne pas heurter les traditionalistes. Je ne résistai pas à aller un jour assister à l'une des répétitions dans le quartier des femmes esclaves. Le maître de ballet était un vieux fat, poudré à blanc, puant la violette, vêtu en vert pomme à la mode de Louis XV, que son affectation à se donner un ton et des façons d'aristocrate rendait grotesque. Chaque faux pas ou fausse note de ses ravissantes élèves lui arrachait des gémissements au point qu'enseigner son art délicat à des personnes aussi frustes semblait pour lui un véritable calvaire.

J'étais présente lorsque Youssouf Aga, le conseiller de Mirizshah, vint entretenir Sélim de la fête prochaine. Je le rencontrais pour la première fois. C'était une sorte de nain, courbé par les ans, à grosse tête et à nez crochu. Ce Crétois, ancien esclave, s'était élevé grâce à sa prodigieuse habileté, jusqu'à devenir le tout-puissant inspirateur de Mirizshah. Assoiffé de pouvoir, il attisait son ressentiment contre Sélim et son ambition. Il m'ignora, mais d'emblée je sus qu'il me détestait. Il proposait à Sélim de profiter de l'inauguration du Palais de la Joie pour flatter Ali de Tebelen en y invitant sa mère Chamco.

Celle-ci arrivait à Constantinople, chargée des présents de son dangereux fils pour Sélim, au nombre desquels la Perle des Perles, Vassiliki, une jeune vierge grecque enlevée par Ali de Tebelen au cours d'un de ses raids habituels. Cadeau coutumier, moi-même n'avais-je pas été offerte à Abdoul Hamid ? Vassiliki, cadeau du Pacha de Iannina, était une aubaine pour mes adversaires, ils en firent une arme.

Youssouf Aga fit entendre à Sélim qu'il se devait « d'honorer » Vassiliki sous peine de heurter le donateur et de s'en refaire un ennemi. Mieux encore, il fallait que la consommation eût lieu avant le départ de Chamco afin que celle-ci pût annoncer à son fils combien son cadeau avait été apprécié... Bref, Mirizshah s'employait à me susciter une rivale. Elle n'admettait pas que Sélim m'aimât véritablement et imaginait, je l'appris plus tard, que j'avais ensorcelé son fils au moyen de sortilèges. Aussi, voulant rompre le charme, s'empara-t-elle fermement de l'opportunité offerte par Vassiliki.

Mon séjour au Harem m'avait appris la dissimulation. Aussi abondai-je dans le sens de Youssouf Aga et même, en sa présence, je conseillai à Sélim de s'exécuter pour le bien de l'Empire et pour son plaisir propre. En effet circulaient à la Cour les rumeurs qu'il fallait démentir, causées par la fidélité de Sélim à mon égard. Lancées par mes ennemis, propagées par les ignorants, elles insinuaient que Sélim avait le goût des garçons. On se souvenait de certains sultans du passé et cela ne choquait personne, mais autrement grave était l'accusation que Sélim ne pouvait engendrer : il n'avait jusqu'alors pas eu d'enfant.

La jeune Vassiliki fut donc apprêtée pour sa nuit avec le Sultan dans les appartements de Mirizshah, la Sultane Validé, conformément aux usages. J'avais décidé d'assister à ces préparatifs, comme c'était mon droit et, lorsque j'arrivai chez elle, Mirizshah ne manifesta aucune surprise ; elle m'accueillit avec sa courtoisie habituelle et me présenta la poupée autour de laquelle s'affairait déjà un essaim de femmes. Je dois dire que la réputation de beauté de Vassiliki était méritée. De grande taille, elle avait la peau très blanche et le corps opulent mais sans excès. Son visage rassemblait toutes les grâces classiques, le petit nez droit, parfait, les lèvres charnues et bien ourlées, les yeux verts étirés vers les tempes et les longs cheveux noirs qui tombaient jusqu'à ses reins. C'était la perfection faite femme. On la pomponnait, on la parait après lui avoir fait subir les traitements habituels, lavage, étrillage, massage, et elle trônait, superbe, consciente de sa beauté et peut-être rêvant déjà d'un destin glorieux. Née dans un taudis, il semblait pourtant, à la voir, que le luxe qui l'entourait avait été son lot quotidien et qu'en tout cas il lui était dû.

Lorsque je rentrai chez moi pour m'apprêter pour la fête, je découvris qu'on avait profité de mon absence pour lacérer toutes mes robes et mes caftans ; aucun de mes vêtements n'avait échappé à cette furie de dégradation. On voulait m'empêcher de participer à la fête et pour cela on s'en était pris cette fois à des étoffes imprégnées de mon parfum, de l'odeur de ma peau. Un instant, je me sentis accablée, oui ! je pleurai, mais de rage surtout. Cependant la fête allait commencer et il fallait que j'y paraisse coûte que coûte. Me souvenant alors des robes bédouines que j'avais remarquées au cours de ma promenade dans le Bazaar avec Sélim, j'ordonnai à Ali Effendi d'y courir, de faire ouvrir les boutiques au nom du Sultan si cela était nécessaire, et de me rapporter tout ce qu'il pourrait rafler.

Trois quarts d'heure plus tard, il était de retour, croulant sous une montagne de soies rayées. Les paysannes bédouines qui inventent ces robes ont dans le choix et le mariage des couleurs une imagination extraordinairement poétique. Peut-être trouvent-elles dans ce rutilant foisonnement un antidote à l'austérité unie du désert ?

J'optai pour une robe rayée de violet, de noir et de jaune ; j'entourai ma taille de chaînes de grosses émeraudes brutes, ainsi que mes bras, et en mêlai d'autres à mes tresses.

Les murmures de surprise et d'admiration que souleva mon arrivée sur les lieux de la fête me flattèrent. Toutes les femmes avaient instantanément reconnu une robe de paysanne bédouine. Elles en attribuèrent le choix à de mûres réflexions et à l'intention de me faire remarquer. On me félicita, on s'extasia sur mon originalité, je triomphais, là où l'on espérait ma défaite. Mon improvisation devait devenir mode ; pendant les mois qui suivirent cette soirée, la plupart des femmes du Harem abandonnèrent riches brocarts et pantalons bouffants pour le costume traditionnel des paysannes bédouines !

Ce soir-là, la nature elle-même participait à l'enchantement en nous offrant le flamboiement de l'automne, riche d'ors, de pourpres et de bruns. Au centre de cet incendie végétal et éphémère se dressait, tel un bijou blanc, le Palais de la Joie construit en marbre immaculé et selon le style européen. A l'intérieur, des colonnades peintes en trompe l'œil sur les murs créaient une perspective qui se prolongeait par la vue infinie que les fenêtres ouvraient sur la mer de Marmara, les Iles des Princes, l'Asie. Mais la curiosité résidait en des centaines de canaris encagés, qu'on avait dressés à ouvrir avec leurs pattes des robinets miniatures qui actionnaient d'innombrables et minuscules fontaines. Autour du Palais de la Joie, on avait dressé des tentes car il faisait encore très doux. Assortis à la symphonie des jardins, tentures et étendards avaient été choisis dans des tons de pourpre et d'or; on avait allumé partout des torches qui éclairaient *a giorno.*

Tandis qu'aux abords du Palais de la Joie les musiciennes du Harem jouaient le répertoire oriental le plus entraînant, nous pouvions, du haut des remparts, assister à un spectacle de bateleurs ordonné par Sélim et qui se tenait sur l'esplanade extérieure : acrobates, lutteurs, montreurs d'animaux savants évoluaient en contrebas des invités.

Mais l'attraction qui déchaîna l'enthousiasme fut sans conteste le spectacle de danse présenté par le maître de ballet français et les filles du Harem. Celles-ci esquissèrent les pas si nouveaux pour elles du menuet avec une grâce qui suppléait à leur méconnaissance évidente des figures. Elles furent tellement applaudies qu'elles durent recommencer leurs évolutions.

Mirizshah trônait à la place d'honneur, splendide à son habitude. A ses côtés, la mère d'Ali de Tebelen, Chamco, que sa légende avait précédée. Cette Albanaise d'une stature imposante avait été dotée, par ses aventures guerrières et son passé de brigandage, d'une allure farouche qui n'entamait pas sa beauté. Mirizshah et Chamco côte à côte donnaient à la fois l'impression d'un contraste et d'une ressemblance. L'une et l'autre fort belles en dépit de leur âge, mais l'une policée, délicate, figurait la force endiguée, tandis que l'autre représentait la force à l'état brut, presque sauvage. L'Albanaise ne pouvait pas ne pas être impressionnée en découvrant le luxe de la Cour mais elle refusait de se laisser intimider et restait sur son quant-à-soi.

J'étais assise auprès de Vassiliki, la poupée de nuit du Sultan. Sous les yeux de la Cour entière que je sentais peser sur moi comme un seul regard attentif et goguenard, je me mis en frais pour elle, je lui souris, bref, je fus charmante. Elle, se voyant déjà Kadine, daignait à peine m'adresser la parole et ne me répondait que par monosyllabes. De temps à autre Mirizshah regardait dans notre direction et à plusieurs reprises je crus voir une question passer dans son regard. De toute cette assemblée qui se gaussait de moi et ne doutait pas de ma disgrâce prochaine, peut-être était-elle la seule à me connaître assez pour n'être pas totalement assurée du succès de sa manœuvre.

Sélim, impénétrable, poli et souriant avec toutes, n'accordait d'attention particulière à aucune. Il quitta la fête le premier. Peu après, Billal Aga, l'air lugubre car il m'aimait bien, vint s'incliner devant Vassiliki : l'heure était venue. Elle se leva et s'éloigna sous le regard du Harem entier, hautaine comme si elle marchait vers la gloire.

Jamais je n'oublierai l'effort que je m'imposai de rester de marbre. Je connaissais les enjeux, les tenants et les aboutissants de cette nuit, je demeurai assise, m'efforçant au sourire comme si de rien n'était.

Enfin, quand Mirizshah en donna le signal, je pus me retirer à mon tour avec les Kadines de premier rang. Je rentrai chez moi où j'allais passer cette nuit seule tandis que Sélim était dans les bras d'une autre femme. Je m'étais longuement préparée à cette épreuve mais je n'étais pas prête. Dans la solitude de ma chambre, délivrée des regards étrangers, d'intolérables images, impossibles à écarter, me torturèrent tout au long de cette nuit blanche.

Je ne doutais plus de Sélim, de son amour comme lorsque j'avais été jalouse de Refet. Mais l'homme que j'aimais et que je désirais faisait pour une autre les gestes qu'il me réservait, il caressait une autre, il prenait son plaisir avec une autre et cette pensée me brûlait au fer rouge. La haine m'étouffait, contre les intrigants du Sérail qui obligeaient Sélim à coucher avec le « cadeau » d'Ali de Tebelen, contre Mirizshah qui voulait m'évincer par une rivale, contre ces idiotes du Harem qui se réjouissaient de mon humiliation.

Le matin suivant Sélim m'aborda avec embarras et même tristesse et je dus me montrer encore plus gracieuse et enjouée qu'à l'accoutumée pour dissiper son malaise. Nous ne fîmes aucune allusion à la nuit précédente. Dans tout le Harem les supputations allaient bon train, on évaluait la satisfaction du Sultan en fonction de la somptuosité des dons qu'il avait envoyés à Vassiliki et déjà on me tenait pour perdue.

En réalité, Sélim avait tenu à honorer Chamco et, par elle, Ali de Tebelen. Désormais, elle pouvait retourner en Albanie et apporter à son fils l'assurance que le Sultan était comblé.

A peine Chamco eut-elle quitté Constantinople que Vassiliki fut atteinte d'un mal étrange, une éruption cutanée qui couvrit son visage et son corps et la rendit méconnaissable en quelques heures.

L'Apothicaire Impérial, appelé à l'examiner, reconnut une maladie fort contagieuse, qui pouvait se transmettre par simple contact et ordonna l'isolement absolu de la belle Vassiliki. Nul ne devait l'approcher, le Sultan moins que tout autre, et on la relégua séance tenante au Vieux Sérail.

Je puis avouer aujourd'hui qu'il m'en coûta une assez jolie quantité de pièces d'or que l'Apothicaire empocha pour avoir, sur mes instructions, d'abord composé une préparation qui provoqua l'éruption, et ensuite établi un faux diagnostic. En fait, le mal était bénin et je savais que Vassiliki recouvrerait vite la santé... et la beauté.

Il n'y eut aucune allusion à l'état de Vassiliki entre Sélim et moi. Simplement, je lui fis promettre de marier la jeune fille une fois rétablie, d'ici quelques mois, avec un sémillant Pacha par exemple, car si je l'avais éliminée, je ne voulais pas pour autant la condamner à la réclusion au Vieux Sérail.

Le Palais de la Joie, dont l'inauguration m'avait laissé un souvenir si cruel, devait causer pas mal de soucis à la Cour, par la personne de son architecte. C'était un étranger, un Allemand, Antoine Ignace Melling, que la faveur de la Princesse Hadidgé, sœur de Sélim, avait introduit au Sérail. Hadidgé pouvait circuler librement en ville, selon le privilège des Princesses Impériales.

En visite un jour chez l'ambassadrice du Danemark, Hadidgé s'était émerveillée des jardins nouvellement dessinés et s'était enquise de leur auteur. Dès sa première rencontre avec Melling elle tomba en extase devant le créateur de la même façon qu'elle s'était entichée de ses créations. Le grand garçon blond et efflanqué, artiste rêveur, avait tout pour plaire à Hadidgé. Cette folle romantique, déjà une fois divorcée — autre privilège des Princesses — et une fois veuve, crut (pour la vingtième fois) avoir trouvé l'âme sœur. Elle contemplait Melling comme une apparition céleste et celui-ci semblait terrifié également par la passion qu'il suscitait et par l'auteur de cette passion. Mirizshah et Sélim s'émurent de cette ostentation et Hadidgé, une fois de plus, devint la risée du Harem.

A cette époque, une fille du Harem, une Hadikli, fut surprise en flagrant délit avec l'un des hallebardiers chargés du service du bois. La première réaction de Sélim fut d'appliquer la tradition séculaire : le châtiment immédiat des coupables, la noyade pour la femme et la décapitation pour l'homme. Peut-être ne pouvait-il supporter l'idée qu'une de ses propriétés, même la plus oubliée, ait eu l'outrecuidance de se donner à un autre ? Je ne connaissais pas la fille, mais son sort m'émut. J'expliquai à Sélim que la seule faute de cette fille était d'avoir voulu vivre, tout simplement. Je lui rappelai que si je n'avais pas été remarquée par Abdoul Hamid, puis par lui-même, mon sort aurait été analogue à celui de cette fille, à celui de tant de ces filles, livrées au néant. Convaincu, Sélim chercha avec moi le moyen d'épargner ce couple en commençant par imposer le silence sur l'affaire. Billal Aga nous informa que le Sérail tout entier en connaissait déjà les détails et attendait avec délectation le châtiment des amants. Je soupçonnai immédiatement une intention dans la rapidité avec laquelle s'était répandue la nouvelle. Nos ennemis voulaient acculer

Sélim à appliquer la plus féroce des lois de l'Islam afin de le mettre en contradiction avec ses idées : épargner les coupables aurait équivalu à dresser contre Sélim tous les tenants de la tradition musulmane.

Nous avons sollicité l'avis de la plus haute autorité religieuse, notre ami Véli Zadé le Cheik Oul Islam. Selon celui-ci, il était trop tard, les esprits étaient trop échauffés pour que nous puissions tourner la loi.

Mais, ajouta cet homme bon, peut-être s'apaiseraient-ils, le temps aidant, peut-être d'autres événements surviendraient-ils qui repousseraient celui-ci dans l'oubli. Il fallait donc attendre.

La diversion vint de la Princesse Hadidgé. Celle-ci s'était mis en tête de couronner sa délirante passion pour son architecte-amant Melling, en l'épousant. Une Princesse Impériale, mariée à un giaour... à un chrétien... Allah Tout-Puissant ! Déjà elle l'avait installé en son palais d'Ortaköy, qu'il lui construisait à la porte de la ville. Mirizshah et Sélim s'y rendirent plusieurs fois pour tenter de la dissuader d'une pareille folie. Elle se jetterait dans le Bosphore, répondit-elle, plutôt que de renoncer à son Melling.

J'étais la seule à sourire de cette bouffonnerie. Mirizshah et Sélim s'inquiétaient. La Cour, après s'être gaussée du scandale, commençait à s'émouvoir des proportions qu'il prenait, car Hadidgé annonçait ses fiançailles à qui voulait l'entendre.

Pauvre Hadidgé, qui devait subir à la fois les commentaires irrespectueux du Sérail et la rage de sa mère ! Mirizshah, en effet, l'accablait d'invectives et la poursuivait sans relâche comme si sa vindicte était animée par le ressentiment qu'elle ne pouvait manifester contre moi. Car elle n'était pas sans imaginer la part que j'avais prise dans la mystérieuse maladie de Vassiliki...

L'affaire de la Hadikli et du hallebardier que j'avais eu l'illusion de croire reléguée à l'arrière-plan revint brusquement sur le tapis. La rumeur s'était répandue que le Sultan protégeait ceux qui défiaient la loi de l'Islam et Sélim se retrouva forcé de laisser faire la justice. Un bref procès eut lieu, à l'issue duquel, sur le témoignage de l'eunuque qui les avait surpris en flagrant délit, les deux amants furent condamnés à mort.

D'un côté Hadidgé obligeait l'État entier à prendre des précautions pour arrêter son absurde engouement, criminel pour toute autre qu'une Princesse Impériale. De l'autre une humble fille, sans présent ni avenir, se voyait promise au bourreau pour avoir voulu vivre, ne serait-ce qu'un jour.

Je projetai de faire évader la Hadikli. Quelques eunuques grassement payés s'en chargeraient et un sac rempli de pierres jeté dans le Bosphore suffirait à tromper le Harem. Sélim hocha tristement la tête à cette proposition.

— Un tribunal religieux agissant en pleine légalité a condamné la fille selon la loi : je ne peux m'y dérober.

— A quoi sert donc la toute-puissance du Sultan ?

— Si le Sultan n'obéit pas à la loi, de quel droit peut-il l'imposer ?

— A quoi servent les réformes, Seigneur, si elles laissent subsister des mœurs aussi barbares ?

— Mes réformes peuvent transformer les lois civiles, mais ne peuvent toucher les lois religieuses.

— Même si ces lois envoient à la mort la plus

cruelle une jeune fille innocente ? Est-ce cela la religion musulmane ? Est-ce ta foi, Seigneur ?

— Ma foi n'a rien à voir ici. Ce que je crois est mon affaire. Mais je suis aussi le Calife, la tête religieuse de l'Islam. Je dois maintenir sa cohésion. Je ne peux faire aucune exception.

— Tout au moins le Calife peut-il me laisser agir. Tu n'as pas besoin de savoir comment je sauverai la Hadikli.

— Et tu mettrais ainsi ma conscience devant le dilemme. Je te le demande, Aamé, ne me dissocie pas de toi. Si tu m'aimes, tu souffriras avec moi de cette cruauté que je suis forcé de commettre.

Pouvais-je ne pas répondre à cet appel ? La Hadikli fut cousue dans un sac et jetée dans le Bosphore, tandis que le hallebardier était décapité dans la caserne en présence de ses camarades.

Mahmoud me quitta, conformément à l'usage qui veut qu'à onze ans révolus les Princes Impériaux soient considérés comme des hommes et vivent seuls, dans leur propre quartier, au Sélamlik.

On commença par le circoncire. Cette cérémonie très importante dans la famille turque devait évidemment prendre une dimension extraordinaire au Sérail. Sélim avait fait envoyer à Mahmoud un caftan dont nous avions choisi ensemble l'étoffe : du satin blanc à bandes brodées d'œillets et de tulipes d'or. Je sentais son appréhension de l'opération qui l'attendait, mais il prenait sur lui de la dissimuler. Il ne fanfaronnait pas, ce n'était pas sa nature, mais il avait pris une petite moue affectée et un regard hautain que traversait parfois une lueur de peur. Je le coiffai de son turban et je le vis partir à la suite du Kislar Aga vers le Sélamlik où l'attendait la Cour entière. Des tentes multicolores parsemaient les jardins grisonnants de l'hiver. Mille garçons de son âge furent circoncis avec Mahmoud. Son prépuce fut solennellement montré au Cheik Oul Islam, au Grand Vizir et autres autorités de l'Empire qui couvrirent d'or, au propre, la relique et, au figuré, le Chirurgien Impérial qui avait opéré. Mahmoud reçut les félicitations de la Cour avant d'assister à un spectacle de baladins et d'acrobates. Puis on lui présenta sa Maison, dont le chef attitré, le Lala Pacha, était un eunuque, Amber Aga, un ami de Billal Aga qui l'avait choisi.

Mahmoud aura désormais ses serviteurs, ses compagnons de jeux et d'études et ses Oulémas qui viendront lui donner des leçons.

Enfin il fut mené au Pavillon d'Érivan, sa nouvelle résidence. Nous attendions le petit garçon chez lui pour le fêter dans l'intimité. Sélim lui offrit une aigrette en diamants pour son nouveau turban. Quant à moi, pour le taquiner, je lui tendis tout d'abord un livre de grammaire française qu'il reçut poliment mais sans pouvoir cacher sa déception. Alors je sortis le petit poignard que j'avais commandé à l'orfèvre du palais à son intention : le manche et l'étui étaient en or que j'avais fait émailler à la mode persane, avec des portraits d'Abdoul Hamid et de Sélim. La surprise et la joie de l'enfant me comblèrent.

J'étais satisfaite que Mahmoud passât sous la responsabilité d'hommes compétents et dévoués. Il habiterait à cent mètres seulement de mes appartements et je le verrais tous les jours. Tout était pour le mieux mais j'étais dévastée par l'impression qu'on m'avait arraché mon enfant. Aucun raisonnement n'y faisait.

La séparation d'avec Mahmoud, pour symbolique qu'elle fût, me rapprocha encore plus, si cela était possible, de Sélim. L'enfant était parti, restait l'homme.

Soirées et nuits étaient réservées à Sélim. Nous nous retrouvions toujours avec une égale impatience, un égal plaisir. Les soucis de l'État justifiaient aux yeux du monde que le rythme des fêtes se fût considérablement ralenti mais en vérité Sélim goûtait surtout nos tête-à-tête quotidiens.

Nous nous aimions depuis plus de sept ans et je m'émerveillais tous les jours de la pérennité et de la profondeur de cet amour. Notre secret résidait je crois dans la diversité, la complexité de notre relation. Nous étions des amants comblés, jamais assouvis, nous étions des compagnons, sans cesse amusés l'un par l'autre, nous étions aussi des associés attachés à la réalisation d'une grande œuvre.

Pour rire, j'avais les lettres de notre ambassadeur à Paris. Voilà que ma cousine Joséphine défrayait une fois de plus la chronique. Laissant son mari, le général Bonaparte, guerroyer en Italie, elle avait pris un amant du nom d'Hippolyte Charles, beaucoup plus jeune qu'elle, avec qui elle filait le parfait amour. Ma nature et mon amour pour Sélim ne comprenaient que la fidélité mais j'excusais les écarts de Joséphine. Qui pouvait en vouloir à cet oiseau ravissant, incorrigible et généreux ? Qui lui en avait jamais voulu ? Elle ne savait qu'inspirer la tendresse et l'indulgence. Qu'elle s'amusât donc avec son Hippolyte si cela pouvait la rendre heureuse. Tant pis pour le mari cocu, le général Bonaparte !...

Celui-ci, justement, remportait victoire sur victoire en Italie, occupait les îles Ioniennes en face de l'Albanie, et la France, grâce à lui, se retrouvait voisine de notre Empire.

De son repaire de Iannina, Ali de Tebelen nous envoyait des rapports alarmistes sur les mouvements des troupes françaises en mer Adriatique et sur les côtes albanaises. Mais ce vieux brigand avait tendance, lorsqu'il craignait pour ses propres possessions, à voir l'Empire tout entier menacé. Sélim attribua son inquiétude à l'intrigue, sa seconde nature, et ne donna pas suite à sa demande de renforts.

Là-dessus l'ambassadeur de Russie à Constantinople vint annoncer, frétillant d'aise, au Raïs Effendi, notre ministre des Affaires étrangères, qu'il tenait de source sûre, c'est-à-dire de ses espions fourmillants dans notre Empire, que les Français négociaient en secret dans notre dos et contre nous avec ce même Ali de Tebelen. Que cette fripouille, malgré ses appels au secours contre ces mêmes Français, fût prête à nous trahir, nous pouvions le croire. Les seigneurs de la guerre restaient égaux à eux-mêmes. Mais pourquoi diable les Français se seraient-ils dressés contre l'Empire Turc, leur allié traditionnel depuis la Renaissance ? C'était d'autant plus absurde, que depuis la reconnaissance par Sélim du gouvernement révolutionnaire, la Turquie entretenait avec la France des relations tout à fait privilégiées.

J'étais persuadée qu'il s'agissait d'une perfidie des Russes qui tentaient d'enfoncer un coin dans notre amitié avec la France pour mieux remettre le pied en Turquie, leur inaltérable ambition. Sélim, lui, fut tout de suite ébranlé. Il demanda des explications au gouvernement français. La réponse du ministre des Relations extérieures donna tous les apaisements souhaitables. La France ne saurait oublier que le Sultan de Turquie avait été le premier souverain à reconnaître la Révolution, en conséquence, l'amitié entre les deux pays ne pouvait être remise en cause.

La lettre était signée Talleyrand. Ce même personnage, sous le nom d'abbé de Périgord qu'il portait avant la Révolution, nous avait sauvées des entreprises de mon cousin Alexandre de Beauharnais et d'Ishak Bey au Palais-Royal. Nous eûmes à peine le temps de nous rassurer que la rumeur se répandit que Bonaparte armait à Toulon une formidable flotte destinée à transporter une armée d'invasion. L'Europe s'alarma et nous avec. L'Angleterre envoya Lord Nelson et sa flotte de guerre établir un cordon protecteur en Méditerranée. Nul ne savait où Bonaparte comptait frapper et les supputations allaient bon train de chancellerie en chancellerie. Serait-ce la Sicile, le Portugal, l'Afrique du Nord... ou un point quelconque de l'Empire Turc ?

Sélim demanda des éclaircissements à la France sur ses intentions. Talleyrand reprit sa plume pour lui certifier que les préparatifs en cours à Toulon visaient seulement l'Angleterre. Je me persuadai de me contenter de cette explication. Avec le recul, je me rends compte que je ne voulais pas croire à une traîtrise de la France parce que l'idée m'en était insupportable. J'acceptais les démentis et les apaisements, je repoussais les évidences.

La première, ainsi que me le fit remarquer Sélim, était pourtant de taille : si Bonaparte formait le dessein d'envahir l'Angleterre, pourquoi ne concentrait-il pas sa flotte sur l'Atlantique ? Le choix d'un port méditerranéen supposait d'autres projets et Sélim n'en pouvait démordre : Bonaparte préparait un débarquement sur une côte de son Empire, l'Albanie probablement.

Au cours du mois de mai 1798, nous apprîmes que Bonaparte avait quitté Toulon avec sa flotte, qu'il avait passé entre les mailles du filet anglais et qu'il avait disparu en Méditerranée. Les courriers sillonnèrent les routes et les mers, les chancelleries, la nôtre en tête, cherchèrent fiévreusement, et partout, la moindre information. Il fallait se rendre à l'évidence : Bonaparte et sa flotte s'étaient littéralement évanouis en mer.

Nous vécûmes quelques semaines d'attente fiévreuse jusqu'à ce jour de juin où l'information tomba, stupéfiante : Bonaparte venait de s'emparer de l'île de Malte après une résistance acharnée des Chevaliers qui l'occupaient jusqu'alors.

Sélim adressa au gouvernement français un message, pour lui signifier clairement que tout débarquement des troupes françaises sur un point de l'Empire Turc, quel qu'il fût, entraînerait la guerre. Je ne pouvais qu'approuver cette mise en garde.

Le gouvernement français, par la voix de son ministre des Relations extérieures, répliqua que l'action de Bonaparte en Méditerranée n'avait d'autre but que de débarrasser cette zone des pirates l'infestant. La prise de Malte n'était qu'une étape de cette pieuse croisade. Les Français se moquaient de nous et mon exaspération croissait à l'instar de l'inquiétude de Sélim. Talleyrand allait jusqu'à solliciter notre assistance pour aider Bonaparte dans son entreprise.

Cette fois la mesure était comble. Mais que visaient donc les Français ? Sélim décida à regret de renvoyer dans leur pays tous les ressortissants français qu'il avait fait venir en Turquie : ingénieurs, techniciens, instructeurs militaires. Il ne tenait pas à avoir des espions dans ses rangs et, par ailleurs, il était plus sage d'expulser les Français pour leur sécurité même, au cas où un conflit éclaterait. Car nous envisagions désormais comme la chose la plus naturelle du monde d'être attaqués par notre plus vieille alliée, la France, qui nous couvrait encore d'assurances sous forme de mensonges de plus en plus flagrants. La France nous bombardait de bonnes paroles alors même qu'elle s'apprêtait à nous bombarder à coups de boulets.

Entre-temps, Bonaparte avait quitté Malte et s'était à nouveau volatilisé avec sa flotte. Où se dirigeait-il, où allait-il resurgir ? C'était bien ce que nous nous demandions avec anxiété pendant que la flotte de Lord Nelson le pourchassait inutilement sous toutes les latitudes.

QUATRIÈME PARTIE

Politique et révolutions

I

Une chaleur accablante s'était abattue sur la ville et Sélim décida de se transporter au Harem d'été. Ce palais de bois se dressait dans l'enceinte du Sérail, près de la mer, derrière le Top Kapi, la Porte du Canon. Les brises du Bosphore le rafraîchissaient constamment. Il comprenait un Sélamlik, l'aile du Sultan, des quartiers pour les eunuques, des appartements pour la Sultane Validé, les Kadines et autres odalisques, des bains, des cuisines. Bien qu'il ne fût distant que de quelques centaines de mètres, le déplacement du Harem nécessita des semaines de préparatifs dans l'agitation coutumière.

Vartoui n'était plus sur terre pour conspuer tout le monde. Le Kislar Aga, le chef Billal Aga qui devait organiser le transport de trois cents femmes plus les esclaves, les eunuques et les malles, fut rapidement et complètement dépassé. Il y eut de considérables retards avant que tout soit enfin prêt. Je nous revois encore, les odalisques et moi, dévalant les jardins du Sérail par un torride après-midi. Le cri de « *Helvet* » lancé par les eunuques avait fait disparaître tous les hommes. Aussi étions-nous dévoilées. Nous portions le *salvar*, le pantalon brodé d'or sous un caftan déboutonné qui laissait voir le cou et une partie de la gorge. Les diamants scintillaient dans les cheveux des Kadines. Plaquées contre la façade de bois du Harem d'été, des colonnes de marbre imitaient l'architecture européenne, un marbre « couleur d'aube », ai-je pensé.

Un appartement dans l'aile des Kadines, avec vue sur le Bosphore, me fut attribué. Les parois et les plafonds étaient incrustés d'éclats de miroirs, à la façon persane. Au soleil couchant, j'avais l'illusion que des milliers d'incendies s'allumaient sur mes murs.

Le seul inconvénient était que mon nouveau logis se trouvait situé immédiatement au-dessus des cuisines et je devais subir les relents de mouton rôti tout au long des jours. Encens et parfums que je m'escrimais à faire brûler étaient impuissants à chasser cette odeur qui imprégnait jusqu'aux brocarts des coussins.

L'entassement et la promiscuité dans ce palais aux dimensions modestes étaient beaucoup plus insupportables que dans le Sérail. Heureusement nous pouvions nous promener sur les remparts ponctués de Kiosks qui surplombaient la mer. L'occupation essentielle de ces dames consistait à s'y tenir et à contempler inlassablement le passage des navires sur le Bosphore.

Chaque jour je rejoignais Sélim dans sa chambre tendue de toile cirée, peinte à l'imitation de sa tente de guerre. On avait déroulé par terre un Gobelins à mille feuilles et je dus lui expliquer longuement la différence entre un tapis et une tapisserie, avant qu'il ne la fasse accrocher au mur.

C'est dans cette chambre que j'appris, un jour de

juillet 1798, la nouvelle amenée par un navire de commerce qui avait pu s'échapper d'Alexandrie : Bonaparte venait de débarquer en Égypte. C'était donc là sa cible.

L'Égypte, la clef de la Méditerranée, la perle de l'Empire Turc comme elle l'avait été des empires grec, romain, byzantin. Mais une perle mal enchâssée, toujours prête à se détacher. Trois siècles plus tôt, les Turcs avaient conquis l'Égypte sur les Mamelouks qui l'occupaient. Entre cette caste militaire et l'administration turque, s'était établi une sorte de *statu quo*, aucune ne cherchant trop à savoir laquelle détenait le pouvoir. Bonaparte avait bien visé car l'équilibre restait précaire en Égypte, et l'ambition bouillonnante des Mamelouks préoccupante.

Les nouvelles dramatiques se succédèrent à un rythme accéléré. La population d'Alexandrie s'était réfugiée affolée dans les mosquées et, croyant à une insurrection, les Français avaient massacré hommes, femmes, enfants. Puis Bonaparte écrasa les Mamelouks, les seuls qui pussent lui opposer une résistance armée, à Gizeh, à l'ombre des Pyramides. Quelques jours plus tard, il entrait au Caire. Tout le nord de l'Égypte était aux mains des Français.

Sélim convoqua, dans sa chambre d'apparat du Harem d'été, le premier de ses conseils restreints dont je conserve un souvenir cuisant. J'y assistais à l'abri des regards dans un oratoire contigu, minuscule et surchauffé. Par l'interstice des rideaux de brocart, je les vis entrer, Hussein Pacha, Véli Zadé le Cheik Oul Islam, Ishak Bey mon vieil « ennemi », le Kislar Aga, ce bon Billal Aga. Sélim avait également convoqué le conseiller de Mirizshah, Youssouf Aga, parce que celui-ci avait l'oreille des Janissaires et des Oulémas, élément non négligeable en ces circonstances.

Les uns, ne pouvant tolérer qu'une province de l'Empire fût envahie et occupée, réclamèrent une immédiate déclaration de guerre contre la France. Les autres rappelèrent les termes pacifiques de la récente proclamation de Bonaparte, lequel assurait s'en prendre non à l'Empire Turc mais à la seule Angleterre en lui coupant la route de ses colonies d'Indes orientales. Comment pouvait-on encore ajouter foi à ces assurances de plus en plus fallacieuses ?

Je ne comprenais toujours pas pourquoi la France avait rompu son amitié avec notre Empire, mais mon ressentiment instinctif grandissait contre l'artisan de cette criminelle absurdité, mon cousin par alliance, le général Bonaparte.

Je souffrais aussi d'entendre les conseillers de Sélim insulter les Français. Je ne pouvais admettre que Turcs et Français en viennent à se faire une guerre, fratricide pour moi, à s'entre-tuer.

Sélim était venu me rejoindre dans le petit oratoire pour solliciter mon avis. Je le savais déchiré entre la nécessité d'intervenir en Égypte et celle de poursuivre ses réformes, l'une excluant l'autre. Je ne pouvais supporter l'idée que pour ce trouble-fête de Bonaparte, nous renoncions aux réformes.

De toute la force de ma raison et de mon inexpérience, je conseillais donc à Sélim de temporiser.

Sélim annonça brièvement au conseil qu'on ne prendrait pour l'instant aucune mesure. Alors la voix aigrelette de Youssouf Aga monta :

— Seigneur, tous ici nous respectons ta décision mais permets à un vieux et fidèle serviteur d'oser une remarque en ce moment où notre Empire est en danger : ne prends avis que de toi-même et garde-toi des étrangers. N'attends conseil que de ta conscience et aide que de Dieu.

Sélim ne releva pas l'insolence, évidemment dirigée contre moi.

Le sursis dura peu. Au Caire, la population excédée par l'occupant français s'était spontanément soulevée, dressant des barricades dans toute la ville et massacrant les soldats et les officiers logés chez l'habitant, au cri de : « Que Dieu fasse triompher l'Islam ! » Les paysans qui affluaient de la campagne se joignirent aux insurgés pour donner la chasse aux Français. Bonaparte, du haut de la Citadelle, bombarda la ville. Mosquées, palais, caravansérails s'écroulaient pendant que s'allumaient partout des incendies. Dans le vacarme assourdissant, on entendait les gémissements des femmes et les cris de terreur des enfants. Un orage d'une violence inouïe, tout à fait exceptionnel en cette période de l'année, porta l'affolement de la population à son comble, la pluie diluvienne transforma les rues en torrents de boue, le fracas du tonnerre répondait à celui des bombes et des édifices qui s'effondraient. Puis les soldats de Bonaparte, ratissant un quartier après l'autre, avaient tout détruit, tout massacré sur leur passage. Les fugitifs qui avaient tenté de s'échapper hors les murs avaient été hachés par la cavalerie française postée autour des remparts. Comme l'écrivait à Sélim un fonctionnaire turc : « Les Français firent des choses à faire blanchir les cheveux. » La répression dura quinze heures et laissa Le Caire exsangue, abandonné aux larmes des rares survivants sous les décombres.

Sélim avait aussitôt donné des instructions pour que ces événements ne fussent pas divulgués. Mais nulle part les nouvelles ne circulent plus vite qu'en Orient. Elles se glissent sous les portes les mieux gardées, traversent les murs les plus épais, elles se répandent dans les rues, sautent de terrasse en terrasse, elles s'enflent, grossissent, s'ornent de fables de plus en plus énormes et sont universellement commentées alors que le Pouvoir garde encore l'illusion d'en maintenir le secret. Le petit peuple turc sut sans retard ce qui se passait en Égypte ; il jugea sévèrement le Sultan. Ali Effendi, dont rien ne pouvait pourtant entamer la jovialité, devint morose. Il finit par m'avouer combien il était déçu par la mollesse du Divan, il n'osa dire du Sultan, devant l'envahisseur français. Toute son admiration allait aux Cairotes qui avaient résisté jusqu'à la mort, et comme il évoquait le paradis d'Allah gagné par ces valeureux combattants, je lui rétorquais qu'il me semblait bien difficile de compter sur eux pour défendre l'Empire de là-bas.

Mais l'opinion d'Ali Effendi m'importait plus que je ne voulais le reconnaître. C'était un homme de bon sens et surtout un homme du peuple : à travers sa voix j'entendais celles de millions de sujets de Sélim qui condamnaient son laisser-faire.

Même Mahmoud désapprouva notre attitude. J'avais pris l'habitude de le tenir au courant des affaires publiques et lorsque je lui annonçai notre parti de rester à l'écart du conflit, je le vis s'assombrir.

— Il aurait fallu lâcher du lest, quitte à déclarer la guerre aux Français et gagner du temps, me déclara-t-il.

Il assaisonna ce conseil à retardement d'un discours qui révélait tant de maturité chez ce gamin de treize ans que j'en restais coite. Se pouvait-il que cet enfant, mon enfant, fût devenu cet homme habile à manier les idées, capable de m'entretenir de l'adversité du temps, du Destin ?

Là-dessus tomba la nouvelle de la bataille navale d'Aboukir. L'amiral Nelson, après avoir cherché des mois durant la flotte française sous toutes les latitudes, l'avait retrouvée et l'avait fait sauter dans la rade d'Aboukir. Bonaparte se trouvait ainsi privé de ses moyens de transport et coupé de ses arrières. Sélim envoya au vainqueur un sabre enrichi de pierreries et j'eus le tort de n'y voir qu'un geste protocolaire, sans y attribuer une signification plus profonde. Mirizshah offrit à l'amiral Nelson un très gros diamant et elle tint à le faire savoir. Depuis le premier jour elle poussait à la guerre contre les Français.

Au cours d'une scène violente, elle reprocha à Sélim de laisser sans réagir attaquer son Empire, bafouer son autorité et massacrer ses sujets. Elle lui fit honte d'être sous l'influence d'une femme, d'une Française, d'une ennemie. Oui ! Elle utilisa le mot « ennemie » à mon égard !

Mirizshah n'était pas la seule à croire que je trahissais Sélim et l'Empire au profit de la France. Le Harem en était convaincu et plusieurs conseillers de Sélim m'en soupçonnaient, je le sentais. Mais rien au monde ne m'aurait fait renoncer aux réformes. C'était l'œuvre de Sélim, c'était notre œuvre dont la réalisation ferait de Sélim un des plus grands, un des plus bénéfiques Sultans de toute l'Histoire turque.

Le dilemme devint encore plus aigu lorsque la Russie entra en guerre contre la France. La flotte russe de la mer Noire voguait vers les côtes de l'Empire avec l'intention de traverser le Bosphore pour aller combattre les Français. Comme il était exclu que les Russes franchissent les Détroits sans notre autorisation, nous devions bien cette fois prendre parti. Accepter équivalait à une déclaration de guerre contre la France et nous obligerait à recevoir la protection encombrante de nos ennemis séculaires, les Russes. Refuser nous mettrait à dos nos alliés actuels : les Russes !

Sélim convoqua à nouveau son Conseil et je réintégrai l'oratoire attenant à sa chambre. Même en ces périodes dramatiques, nous ne pouvions nous épargner les simulacres que nous imposait la tradition turque. Nulle femme, nulle Validé même, n'avait jamais été autorisée à assister à une séance gouvernementale et si personne n'ignorait ma présence dans l'oratoire, j'y étais dissimulée et la règle était sauve.

Les partisans de la guerre, le conseiller de Mirizshah, Youssouf Aga en tête, attaquèrent avec véhémence toute possibilité d'atermoiement. Non seulement ils exigeaient d'accorder le passage aux navires russes, mais ils poussaient à une alliance offensive avec l'Angleterre et la Russie.

Sélim me rejoignit dans l'oratoire...

— Des invasions de guerre, l'Empire en a connu en bon nombre ! commençai-je. Mais des réformes comme tu en as entreprises, Seigneur ! l'Empire n'en a jamais bénéficié tout au long de son Histoire. Les abandonner maintenant équivaudrait à détruire ce qui a déjà été entrepris. Laisse les Anglais et les Russes se battre contre les Français et poursuis l'œuvre de ton règne.

Sélim m'écoutait sans rien dire, son regard indéchiffrable fixé sur moi. Il n'approuva ni ne désapprouva. Mon plaidoyer fini, il sortit dans un bruissement de soie. Le silence qu'il avait gardé fit soudain venir un doute en moi. L'avais-je déçu ? Je sursautai lorsque je l'entendis annoncer à son Conseil qu'il allait consulter la Sultane Validé. Pour la première fois depuis que j'étais à ses côtés, la balance penchait du côté de sa mère et une tempête de pensées m'assaillit. A côté, les conseillers de Sélim, libérés par l'absence du Maître, se laissaient aller. Partisans de la guerre et partisans de la paix s'étaient jetés dans une dispute violente ponctuée d'injures, d'accusations et de menaces. A les entendre, ces notables étaient tous corrompus, traîtres, vendus aux Anglais, aux Russes, aux Français... ce qui pour certains d'entre eux n'était peut-être pas si faux.

Le soir était tombé et la chaleur intenable. J'étouffais dans l'oratoire exigu. Je consultai ma montre, cadeau de Sélim, et je regardai distraitement son portrait qu'il avait fait émailler à l'intérieur du boîtier. Soudain, je fus frappée qu'en dépit de l'heure tardive, il fasse encore jour. Dehors le ciel rougeoyait. Je courus à la fenêtre et je vis au loin les quartiers populaires de Constantinople ravagés par d'immenses flammes qui se dressaient dans l'air figé, tels des cyprès de feu. Un panache d'épaisse fumée noire couvrait les faubourgs de la ville, depuis la mosquée Soulemaniye jusqu'aux murailles de Théodose. J'entendis alors un roulement de tambour, aussitôt repris de tour en tour par toute la ville : c'était le signal d'alerte à l'incendie. Puis ce fut le martèlement des bâtons ferrés des veilleurs de nuit sur les pavés et leur cri lugubre, sans cesse répété, « *Yangoum war* » — « Il y a le feu ».

Comme l'exigeait une coutume immémoriale, le

Sultan devait se rendre toute affaire cessante sur les lieux du désastre. De ma fenêtre, je vis Sélim, suivi de quelques gardes seulement, traverser les cours du Harem d'été et disparaître par la Porte du Canon. La nuit d'été envahie par l'incendie était d'une saisissante beauté. Devant moi, les flammes toujours plus hautes montaient à l'assaut du ciel limpide, criblé d'étoiles. Nous étions trop loin pour entendre les hurlements de terreur de la population et seul le roulement cadencé, ininterrompu des tambours ponctuait le spectacle, terrible et superbe. Les murs tendus de velours à ramages de l'oratoire de Sélim s'animaient sous les lueurs, tandis que les miroirs et les cristaux du lustre s'embrasaient dans la magie du feu.

Le sinistre avait fait cesser la dispute entre les conseillers de Sélim. Ils demeuraient silencieux dans sa chambre d'apparat livrée aux métamorphoses du feu, et je n'entendais plus que le crissement des perles d'ambre ou d'émeraude des tchespis, des chapelets de prières qu'ils égrenaient. Nous attendîmes ainsi, eux et moi, une heure, deux heures, puis Sélim réapparut.

Son visage était noir de suie, son caftan de brocart blanc portait de longues traînées noires et les plumes de son aigrette étaient carbonisées. Il se mit à raconter ce qu'il venait de voir en ville. Sa voix basse, monocorde, rendait sa description encore plus dramatique. Il dit les maisons transformées en brasiers, les flammes sautant de terrasse en terrasse, les corps carbonisés que l'on retirait des décombres, les familles éplorées à la recherche de leurs disparus. Il dit la misère, la ruine, le sang, toutes les larmes et l'horreur de cette nuit. Et nous l'écoutions tous fascinés malgré nous.

Il parla de cette vieille femme qui l'avait interpellé

alors qu'il marchait parmi les ruines fumantes. Assise à proximité de sa masure détruite, telle la statue de la désolation et du reproche, elle avait crié au passage :

— La Mecque est prise, qu'attends-tu, Seigneur ?

La Mecque n'était pas prise — les rumeurs populaires exagéraient — mais l'Égypte était prise. Soudain, expliqua Sélim, tout lui était apparu clairement et il avait su ce qu'il devait faire. Jusqu'ici, ajouta-t-il doucement, personne dans son entourage parmi ses conseillers ne lui avait montré la voie aussi nettement que cette inconnue misérable.

Alors, il annonça qu'il autorisait la flotte russe à traverser le Bosphore et qu'il déclarait la guerre à la France.

Cette décision sans appel, faite sur un ton de détermination absolue, déclencha une tempête. Véli Zadé déclara qu'il ne sanctionnerait jamais la décision du Sultan. Le Grand Vizir ajouta qu'il se refuserait à signer le rescrit autorisant le franchissement du Bosphore par les Russes.

Sélim, les yeux fixes, perdus au loin, ne releva pas l'insoumission ouverte de ces deux fidèles. Il se contenta d'annoncer que la séance était levée.

Les conseillers se levèrent et sortirent dans le plus grand silence. Je ne bougeai pas, attendant comme d'habitude que Sélim vînt me retrouver dans l'oratoire. J'attendis inutilement.

M'étant approchée de la fenêtre, je le vis qui déambulait dans la cour, seul. Il allait de long en large sous le ciel toujours rougeoyant des lueurs de l'incendie. Il marchait d'un pas égal, sans dévier une seule fois de son parcours, faisant demi-tour à l'endroit précis où deux allées de marbre se croisaient, pour revenir sur ses pas et recommencer, toujours recommencer. Il semblait un automate, insensible à la fatigue, insensible à tout.

Je le regardais, sachant que je ne devais pas le rejoindre, sachant que je ne pouvais lui être d'aucun secours. Je compris que sans le vouloir j'avais ouvert une brèche entre nous. Je m'étais laissé emporter par l'enthousiasme de Sélim pour ses réformes, j'avais été aveuglée par mon désir de participer à son œuvre. Je n'avais pas perçu combien il souffrait de voir l'Égypte, son Égypte envahie. Avec l'intégrité de son Empire, c'était sa propre intégrité qui était menacée. Il déambulait toujours dans la cour. J'attendais la fin de cette marche horrible et je priais, je retrouvais dans l'excès de ma détresse les prières de mon enfance. Je priai Dieu qu'il fît cesser cette souffrance et cette solitude où se débattait l'homme que j'aimais, je priai Dieu qu'il me le ramenât. Mais Sélim ne vint pas.

Une main qui pressait mon épaule me réveilla soudain. Je m'étais assoupie, accroupie devant la fenêtre : Ali Effendi était là qui m'invitait à regagner mon appartement. Sélim n'avait pas regagné sa chambre, il ne s'était pas couché de la nuit. La cour était vide. Aux lueurs grises et roses de l'aube se mêlaient les flamboiements de l'incendie qui ne cédait pas. Gesticulant, le regard scintillant, Ali Effendi, trop excité pour être sensible à mon état, m'annonça une grêle de nouvelles qui composaient un menu de choix pour le Sérail. Sélim venait de déposer le Cheik Oul Islam et le Grand Vizir, un réformateur ami d'Hussein Pacha, et les condamnait tous deux à l'exil.

Ainsi Sélim n'avait pas hésité à sévir contre deux de ses collaborateurs les plus loyaux qui avaient osé se dresser contre sa décision. Mais s'y serait-il résolu tout seul ? Ali Effendi porta le coup de grâce en m'annonçant que pendant que je dormais, Sélim s'était rendu chez Mirizshah et s'était entretenu avec elle pendant plus de deux heures.

A midi de ce fameux jour, sans avoir revu Sélim, j'appris qu'il venait de désigner un nouveau Grand Vizir, Ziya Pacha. C'était comme si Mirizshah avait signé le *hati chérif*, le décret de nomination. Ziya Pacha était réputé un enragé conservateur, intime des Janissaires, des Oulémas... et de Youssouf Aga, le conseiller de la Validé. J'étais battue, mais ce n'était pas Mirizshah qui avait gagné. C'était la vieille inconnue qui avait hélé Sélim un soir de sinistre, c'était la voix du peuple :

— Qu'attends-tu, Seigneur ?

Sélim faisait afficher par toute la ville le rescrit qu'il adressait au nouveau Grand Vizir Ziya Pacha :

« Il faut que les vrais croyants entrent en guerre contre les Français et je regarde comme un devoir sacré pour moi d'employer tous mes efforts à délivrer mon Empire de leurs hordes impies. Vous ferez savoir partout aux musulmans que je fais la guerre contre les Français, et jour et nuit vous emploierez toutes vos forces à tirer d'eux une vengeance éclatante. »

Dans la joie générale, Mahmoud, Ali Effendi et même Zinah déliraient d'excitation. Le sol se dérobait sous mes pieds. Ces jours de l'été 1798 comptent je crois parmi les plus odieux de mon existence. Sélim ne venait pas me voir et se contentait de me faire porter des messages. Je restais seule, cloîtrée dans ma chambre surchauffée et imprégnée des odeurs de cuisine que je combattais avec un médiocre succès en faisant brûler encens et parfums. A ce souvenir, les effluves du mouton grillé me donnent, aujourd'hui encore, la nausée. La chaleur restait suffocante, au point que j'avais renoncé à la combattre. Je laissais les rigoles de sueur couler le long de mon visage, de mon corps. Je ne faisais même plus l'effort de changer mes vêtements humides. Je lisais à longueur de journée les Mémoires du siècle dernier. Les auteurs incroyablement prolixes de ce temps m'entraînaient dans un univers bien heureusement éloigné du présent. Mais ce qu'ils décrivaient, la Cour du Grand Roi, me ramenait invariablement au Sérail, car je n'y découvrais qu'un petit monde d'intrigues, de mesquineries, de jalousies. Et je finissais par retrouver les grands seigneurs écrivains du XVIIe siècle chez les eunuques perfides et indiscrets qui m'entouraient.

Ceux-ci me soumettaient au feu roulant des fausses nouvelles que le Sérail gobait avec gourmandise et qui filtraient à travers le rempart de mes fidèles... La flotte russe s'apprêtait à bombarder Constantinople, la révolution n'allait pas tarder à éclater, Sélim allait être déposé ou, pis, on préparait un attentat contre lui.

Plus elles sont énormes, moins elles ont de fondement, plus les rumeurs sont assurées d'une belle carrière en Orient. Le public s'en délecte et se laisse délicieusement affoler, car sa crédulité est à la mesure de son goût éternel de la catastrophe. J'avais eu le temps de me cuirasser contre ces sottises mais ma détresse me rendait faible pour résister à ces rumeurs terrifiantes et incessantes. A chaque absurdité qu'on m'assenait comme une certitude, je tremblais, je paniquais.

C'est alors que je me mis à boire du vin de Champagne. Les relations du Sérail avec l'alcool étaient empreintes d'hypocrisie. Chacun sait que l'Islam interdit la consommation de l'alcool. Néanmoins on en fabriquait dans l'Empire, même si on en interdisait la vente. Depuis toujours les Sultans en buvaient, même s'ils condamnaient leurs sujets les plus pauvres pour la même faute ; leurs sujets les plus huppés imitaient leur Maître, plus ou moins ouvertement selon leur degré de puissance. La tolérance reposait sur la règle d'or de la discrétion. On buvait de l'alcool mais on ne le disait pas. On ne devait pas voir les tonneaux ou les bouteilles et on faisait semblant de ne pas remarquer les ivrognes — il y en avait eu de notoires parmi les Sultans. Durant des siècles, ceux-ci restèrent fidèles aux alcools locaux ; le pauvre Abdoul Hamid ne reculait pas devant un verre de raki. Puis on importa des vins français, bordeaux et bourgogne, jusqu'à ce qu'un sultan, je ne me rappelle lequel, introduise le vin de Champagne.

Il y en avait des caisses qui dormaient dans les offices, pudiquement délestées de toute étiquette. Un matin où les nouvelles étaient particulièrement mauvaises, je m'aperçus qu'un verre de champagne me calmait et me permettait de supporter les rumeurs alarmistes de mes serviteurs. Désormais j'usai de champagne pour affronter le lot quotidien de rumeurs inquiétantes. Aussi passai-je ces journées étouffantes de l'été à rôtir dans une sorte de semi-torpeur, un volume de Mémoires dans la main, un verre dans l'autre.

J'aurais pu me croire très loin d'ici, n'étaient les chants des muezzins qui se répondaient de minaret en minaret quatre fois par jour. « *A illah kibiz, Allah salah* », « Dieu est grand, venez prier. » Même ces paroles me semblaient hors de contexte.

Les ressortissants français résidant dans l'Empire

avaient été mis aux arrêts. Jusqu'à ce pauvre Ruffin qui avait été incarcéré dans le château des Sept Tours, prison réservée aux diplomates.

Avec quelle joie les eunuques n'avaient-ils pas susurré à mes serviteurs qui me l'avaient rapporté que Sélim s'était trouvé en personne sur le passage du cortège des prisonniers français pour jouir du spectacle de leur humiliation. J'avais peine à imaginer tant de bassesse chez Sélim, mais je ne savais plus que croire.

Dans la Maison de France à Constantinople, plus de cent vingt prisonniers, au nombre desquels la femme et la fille enceinte de Ruffin étaient entassés, sans nourriture ni même de quoi s'étendre pour dormir. Ailleurs, dans l'Empire, les Français étaient pourchassés, maltraités, et leurs biens confisqués.

Un après-midi, un groupe d'eunuques avait pris à partie monsieur Quinteux. S'était alors engagée dans les serres du Sérail une poursuite homérique dans un grand bris de pots de fleurs. Monsieur Quinteux affirmait que les eunuques en voulaient à sa vie. Je pense qu'ils n'auraient osé massacrer le jardinier du Padishah et qu'ils voulaient simplement le malmener. Idriss, le mari de Zinah, qui musardait par là, avait tiré monsieur Quinteux des griffes de ces malotrus. J'avais ordonné qu'on me l'amenât et je l'avais dissimulé dans un réduit attenant à ma chambre, pour lors vide des esclaves qui l'occupaient généralement. Depuis, monsieur Quinteux s'y tenait et durant la journée il ne signalait sa présence que par sa toux sèche. Le soir il apparaissait timidement à ma porte, toute sa superbe oubliée. Sa mine était si misérable que j'avais pitié de lui. Je l'invitais à entrer, il n'attendait que cela pour commencer la litanie de ses récriminations et de ses plaintes.

— Pourquoi suis-je venu ici ? Pourquoi ai-je quitté la France où j'étais heureux ?

Il oubliait que la Révolution l'en avait chassé.

— Ici, « ils » sont tous des sauvages. Vous comprenez cela, Madame Nakshidil, vous êtes française comme moi...

Oui ! Les Français étaient redevenus mes compatriotes et les Turcs m'apparaissaient des barbares... tout cela à cause de cette guerre inepte commencée par Bonaparte. La haine contre cet individu me dévorait. Monsieur Quinteux, lui, louchait sur la bouteille de vin de Champagne entamée par moi. Je lui offrais un verre, puis un second, un troisième et nous trinquions à des jours meilleurs.

Un soir, interrompant ma beuverie, Mahmoud surgit tout à coup dans ma chambre, titubant, bêlant stupidement « Vive la France ! », et finissant par s'effondrer sur le tapis. Il était ivre. J'ordonnai à Ali Effendi de lui jeter un seau d'eau froide au visage. Celui-ci refusa, prétextant que ce crime de lèse-majesté l'enverrait au gibet. Hors de mes gonds, je le fis moi-même. Dégrisé, il put me fournir l'explication que j'exigeais, un discours entrecoupé de hoquets et de renvois lamentables. Dans l'après-midi, entraîné par son demi-frère Moustafa, le fils de Sinéperver, il avait découvert le placard où nous tenions le champagne, l'avait crocheté et, avec son complice, avait vidé une demi-douzaine de bouteilles. Il fallait que Mahmoud se mît de la partie en ce moment ! Je le grondai d'importance, pour m'entendre répondre :

— Tu n'as rien à dire, Mama-Nakshidil, tu en fais bien autant.

Ce fut à mon tour d'être grondée, le soir même, par Zinah.

— Tu n'as pas honte, Aimée ! T'enivrer ainsi, avec ce scrogneugneu de Français, et donner un tel exemple à ton fils !

Zinah, toute à son mari Idriss et à son bonheur que je jugeais indécent, m'était d'un médiocre secours. Elle restait pourtant invariablement optimiste.

— Tous les hommes sont pareils. Ne t'en fais pas, Aimée, le Sultan te reviendra.

En attendant, je me sentais comme les faubourgs de Constantinople, ruinée par l'incendie, réduite en cendres.

II

Sélim revint. Un après-midi il entra dans ma chambre sans faire aucun bruit, à son habitude. Soudain, il fut devant moi. Je bougeai à peine. Le moment que j'avais tant espéré me laissait presque indifférente. J'avais trop attendu pour réagir. Pour dissiper la gêne, il m'a entraînée à la fenêtre pour assister à l'arrivée de la flotte russe.

Debout, côte à côte, nous avons vu les navires jeter l'ancre sous les murs mêmes du Sérail, et les étendards impériaux, jaunes, frappés de l'aigle bicéphale, flotter dans le ciel de Constantinople. Nous entendions les cris des marins, les ordres des officiers qui dirigeaient la manœuvre. Sélim gardait le silence devant le spectacle sacrilège de l'ennemi héréditaire campant tranquillement sous notre nez, et je ne sus percer ses pensées. J'eus soudain honte de mon apparence négligée, de mes vêtements souillés, du désordre de ma chambre et je me recroquevillai.

Sélim posa sa main sur ma nuque et, comme je tournais la tête vers lui, je lus dans ses yeux cette chose quasi oubliée en si peu de temps, le désir. Mais je ne pus me livrer, m'abandonner comme jadis, car jusque dans ses bras je gardais la conscience aiguë de ce qui nous séparait désormais. Je n'étais plus l'amie de Sélim, sa complice, sa conseillère, mais seulement un objet de plaisir.

Pourtant lorsqu'il esquissa le geste de se relever, je l'enserrai dans mes bras et je le retins. Je ne voulais plus qu'il me quitte, jamais. Il resta et il déploya pour moi les trésors de sa tendresse.

Plus tard, je réussis à surmonter mes hésitations pour vider mon cœur de ce qui l'oppressait depuis des jours, et l'interrogeai sur sa présence au défilé des prisonniers français. Son rire fusa, gai et jeune, avant qu'il s'explique : s'il avait tenu à se trouver sur le passage des prisonniers, c'était pour s'assurer en personne qu'aucun mauvais traitement ne leur était infligé et non pour en tirer une quelconque satisfaction. En effet la mesquinerie n'était pas le fait de Sélim mais étais-je sûre de l'avoir toujours cru ? Enhardie, j'osai intercéder en faveur des incarcérés de la Maison de France. Sélim me promit de veiller personnellement à ce qu'ils ne souffrent d'aucun sévice et soient traités aussi humainement que possible.

— N'as-tu aucune autre grâce à me demander, Aamé ? me questionnait-il.

Je secouais la tête.

— Et mon jardinier ? poursuivit-il. Le laisseras-tu longtemps enfermé dans son réduit ?

Et pourtant, depuis que Sélim était dans ma chambre, monsieur Quinteux n'avait pas fait de bruit, n'avait pas toussé une seule fois. Mais Sélim savait toujours tout sur moi, de moi. J'avais rougi et Sélim sourit.

— Peut-être monsieur Quinteux — Sélim prononçait Quinetou — sera-t-il plus à l'abri au Palais de France.

Il y avait dans sa voix un accent joyeux. Sélim redevenait naturel. En intercédant, en quémandant, je venais de lancer un pont fragile entre nous. L'empressement de Sélim à me satisfaire me prouvait qu'il n'attendait qu'une occasion de rétablir notre lien...

— Nous dînerons ensemble, Aamé ? dit-il du ton le plus naturel.

— Le Padishah daignera attendre que son esclave se prépare, lui répondis-je.

Lui parti, je me regardai dans le miroir. J'étais à faire peur. Zinah, Cévri, mes esclaves furent convoquées pour me rendre prestement une apparence convenable. Hammam, massage, maquillage, parfumage, habillage ; pantalons et boléro de soie blanche brodée d'argent, chemise de mousseline blanche à boutons de diamants, ruisseaux de perles un peu partout...

Sélim avait lui aussi fait des préparatifs. Au lieu de sa chambre d'apparat il avait choisi de dîner dans un des Kiosks surmontant les deux grosses tours de pierre qui gardent la Porte du Canon. Ouvert aux brises marines, le Pavillon surplombait le Bosphore. Les eaux molles et noires de la nuit, striées ici et là par le fanal d'une barque, formaient une scène sur laquelle étaient posées là-bas les lumières de Péra, de Galata, de Scutari sur la rive asiatique. Toute la soirée nous n'avons fait que rire. Sélim et moi avions à cœur de rester légers, gais, après le cauchemar des dernières semaines, et nous évitâmes tout sujet épineux.

Monsieur Quinteux fut emporté hors du Harem d'été et envoyé rejoindre ses compatriotes. Des secours en vivres, en vêtements, en argent furent accordés aux prisonniers français. Grâce à Sélim, ils avaient non seulement évité le pire — le massacre inévitable et traditionnel en ces circonstances — mais un certain confort adoucissait leur détention. Leur reconnaissance parut des années plus tard, dans les Mémoires que publièrent certains d'entre eux et où ils décrivirent à l'envi les terribles cruautés du Sultan à leur égard. Mes compatriotes ont toujours besoin de grogner. Seul Ruffin fut équitable et rendit hommage à la magnanimité de Sélim.

C'est sans regret que, l'automne venu et le Harem d'été fermé, j'avais regagné le Kiosk d'Osman. Nous avions retrouvé, Sélim et moi, nos tête-à-tête, la douceur de nos étreintes, et nous offrions à nos proches le spectacle d'une inaltérable entente. Néanmoins Sélim ne quêtait plus ni mes conseils, ni mes avis. A l'ennui que j'éprouvais de ne plus participer aux délibérations, au regret d'être écartée des décisions, je découvrais que j'avais, par nature et par acquis, du goût pour la chose politique. Mon amour pour Sélim me dictait d'ailleurs de regagner auprès de lui mon rôle de conseillère. Je savais qu'il avait besoin d'avoir confiance en moi, car personne autour de lui n'était plus désintéressé. L'occasion de reprendre mon influence de haute lutte ne se fit pas trop attendre.

Les Russes, forts de notre alliance et de leurs succès, prétendirent envoyer une de leurs armées en permanence dans les Balkans sous prétexte d'y assurer la protection de l'Empire. Nous nous trouvions dans la situation même que Véli Zadé et l'ancien Grand Vizir avaient voulu éviter, ce qui leur avait coûté disgrâce et exil. Les conservateurs, si forts dans l'intrigue pour déloger leurs opposants, Mirizshah elle-même, si subtile pour neutraliser ses rivales, se révélèrent incapables de sortir de cette situation épineuse car il s'agissait à la fois de se protéger des Russes et de ne pas les heurter. La diplomatie turque pourtant réputée expérimentée et retorse, se montrait en l'occurrence indécise.

De façon détournée, Sélim essaya plusieurs fois de m'arracher un avis, revenant plusieurs fois à la charge. Je le laissais faire et prenais un plaisir certain à éviter de lui donner un conseil. Les pressions russes s'accrurent. Aux abois, Sélim en arriva à me demander carrément ce qu'il devait faire. Je consentis à lui soumettre le plan que j'avais eu le temps de mûrir grâce aux informations de Hussein Pacha qui avait continué à me tenir au courant de la situation.

Russes et Anglais étaient alliés, mais des alliés soupçonneux et férocement rivaux. Il fallait, suggérai-je à Sélim, intimider les Russes en les menaçant de resserrer nos liens avec les Anglais et tenir pareillement les Anglais en agitant l'épouvantail d'un rapprochement avec les Français. Sélim protesta : jamais il ne traiterait avec les Français tant que ceux-ci n'auraient pas évacué l'Égypte.

— Qui te parle de traiter avec la France, Seigneur ? Il s'agit simplement de laisser accroire aux Anglais...

— Et quelle carte jouerons-nous contre les Français ?

— La guerre, Seigneur. Non pas la guerre du bout des doigts comme nous la faisons présentement, mais la guerre totale, sans merci.

Les Anglais contre les Russes, les Français contre les Anglais, la guerre contre les Français, ce jeu de quilles, mené de main de maître, aboutit rapidement à la signature de deux traités d'alliance avec l'Angleterre et la Russie, aux conditions imposées par Sélim. Lui et moi avions gagné sur toute la ligne : j'avais de nouveau l'oreille de mon Seigneur, il avait écarté le danger russe.

Les Anglais nous firent un cadeau dont j'appréciai tout le sel. Les marins de Lord Nelson avaient intercepté les courriers de l'armée française en Égypte, y avaient trouvé les lettres de Bonaparte à Joséphine, les avaient publiées et répandues partout. Un formidable éclat de rire secoua l'Europe et moi-même. Dans un très mauvais style, passionné et furieux, Bonaparte reprochait à ma cousine de le tromper, pendant qu'il était au loin. Il savait tout du bel Hippolyte Charles, l'amant de Joséphine. Il menaçait, il suppliait, bref le conquérant, dans sa rage impuissante, se rendait ridicule. Les cocus ont toujours eu le mauvais rôle et douce m'était la certitude que Bonaparte, s'il faisait tant de malheureux, n'était pas plus heureux lui-même.

Au début de l'année 1799, Bonaparte entrait en Syrie. Gaza tombait rapidement puis Jaffa. Bonaparte se portait sur Saint-Jean-d'Acre, notre dernière place forte importante au Moyen-Orient. La forteresse était défendue par une fameuse fripouille, le vieux Djezzar Pacha, un Bosnien justement surnommé le Boucher.

A plusieurs reprises les Sultans avaient dépêché à ce rebelle l'ordre de le mettre à mort par des messagers dont il avait régulièrement renvoyé à Constantinople les têtes cousues dans des sacs. Le siège que Bonaparte mettait devant son repaire le rangeait, pour une fois, du côté du Sultan. Mais la bravoure indiscutable de ce vieillard et ses maigres forces offraient un piètre rempart contre une armée jusqu'alors invincible.

Le Divan discutait fiévreusement et attendait passivement le désastre. Pour les vieux, le *Kismet*, la fatalité, revenait fort à propos sur le tapis. Les jeunes étaient sincèrement prêts à se faire tuer pour leur patrie et leur Sultan, mais là s'arrêtait leur initiative. Alourdis par leur éducation, enfoncés dans la tradition, les plus zélés des réformateurs ne parvenaient pas à prendre une décision, un risque. Je réalisai combien Sélim, en dépit de ses amis, était seul. Seul comme l'avait été Abdoul Hamid mais avec en plus la jeunesse, l'ardeur dans la bonne volonté, et mon amour. Était-ce parce que j'étais une étrangère, était-ce parce que j'étais une femme, j'étais toujours la seule à pencher en faveur du risque à prendre. Perdu pour perdu, je persuadai Sélim de dépêcher en renfort à Saint-Jean-d'Acre un escadron du *Nizam i Jedid*, son armée nouvelle, sous le commandement de Hussein Pacha.

Aussitôt dit, presque aussitôt fait : quelques semaines plus tard, la nouvelle nous parvint que les troupes du *Nizam i Jedid* avaient réussi à percer les lignes françaises et à s'introduire dans Saint-Jean-d'Acre. Nous n'en étions pas beaucoup plus avancés. Nous n'osions pas nous l'avouer, Sélim et moi, mais nous considérions, chacun de notre côté, la chute de Saint-Jean-d'Acre comme inéluctable. Et après ? Saint-Jean-d'Acre tombé, plus rien ne s'opposerait à la marche triomphale de Bonaparte jusqu'à Smyrne, jusqu'à l'Anatolie et jusqu'à Constantinople, but déclaré de notre envahisseur. Au moins avions-nous tenté l'impossible. L'attente commença, interminable, insupportable.

Ce fut moi cette fois qui suggérai une escapade pour distraire Sélim. J'avais choisi de l'entraîner à Scutari, sur la rive asiatique du Bosphore où se tenait une foire. Il était trop préoccupé pour accepter avec enthousiasme. Nous nous sommes consciencieusement déguisés comme la dernière fois, nous avons discrètement quitté le palais et par un réseau de ruelles mal pavées et tortueuses nous avons gagné les quais dominés par la masse de la Mosquée de la Sultane Validé. La foule qui déambulait entre les chiens errants et faméliques me parut le contraire de celle du Bazaar, c'est-à-dire singulièrement terne et morne. Les bruns, les beiges, les bleus sombres, dont se vêtent exclusivement les civils turcs confirmaient cette impression. Le petit peuple turc semble vouloir se confondre au décor et se dérobe sans cesse au regard.

Nous avons stationné un moment parmi la foule patiente, et nous nous sommes embarqués avec elle, en silence, dans un *bazar-kaïk,* ces grosses barques qui assurent le transport public sur le Bosphore : il y avait avec nous des femmes qui revenaient du Bazaar et se montraient leurs menus achats, des paysans d'Anatolie qui regagnaient leurs montagnes de la Turquie Centrale, des familles de bourgeois qui se rendaient à la foire de Scutari, tout comme nous. L'inconfort de cet entassement ne provoquait pas le moindre geste intempestif, pas la moindre querelle. Nomades dans l'âme, les Turcs ont une science innée du voyage.

Dès que notre *bazar-kaïk* s'est éloigné du quai, Sélim a changé de visage et pris celui d'un enfant émerveillé. Il n'était plus le Seigneur condamné à la majesté qui voguait sur la grande barque impériale rouge et or. Il se trouvait mêlé à son peuple et il découvrait sa ville. Constantinople, Galata, Scutari, comme trois villes sœurs séparées par le caprice de l'onde, nous offraient l'étrange forêt dépouillée des minarets et des cyprès dressés vers le ciel, leurs jardins étagés, leurs maisons blanches et rouges.

La rive de Scutari, dont nous approchions, était bordée de « yalis », les villégiatures de bois peint en rouge foncé des riches habitants de Constantinople. Nous avons fait un tour à la foire, surtout pour nous ouvrir l'appétit et nous rendre impatients de nous attabler dans l'une des humbles tavernes qui fleurissaient entre les yalis. Nous nous sommes installés autour d'une table branlante à l'ombre d'un dais de palmes séchées. Nos pieds touchaient presque l'eau qui clapotait doucement. Nous avons fait grand honneur aux dolmades — boulettes de riz farci dans des feuilles de vigne — à la fèta — le fameux fromage de chèvre mariné dans l'eau salée — au kebab — les brochettes de viande grillée. Mais le délice — inconnu au Sérail — reste pour moi ce poisson plat pêché uniquement dans le Bosphore, à l'aspect répugnant, mais à la chair succulente.

Nous jouissions de la chaleur douce du printemps, du soleil, des senteurs de la mer, du raki, du tableau lointain de Constantinople. Vers la fin du repas, l'aubergiste s'approcha, curieux selon l'usage d'engager la conversation et d'en savoir plus sur ses clients. Selon le même usage Sélim commença à l'interroger sur la marche de ses affaires.

L'homme était une sorte de géant au crâne rasé, à l'exception de la touffe de cheveux par laquelle Allah le tirerait un jour dans son paradis.

— Comment voulez-vous que les affaires marchent avec le Sultan que nous avons ? C'est un incapable. Pensez donc, il est tellement impuissant qu'il ne visite même pas les femmes de son Harem.

J'ai vu Sélim rougir et j'ai craint le pire. Mais il s'est contenté de faire remarquer que le Sultan n'aimait peut-être qu'une femme.

— Allons donc, a rétorqué l'aubergiste avec un rire gras. Un vrai musulman ne se contente jamais d'une seule femme... Non, non, notre Sultan est un incapable ! Grâce à lui nous verrons bientôt les Français, ces maudits giaours, à Constantinople. Bientôt Acra sera aux mains de ces giaours et nous n'aurons plus qu'à nous soumettre.

— Le Sultan, murmura Sélim, a envoyé un escadron de sa nouvelle armée pour défendre Saint-Jean-d'Acre.

L'aubergiste ricana méchamment :

— Vous ne pensez pas sérieusement que cette poignée de blancs-becs soit capable de soutenir un siège contre ce diable qui mène les Français ! Il n'y a que le Sultan pour espérer cela... La vérité, c'est qu'il fallait envoyer les Janissaires à Acra, eux savent se battre. Mais le Sultan a peur des Janissaires.

Sélim s'est brusquement levé, il a bousculé la table et d'une voix enrouée par la rage il a crié que les Janissaires étaient des lâches seulement capables de terroriser le peuple et de se révolter contre leur maître et de perdre des batailles.

Alors l'aubergiste, suffoquant d'indignation, cramoisi de colère, s'est mis à invectiver Sélim, l'accusant de traîtrise, ameutant les clients attablés à l'intérieur de la taverne contre cet espion des giaours. Je restai pétrifiée. Les familles attablées alentour se tenaient coites, apeurées et décidées à ne pas prendre parti, tandis que de la taverne obscure surgissait une dizaine d'énergumènes qui renversèrent narguilés, tables et jeux de jacquet, et foncèrent sur nous. Sélim sortit de sous sa robe de bure son poignard. Ce geste, la vue du poignard précieux stoppèrent net les assaillants et Sélim mit à profit leur hésitation pour me saisir par le poignet et m'entraîner dans une course folle à travers les ruelles de Scutari. La peur du scandale plus que des fiers-à-bras nous talonnait. Revenus de leur étonnement, nos assaillants s'étaient lancés à notre poursuite mais ils étaient alourdis par le raki ; ils renoncèrent à nous rattraper et nous pûmes gagner le quai d'embarquement, essoufflés, le cœur battant mais sans être inquiétés.

Nous nous sommes jetés sur le premier *bazar-kaïk* en partance. En jouant du coude nous nous sommes glissés à la seule place exiguë et libre de la barque comble et nous avons communié dans le silence résigné des passagers.

Alors que l'ordre de départ venait d'être lancé par le maître rameur, un Janissaire a surgi sur le quai et a sauté *in extremis* dans l'embarcation déjà surchargée. Il avait l'arrogance de ceux qui savent pouvoir tout s'autoriser et le passeur n'a osé émettre aucune protestation. Les rameurs se sont arqués dans un même mouvement, et la barque s'est éloignée du quai. Le Janissaire dévisageait les passagers, bien campé sur ses deux jambes, les mains sur son sabre. Il se tenait non loin de nous et comme je le redoutais, son regard s'arrêta sur Sélim qu'il interpella soudain :

— Toi, le derviche, dis à ta *hanoum* de se lever et de me faire la place !

Désireuse d'éviter un nouvel incident, j'ébauchais

déjà le geste de me lever mais la poigne de Sélim me maintint assise. Calmement, il ripostait :

— Ma *hanoum* occupait cette place avant ta venue. Si tu souhaitais être assis, il te fallait attendre la barque suivante.

Le Janissaire se fit menaçant :

— Je te trouve bien insolent pour un derviche. Sais-tu que je pourrais te fendre en deux avec ce sabre ?

Les passagers se taisaient peureusement, la tête basse. La main de Sélim me maintenait fermement, jusqu'à me faire mal, et il avait relevé la tête, regardant le soldat droit dans les yeux.

— Où t'es-tu battu, Janissaire, pour faire le glorieux ? Contre l'ennemi ou contre l'innocent ? Toi et tes semblables vous avez fait la preuve de votre couardise à la guerre. Par contre vous savez opprimer le peuple, vous en prendre à un derviche désarmé et à une femme...

Ce discours inusité avait sensiblement modifié l'atmosphère à bord du *bazar-kaïk*. Sans se risquer à le montrer ouvertement, les passagers approuvaient Sélim. Le Janissaire dut également percevoir que la majorité lui était hostile.

— Je te laisse, derviche. Tu es un étranger, tu ne sais même pas parler le turc.

Avec cette dernière injure, il abandonna la partie, se dirigea vers l'avant de la barque, bousculant tout le monde au passage. Sélim n'utilisait que la langue de cour, différente du turc populaire, d'où l'allusion du Janissaire. Sélim en fut horriblement vexé, tandis que j'étais toute à mon soulagement : nous avions évité l'incident.

Les jours suivants, Sélim et moi, chacun de notre côté, nous nous abandonnâmes à nos réflexions, au point que la fin mouvementée de notre escapade était devenue une expérience édifiante. J'avais pris la mesure du désespoir du peuple turc. Je l'avais approché, je l'avais observé, je l'avais écouté, et j'étais plus convaincue que jamais que ce peuple souffrant méritait qu'on le défendît, qu'on se préoccupât de son sort. Curieusement, les mêmes détails qui me persuadaient de la nécessité et de l'urgence de réformer le pays, avaient ébranlé Sélim au point qu'il doutait du bien-fondé de son action. Il se reprochait d'avoir péché par trop d'orgueil. Peut-être les nouvelles du siège de Saint-Jean-d'Acre, qui n'arrivaient pas, accentuaient-elles son manque de confiance en soi. Alors que mes convictions sortaient fortifiées de ce que j'avais vu et entendu, Sélim se débattait dans ses doutes, tantôt pensant qu'il s'était gravement fourvoyé, tantôt énumérant les effets positifs des réformes déjà appliquées. Chaque fois que nous abordions ensemble le sujet, je m'ingéniai à lui insuffler ma certitude et à le maintenir à bout de bras sur la voie juste et généreuse qu'il avait choisie.

L'aube blanchissait à peine en ce matin de mai, et je dormais profondément, lorsque je me sentis soudain violemment secouée. Hagarde, les yeux mal dessillés, j'ai vu Sélim penché sur moi, j'ai entendu sans les saisir ses paroles précipitées.

— Réveille-toi, Aamé, je t'en prie, réveille-toi. Un courrier vient d'arriver de Saint-Jean-d'Acre. Bonaparte... le siège...

L'esprit encore empesé de sommeil, je fixai Sélim d'un œil rond et stupide. Il a appelé Cévri :

— Apporte un café fort à la Kadine.

Il s'est assis à mes côtés, m'a pris la main, l'a caressée et m'a répété :

— Écoute, petite Aamé, écoute la nouvelle. Saint-Jean-d'Acre est sauvé ! Bonaparte a levé le siège. Bonaparte a évacué la Syrie.

Ayant rassemblé mes esprits, je pus lire la lettre de Djezzar Pacha où celui-ci vantait l'ardeur combative, le courage, la discipline des soldats du *Nizam i Jedid* qui avaient grandement contribué à faire reculer l'envahisseur. Djezzar Pacha n'abusait pas souvent de la flatterie. C'était le seul vice qui manquait à la collection du vieux brigand, et Sélim rayonnait.

Pour fêter la victoire du *Nizam i Jedid*, je demandai à Sélim la permission de donner une fête. Au moins les intrigantes du Harem apprendraient une bonne fois que la Kadine française n'était plus française de cœur.

La soirée débuta dans le décor habituel du Hall du Sultan par un concert de musique orientale d'excellente qualité que nous fûmes seuls, Sélim et moi, à apprécier. Toutes les dames, depuis la Validé jusqu'à la dernière Gödze, attendaient avec impatience la surprise qu'on leur avait annoncée et se moquaient en vérité de ces prémices mélodieuses. L'orchestre ayant achevé, je les laissai quelques instants échanger des regards déçus, avant que le Kislar Aga ne s'avançât et, s'étant incliné devant Sélim, le priât de le suivre avec toute la Cour. La cohorte babillante suivit Billal Aga à travers la Voie d'Or jusqu'au Sélamlik, jusqu'à cette vaste terrasse qui surplombe la ville entre le Pavillon de la Circoncision et le Pavillon de Bagdad. Sélim prit place sous l'Iftariye, sorte de dais en bronze doré, surmonté du Croissant, d'où le Sultan assistait traditionnellement aux fêtes du Ramadan. Les dames s'installèrent le long de la balustrade de marbre d'où l'on découvrait la ville figée sous un ciel de velours noir clouté d'étoiles. La luminosité des nuits d'Orient permettait de distinguer les grands arbres des jardins du Sérail, puis plus loin les quartiers abandonnés au sommeil et les mâts des vaisseaux ancrés dans les eaux noirâtres de la Corne d'Or.

Je laissai monter autour de moi un crescendo de murmures, de petits rires, de questions étouffées, qui retomba dans un silence interrogateur. A mon signal, brusquement, la nuit calme fut déchirée de détonations tandis que des quatre coins de la ville enténébrée partirent des fusées lumineuses qui allaient éclater très haut dans le ciel en bouquets scintillants, colorés, mouvants, chaque fois plus surprenants.

Mes invités, d'abord muets de surprise, poussaient des gémissements d'extase auxquels répondaient des cris d'enthousiasme venus de toute la ville. Car la population de Constantinople, réveillée par les déflagrations, s'était ruée aux terrasses et aux balcons et admirait sans réserve. Sans la voir, je la devinais, les yeux levés au ciel, frémissante, émerveillée. Le peuple participait à la fête comme je l'avais voulu. Les détonations joyeuses continuaient à secouer la ville et le ciel n'était plus qu'un dais de lumière et de fumée multicolores.

Je sus plus tard que de mémoire d'homme, on n'avait jamais vu aussi fantastique feu d'artifice. Les artificiers français m'avaient bien servie. Ayant appris leur détention à la Maison de France, je les avais fait libérer et ils avaient travaillé jour et nuit à préparer cette féerie d'un soir.

Vint le clou de la fête : au-dessus de toute la ville se dessina, en lettres de feu, la *tougra,* la signature stylisée de Sélim telle qu'on la trouvait sur tous ses firmans. Le Sultan signait sa victoire. Alors ce fut un délire d'applaudissements, de hurlements, de hourras auxquels se mêlait le cri traditionnel, repris par tout le peuple : « Mille ans à notre Padishah ! »

Les félicitations unanimes, et pour une fois sincères, de ces dames, me firent connaître un moment de gloire, aussi éphémère que mes fusées mais ma récompense suprême fut le sourire à nul autre pareil dont me gratifia Sélim en passant devant moi. L'éclat de la fête me rendit la considération du Harem que l'éloignement de Sélim m'avait un temps ôtée.

Après la délivrance de Saint-Jean-d'Acre, les événements s'accélérèrent. Plantant là son armée, Bonaparte disparaissait d'Égypte, réapparaissait en France, renversait par un coup d'État le gouvernement du Directoire et prenait le pouvoir avec le titre de Consul qu'il s'était inventé. Notre armée régulière débarquait en Égypte et, se joignant aux troupes anglaises, repoussait les Français, leur reprenait Le Caire, puis Alexandrie, et les forçait à réembarquer. L'Égypte était libérée. Et pourtant...

Nos services secrets interceptèrent une lettre du commandant anglais en Égypte, le général Hutkinson, à son ambassadeur à Constantinople, que Sélim et moi lûmes ensemble :

« Les Turcs par eux-mêmes ne seront jamais capables de se maintenir en possession de l'Égypte. Ce ramassis d'êtres animés ou plutôt d'êtres sans âme, que le Grand Vizir appelle son armée, va rapidement se disperser. Plus je réfléchis, plus je me convaincs de l'absolue nécessité de soutenir les Mamelouks. »

Les Mamelouks étaient cette caste de militaires

féroces et batailleurs qui avaient occupé l'Égypte avant les Turcs et qui espéraient toujours nous la reprendre. Bien sûr, conséquence de l'occupation puis de l'évacuation des Français, la situation en Égypte était confuse et nos Pachas avaient du mal à reprendre l'administration en main. Mais que venaient faire les Mamelouks dans cette affaire ? De quoi se mêlaient les Anglais, se demandait Sélim.

— C'est seulement qu'ils veulent rester en Égypte pour occuper la place laissée toute chaude par les Français, lui répondis-je.

Sélim ne me crut pas. Pour lui, l'ennemi depuis des siècles, c'étaient les Russes. Pour moi, l'ennemi, depuis l'enfance, c'étaient les Anglais. J'avais pour ainsi dire « vécu » la furieuse rivalité coloniale qui les avait opposés aux Français dans les Antilles. Mon ancêtre Pierre Dubuc y avait participé, ma famille m'en avait parlé. Je me rappelais la guerre franco-anglaise pour l'hégémonie qui, dans mon enfance, nous avait coupés de la France.

— Là où les Anglais mettent le pied, ils y restent, ajoutai-je pour Sélim.

Et je le suppliai d'envoyer d'urgence en Égypte des troupes, des armes et un homme à poigne. Hussein Pacha se dévoua une fois de plus et partit avec notre flotte.

L'avenir proche devait, à mon regret, donner raison à Cassandre-Nakshidil. Bientôt, les deux larrons, l'Anglais et le Mamelouk, signaient un accord dans notre dos, à nos dépens : le Mamelouk était restauré dans tous ses biens et ses antiques droits, en échange de quoi il permettait à l'Anglais d'occuper Alexandrie, Rosette et Damiette, c'est-à-dire de s'installer en Égypte.

Sélim en conçut une admiration pour mes dons prophétiques, et une rage également sans bornes contre la traîtrise de son « allié » anglais.

Hussein Pacha disposait de troupes insuffisantes pour réduire les Mamelouks. Aussi choisit-il d'utiliser la ruse qu'il maniait aussi bien que la force. Il invita les deux cent cinquante chefs mamelouks à un banquet sur son navire amiral ancré en rade d'Alexandrie. Les Mamelouks se harnachèrent de leur rutilante tenue de fête et se rendirent, brodés sur toutes les coutures, au port. Les soldats d'Hussein Pacha leur faisaient une garde d'honneur jusqu'au quai où les attendaient les chaloupes de la marine impériale. Ils avaient atteint le milieu de la rade lorsque certains d'entre eux, moins naïfs que les autres, ou inquiets de ce déploiement de forces, conçurent des soupçons et ordonnèrent aux matelots de faire demi-tour. Ces derniers refusèrent. Les Mamelouks tirèrent leurs poignards et les menacèrent. Hussein Pacha, qui observait la scène avec sa lunette, donna ordre aux soldats dissimulés sur le pont de ses navires de tirer. La mitraille calma les Mamelouks. Hussein Pacha put mettre la main sur la plupart d'entre eux sans qu'il y en eût trop d'abîmés ou de tués. Et les chefs mamelouks, en guise de souper, connurent les soutes de nos bateaux.

Nous avions à peine eu le temps de nous féliciter de ce coup de filet, que nous apprenions que Hussein Pacha avait dû relâcher les Mamelouks. Le commandant anglais Hutkinson, outré de voir ses manœuvres déjouées, avait brutalement réagi et avait menacé Hussein Pacha de lancer contre lui son armée si les bons Mamelouks n'étaient pas incontinent libérés. Hussein Pacha avait dû s'incliner et nous vîmes, avec ébahissement, les Anglais venus en Égypte comme nos amis, nous y traiter en ennemis.

Cependant, Hussein Pacha et la flotte impériale étaient là et bien là. Le général Hutkinson comprit qu'il ne pourrait poursuivre impunément la mainmise anglaise sur l'Égypte tant que cette sentinelle le surveillerait. Le gouvernement britannique vit que le coup était manqué et ordonna à ses troupes d'évacuer l'Égypte.

— L'alerte a été chaude, fis-je remarquer à Sélim, si Hussein Pacha n'avait pas été là...

— Et si une petite Française ne s'était pas souvenue des leçons d'histoire de son enfance... ajouta Sélim.

III

Attelée à ma tâche première d'assister Sélim, j'avais décidé d'y être plus efficace, afin de pallier les lacunes et de prévenir les défaillances. Au lieu d'attendre qu'on sollicitât mes conseils, il me fallait dorénavant prendre l'initiative.

Hussein Pacha n'était plus là pour m'assister. Épuisé à la tâche, il était mort, la quarantaine à peine atteinte. Sélim avait perdu son meilleur, sinon son seul ami, et moi, le complice qui, dès le début, m'avait témoigné affection et confiance. Mon attention s'arrêta sur un de ses collaborateurs, Ibrahim Nessim, partisan acharné des réformes.

Je pris l'habitude de le recevoir et de m'entretenir avec lui des affaires de l'État. Une tête d'empereur romain sur un corps trapu, puissant, tendant à l'embonpoint, Ibrahim Nessim, c'était l'intrépidité, l'ardeur, la rapidité dans les décisions comme dans les mouvements, et un caractère d'acier.

Le second assistant que j'avais choisi offrait un saisissant contraste avec lui. Ahmed Effendi, secrétaire privé, l'ombre de Sélim. Le calme, la réflexion et la discrétion en personne ; il avait en outre une capacité de travail à toute épreuve : il pouvait rester des nuits entières sur son écritoire. Grosse tête ronde, blond et velu, le nez en bec d'aigle, Ahmed Effendi était un noble. Ibrahim Nessim était un guerrier ferraillant dans la politique.

Le premier faisait le relais entre moi et Sélim tandis que le second figurait mon oreille et ma bouche au sein du Divan.

Je déplorais le conflit entre Mirizshah et moi, entre la mère et l' « épouse », dont Sélim était le premier à pâtir. Tout autant que moi, elle souhaitait le bien de Sélim et je jugeais absurde que, poursuivant le même but, nous soyons adversaires. J'entrepris donc de me réconcilier avec elle. Tout d'abord, je lui fis tenir une garniture de salon en soie rose des Indes, que j'avais, affirmai-je, brodée moi-même d'œillets de poète en fil d'or à son intention. Elle savait tout aussi bien que moi que j'étais incapable de tenir une aiguille. Elle n'en vanta pas moins mon habileté, s'extasia devant la beauté de la garniture et ne put pas ne pas m'inviter à en juger l'effet. Je fus donc reçue, apparemment en amie et, après les protestations de bienvenue et politesses d'usage, je me tournai vers Sélim pour critiquer l'exiguïté des appartements de sa mère. Mirizshah ne disposait que d'un salon prolongé par une chambre à coucher, elle-même séparée par une grille d'un minuscule oratoire. Oui, vraiment cette habitation me semblait indigne de la Sultane Validé, second personnage de l'Empire, et je suggérai qu'on l'agrandît. L'appât était un peu gros, mais la Validé en question y mordit. J'allai jusqu'à proposer de veiller personnellement à la décoration du nouvel appartement. La Validé daigna accepter avec gratitude. Sur mes indications, on construisit donc une avancée de bois au-dessus du vieil appartement de Mirizshah pour y nicher deux vastes salons, de réception et d'attente. Je connaissais le goût de Mirizshah pour le faste et sa faiblesse pour le style français, qui l'emportait sur sa haine de la France. Je recourus indirectement aux bons offices de Pierre Ruffin, enfin libéré après trois années de détention au château des Sept Tours, et, grâce à lui, je disposai d'une équipe d'ouvriers français qui en peu de temps fabriquèrent un décor surchargé, qui s'inspirait du style qui sévissait en France un demi-siècle auparavant. Partout les ors et les verts triomphaient, et j'avais fait encastrer dans les boiseries de vastes vues de parcs à la française, qui alternaient avec de grands miroirs. Les lustres, les girandoles étaient importés de France, comme les carreaux de faïence qui tapissaient les cheminées et qui couraient le long des murs portant l'inscription dédicatoire.

« Mer de constance, couronne de continence, mine de bienveillance, astre du septième ciel, nacre de l'Empire », y lisait-on entre autres. Je n'avais pas lésiné sur les qualificatifs de la Validé.

Le nouvel appartement, quintessence de la vogue persistante du style Louis XV, éblouit le Harem et désarma Mirizshah à mon encontre. L'attention qui la toucha le plus profondément fut l'ouverture, à mon initiative, d'un couloir entre ses salons et l'appartement de Sélim. Mirizshah était assez fine pour avoir compris qu'avec le couloir-symbole, je lui signifiais que je ne voulais ni l'apanage de Sélim, ni de rivalité avec elle, deux intentions dont elle m'avait fortement soupçonnée.

La composition du nouveau gouvernement scella notre réconciliation. L'extraordinaire bêtise de Ziya

Pacha, le Grand Vizir, ses coups de tête désastreux, ses négligences criminelles justifiaient un renvoi ignominieux. Je conseillai à Sélim de le maintenir à son poste pour flatter Mirizshah qui l'y avait hissé — elle m'en sut gré — et parce que sa nullité même était garante de sa docilité. Hier conservateur acharné, il serait demain réformateur zélé, encore stupéfait d'avoir évité la disgrâce.

Le remaniement nous permit de rappeler Véli Zadé, exilé au début de la guerre d'Égypte. Mirizshah se réjouit autant que nous de voir son plus vieil ami rétabli dans ses fonctions de Cheik Oul Islam. Ces concessions faites à Mirizshah et à ses alliés, j'ai pu pousser mes pions. Ibrahim Nessim a donc été nommé Kiaya Beg ou ministre de l'Intérieur. Tous ceux qui détiennent le pouvoir ou qui se le disputent disposant en ce pays de leur service d'espionnage, je n'ai pu me permettre d'être en reste. J'ai donc chargé Ali Effendi de me constituer un réseau limité mais efficace, et lui remis à cet effet pas mal de bourses d'or. En un tour de main, ce virtuose de l'intrigue réussit à circonvenir dans chaque aile du Sérail, dans chaque palais de la capitale, l'esclave le plus vénal, l'eunuque le plus corrompu et j'eus désormais mes stipendiés de l'ombre, dans les ministères, au Divan, chez Mirizshah, dans l'entourage de Sinéperver et dans les ambassades.

Ce fut par mes espions que j'appris, avant Sélim, l'agitation qui régnait dans les ambassades en ce début 1804. En dépit de la paix qu'il avait signée, Bonaparte multipliait les agressions, et les puissances étaient en alerte. De tous côtés on fourbissait les armes. Il devenait évident que l'Empire Turc ne pourrait rester en dehors d'une guerre générale et nous suivions l'évolution de la situation au jour le jour. Aussi fus-je agacée de voir notre attention détournée par nos démêlés avec les Américains.

Ceux-ci travaillaient intensément à développer leurs échanges commerciaux avec l'Empire Turc, mais refusaient de payer tout tribut à nos vassaux théoriques, les pirates barbaresques. Ces derniers, outrés de cette entorse ruineuse aux usages, avaient arraisonné un certain nombre de navires américains et les États-Unis d'Amérique venaient de riposter en envoyant une flotte sous le commandement de William Bayn-Bridge pour organiser le blocus de Tripoli en Libye. Les pirates s'étaient emparés des marins qui prétendaient les assiéger et les avaient emprisonnés jusqu'à ce qu'une petite patrouille américaine réussisse à les délivrer. Elle était menée par Paul Jones, le corsaire naguère allié aux Russes, qui avait tant contribué à la défaite d'Hassan Pacha. L'exploit était remarquable mais inadmissible : j'opinais pour envoyer le *Nizam i Jedid* nettoyer la Méditerranée de ces indésirables.

Sélim refusa, désireux d'éviter la belligérance, surtout alors que la situation générale se tendait de plus en plus.

Là-dessus, Bonaparte se proclama Empereur des Français, et demanda que nous reconnaissions sa nouvelle dignité. Les ambassadeurs russes et anglais bondirent chez le Rais Effendi, notre ministre des Affaires étrangères, pour s'y opposer. Pendant des semaines, on assista au ballet des diplomates qui venaient tour à tour insister, exiger, protester. Le ton monta, les notes diplomatiques portaient des menaces à peine déguisées, Sélim laissa le Divan palabrer inlassablement et s'accrocha à sa neutralité.

Bien plus que la reconnaissance ou non du titre usurpé par Bonaparte, les puissances voulaient savoir quel camp nous allions choisir alors que la guerre semblait de plus en plus inévitable. Sélim renâclait à s'allier aux Russes, l'ennemi héréditaire, et aux Anglais, dont il avait tâté « l'amitié » en Égypte. Je déconseillai de nous rapprocher de la France, ayant vu Bonaparte rompre la plus solide alliance avec la Turquie pour satisfaire son ambition. L'intérêt de l'Empire nous dictait la neutralité. Sélim décida de ne pas prendre parti, ce qui ne satisfaisait pas les puissances.

Notre ambassadeur à Paris nous envoya une relation caustique du couronnement de Bonaparte en la cathédrale Notre-Dame de Paris. Les ardents révolutionnaires d'hier, aujourd'hui empanachés, bourgeonnant de titres récents et de décorations, paradaient avec les aristocrates d'avant-hier qu'ils avaient voulu guillotiner et les prélats qu'ils avaient voulu étriper.

La tribu corse, frères et sœurs de « l'Empereur », s'entre-déchirait presque jusqu'au pied de l'autel et Madame leur mère, fâchée avec son fils, n'avait pas assisté à la cérémonie.

Dans ce carnaval, la seule à échapper au ridicule avait été ma cousine Joséphine. Tous s'accordèrent à vanter la grâce et la dignité de son apparition. « Plus que reine, tu seras plus que reine », lui avait prédit Euphémia David. Elle était Impératrice, avec tous les droits que confère la noblesse d'allure et de cœur.

Étrange conséquence du couronnement de Bonaparte : une frénésie de mondanités s'empara de Constantinople. Le coup d'envoi fut donné par le général Brune, ambassadeur de France, qui pour célébrer l'avènement de son empereur donna une fête où les représentants des puissances les plus opposées à son maître coururent. La princesse Hadidgé, sœur de Sélim, sous prétexte d'inaugurer le palais qu'elle avait fait construire à Ortakoÿ, sur les plans de son amant Melling, donna un bal où tout le Sérail se précipita.

La princesse Esmée ne voulut pas être en reste. A la mort de son mari, Hussein Pacha, elle avait affiché un désespoir théâtral et peut-être sincère. Depuis elle s'était rattrapée.

Son bal fut le plus choisi et le plus réussi de tous. La Cour, la ville, la colonie étrangère, le gouvernement et les ambassadeurs accoururent en son palais, qui avait été celui de son mari, Hussein Pacha, derrière la Mosquée Bleue du Sultan Ahmed. Je m'y rendis, inaugurant pour l'occasion la voiture que Sélim m'avait offerte. Les torches de mes gardes se reflétaient sur les facettes de cristal, la transformant en un carrosse de feu — aux rideaux bien tirés — qui arracha des applaudissements au menu peuple massé sur le passage des invités. Les autres Kadines et moi étions confinées dans une loge grillagée d'où nous pouvions voir, sans être vues, la salle de bal. Nos dignitaires dans leurs caftans les plus brodés se mêlaient aux étrangers chamarrés.

Les ambassadeurs des puissances adverses, qui tous les jours s'affrontaient, se souriaient aimablement ce soir-là et faisaient des ronds de jambe à nos vizirs qu'ils recommenceraient le lendemain à accabler de leurs pressions. Billal Aga, notre Kislar Aga, qui avait tenu à mener lui-même son troupeau au bal, me désigna Arbuthnot, l'ambassadeur d'Angleterre qui avait remplacé Lord Elgin, le général Brune représentant de Bonaparte, l'ambassadeur russe. J'étais plus intéressée par les us et les toilettes de ces Européens que je n'avais plus vus de si longtemps.

La jeunesse étrangère dansait, ou plutôt sautillait, selon la vogue inaugurée sous le Directoire qui avait remplacé nos gracieux menuets. Je trouvai leurs tressautements tout simplement obscènes et je souris en pensant que je réagissais comme une douairière. Toutes les femmes étaient à la dernière mode, dictée comme toujours de Paris. Je jugeai la taille sous les seins et les robes droites dénuées d'élégance et de féminité. Mais qu'est-ce qui en avait en ce temps dominé par un soldat ? Un fort bel homme, venu dans la suite de l'ambassadeur d'Angleterre, attirait les regards par la simplicité un peu trop affectée de sa mise. Je m'enquis de son identité. C'était le corsaire américain Paul Jones, qui avait l'audace de venir narguer chez eux ces mêmes Turcs qu'il n'y avait pas si longtemps il canonnait si allégrement. Il trouva d'ailleurs rapidement une haute protection en la personne de la princesse Esmée dont il était devenu l'amant — je l'appris de la bouche même de l'intéressée. La veuve de Hussein Pacha, plus du tout éplorée, avait enfin eu son corsaire, dont elle rêvait depuis des années.

Soudain je remarquai un invité à sa tenue de l'Ancien Régime, culotte courte, bas de soie et perruque poudrée. Quelque chose dans sa silhouette, dans ses traits éveilla ma mémoire. Où avais-je vu ce gentilhomme ? Car je l'avais vu quelque part, j'en étais sûre désormais. Oui ! C'était à Nantes, au Grand Théâtre, le soir où ma cousine, Marie-Anne, m'avait emmenée voir *Phèdre,* et les ans avaient peu altéré ces traits de sigisbée. C'était le comte d'Antraigues, le comte « d'Intrigues », aurais-je dû dire. Que faisait à Constantinople cet espion touche-à-tout ? Il n'y était certainement pas venu pour pirouetter sur les parquets de la princesse Esmée, comme je le regardais faire.

A observer ces invités évoluer, rire et danser, à les écouter bavarder tous en français, sans pouvoir m'approcher d'eux, je fus prise d'un soudain regret, d'un accès brusque et violent de nostalgie, avivé par les pépiements voisins des Kadines. J'aurais voulu, un instant, une heure, me trouver parmi eux, parler à l'un ou à l'autre, m'essayer à une mazurka ou à une polonaise et même porter une de ces affreuses robes à la mode. La légère grille dorée, qui me retranchait de ma société naturelle, me parut celle de la plus cruelle des prisons. Je quittai le bal. Les torches des gardes n'éclairaient plus que la neige piétinée et sale des rues vides.

Sélim m'attendait. Il perçut immédiatement ma tristesse, bien que je déployasse tous mes artifices pour lui faire une description plaisante de la fête. Il sut trouver le mot, le geste. Sans écouter mes récits, il me prit dans ses bras, me caressa longuement, tendrement. Je me donnai avec une sorte de rage comme si mon être écartelé l'instant auparavant se reconstituait en lui, niant toute autre appartenance...

Le bal laissa une impression autrement agréable et tangible à Mahmoud, qui y avait assisté de son côté. Pendant tout le divertissement de danses orientales qu'avait organisé la princesse Esmée, il avait paru fasciné par l'étoile de ballet nommée Housmoumelek. Le lendemain, sa bonne sœur Esmée la lui offrait. Sélim en devint furieux et voulut renvoyer le cadeau. Bien qu'il eût lui-même commandé de constituer le maigre harem de Mahmoud, il se refusait à admettre que celui-ci avait atteint l'âge d'homme et continuait à l'en vouloir protéger. Je prenais la chose avec plus de légèreté. Sélim consentit à garder la sirène Housmoumelek, pour laquelle Mahmoud éprouvait sa première passion, donc une passion échevelée, passant son temps, lorsqu'il en était séparé, à lui écrire des lettres délirantes d'amour et de naïveté.

Les lampions du dernier bal à peine éteints, le général Brune qui avait tant paradé chez les Princesses Impériales présenta un véritable ultimatum de Bonaparte. Outre sa reconnaissance immédiate comme Empereur des Français, il nous fallait interdire le passage de nos Détroits à tout convoi militaire.

La brutalité de Bonaparte me suffoqua d'indignation mais j'avais appris à modérer mes impulsions. Au lieu des insolences que j'aurais bien voulu faire répondre à « l'Empereur des Français », j'abondais dans le sens de Sélim qui, accroché à sa neutralité, ne voulait ni céder aux exigences de la France ni rompre avec elle. Le Rais Effendi, notre ministre des Affaires étrangères, reçut donc instruction de faire lanterner l'ambassadeur de France avec la science séculaire de la diplomatie turque.

Mais, ne recevant que des atermoiements en guise de réponse, le général Brune claqua brusquement la porte du Palais de France, annonça à grand fracas qu'il quittait à tout jamais un empire si hostile et... alla s'installer dans un yali aux abords de Constantinople, attendant nos propositions — qu'il escomptait ne pas tarder à venir. En quoi il ne se trompait pas. Sélim, en effet, l'invita à une entrevue secrète à laquelle il me pria d'assister, cachée, et le fit conduire nuitamment jusqu'au Pavillon de Bagdad où il l'attendait.

Je m'en fus donc, accompagnée de Cévri, à travers les jardins dépouillés par l'hiver, alourdis de neige, jusqu'à une terrasse inférieure d'où s'élevait un escalier à demi dérobé qui débouchait dans un étroit placard à l'intérieur même du pavillon. Mais, arrivée dans le réduit de l'indiscrétion, je constatai que je n'étais pas la seule. Une ombre menue, modeste, m'avait précédée, celle d'une femme qui se tenait là, immobile, silencieuse. Je dirigeai ma lanterne sur elle et j'identifiai Firouz, une de mes femmes esclaves. Je domptai ma colère et j'invitai la fille à la complicité du silence en mettant un doigt sur mes lèvres. Puis d'un geste, je la priai de me suivre. Elle était trop étonnée et apeurée pour ne pas m'obéir.

De retour au Kiosk d'Osman III, je retrouvai Ali Effendi, Idriss et... mon ton de maîtresse impérieuse. J'exigeai des explications de la fille. L'insolence le disputait à la sournoiserie dans sa mine. Me regardant droit dans les yeux, elle répondit :

— Vous pouvez m'interroger, me menacer, je ne parlerai pas ! J'ai ici des appuis puissants et je ne vous crains pas.

Elle s'était exprimée dans un français sans défaut.

— Mais oui, poursuivit-elle, je parle votre langue ! Aujourd'hui je ne suis qu'une esclave mais mes parents étaient des nobles caucasiens et m'ont donné une éducation soignée avant que je ne sois enlevée. Je sais parfaitement qui vous êtes, ce que vous faites, je sais tout sur vous !

Je me tournai vers Cévri :

— Cette petite me paraît bien arrogante. Tâche de

lui faire comprendre l'intérêt qu'elle aurait à se montrer plus bavarde sinon plus respectueuse.

Cévri s'empara de la fille et se mit à la rosser, consciencieusement, ainsi qu'elle faisait toute chose. Les larges battoirs qu'elle possédait en place de mains frappaient régulièrement la fille qui hurlait, se débattait, tentait vainement d'échapper à cette formidable poigne. Au bout de quelques minutes de ce traitement, j'ordonnai à Cévri de cesser. La fille hoquetait sur le tapis, toute résistance abolie.

— Tu sais maintenant, lui dis-je, comment je puis traiter ceux qui me résistent. Mais je sais aussi bien récompenser ceux qui me servent que châtier ceux qui me manquent. J'imagine que tu as été payée pour espionner. Dis-moi seulement ce que tu as reçu et je doublerai la somme si tu consens à parler. Accepte de travailler à l'avenir pour moi et un jour je te renverrai aux tiens dans ton Caucase.

L'alternance des coups de Cévri et de mes promesses amena la fille à me livrer les informations qu'elle détenait.

— Pour qui espionnes-tu ?

— Pour Ristoglou.

Ainsi, mon ancien professeur de turc, mon vieil ennemi, confiné au Vieux Sérail, réapparaissait. Il avait engagé Firouz à prix d'or et l'avait chargée de lui rapporter mes faits, mes gestes, mes paroles, des copies de mes écrits ainsi que de ceux de Sélim. Elle révéla encore que les renseignements moissonnés étaient transmis non seulement à Sinéperver mais aussi à certaines puissances étrangères. Ristoglou avait ses entrées au Pavillon de la Circoncision où habitait le prince Moustafa. Il avait fait de cette résidence d'un Prince Impérial, donc inviolable, le centre de ses menées, sans être inquiété.

Son organisation comprenait des cohortes souterraines de femmes de tous rangs, d'esclaves, d'eunuques. J'ordonnai à Firouz de m'en rapporter la liste complète en échange de quoi j'étais prête à quadrupler la quantité d'or que je lui avais déjà offerte, et je renouvelai ma promesse de la renvoyer, sa mission accomplie, chez elle au Caucase.

Elle me quitta, lestée d'une bourse, se confondant en remerciements et en protestations de dévouement.

Le lendemain matin, un concert d'exclamations me tira sur ma terrasse. En contrebas, un attroupement gesticulait autour du bassin des Gözdes au milieu duquel flottait ce que je pris d'abord pour un paquet de linge. On vint m'avertir qu'une de mes esclaves s'était noyée par accident. Je n'avais pas besoin de demander le nom de la victime : on avait tué Firouz pour l'empêcher de parler.

Je rapportai l'affaire à Ibrahim Nessim, le ministre de l'Intérieur. Que Ristoglou espionnât, que Sinéperver intriguât, cela allait, j'osais dire, de soi. Mais pourquoi et comment les renseignements collectés au Pavillon de la Circoncision étaient-ils transmis aux puissances étrangères ?

— Elles payent bien, me répondit Ibrahim Nessim.

— Mais pourquoi s'intéressent-elles tant à ce que nous faisons ?

Ibrahim Nessim me l'expliqua : Nous demeurions la seule puissance à ne pas avoir encore décidé pour ou contre la reconnaissance de la dignité impériale de Bonaparte, à n'avoir pris parti pour ou contre la France. De ce fait nous étions devenus le carrefour de la diplomatie européenne, l'objet de toutes les surenchères, l'aimant d'espions de tous les bords. Constantinople était littéralement truffée d'espions de toutes tendances et de toutes nations. Chaque ambassade était une véritable officine d'espionnage, chaque ministère, chaque pavillon du Sérail était gagné aux étrangers sans qu'il fût possible de démêler lesquels ni d'y remédier.

La présence du comte d'Antraigues, que j'avais reconnu au bal de la princesse Esmée, s'expliquait donc. Ibrahim Nessim m'apprit qu'Antraigues était devenu un des pions les plus importants des Services Secrets anglais. Par haine de Bonaparte et par goût de l'or. Pas une intrigue contre la France qu'il n'eût mise en œuvre. Pas un complot contre Bonaparte où il n'eût mis le doigt. L'enjeu devait être formidable pour que le plus habile espion international se trouve à Constantinople.

— Dis-moi, Ibrahim Pacha, quel rôle jouent Ristoglou, Sinéperver et ses partisans dans cette partie d'échecs ?

— Les puissances étrangères utilisent la Kadine Sinéperver et les conservateurs pour tâcher de faire pencher l'Empire dans leur camp. Quant à ceux-ci, ils s'appuient sur les puissances pour essayer de gagner du pouvoir. As-tu remarqué, Nakshidil Kadine, qui était invité au bal de la Princesse Esmée ? Tous les ambassadeurs, tous les étrangers d'importance s'y trouvaient car la princesse est pour Sinéperver comme une fenêtre ouverte sur l'extérieur. Mère et fille travaillent de concert. Dans cet écheveau d'intrigues, le Padishah aura de plus en plus de difficultés à garder la neutralité qu'il a sagement choisie.

— Es-tu certain, Ibrahim Pacha, que le Padishah,

dans le fond de son esprit, soit encore neutre, qu'il n'ait pas choisi ?

Ibrahim Nessim me regarda d'un air étonné, interrogateur. Mais je ne pouvais pas encore lui dire ce que je décelais chez Sélim. A savoir une admiration, encore secrète, pour Bonaparte. L'envahisseur de l'Égypte, le tyran de la France était aussi le héros de notre temps, le conquérant aux cent victoires, le porte-bannière de l'audace et du succès... l'image de ce qu'aurait voulu être Sélim.

J'étais femme mais je comprenais qu'il pût représenter un idéal pour toute une génération d'hommes, du plus humble volontaire de son armée au Sultan de Turquie.

Curieusement, un autre personnage, qui pourtant connaissait fort mal Sélim, soupçonnait comme moi qu'il penchait secrètement en faveur de Bonaparte et de la France. C'était l'ambassadeur d'Angleterre, Arbuthnot. Il était bien renseigné mais nous aussi. Nous savions que dans le secret de son cabinet il se laissait aller aux menaces. Il empêcherait, à tout prix, par tous les moyens, une alliance de la Turquie avec la France. La méfiance d'Arbuthnot était-elle attisée par le comte d'Antraigues ? Avait-il été alerté par Ristoglou ? Et en ce cas, que lui avait raconté l'âme damnée de Sinéperver ? Avait-il entrouvert le mur du silence qui défend le Sérail ? Lui avait-il parlé de moi ? De mon rôle auprès de Sélim ? Dans quels termes ? Qu'avait-il inventé ? Car Ibrahim Nessim m'apprenait qu'Arbuthnot se faisait précis dans les menaces qu'il répétait en privé :

« Je sais de source absolument sûre que le Sultan Sélim est soumis, à l'intérieur même du Harem, à des influences françaises. Cela, l'Angleterre ne le peut tolérer. Foi d'Arbuthnot, nous éliminerons ces influences, aussi puissantes et aussi secrètes soient-elles ! »

IV

Pour tâcher de se protéger du froid, Sélim avait coutume, l'hiver, de réunir son Conseil dans la Cage, prison de son adolescence, où il conservait ses livres et ses documents.

Ce soir-là, tandis que le Conseil se tenait dans le salon, j'en attendais l'issue devant une joyeuse flambée dans la pièce attenante. C'était une nuit de lune, blafarde et froide, et je me souviens d'avoir un moment contemplé la Cour des Gözdes sous son coussin de neige. Le grand bassin pris par la glace offrait une surface lisse aux reflets argentés sous la lune. Même les djinns qui s'assemblaient tout près de là auraient eu trop froid pour mettre le nez dehors. La nuit était déjà fort avancée lorsque, à côté, un remue-ménage m'indiqua que la séance s'achevait. J'entendis alors Youssouf Aga, le conseiller de Mirizshah, solliciter de Sélim la grâce de s'entretenir avec lui sans témoin. Sans attendre, je décidai de regagner mes appartements où Sélim me rejoindrait après son aparté.

Je trouvai Zinah et Cévri qui m'attendaient à l'extérieur dans le couloir ouvert à tous les vents, complètement frigorifiées. Confuse, prise de remords, désolée d'avoir laissé ma Zinah, ma fleur des tropiques, grelotter, je la couvris de ma pelisse de satin rouge bordée de chinchilla et je l'emmitouflai de mes voiles. Mes deux servantes me précédaient, chacune porteuse d'une lanterne, Zinah, pareille à une sultane, moi la suivant en habit de paysanne. Nous traversâmes le quartier des Gözdes, puis une série de petits appartements et de passages déserts, car je voulais éviter qu'on connût ma présence dans la Cage lors des Conseils.

Nous avancions l'une derrière l'autre, la silhouette massive de Cévri ouvrant la marche et précédant celle de Zinah qui se mouvait comme une flamme. Je trottinais par-derrière, accélérant le pas pour lutter contre le froid qui commençait à me gagner. Et soudain surgirent six hommes noirs, voilés. En un éclair, les trois premiers ceinturèrent Cévri tandis que ceux qui avaient surgi derrière moi me bousculaient, m'écartaient violemment et s'emparaient de Zinah. Je la vis clouée sur le sol, je vis des ombres confuses s'agiter autour d'elle et surtout j'entendis son cri : « Cours, Zinah, cours, Zinah ! »

D'un seul regard, j'embrassai la scène qui garde dans ma mémoire la fixité d'un tableau : le corps gisait sur le sol, couvert de la pelisse couleur de flamme, et près de lui, un cordon de soie rouge, serpent cramoisi. C'était Zinah, et elle était morte, étranglée. Elle m'avait sauvé la vie en trompant mes assassins. « Cours, Zinah », avait-elle crié. Et elle était morte à ma place.

On l'avait enterrée le lendemain et je n'ai même pas pu l'accompagner jusqu'à sa tombe. J'ai dû me contenter de suivre son cortège funèbre depuis ma fenêtre. Idriss, son mari, et Ali Effendi portaient sur un brancard son corps enveloppé d'un linceul blanc. Ils ont traversé la cour de l'hôpital du Harem dans ce matin de neige gris et sale.

Je les ai suivis des yeux jusqu'à ce qu'ils franchissent la Porte de la Mort qui s'ouvre sur ceux qui meurent à l'intérieur du Sérail. Ils l'ont enterrée, m'ont-ils dit, quelque part dans le parc, du côté du Kiosk de la Perle, sous un parterre d'œillets. Ainsi au printemps une floraison de ses fleurs préférées recouvrira ses restes.

J'ai prié Sélim de ne pas intervenir, et je confiai l'investigation à Ali Effendi. Son affection pour Zinah m'était garante de son zèle pour cette mission. Je lui ai donné carte blanche et crédits illimités pour me ramener les noms des hommes qui nous ont agressées, et tué Zinah.

Après trois jours de disparition, il est revenu, me tendant sans un mot un papier sur lequel étaient griffonnés six noms. Sans en prendre connaissance, j'ai passé cette liste à Sélim. Il a donné ses ordres et les coupables, six eunuques, ont été arrêtés. On a retrouvé chez eux le prix de leur crime... des pièces d'or à l'effigie du roi d'Angleterre, George III.

Je n'étais pas surprise outre mesure que les Anglais, égarés par les rumeurs et leur rage, aient voulu éliminer celle qu'ils imaginaient leur obstacle principal et l'artisan supposé de l'alliance française. Ils s'y entendaient en assassinats par personnes interposées et l'assistance d'un expert comme le comte d'Antraigues leur permettait de monter les plus audacieuses machinations. Qu'ils aient cherché à se débarrasser de moi me préoccupait moins que de me savoir, ici même dans le Harem, des ennemis assez acharnés pour être indiscrets. Car il allait sans dire que pour parvenir à leurs fins criminelles, les Anglais avaient forcément bénéficié de complicités à l'intérieur du Sérail. Sélim voulait faire torturer les eunuques jusqu'à ce qu'ils livrent le nom de leur commanditaire, mais je l'en empêchai, non par pitié, mais par sagesse. La vérité qui se cachait sous l'or anglais, sous cet assassinat, était certainement trop infamante pour ne pas affecter Sélim sans rendre la vie à Zinah. A quoi bon découvrir la main meurtrière si c'était celle de Sinéperver, ou même de Youssouf Aga, qui prenait bien des initiatives sans avertir la Validé, sa maîtresse...

Sélim se contenta de faire décapiter les six eunuques noirs et d'exposer leurs têtes dans les niches qui flanquent la Porte Impériale.

Zinah était désormais vengée, mais vaine était la vengeance qui ne me la rendait pas. Pendant des semaines, après la mort de Zinah, le sommeil m'abandonna et je dus user d'opium pour m'assoupir de temps à autre. Mes nuits étaient hantées de cauchemars, et mes journées de visions qui tantôt mettaient en scène mon enfance et mes souvenirs les plus lointains, tantôt me ramenaient au drame et à la violence.

Je pensais à elle aussi désespérément que j'avais pensé à ma mère lorsque j'étais prisonnière des pirates, comme à un refuge, à une chaleur à jamais perdus. Zinah disparue, je ressentais une intense fatigue, comme si j'eusse trop vécu jusqu'alors. Mêlée à une peur de l'avenir, comme si Zinah m'en eût protégée. Ce fut chez Idriss que je trouvai un semblant d'adoucissement. Il prit la place de sa femme, non dans mon cœur — nul ne remplacerait Zinah — mais dans mes habitudes.

Le jeune veuf avait sollicité comme une grâce le soin qui incombait à Zinah de mes robes et de mes bijoux. Ce grand homme vigoureux s'acquittait avec une stupéfiante délicatesse d'une tâche aussi féminine. Il trouvait plaisir à manipuler ces vêtements et ces étoffes qui si souvent avaient glissé entre les doigts de Zinah. Peut-être éprouvait-il, au moyen de cet artifice, l'illusoire consolation de la retrouver ?

Au Harem où l'amour de Sélim nous avait fait nous rejoindre, où elle avait vécu et où elle avait donné sa vie pour moi, une inscription fleurie de marbre blanc porte la mémoire de ma « da ».

> « Édifiée par Nakshidil Kadine en souvenir de sa fidèle servante Zinah qui mourut pour la sauver. Cette plaque a été dressée en l'année 1220 de l'Égire et la seizième du règne du glorieux Padishah Sélim, fils de Moustafa. »

La mort de Zinah me laissa, pendant des semaines, indifférente à la situation, indifférente à tout. La maladie de Mirizshah me ramena à la réalité et à l'activité car Sélim eut un besoin accru de moi.

L'été finissait lorsque la Sultane Validé eut un long évanouissement dont elle revint à grand-peine. Le mal qui la rongeait depuis des mois, peut-être des années, avait gagné. Pendant les semaines que dura sa fin, Sélim et moi nous nous relayâmes sans cesse à son chevet.

La Sultane Validé se mourait. Nul ne l'ignorait et,

inévitablement, l'approche de cette mort suscitait spéculations et intrigues.

Les pourparlers engagés entre Sélim et le général Brune avaient tourné court. Mis au courant par ses espions, Ristoglou avait alerté les Anglais et les Russes qui hurlèrent à l'unisson, et Sélim s'était vu contraint de suspendre les contacts qui n'étaient plus secrets avec le Français.

Cependant la guerre avait éclaté entre la France et la plus formidable coalition jamais constituée contre elle. Malgré tout le génie de Bonaparte, il semblait bien improbable qu'il pût cette fois résister à l'assaut combiné de l'Angleterre, de l'Autriche et de la Russie. Nos anciens alliés nous pressèrent de nous joindre à eux. Le général Brune n'était plus là pour défendre la position de la France.

Au Divan on plaida pour une alliance avec les Russes et l'Angleterre. Les faits donnèrent bientôt raison aux vizirs. A Trafalgar, en Espagne, Lord Nelson anéantissait la flotte française par une superbe victoire... où il laissait d'ailleurs la vie. Les coalisés intimèrent à Sélim de se joindre à eux, le Divan l'en implora, le temps pressait, les événements allaient trop vite et je ne savais quoi conseiller à Sélim. Il m'a toujours fallu du recul pour réfléchir avant de me décider. Mais les jours, les heures même, comptaient, et je ne fus d'aucune aide à Sélim. Ébranlé par la nouvelle de Trafalgar autant qu'épuisé par la lente agonie de sa mère, il finit par céder. Il signa avec l'Angleterre et la Russie un nouveau traité d'alliance.

Mirizshah s'éteignit à l'aube du 24 octobre 1805. Nous nous sommes tenus auprès d'elle toute la nuit, Sélim et moi. J'admirais la beauté de Mirizshah que ni la vieillesse ni l'imminence de la mort n'avaient su altérer, j'admirais le courage de Sélim à se maîtriser, à ne rien laisser paraître de son immense chagrin ; il passa les dernières heures de la vie de sa mère à réciter les versets du Coran à son chevet.

Déjà Mirizshah n'était plus en mesure de parler. A un certain moment cependant j'ai surpris une lueur dans son regard, ses yeux appelaient : je me suis rapprochée, je me suis penchée vers elle et alors, tout contre mon oreille, elle réussit à murmurer ces paroles : « Sois son étoile. Il a tant besoin d'une bonne étoile. »

Aux portes de la mort, la mère me confiait son fils. Cette ultime marque de confiance m'a émue plus que je ne saurais le dire, et j'ai retrouvé intact, dans ma tristesse, l'attachement que j'avais naguère éprouvé pour cette grande dame qui m'avait adoptée lors de mon arrivée au Harem.

Sa disparition provoqua des remous. Son conseiller, Youssouf Aga, fut écarté mais avec ménagement, eu égard à la longue faveur de la défunte. On lui suggéra de se rendre en pèlerinage à La Mecque et surtout d'y rester le plus longtemps possible.

Je me mis à regretter Mirizshah. Même si elle s'était opposée, et durement, à moi, je m'étais sentie assistée par son expérience, par son inaltérable volonté de servir Sélim. J'étais désormais plus seule que jamais à ses côtés pour le soutenir et pour le conseiller.

Des nouvelles renversantes parvinrent d'Europe. Démentant les paris, Bonaparte, qu'on croyait battu, écrasait à Austerlitz les Autrichiens et les Russes, forçant les premiers à un armistice hâtif, les seconds à une fuite honteuse. Nous nous retrouvions dans le camp des vaincus pour les avoir crus, trop rapidement, vainqueurs.

Les ambassadeurs alliés se firent, soudain, tout petits, et l'assurance des vizirs fondit comme neige au soleil.

Nous attendions les conséquences de notre erreur fatale lorsqu'un chant de sirènes nous parvint du Palais de France. Tapi depuis le départ du général Brune, Pierre Ruffin fit entendre que l'empereur Napoléon pourrait ne pas être opposé à oublier le passé et à s'entendre avec le Grand Seigneur. Cette fois je ne laissai pas passer l'occasion et je me décidai rapidement. J'encourageai Sélim à saisir la perche tendue par Ruffin. Nos « alliés » ne nous avaient pas garanti la neutralité à laquelle nous aspirions. Ils nous avaient soumis à des pressions sans nombre, nous étions en droit de renverser une alliance qui nous avait été quasi imposée. Après tout, ne valait-il pas mieux se ranger du côté du plus fort, du côté de la France ? Ce langage était celui qu'espérait entendre Sélim. Son admiration secrète envers Bonaparte acheva le travail.

L'Empire Turc reconnut donc Bonaparte comme Empereur des Français. Le dirai-je, ce rapprochement me fit plaisir. Je continuais à détester le Bonaparte, ce tyran impitoyable, cet oppresseur ; j'avais détesté les Français, j'avais souffert à cause d'eux, mais ils restaient mes compatriotes. J'étais plus à l'aise amie des Français que leur ennemie.

La chose décidée, autant la faire avec panache. Sélim choisit avec magnificence les cadeaux destinés à son nouvel allié, l'Empereur Napoléon, et moi je choisis avec mon cœur et ma mémoire ceux destinés à son épouse, ma cousine Joséphine. Un ambassadeur extraordinaire partit pour Paris chargé de les amener. Leur description parut dans les gazettes françaises de l'époque : « Pour l'Empereur une aigrette portant un diamant central de 50 000 écus, une tabatière ornée de pierreries et des chevaux arabes aux harnais incrustés d'or, et pour l'Impératrice un collier de perles de 80 000 écus, des châles de cachemire, des pelisses en zibeline et en chinchilla, et un échantillonnage de tous les parfums fabriqués au Sérail du Grand Seigneur. »

La Cour et les gazettes s'extasièrent sur la richesse de ces présents et je sus que tout le monde s'étonna que le Sultan eût si exactement deviné les goûts de l'Impératrice des Français. En retour Bonaparte envoya à Sélim deux vases démesurés en porcelaine de Sèvres montrant des scènes de ses récentes victoires. Sélim voulut placer ces cadeaux encombrants et prétentieux dans son salon. J'obtins qu'ils fussent exilés dans le Hall du Sultan.

Notre réconciliation avec la France ne fit pas plaisir à tout le monde, et surtout pas à nos anciens alliés. Une campagne de dénigrement, trop systématique pour n'être pas organisée, se déchaîna contre la personne même de Sélim. Nos ennemis de l'ombre, armés de la calomnie corrosive, faisaient feu de tout bois. D'abord on répandit le bruit absurde que Sélim était alcoolique, alors qu'il était la sobriété même. Puis on prétendit partout que Sélim était stérile, c'est-à-dire maudit. La vieille rumeur ressortie pour l'occasion devint grandement populaire au point que Sélim n'y put demeurer sourd.

J'étais indirectement visée car la « stérilité » de Sélim n'avait d'autre cause que son attachement exclusif pour moi. L'affaire était trop délicate, me touchait trop intimement pour que je pusse intervenir. Je ne songeais pas à exiger de Sélim qu'il me restât fidèle du moment que cette fidélité menaçait son trône. Aussi dus-je entendre sans broncher certains de ses conseillers lui demander de faire usage de son Harem, pour engendrer.

Sélim rejeta cette solution, autant par respect pour moi que blessé qu'on se crût autorisé à s'immiscer dans sa vie privée. Cependant le danger grandissait face à l'impasse, lorsque le Grand Vizir suggéra qu'on annonçât la fausse naissance d'un fils de Sélim. Cette solution invraisemblable n'était pourtant pas impossible, tant était épais le rempart de discrétion et de mystère qui séparait le Sérail du monde extérieur. Elle avait l'avantage de faire taire la calomnie sans contraindre Sélim. J'éprouvais un singulier malaise devant cette proposition pourtant habile. Sélim dut cependant se résigner à cette imposture. Et on assista à cette farce pitoyable qu'on joua dans les règles : crieurs publics clamant par toute la ville la naissance d'Ahmed, fils de Sélim, salves de canons et autres réjouissances rituelles qui célébraient la naissance de ce prince fantôme. Les esprits s'apaisèrent et trois semaines plus tard on annonça, en passant, la mort en bas âge de l'enfant, ce qui ne surprit personne.

Mon malaise persistait. La duperie, si habilement organisée par le Grand Vizir, me rappelait cruellement que Sélim ni moi n'avions d'enfant et que ma position équivoque pouvait être génératrice de dangers pour lui.

Sur ces entrefaites, une révolte éclatait dans la province de Roumélie non loin de Constantinople. Un seigneur de la guerre, Ismaël Aga, apparaissait brusquement sur la scène, avec quatre-vingt mille bandits de sa trempe et l'intention de prendre rien de moins qu'Andrinople, la seconde ville de l'Empire, située à cent lieues de Constantinople. Comment avait-il pu réunir un pareil effectif ? Quels appuis occultes l'encourageaient ? Ces questions restaient béantes.

Sélim réagit avec fermeté. Il envoya le *Nizam i Jedid*, son armée nouvelle, avec son chef Cadi Pacha, mater la révolte. Cadi Pacha, avançant à marche forcée, comptait surprendre les rebelles. Ce fut eux qui le surprirent. Ils fondirent sur Cadi Pacha là où il ne pouvait les attendre et le repoussèrent en lui infligeant de lourdes pertes. Visiblement ils avaient été prévenus des plans de Cadi Pacha. Par qui ?

Nous mîmes en chasse nos divers services de renseignements sans d'ailleurs savoir où chercher et quoi chercher.

Ismaël Aga s'empara d'Andrinople. La chute de la ville retentit dans tout l'Empire. Le nom de Sélim fut ouvertement conspué.

Ismaël Aga menaçait Constantinople, et le Divan siégeait sans interruption. Un matin, nous assistions Sélim et moi aux débats dans la loge grillagée du Sultan, au-dessus du siège du Grand Vizir. J'enrageais de voir cette assemblée d'incapables se perdre en supputations inutiles et en suggestions absurdes lorsqu'un messager couvert de poussière surgit dans la salle et déposa aux pieds du Grand Vizir un sac informe. Il contenait des linges souillés qui, déroulés, laissèrent voir une boule répugnante de poils sombres et de tissus brunâtres. Je distinguai bientôt sur cette horreur un trou qui avait été une bouche, deux globes vitreux qui avaient été des yeux, un nez : c'était la tête d'Ismaël Aga.

Coup de théâtre ! Au moment même où il pouvait croire à son triomphe, le rebelle venait d'être assassiné par son second, Moustafa Alemdar, surnommé Baraïktar, le « Porte-Étendard ».

Avec la tête de son chef, Baraïktar envoyait ses offres. Il abandonnait Andrinople, il se repliait avec ses troupes, il se soumettait à l'autorité du Sultan pourvu qu'il fût reconnu comme seul héritier des possessions d'Ismaël Aga en Roumélie.

Profitant de cet imprévisible « rebondissement », Sélim accéda aux demandes du rebelle repenti et le nomma, de surcroît, Pacha de Rustuk, sa ville natale.

Nos espions, alertés, nous informèrent enfin que bon nombre de nos avatars avaient leur source dans l'ambassade russe à Constantinople. Ne nous pardonnant pas notre rapprochement avec la France, la Russie avait déversé des flots d'or pour susciter un mouvement d'opinion contre Sélim, alimenter la révolte d'Ismaël Aga, et paralyser notre réaction en corrompant les plus hauts fonctionnaires pour connaître nos plans.

Curieux de connaître le nouveau champion de son trône qui surgissait tant à propos, Sélim le convoqua à Constantinople et le reçut. Il lui demanda d'où il tenait son surnom. Baraïktar lui répondit que Sélim lui-même le lui avait indirectement donné. Dix-sept ans plus tôt, lorsque Sélim était allé saluer ses troupes qui partaient combattre les Russes, il leur avait, selon l'usage, confié le *Sandjak i Chérif*, l'Étendard sacré du Prophète. Il l'avait tendu à un jeune officier d'origine albanaise qui, de ce jour, n'avait plus été appelé que Baraïktar, le « Porte-Étendard ». Sélim sortit enchanté de son entretien. Pendant ce temps j'avais reçu Vassilo.

Les bavardages du Divan m'avaient appris que le farouche guerrier, Baraïktar, couvait un amour illimité et exclusif pour une jeune Albanaise nommée Vassilo. Une inspiration me poussa à lui ouvrir les portes du Harem Impérial, l'espace d'une visite. C'était une frêle jeune fille, presque une enfant encore, mais sa juvénilité gracile cachait un caractère extraordinairement trempé. Je compris fort bien que ce mariage de beauté et de vertus ait pu enchaîner le cœur de l'aventurier indomptable. Elle l'aimait autant qu'il l'aimait mais elle le connaissait bien et, avec une lucidité déconcertante pour son âge, me parla de ses défauts.

Sa visite m'apporta le souffle vivifiant de ces montagnes où elle était née et me fit oublier un moment les femmes d'ici, leurs bavardages et leurs sucreries.

Alors qu'elle se retirait, je lui glissai dans la main une paire de boucles d'oreilles en émeraudes qu'elle reçut avec une reconnaissance pleine de dignité et de gravité. J'espérais que cette nouvelle alliée inspirerait à son étrange amant la fidélité à son Sultan.

Ismaël Aga éliminé, Andrinople libérée, les villes saintes reprises, l'opinion, dûment échauffée par l'or russe, ne se calmait pas. Ali Effendi me susurrait le surnom que le Bazaar donnait au Sultan : « Sélim le Faible. » Sélim, faible ! Allons donc ! Aurais-je pu aimer un faible ? « Sélim le Malchanceux » était l'autre surnom du Sultan qui circulait à mi-voix. Or l'Orient superstitieux ne pardonnait pas aux malchanceux. Pour répandre une telle invention il fallait que l'opinion fût savamment travaillée. Mais par qui ?

Dans leurs casernes les Janissaires grondaient, et

dans les mosquées, les Oulémas haranguaient le peuple et l'invitaient à la révolte contre le Sultan hérétique, contre ses réformes et sa nouvelle armée impies.

Le Cheik Oul Islam, Véli Zadé notre ami, prit sur lui de proposer à Sélim la solution qui lui répugnait le plus : chasser ses ministres conservateurs et mettre au pouvoir les Janissaires et les Oulémas qui le vomissaient, justement pour les faire taire. Il n'y avait pas d'autre issue pour préserver le trône.

Véli Zadé insista pour son propre renvoi et suggéra pour le remplacer comme Cheik Oul Islam, Atallah, certes un Ouléma, certes un conservateur, mais un homme intelligent, intègre et éclairé. De même, si le nouveau Grand Vizir devait être l'Aga des Janissaires en personne, la place prépondérante revenait à son lieutenant, Mousa Pacha, un officier ouvert aux courants nouveaux. Si gouvernement conservateur il devait y avoir, au moins qu'il fût dominé par deux d'entre eux, Atallah et Mousa Pacha, que nous considérions favorables à nos idées.

— Et maintenant ? me demanda amèrement Sélim alors qu'il venait de nommer le nouveau gouvernement. Et maintenant que faisons-nous ? répéta-t-il. Les Russes intriguent, les conservateurs triomphent. Que reste-t-il ?

— La France, Seigneur ! Il te faut un appui. Accepte celui que Bonaparte t'offre depuis longtemps. Jusqu'ici nous sommes restés prudents dans notre rapprochement avec la France. Jusqu'ici je t'ai mis en garde contre Bonaparte. Les Russes par leur action subversive nous jettent dans ses bras. Peut-être veut-il sincèrement réparer sa criminelle erreur de la guerre d'Égypte ? Peut-être souhaite-t-il vraiment une alliance durable avec nous ? Cela te permettrait de poursuivre ta politique. En tout cas le jeu vaut la peine d'être tenté et il n'y a pas d'autre choix.

Une fois de plus, en vantant la France et son chef, je disais ce que Sélim voulait entendre. L'amitié avec Bonaparte le séduisait. L'occasion d'en jeter les bases se présenta bientôt lorsque arriva un nouvel ambassadeur de France — il n'y en avait plus depuis le départ du général Brune. Le choix de Bonaparte témoignait de son désir de flatter et de gagner le Sultan. Il dépêchait à Constantinople son ami le général Sébastiani. Ce Corse portant beau, ce soldat aux nobles manières, ami de Bonaparte, avait épousé Fanny de Coigny. Ce nom ramenait l'image restée vive de cette fillette qui m'avait émue si fort certain jour d'autrefois, dans les salons de couture de Mademoiselle Bertin.

V

L'audience de réception de l'ambassadeur de France eut lieu avec la pompe usuelle, agrémentée de plusieurs détails inédits, qui marquaient le désir de Sélim d'en faire un événement exceptionnel.

Au jour fixé, Sébastiani quitta le Palais de France, s'embarqua à l'arsenal de Galata, traversa la Corne d'Or sur les barques envoyées par la Cour, accosta au quai du Grand Vizir, où dans le Kiosk Impérial on lui servit du café et des douceurs tandis que le cortège se formait. Il entra au Sérail par la Porte Impériale et mit pied à terre à la Moyenne Porte. Là, on lui montra les chevaux du Grand Seigneur : il y en avait trente-deux, tous superbement harnachés et sellés. Auprès d'eux se tenait le Grand Écuyer en caftan bordé de fourrure noire. Les fonctionnaires et les serviteurs de la Cour, au nombre de sept mille, se tenaient sur le passage de l'ambassadeur dans leur tenue de cérémonie. On mena l'ambassadeur jusqu'à la Salle du Divan où il fut présenté au Grand Vizir.

Après les salutations d'usage, celui-ci invita l'ambassadeur à prendre place à ses côtés. Tous les vizirs, juges, Oulémas, généraux et fonctionnaires s'installèrent alors selon leur rang. Le Grand Vizir et l'ambassadeur français échangèrent d'abord quelques questions sur leur santé, puis le général Sébastiani sollicita solennellement l'honneur d'être mis en présence du Grand Seigneur.

On servit ensuite un repas qui comptait vingt plats de viandes différents et pour les découper, fait unique dans les annales, on avait distribué aux convives des couteaux et des fourchettes d'or aux manches incrustés de pierreries. L'ordonnance du repas était surveillée par le Grand Chambellan, le Grand Panetier et l'Intendant des Cuisines Impériales. Après les sucreries et les sorbets, on apporta aux invités des bassins pour qu'ils puissent se laver les mains et le Grand Maître des Cérémonies aspergea l'assistance d'eau de rose.

Pendant ce temps je m'habillais pour la cérémonie. J'avais appris que la femme de Sébastiani, née Fanny de Coigny, avait obtenu, avec l'assentiment secret de Sélim, d'y assister travestie en aide de camp. L'envie m'était aussitôt venue d'assister également à l'audience déguisée en page de la Première Chambre, et Sélim avait bien dû y consentir.

Ces pages étaient tous de très jeunes gens, et je m'étais demandé si ma trentaine ne me trahirait pas... Sélim souriant m'avait assuré que je n'avais aucune inquiétude à avoir et que je serais certainement le plus ravissant de ses pages.

J'avais revêtu la longue jupe de drap d'or sur des pantalons bouffants, et serré mes longs cheveux sous le turban conique aux rubans pendants. Malgré les protestations d'Ahmed Effendi, le secrétaire de Sélim, fort offusqué par cette mystification, ce fut à sa suite, portant sa serviette de maroquin et son chasse-mouches d'ivoire, que je partis pour la cérémonie. Nous avons traversé la Troisième Cour, réservée à la vie officielle du Sultan, où je ne pénétrais jamais. Une foule de fonctionnaires, de dignitaires et de serviteurs l'encombrait déjà. Un grand nombre des personnes présentes se trouvaient là, non du fait de leur fonction ou de leur rôle, mais simplement en qualité de spectateurs. L'Orient est peuplé de badauds au point que la passion du spectacle parvient à y prendre le pas sur le protocole pourtant si rigoureux, surtout ici, entre les murs du Sérail.

Avec Ahmed Effendi, je me suis installée sous la colonnade réservée aux grands dignitaires qui ceinture la Salle du Trône. Cette salle que je découvrais par les fenêtres grillagées, je fus d'abord étonnée par ses modestes proportions. L'or imprégnait cette caverne au trésor. D'or les fils des tapis, d'or les broderies des tentures, d'or la peinture du plafond, d'or les chandeliers. Dans un coin, le trône en bois doré incrusté de pierres précieuses, recouvert de brocart semé de perles, était installé sous un baldaquin d'où pendaient des chaînes ponctuées de diamants qui scintillaient à la lueur des bougies. Sélim portait un caftan de satin rouge bordé d'un large galon doré, ouvert sur une longue robe de satin blanc, et son turban était surmonté des trois aigrettes, privilège exclusif du Sultan. Le soleil, pénétrant en rayons obliques par une imposte haut placée, tombait exactement sur le trône. Ahmed Effendi m'a murmuré que cet éclairage avait été conçu de façon que les étrangers admis en présence du Sultan ne voient que son profil en ombre chinoise et ne puissent déceler son éventuelle décrépitude.

Devant le trône, aux pieds de Sélim, sur un coussin hérissé d'émeraudes, reposait son sabre.

Une double haie d'eunuques blancs et de pages en drap or et argent, partait de la Salle du Trône, franchissait la Porte de la Félicité toute proche, se doublait de rangées de Janissaires et allait jusqu'à la Salle du Divan ou Sébastiani avait achevé de prendre le repas traditionnel.

L'Aga des Janissaires se présenta devant lui pour annoncer que l'heure de l'audience était venue.

Conformément à la tradition, nul étranger ne devait paraître devant le Sultan s'il n'était revêtu d'un caftan d'honneur. On remit donc à l'ambassadeur vingt-quatre caftans de brocart destinés à lui-même et à sa suite. Néanmoins, par faveur exceptionnelle, Sébastiani fut dispensé de revêtir le sien. C'est donc dans son uniforme de dragon galonné d'or qu'il se rendit à l'audience.

Dans la Salle du Trône entrèrent, suivant l'ordre protocolaire, l'Aga des Janissaires, les Juges de l'armée, le Grand Vizir, le Grand Amiral, et enfin apparut Sébastiani. Il était soutenu de part et d'autre par deux dignitaires de l'Empire, de sorte que ses pieds n'eussent pas à fouler le sol. Par une autre faveur sans précédent, on ne lui avait pas retiré son sabre. C'est donc armé qu'il parut devant le Grand Seigneur, ce qui ne s'était pas vu, pour un ambassadeur étranger, depuis l'époque du Conquérant. Je découvris sans peine Fanny Sébastiani dans sa suite de nombreux officiers. Elle était trahie par sa trop gracieuse allure, serrée dans un uniforme de dragon dont la culotte de drap rouge, bien ajustée, lui seyait à merveille. Ce n'était plus l'enfant maigrelette et triste que j'avais autrefois vue chez Mademoiselle Bertin. Fanny Sébastiani était devenue une lumineuse beauté douce et épanouie.

Cependant Sébastiani, après s'être incliné trois fois devant le trône de Sélim, avait entamé un bref discours, appelant de ses vœux l'amitié franco-turque.

Il tendit alors à Sélim un petit sac de drap d'or qui contenait une lettre de Bonaparte. Il y eut ensuite un échange de vœux et Sélim remit au général Sébastiani sa réponse accompagnée d'un cadeau : une boîte en or incrustée de diamants qui formaient l'image d'une colombe, symbole de paix.

Était-ce l'air martial des Français, était-ce leurs uniformes qui avaient traîné dans toutes les victoires dont l'Europe se répétait les noms, avec eux il me semblait qu'un refrain entraînant de gloire et d'avenir se faisait soudain entendre dans la vénérable Salle du Trône des Sultans turcs. En contraste, notre Cour, figée dans ses traditions et ses costumes, paraissait une miniature ancienne fixée à jamais dans un faste désuet. En vérité, lourde était la tâche de Sélim et je ne savais si ses forces jointes aux miennes suppléeraient à sa volonté de transformation.

Cependant le Grand Vizir avait donné le signal indiquant la fin de l'audience. L'ambassadeur avait fait trois nouvelles révérences et s'était éloigné à reculons jusqu'à la porte de la Salle du Trône.

L'arrivée de Sébastiani nous avait amené ce que nous en attendions : un appui. L'amitié personnelle naquit rapidement entre Sélim et lui, et bientôt les rapports entre ce soldat de fortune et le Sultan Réformateur dépassèrent le cadre des liens entre la France et l'Empire Turc. Sébastiani prodiguait les conseils et suscitait les initiatives. Il poussait Sélim à la fermeté, l'assurant du soutien inconditionnel de la

France et de sa puissance. Sébastiani insistait pour que Sélim mît fin aux intrigues des Russes. En particulier, il fallait mettre un terme aux menées des Hospodars de Moldavie et de Valachie, les Princes Ypsilanti et Mourouzi qui administraient la Roumanie pour l'Empire et qui travaillaient quasi ouvertement pour la Russie. Encouragé par Sébastiani, Sélim osa les destituer. Ceux-ci ayant pu s'échapper — grâce à quelles complicités ? — et se réfugier chez les Russes, on arrêta et on décapita le père du Prince Ypsilanti, convaincu de connivence. La Russie devait connaître que l'Empire Turc ne tolérait plus ses manigances.

La vue de Fanny Sébastiani au cours de la remise de lettres de créance et le souvenir que j'avais conservé d'elle à travers les années me conduisirent à la recevoir en privé. Plaisir qui était aussi geste politique : l'ambassadeur de Bonaparte ne pouvait qu'être flatté de savoir son épouse introduite dans le Harem Impérial.

Afin de ne rien laisser soupçonner de mon identité à ma compatriote, j'avais suivi, jusqu'au moindre détail, le goût vestimentaire des autres Kadines plutôt que le mien et je m'étais munie de Mahmoud comme interprète. L'entrée de Fanny a été celle du printemps. Une fleur piquée dans ses cheveux, elle portait une simple robe blanche qui rehaussait sa grâce et sa fraîcheur. Nous échangeâmes par l'intermédiaire de Mahmoud les politesses d'usage et je lui fis servir le café à la cardamone accompagné des meilleures pâtisseries du Harem. Très vite j'ai su que je serais déçue par cette entrevue, dont je m'étais fait une fête.

Fanny, certaine de s'adresser à une Turque telle qu'on les lui avait décrites, me consultait sur les us et coutumes d'un Harem. Lorsque, à mon tour, je l'interrogeai sur la France, elle se comporta en parfaite ambassadrice, me brossant un tableau idyllique de son pays et de la Cour Impériale. Lorsqu'elle me vanta l'union touchante entre l'Empereur et l'Impératrice des Français, je ne pus me contenir plus longtemps :

— Madame l'Ambassadrice, l'interrompis-je, je n'ignore pas que l'Impératrice des Français a désormais renoncé aux amants, mais je sais aussi que l'Empereur s'est mis à la tromper, et qu'il la néglige de plus en plus.

Cette sortie en français laissa Fanny bouche bée. Ce fut Mahmoud qui sauva la situation.

— Ne vous étonnez pas, Madame l'Ambassadrice, j'ai appris un peu de français à ma mère.

« Un peu de français », alors que j'avais évidemment parlé sans trace d'accent... « ma mère », alors que j'avais l'air à peine plus âgée que Mahmoud. Mais Fanny ne sembla s'étonner de rien.

L'entretien repartit dans la voie rassurante des banalités d'usage mais j'avais du mal à m'y intéresser et à masquer ma déception. Qu'avais-je donc escompté en revoyant pour la première fois une jeune femme de mon âge, venue de mon pays et de mon monde ? Renouer avec elle, parler de ce que j'avais connu, m'en faire une amie ? Lui aurais-je révélé mon identité, le monde entier aurait connu mon existence. J'aurais trahi ce qui était ma ligne de conduite depuis dix-sept ans. Et pourtant, un instant, j'avais espéré, stupidement, qu'Aimée Dubuc pourrait communiquer avec Fanny de Coigny. J'avais tant besoin d'une compagnie, d'une oreille amie depuis la mort de

Zinah ! Jamais au cours de mes années de Harem je n'ai plus souffert qu'en cet instant de la discipline de silence et de discrétion que je m'étais imposée — j'en ai presque voulu à Fanny.

Mais, après tout, la pauvrette n'y était pour rien, j'étais l'instigatrice de ce malentendu et il me fallait l'endurer jusqu'au bout.

Seul l'effet que Fanny produisait sur Mahmoud me divertit. Cet homme qui était mon enfant, rougissait, bégayait, s'empêtrait dans ses phrases, il béait d'admiration devant cette apparition fleurie et, littéralement, je l'en voyais tomber amoureux. Dieu merci, Housmoumelek, la sirène aimablement fournie par sa sœur, la Princesse Esmée, continuait à régner sur ses sens sinon sur son cœur. Sinon, nous évitions à grand-peine l'incident diplomatique...

Soudain le tonnerre éclata : outrée par le coup de force de Sélim contre ses clients les Hospodars de Moldavie et de Valachie, la Russie ouvrait les hostilités sans déclaration de guerre.

Fin novembre 1806, les troupes russes avaient déferlé sur les provinces balkaniques et avaient emporté une chaîne de places fortes. De violentes émeutes éclatèrent à Constantinople où un peuple ivre de rage réclamait l'arrestation et l'exécution des Russes résidant en territoire turc. Sélim voulait rompre avec les traditions cruelles et archaïques et se montrer souverain moderne. Malgré la pression populaire, il refusa de faire arrêter l'ambassadeur russe et se borna à l'expulser avec les membres de son ambassade. Il leur offrit même la possibilité de quitter la Turquie à bord d'un navire de commerce anglais.

Cependant, de sa propre initiative, Baraïktar s'était jeté au-devant des Russes et avait réussi à entraver leur avance.

Une armée formidable s'ébranla de Constantinople sous le commandement du Grand Vizir, après la traditionnelle cérémonie de la remise par le Sultan de l'Étendard sacré du Prophète, le *Sandjak i Chérif*, qui lui aussi partait pour la guerre. Ce départ spectaculaire fut salué par une foule en liesse, la même qui, quelques semaines auparavant, répandait des rumeurs hostiles à Sélim et parlait de le renverser.

Ibrahim Nessim, qui, à défaut d'être ministre, gardait son rôle de conseiller écouté, adjura Sélim d'imiter ses lointains ancêtres et de prendre lui-même la tête de ses armées. Auréolé de la victoire, dont lui, Ibrahim Nessim, ne doutait pas, le Sultan ne pourrait plus donner prise à aucune opposition, à aucune attaque. Je me repentirai toute ma vie de n'avoir pas poussé Sélim à partir. Mais je le connaissais. Il se savait incompétent en matière militaire, il ne pouvait s'imaginer en général en chef. Son refus procédait de son humilité et non de la peur, qu'il ignorait. Et puis, surtout, les longues années de Cage avaient fait de Sélim un homme de cabinet, habitué au confinement du Sérail. Il redoutait l'extérieur, le grand air, la promiscuité, la foule. Tout cela le rendait gauche et emprunté. Sélim laissa passer l'occasion sans que j'intervienne.

Une nuit de décembre, nous devisions, Sélim et moi, dans le Pavillon de Bagdad, lorsque j'aperçus par la fenêtre, au loin, un navire qui, en dépit de l'opacité de cette nuit d'hiver, en dépit de la tempête, tentait de passer le Bosphore. Il luttait contre les vents adverses qui le poussaient dangereusement vers les rochers et à tout moment on pouvait craindre qu'il ne s'échouât sous nos yeux, à la pointe du Sérail.

Soudain s'imposa à moi la vision d'un autre naufrage, celui que j'avais vécu sur l'*Aliaga,* il y avait des années de cela. Il fallait faire quelque chose. Une impulsion irraisonnée me jeta dehors. Sélim et moi, souffletés par le vent, suffoquant de froid, nous avons couru à travers les jardins enténébrés jusqu'au Kiosk de la Perle pour suivre de près la lutte du navire et sonner l'alarme en cas de besoin. Nous n'en étions plus qu'à quelques encablures et nous pouvions distinguer les marins courant sur le pont battu par les paquets d'eau, entendre leurs cris. Je crus avoir distingué des ordres en anglais, mais je n'aurais pu l'affirmer.

Nous nous tenions prêts à aller chercher du secours, mais le navire en détresse réussit à redresser, à s'éloigner de la rive meurtrière et à prendre le large en direction des Dardanelles. Comme il virait de bord, nous avons même pu lire sur sa coque le nom de ce vaisseau sans pavillon : *Endymion.* Nous nous demandâmes quelle folle témérité avait pu le pousser à courir par une nuit pareille. La réponse, nous l'eûmes le lendemain.

Les semaines précédentes, l'ambassadeur anglais, Arbuthnot, l'instigateur du meurtre de Zinah, avait harcelé Sélim de ses demandes exorbitantes dont ce dernier n'avait même pas jugé bon de tenir compte. Puis Arbuthnot avait vu l'exaspération générale contre les ennemis de l'Empire et le revirement populaire en faveur de Sélim. Il avait pris peur pour sa personne, sinon pour sa vie.

Il s'était fait inviter à dîner à bord de l'*Endymion*, une frégate anglaise ancrée par hasard à Constantinople. Au beau milieu de la réception aussi élégante que solennelle qui réunissait les membres de l'ambassade et les officiers du navire, Arbuthnot avait annoncé à l'assemblée abasourdie son intention de quitter Constantinople sur l'heure. On imagine la stupeur du capitaine, non averti de ce projet mais contraint de l'exécuter : on avait donc levé les voiles en pleine tempête et en pleine nuit, sans surseoir un instant, et l'ambassadeur avait déguerpi avec ses collaborateurs, abandonnant à l'ambassade femmes et enfants. Je regrettai presque que l'*Endymion* ne se soit pas échoué au pied du Sérail. J'imaginais les eunuques du Harem recueillant avec déférence l'ambassadeur transi et en fuite pour l'amener devant Sélim...

Deux mois s'écoulèrent. Un après-midi, à l'heure sacro-sainte de la sieste, Ali Effendi interrompit mon repos pour m'inviter de la part de Sélim à me rendre en haut de la Tour de Justice. L'heure et le lieu inusités de cette convocation me tirèrent vite de ma béatitude. Au sommet de la Tour, sur la terrasse d'où l'on domine la capitale, ses environs et le Bosphore, Sélim m'attendait une lunette à la main. Il me la tendit et dirigea mon regard. Une flotte de guerre, battant pavillon anglais, se dirigeait droit sur Constantinople. Parvenus à quelques lieues du Sérail, les quatorze navires s'immobilisèrent, plus précisément ils manœuvrèrent pour ancrer dans la baie de l'une des îles des Princes.

Arbuthnot, dont la fuite avait fait nos gorges chaudes, revenait, mais en force. Il fit aussitôt une note au Divan où il répétait ses exigences, encore considérablement amplifiées. C'était un véritable diktat qu'il nous imposait.

Si nous n'obtempérions pas dans les vingt-quatre heures, la flotte anglaise bombarderait Constantinople.

Notre armée se battait sur le front des Balkans, Constantinople n'offrait pratiquement aucune défense et... le Sérail se trouvait dans la ligne de mire des canons anglais. Le Divan s'éternisa en stériles discussions et, bien sûr, n'arrêta aucune décision. L'heure inexorablement fixée par les Anglais approchait. En début de soirée, je rejoignis Sélim au Pavillon de Bagdad où il avait convoqué ses conseillers les plus intimes, Ibrahim Nessim, Ahmed Effendi et Billal Aga. Il avait déjà dépêché Ishak Bey chez Sébastiani pour l'inviter à se préparer au départ. Il voulait éviter à l'ambassadeur de Bonaparte l'arrestation, au cas où les Anglais l'y contraindraient.

Se soumettre à eux le dégoûtait, laisser détruire sa capitale l'horrifiait. Aussi, malgré sa répugnance, je le sentais enclin à céder pour éviter le bombardement et le massacre de son peuple. D'autant plus qu'aucun de ses conseillers ne l'aidait à sortir du dilemme.

Je l'adjurai de résister. Encore une fois il objecta que nous n'avions rien ni personne pour nous défendre. La repartie me vint d'instinct, irréfléchie, illuminée :

— Si ! Il y a le peuple !

Puis, m'étonnant moi-même, je développai mon argumentation, inventée au fur et à mesure que je parlais : le peuple de Constantinople avait en maintes circonstances prouvé sa capacité, son goût de la résistance, en bien ou en mal. Nul jusqu'ici n'avait songé à faire appel à lui. Il suffisait pourtant de tenter la chose, de lui confier la défense de sa ville, de l'aider à l'organiser. Ibrahim Nessim m'approuva, Ahmed Effendi rappela respectueusement à Sélim que s'il n'avait pu partir à la tête de son armée, l'occasion s'offrait à lui, là, maintenant, de devenir le chef de son peuple en assurant avec lui la défense de la capitale. Sélim était ébranlé. Mais, remarqua-t-il, nous manquions de temps pour mettre sur pied un quelconque plan : l'ultimatum des Anglais expirait le lendemain matin.

Ibrahim Nessim, échauffé par la discussion, était sorti faire quelques pas dehors sur la terrasse. Je l'observais par la fenêtre qui arpentait le pavé de marbre, le front plissé par le souci, puis je le vis s'arrêter net, pivoter, revenir vers nous.

— Nous avons un allié !

— Qui ? demanda Sélim stupéfait.

— Le vent, répondit Ibrahim Nessim.

Couloir entre deux continents, le Bosphore était soumis en alternance à deux vents violents contraires. Le vent du sud-ouest qui avait poussé la flotte anglaise jusqu'ici, venait brusquement de tourner et soufflait à présent du nord-est, en direction des îles des Princes. Pendant plusieurs jours, il clouerait la flotte anglaise sur place. Nous disposions pour organiser Constantinople de cette poignée de jours pendant lesquels l'ennemi serait immobilisé, rendu inopérant. Ce maigre espoir suffit à nous rendre confiants.

Billal Aga, revenu le premier sur terre, suggéra que nous tenions les Anglais en haleine le temps nécessaire en leur dépêchant un négociateur chargé de les abuser.

Sélim et ses conseillers s'attelèrent à la rédaction de

la proclamation qui appellerait la population à s'enrôler pour la défense de la ville. Je les laissais faire et je fus alors envahie par le doute : qui allait diriger et coordonner cette entreprise désespérée, qui, parmi ceux qui restaient, pourrait donner instructions et directives ? Au peuple il fallait des chefs.

Au milieu de la nuit, le drogman ou secrétaire de l'ambassade française, Franchini, qui était un agent double, nous envoya un message pour nous prévenir que Sébastiani, craignant d'être arrêté par le Sultan, préparait son départ secret sur un navire de commerce et qu'il avait déjà brûlé les archives de l'ambassade. Pierre Ruffin s'était inutilement entremis, paraît-il, pour apaiser ses craintes et l'assurer de l'honorabilité du Sultan.

Sélim fut atterré par ce manque de confiance, par ce qu'il considérait comme la trahison d'un ami. Ma rage me jeta sur mon écritoire pour rédiger, dans mon meilleur français, une lettre adressée au général Sébastiani, ambassadeur de Sa Majesté l'Empereur des Français :

« Monsieur l'ambassadeur,

« Un Français ne fuit pas. Voulez-vous imiter l'ambassadeur d'Angleterre et vous éclipser comme un malfaiteur ? Venez plutôt offrir à Sa Hautesse vos précieux conseils. Ils seront les bien reçus et les bienvenus. »

Ali Effendi porta incontinent ce billet au Palais de France, avec consigne de révéler qu'il émanait de l'entourage même du Grand Seigneur. Libre à Sébastiani de se perdre en conjectures sur son auteur.

Deux heures ne s'étaient pas écoulées que Sébastiani sollicitait de Sélim une audience toutes affaires cessantes.

Je me dissimulais dans le réduit où j'avais un soir surpris mon esclave Firouz occupée à espionner, et Sébastiani fut introduit dans le plus grand secret. D'emblée il offrit de mettre son expérience, ses compétences et les forces dont il disposait au service de la défense de Constantinople. Ne se contentant pas de vagues propositions, il était venu avec un plan précis qu'il exposait déjà à Sélim : en premier lieu, il fallait installer des batteries dans le Sérail, ce qui impliquait l'évacuation des femmes du Harem vers le Vieux Sérail. Ahmed Effendi, le secrétaire de Sélim, et Billal Aga levèrent les bras au ciel et poussèrent les hauts cris. Un miracle d'Allah n'aurait pas pu déplacer le Harem en quelques heures. Moi-même, je frémissais à la pensée de l'effarant désordre qui allait suivre. Sélim, inflexible, ordonna le déménagement. Là-dessus, j'allai me coucher, épuisée par cette nuit blanche, triomphante du succès de ma téméraire initiative qui nous avait amené l'organisateur qui nous manquait.

Le lendemain à l'aube commença le vacarme; ces dames quittaient le Harem, et la soudaineté comme les causes de ce déplacement exceptionnel faisaient monter la fièvre à des degrés jamais atteints.

Rien au monde ne m'aurait forcée à suivre mes compagnes au Vieux Sérail. J'ai couru chez Sélim le supplier de me recueillir chez lui. Il n'a pas opposé grande résistance et bientôt j'étais installée dans la chambre jaune et argent du second étage de son appartement, seule femme à demeurer au Harem.

Au tumulte qui avait accompagné le départ des femmes, succédait un silence insolite. Je me suis promenée dans le Harem déserté. J'ai déambulé à travers les appartements abandonnés dans la précipitation, où les portes et les coffres béaient sur des empilements de brocart, de velours, de soie. Partout, des boîtes à bijoux, de menus objets jonchaient le sol et dans ce silence d'exode, de loin en loin, on entendait les trilles insoucieux d'un oiseau en cage oublié là par une maîtresse affolée.

Mon refuge regagné, j'entendis peu après un grondement si puissant qu'il ébranlait le sol à la manière d'un tremblement de terre : on amenait les canons des forts environnants pour les placer aux points stratégiques du Sérail. Des voix françaises, celles des officiers de Sébastiani, et des voix turques, celles des Janissaires, se mêlaient dans la confusion des ordres, des appels, des jurons.

Dans la matinée, Ali Effendi m'annonça que la proclamation du Sultan, invitant la population à participer à la défense, avait été lue aux carrefours de la ville. Déjà, hommes, femmes, vieillards, enfants, paysans, bourgeois, commerçants se présentaient en foule devant les portes grandes ouvertes du Sérail.

Deux immenses tentes avaient été dressées au milieu des jardins du Sélamlik, pour Sélim et Sébastiani, d'où tous deux dirigeaient les opérations.

On avait confié à Mahmoud la mise en place des batteries sur le côté du Sérail le plus exposé aux bombes des Anglais. Il avait enfin trouvé de quoi se dépenser et lorsque, le soir, il est venu me voir, il rayonnait. Il me raconta avec quelle ardeur les petites gens travaillaient, transportant boulets et munitions, charriant des sacs de sable pour former des remblais. Le prodige s'était accompli ; le peuple de Constantinople avait massivement répondu à l'appel de Sélim et participait activement aux préparatifs de défense.

Le lendemain matin, je n'ai pu résister à aller voir de mes propres yeux, je me suis couverte d'une longue abaya noire et je suis partie à travers les jardins, traînant un Ali Effendi plus que réticent dans mon sillage.

Les parterres de plantes rares étaient piétinés, les pelouses étaient éventrées, les vases de Chine étaient brisés, les pavements de marbre pâle étaient souillés. Eunuques en soie, Kadines en perles, dignitaires en brocart avaient disparu. En place, hallebardiers et Janissaires, hommes et femmes de tous âges, de toutes races, de tous rangs peinaient dur, confondus dans le même effort.

Je suis allée jusqu'au Kiosk de la Perle. On installait une batterie et on édifiait un rempart pour la protéger. Les ouvriers occasionnels se passaient les sacs de sable de main en main avec une incroyable rapidité. Un marchand du Bazaar qui suait sang et eau au milieu de la chaîne m'a interpellée :

— Eh ! Toi ! La *hanoum,* tu es venue nous regarder ou travailler ?

Toute la chaîne a éclaté de rire. Malgré les protestations de Ali Effendi, j'ai pris place parmi les autres et je me suis mise à passer les sacs de sable. Ali Effendi, harcelé de plaisanteries, dut se résoudre à m'imiter ; il défaillait, il suait, pestait et je crus entendre mon nom dans les malédictions qu'il grommelait. Moi-même, je n'étais pas beaucoup plus vaillante. Je n'aurais jamais cru que des sacs de sable fussent aussi lourds. Je m'arc-boutais pour éviter la honte d'en laisser tomber un, mais mes mains tremblaient et mes bras, mon dos n'étaient qu'une seule douleur.

Nous étions ainsi à travailler lorsqu'une rumeur agita la chaîne ; le Padishah arrivait. Je vis bientôt la haute silhouette de Sélim qui s'approchait. Il avançait lentement et s'adressait à chacun, encourageant ici, remerciant là, et je voyais la foule d'abord figée par la présence du Grand Seigneur, de l'Ombre d'Allah sur terre, sourire, incrédule, ravie, séduite.

Sélim nous reconnut très vite, je le vis à la lueur amusée qui traversa son regard. Il s'approcha d'Ali Effendi prêt à défaillir d'épuisement et lui fit donner une pièce d'or qu'il accompagna de ces mots :

— Allah puisse te récompenser pour ta peine dont, j'espère, tu te remettras.

Puis se tournant vers moi, il me tendit également une pièce d'or et me dit dans un sourire :

— Le Sultan te remercie, *hanoum*, d'avoir abandonné ton mari et ta maison pour venir l'aider à défendre l'Empire.

A l'heure du déjeuner, des plats de riz et de mouton furent apportés des Cuisines Impériales. Jamais je n'ai partagé un repas si joyeux. Les commentaires, les réflexions des gens qui m'entouraient étaient les plus excellents condiments : tout ce que j'entendais me disait que Sélim n'avait jamais été si populaire. En fin de journée, Ali Effendi était à ce point fourbu qu'il n'eut même pas le courage de me raccompagner. J'étais moi-même à bout de forces et je regagnai seule la chambre de Sélim, les jambes flageolantes et le cœur en fête.

Le 23 février 1807, nous étions prêts : six cents canons défendaient désormais l'approche du Sérail, de la Corne d'Or et du port de Constantinople. Dans la journée, Ishak Bey se rendit à bord du navire amiral anglais pour conférer avec Arbuthnot, mais au lieu des atermoiements et gémissements qu'il avait fort habilement dosés ces derniers jours, il lui transmit un message régalien : le Padishah ne traiterait pas sous la menace du canon ; il refusait tout pourparler tant que les Anglais n'auraient pas repassé les Dardanelles.

Le lendemain, dès l'aube, Sélim me faisait convoquer en haut de la Tour de Justice. Je le retrouvai scrutant, à la lunette, l'horizon marin. Le vent du nord-est avait cédé et la flotte anglaise, poussée par un fort vent du sud-ouest, cinglait vers Constantinople. L'heure de l'épreuve décisive avait sonné.

Les cours et les jardins du Sérail étaient noirs de monde. Silence et immobilité. Chacun à son poste attendait l'assaut.

Billal Aga fit une brève incursion, suppliant son maître de ne pas demeurer en un lieu si exposé et de se mettre à l'abri. Sélim refusa et je restai à ses côtés, impassible et défaillante de terreur. La flotte anglaise s'approcha. Nous distinguions déjà les écoutilles ouvertes, les canons pointés sur nous, les serveurs la mèche allumée.

Alors se produisit l'inexplicable : la flotte anglaise vira soudain de bord et se dirigea vers le large. Nous crûmes d'abord à une manœuvre et nous ne réalisâmes que la bataille n'aurait pas lieu que lorsqu'elle disparut à l'horizon. Alors la clameur unique, comme sortie d'une énorme poitrine, cette clameur qui rassemblait tous les souffles, toutes les voix de Constantinople, monta vers nous : le peuple avait compris qu'il était sauvé.

De leur côté les Anglais avaient compris que leur coup était une fois de plus manqué. Arbuthnot avait pu voir au bout de sa lunette les canons hérissant le Sérail, la foule massée derrière les remparts de fortune, il n'avait pas osé insister. La liesse populaire qui s'ensuivit occasionna encore plus de dégâts dans les jardins du Harem que les préparatifs de guerre. Qu'importait ! L'expression de cette joie victorieuse resterait le spectacle le plus spontané, le plus extraordinaire dont le Sérail et moi-même aurons été les témoins.

Le Harem reprit peu à peu sa physionomie habituelle. Les femmes réintégrèrent leurs appartements avec esclaves et eunuques ; une armée de jardiniers remit en état les jardins saccagés par la foule industrieuse et vaillante de Constantinople.

Les Anglais matés, les Russes furent repoussés dans les Balkans par nos armées victorieuses, conduites par Baraïktar et le Grand Vizir.

Pour récompenser Sébastiani, Sélim lui offrit un yali à Thérapia sur le Bosphore. Sélim donnait à ses amis ce qu'il ôtait à ses ennemis. En effet ce palais, avec ses inestimables collections et son parc renommé, avait été confisqué au Prince Ypsilanti, l'Hospodar destitué pour avoir trop bien servi les Russes.

— C'est à toi, Aamé, que je devrais donner ce yali. C'est toi qui m'as conseillé de faire appel au peuple. C'est toi qui as fait venir Sébastiani à notre rescousse. C'est toi qui as sauvé Constantinople et c'est à toi que revient le yali.

— Je ne souhaite d'autre palais que la chambre de mon Seigneur !

— Petite fille ! — En dépit de mes trente-trois ans, Sélim me considérait comme au jour où il m'avait connue. — Petite fille, comment fais-tu pour toujours inventer la solution que mes conseillers les plus réputés ne trouvent pas ? Qu'as-tu donc de plus qu'eux ?

— Mon amour pour toi, Seigneur. Il enfièvre mon zèle, il donne des ailes à mon imagination. Il n'y a pas que cela. Si tu me reconnais quelque mérite, cherches-en la cause chez toi. Ton courage, ton sang-froid, ton intégrité, ta foi en ta mission m'inspirent et me stimulent.

En ce printemps 1807 deux morts nous affectèrent. Véli Zadé s'éteignit de vieillesse. En sus de l'ami fidèle, nous perdions un puissant soutien, une sagesse et une expérience irremplaçables.

Puis dans la lointaine Mecque disparut Rousah, la Kadine favorite d'Abdoul Hamid, qui l'avait tant fait souffrir et qui un beau jour était partie en pèlerinage pour ne jamais revenir. J'espérais qu'au paradis d'Allah, elle rejoindrait enfin son amant qui n'avait cessé, de son vivant, de la regretter.

Dieu Allah prend ici et donne là : en mai Fanny Sébastiani accoucha, en son yali de Thérapia, d'une fille. Cette naissance comblait les vœux d'un ménage heureux et semblait couronner la réussite de Sébastiani à Constantinople.

Dans le même temps qu'une petite Française ouvrait les yeux sur le monde en terre turque, le Grand Vizir et Baraïktar reprenaient Bucarest aux Russes et les chassaient de Roumanie. Nos ennemis se trouvaient en vilaine posture, d'autant que de son côté, Bonaparte, après avoir écrasé leurs alliés prussiens, les talonnait de victoire en victoire et faisait fondre leurs orgueilleuses armées dans les neiges d'Eylau.

Sélim imagina de coordonner les mouvements des armées française et turque : un assaut conjugué porterait le coup de grâce aux ambitions russes. Il proposa à Bonaparte une alliance offensive et lui demanda vingt-cinq mille soldats pour aider le Grand Vizir à rejeter les Russes hors de notre Empire. Nous ne doutions pas d'obtenir une réponse positive et même empressée : c'était l'intérêt de Bonaparte tout autant que le nôtre. En place de renforts sollicités et attendus, il envoya à Sélim un buste en marbre, le sien propre !

Une fois de plus, je ne comprenais pas. Notre Empire n'était-il pas l'allié le plus solide et le plus considérable de Bonaparte, celui dont il avait cherché des années durant l'amitié ? Cette amitié il en jouissait désormais et nous lui proposions de combiner nos efforts dans un but commun. En place de son soutien, il nous envoyait une babiole. Avait-il des arrière-pensées ? Nourrissait-il quelque dessein secret dont une fois de plus nous ferions les frais ? Ma méfiance à son égard était revenue. Sélim resta déconcerté, ce qui ne l'empêcha pas de placer le buste du grand homme dans son salon, dont toutes mes objurgations ne purent le déloger.

Un malheur atroce frappa Sébastiani. Fanny mourut des suites de ses couches, emportée en quelques heures par une fièvre puerpérale. Fou de douleur, Sébastiani ne voulut plus voir personne et s'enferma dans son yali de Thérapia. Les lieux de son bonheur devinrent le théâtre de son désespoir. Ce militaire si actif sombra dans une mélancolie dont rien ne pouvait le tirer.

Les condoléances de Sélim à son ami furent couchées en termes particulièrement émouvants, mais que pouvaient les mots contre une telle détresse ? Nous ne savions pas que cette mort brutale, injuste, sonnait pour nous comme le tocsin.

VI

Le 25 mai 1807 tombait un jeudi. Je consacrais ce jour hebdomadaire à mes comptes. Ma pension de Kadine et la générosité de Sélim m'avaient permis d'accumuler une jolie fortune. Au lieu d'acheter terrains, propriétés et immeubles de rapport comme les autres riches spéculatrices du Harem, j'avais gardé mes écus. Mon sang de Normande me les faisait aimer — et je les avais fait placer à la banque d'où j'en tirais un revenu appréciable. Je vérifiais donc les relevés avec Ali Effendi ; ce lutin grassouillet s'embrouillait toujours dans les additions et il me fallait les refaire moi-même. Lorsque Sélim nous a interrompus, il m'annonçait que les Yamaks du fort de Roumeli Kovak s'étaient soulevés.

Les Yamaks étaient des Albanais farouches, employés ordinairement comme servants-artilleurs, qui tenaient garnison dans les forts du Bosphore. Sélim, tout à ses réformes, s'était proposé de les intégrer petit à petit dans le *Nizam i Jedid*, son armée nouvelle.

Ce matin-là, le commandant du Bosphore s'était rendu au fort de Roumeli Kovak et après avoir alléché les Yamaks avec l'augmentation de leur solde et autres promesses, les avait invités à revêtir l'uniforme des nizamites. Les Yamaks avaient renâclé. Le commandant du Bosphore avait tonné. Les Yamaks avaient grondé. Le commandant du Bosphore avait menacé. Les Yamaks s'étaient précipités sur lui et l'avaient massacré avec plusieurs de ses officiers.

Sélim venait d'envoyer le Chef des Soldats Domestiques du Sérail, le Bostandgy Baj, le fidèle Chakir Bey, enquêter sur place. Ce genre d'incidents était, hélas, trop courant pour être alarmant et je me remis tranquillement à mes comptes. Le soir apporta des nouvelles plus graves. Tous les Yamaks dispersés dans les divers forts du Bosphore ayant eu vent de la mutinerie de Roumeli Kovak, s'étaient insurgés, massacrant leurs officiers et chassant les soldats du *Nizam i Jedid,* lesquels s'étaient réfugiés dans leurs casernes autour de Constantinople. Au village de Bouyoukdere devenu le quartier général des mutins, le Bostandgy Baj, le Chef des Soldats Domestiques du Sérail, envoyé par le Sultan, avait été accueilli par le canon et, sans avoir pu seulement débarquer, avait dû rebrousser chemin.

Sélim convoqua au Pavillon de Bagdad Ibrahim Nessim, son secrétaire Ahmed Effendi, Billal Aga et Mousa Pacha. Nous avions fait entrer au gouvernement ce Janissaire conservateur, réputé pour ses idées ouvertes, proches des nôtres. Il était Caïmankan, lieutenant du Grand Vizir, et le remplaçait puisque celui-ci se battait sur le front russe. Sa présence me forçait à me dissimuler dans le réduit attenant au salon où avait lieu le Conseil. Pour Ibrahim Nessim, une seule solution, radicale comme toujours : envoyer les nizamites contre les Yamaks pour rétablir l'ordre à coups de canon. Mousa Pacha objecta que les Yamaks souhaitaient uniquement conserver leur autonomie ; une simple déclaration de Sélim les assurant qu'ils ne seraient pas intégrés au *Nizam i Jedid* suffirait à les apaiser.

A l'écouter, je fus frappée par l'autorité qui se dégageait de la petite personne rondouillarde de Mousa Pacha. Tout insignifiant qu'il parût, il dominait la séance à force de rigueur et de fermeté. La révolte des Yamaks, expliqua-t-il de sa voix fluette, n'était qu'une péripétie somme toute compréhensible, suscitée par trop de hâte et de maladresse.

Comme pour lui donner raison, un eunuque se présenta avec un message venu de Bouyoukdere, le quartier général des mutins : les Yamaks avaient élu un chef, un certain Kabadji Moustafa, qui protestait de sa loyauté envers le Sultan. Mousa Pacha proposa de renvoyer les nizamites dans leurs casernes afin de ne pas exciter inutilement les Yamaks.

Je me rangeai à l'avis de Mousa Pacha lorsque Sélim vint me consulter. Mieux valait limiter l'incident. Surtout si Mousa Pacha promettait de réduire les Yamaks par la force au cas improbable où ils ne se calmeraient pas.

Sélim s'arrêta à la décision de la sagesse et fit rédiger une proclamation propre à apaiser les Yamaks.

Je regagnai mes appartements à dix heures passées. Je fus surprise de constater l'absence inusitée d'Ali Effendi. Il revint alors que j'étais prête à m'endormir. Il était allé traîner en ville pour glaner des nouvelles. Les rumeurs qu'il rapportait étaient peu réjouissantes mais, avec lui, je ne savais jamais quand le goût de la dramatisation prenait le pas sur la vérité.

L'affaire serait plus grave que nous ne le pensions, la révolte des Yamaks, loin d'être spontanée, aurait été soigneusement organisée, les mutins auraient reçu de l'or pour se soulever. Des proclamations anonymes circuleraient dans les casernes des Janissaires les invitant à se joindre aux Yamaks. Des officiers des Janissaires se seraient rendus à Bouyoukdere pour s'aboucher à eux.

Le lendemain, rien ne se passa. Je grondai Ali Effendi pour ses racontars alarmistes. Il hocha la tête en silence. Aucune nouvelle ne nous parvenant de Bouyoukdere et des mutins, j'en conclus que la déclaration de Sélim avait suffi à les apaiser, comme l'avait prévu Mousa Pacha.

Je passai l'après-midi à tourner en rond, incapable de m'appliquer à quoi que ce fût. Alors qu'il n'y avait plus d'inquiétude à conserver, une sorte de pressentiment bizarre et injustifié m'étreignait.

Dans la soirée, Pierre Ruffin fit tenir un message au secrétaire de Sélim, Ahmed Effendi. Rendant visite à Sébastiani toujours prostré dans son chagrin en son yali de Therapia, il avait poussé jusqu'au village voisin de Bouyoukdere pour voir ce qui s'y passait. Loin de se résorber, la révolte des Yamaks semblait s'organiser et grossir d'heure en heure. Il conseillait des mesures urgentes et énergiques.

Sélim me convainquit que Ruffin s'était laissé égarer. Les trois jours suivants furent décisifs pour l'Empire Turc et... pour nous. Depuis, de nombreuses études ont paru sur le sujet, que j'ai lues, tantôt exactes, tantôt farcies d'erreurs. Mon témoignage sur ces trois journées sera ce que j'en écrivis alors dans mon journal, sur le vif du moment.

Samedi 27 mai 1807

La journée est lourde, comme si l'été le plus suffocant régnait sur la ville. J'ai mal dormi et j'ai continué à me traîner, comme hier, sans entrain ni but.

Le soir m'amène Sélim avec des nouvelles inattendues et inquiétantes. Six cents Yamaks ont quitté leur quartier général de Bouyoukdere et, conduits par leur chef Kabadji Moustafa, ils ont marché jusqu'au faubourg d'Ortakoÿ où bientôt trois cents autres Yamaks, venus de différents forts du Bosphore, les ont rejoints. Pourquoi cette marche sur Constantinople ? Pourquoi cet arrêt à Ortakoÿ ?

Le Caïmankan Mousa Pacha, reçu par Sélim, s'est engagé à disperser les Yamaks, par la force s'il le fallait.

Plus tard, Ali Effendi, de retour de son incursion quotidienne en ville, vient me faire son compte rendu. Il a croisé des régiments d'artillerie en marche vers Ortakoÿ. Je me sens quelque peu rassérénée. Mousa Pacha tient donc parole : ce sera la dispersion par la force.

La nuit trop chaude nous jette, Sélim et moi, sur la terrasse. Quels secrets rampent dans la ville endormie ? Quel avenir nous réservent les astres qui scintillent au-dessus de nous ? Là-bas à Tophane, de l'autre côté de la Corne d'Or, c'est une foire ou une fête. Le quartier est brillamment illuminé. De loin nous entendons plus que nous ne distinguons une foule. Des barques sillonnent le Bosphore malgré l'heure tardive et nous suivons les va-et-vient de leurs fanals.

Dimanche 28 mai 1807

Tard couchée, j'ai presque bien dormi mais, dès mon réveil, les nouvelles me cueillent de plein fouet : les

Yamaks ne sont pas dispersés, les régiments d'artilleurs, prétendument envoyés contre eux, se sont joints à eux. Les Yamaks des forts de la rive asiatique ont franchi le Bosphore pour grossir leurs rangs. Ce que, dans la nuit, nous avions pris pour une fête était leur rassemblement à Tophane. Ce n'est plus une troupe mais une armée qui a traversé la Corne d'Or sur des centaines d'embarcations et monté vers la ville, vers le Sérail.

A dix heures, j'apprends que tout un petit peuple de commerçants, de boutiquiers, d'artisans s'est rallié aux Yamaks et leur emboîte le pas. Il s'agit bien d'une révolte générale.

Dès lors les événements se précipitent. En fin de matinée, nous sommes informés que le chef des Yamaks, Kabadji Moustafa, se concerte avec les commandants des Janissaires dans la mosquée Soulemaniye.

A midi, le Bazaar ferme, signe infaillible de troubles imminents. Mousa Pacha faisait chercher dans toute la ville les réformateurs, les collaborateurs de Sélim que l'insurrection met en danger de mort et les fait conduire au Sérail pour les y mettre à l'abri.

Une heure plus tard, les Janissaires à leur tour se rallient aux insurgés. J'entends de ma chambre le tintamarre caractéristique qu'ils font en tapant sur leurs chaudrons renversés.

Sélim réunit son Conseil au pavillon de Bagdad. La présence du Caïmankan Mousa Pacha et du Cheik Oul Islam Atallah me force à me cacher dans mon réduit. Ibrahim Nessim exige de faire donner les troupes du Nizam i Jedid *pour mater la révolte. Trop tard, objecte Mousa Pacha. Dispersés dans les forts hors de la ville, les nizamites n'auront pas le temps d'arriver. Seule une proclamation immédiate de Sélim annonçant la dissolu-*

tion du Nizam i Jedid *promise la veille éteindrait l'insurrection en lui ôtant son sens.*

Claquemurée dans mon réduit obscur, j'entends la voix fluette et posée de Mousa Pacha, et soudain la vérité m'apparaît comme si un pan de mur pivotait, révélant l'évidence. Qui a fait consigner les nizamites dans leurs casernes privant ainsi Sélim de son seul secours, qui a atermoyé, qui a minimisé les faits pour abuser Sélim et donner aux Yamaks le temps de s'organiser? Mousa Pacha, l'énergique Caïmankan que nous comptions comme appui, nous a trahis! Depuis le début, il est derrière la révolte des Yamaks. Depuis le début il tire les fils de la conspiration. Je veux bondir de ma cachette. Je ne peux. Je suis hébétée par ma découverte. Mon esprit en a instantanément réalisé l'ampleur, mes réactions ne suivent pas, n'obéissent pas. J'ai peur. Peur de ma découverte, peur de Mousa Pacha. Je veux crier la vérité, je ne peux. Clouée sur place, j'entends Sélim se ranger à l'avis de Mousa Pacha. Le piège se referme. Mousa Pacha part annoncer la dissolution du Nizam i Jedid, *suivi d'Atallah, le Cheik Oul Islam. Je sors de ma cachette, je vais parler à Sélim. Ibrahim Nessim me devance. Il a compris comme moi. Sélim lui-même a compris. Mais il est trop tard désormais. Il ne nous reste pour nous sauvegarder qu'à organiser la défense du Sérail.*

Ordre est donné de fermer les portes et de garnir les remparts. Entre les hallebardiers, les bostandgys, nos domestiques soldats et les pages, nous alignons dix mille défenseurs, répartis sur les tours et derrière les créneaux. Nous pouvons soutenir un siège, mais pour combien de temps? Je regagne le Kiosk d'Osman, avec l'obscur instinct de me terrer chez moi. L'épouvante de ce qui peut advenir, la menace qui plane sur Sélim et sur Mahmoud me glacent.

A sept heures, Ali Effendi fait brusquement irruption. Il revient de l'At Meydan, la vaste esplanade située à l'orée du Sérail entre la basilique Sainte-Sophie et la Mosquée Bleue du Sultan Ahmed. Les insurgés y sont rassemblés par milliers. Kabadji Moustafa, le chef des Yamaks, les haranguait. C'était au nom de l'orthodoxie musulmane, un long, un virulent appel au meurtre contre les réformateurs, contre les nizamites, contre les fidèles de Sélim. Peu après, le chef rebelle demande leurs têtes, directement à Sélim en lui lançant un message par-dessus le rempart du Sérail. Aucun de nos amis n'est oublié dans cette liste. Ibrahim Nessim, Ahmed Effendi, etc. Nul besoin de s'interroger sur le rédacteur de cette liste. Mousa Pacha, en invitant ce matin ses victimes à se réfugier au Sérail, les a lui-même fait tomber dans un piège mortel. Au reste, parti porter aux Yamaks l'annonce de la dissolution du Nizam i Jedid, *Mousa Pacha n'est pas revenu. Jetant le masque, il est resté avec les rebelles, ses clients. Bien entendu, Sélim ne cédera pas au chantage de sa vie contre celle de ses fidèles.*

Je suis à ma fenêtre, penchée sur la nuit de mai, humant l'air tiède, parfumé, innocent du printemps. Les lumières de la ville silencieuse répondent aux étoiles. Devant moi Constantinople s'étale, calme et immobile. J'ai peine à imaginer que, là-bas, de l'autre côté du Sérail, à l'At Meydan, la fièvre de destruction et de sang embrase les rebelles. Ne serait-ce qu'un mauvais rêve ? Si seulement Dieu voulait qu'il en soit ainsi ! Mon attention est soudain attirée par des mouvements furtifs dans les jardins enténébrés, au-dessous de mes appartements. Des ombres imprécises suivent des lanternes sourdes qui courent le long des sentiers vers la mer... Sélim fait fuir par les poternes les plus discrètes ses amis condamnés par les rebelles.

Vers huit heures, il revient chez moi, en larmes. Tous ont pu s'échapper du Sérail, il y a veillé lui-même. Tous sauf un qui a refusé d'obéir, le vieux Chakir Bey, le Bostandgy Baj, celui-là même qui, chargé d'enquêter à Bouyoukdere, avait été accueilli par le canon. Il espérait que son exécution suffirait à calmer les insurgés et il s'est lui-même livré au bourreau. Sa tête, tranchée d'un coup de sabre, vient d'être jetée par-dessus les murs du Sérail et portée à Kabadji Moustafa.

Sélim pleure comme un enfant et je suis trop horrifiée pour le consoler. Toute la nuit, nous restons au Kiosk d'Osman à l'écoute des nouvelles qui filtrent dans le Sérail en armes, bouclé comme une prison.

Mousa Pacha, Kabadji Moustafa, ne voyant d'autres têtes que celle de Bostandgy Baj, ont compris que Sélim ne livrerait pas ses amis. Ils en ont vite appris la fuite. Alors, dans leur rage et leur frustration, ils ont déclenché une chasse à l'homme par toute la ville. Toute la nuit, les partisans de Sélim, tous ceux qui de près ou de loin ont collaboré à la grande œuvre de ses réformes, sont traqués, débusqués, torturés, massacrés. Ibrahim Nessim se réfugie chez un débiteur juif qui, le croyant porteur d'or et de bijoux, le dénonce, le condamnant ainsi à être haché sur place. Ahmed Effendi, poursuivi jusque chez le Grec où il se terre, bondit de terrasse en terrasse, manque un saut, tombe dans la rue où il est achevé. Seul notre ancien ministre des Affaires étrangères, un réformateur de la première heure, échappe à la mort, grâce à un jardinier qui le fait s'enfuir par un égout. Mais les autres, tous les autres ne sont plus que des cadavres défigurés, décapités, coupés en morceaux autour desquels les rebelles, fous de sang, dansent de joie.

Sélim reçoit ces récits, raide et impavide. L'horreur m'a glacée au point que je ne réagis plus, que je ne ressens plus rien.

De temps en temps, Mahmoud, qui nous assiste de sa présence, et qui bout intérieurement, propose des plans d'action. Mue par ma combativité naturelle, ou fustigée par la peur et le danger, je soutiens avec véhémence ces solutions de désespoir, ces projets irréalisables. Pourquoi Sélim ne se rendrait-il pas sur la place At Meydan pour parler aux insurgés ? Pourquoi Sélim ne partirait-il pas au front pour prendre la tête de son armée ? Pourquoi Sélim ne tenterait-il pas de reprendre la ville avec les régiments du Nizam i Jedid *cantonnés dans les forts avoisinants ?*

Sans se départir de son calme, Sélim répond à chacune de ces folies pour en démontrer l'inanité. Il ne réagit vivement que lorsque je suggère la fuite pure et simple. Fuir le piège qui se referme sur nous ! Un instinct animal m'y pousse, l'exige. Garder la liberté et la vie, la mienne, celle de ceux que j'aime. Il sera toujours temps d'agir ensuite. Fuir !

— Jamais ! la réponse de Sélim a fusé. S'il me faut mourir, je mourrai sur mon trône.

Au petit matin, nous sommes seuls, sans amis, sans soutien, dans le Sérail assiégé par les insurgés.

Lundi 29 mai 1807

Très tôt nous apprenons que Mousa Pacha a rencontré dans la nuit Ristoglou. Évidemment, sa maîtresse Sinéperver ne pouvait pas être absente d'une conspiration de conservateurs qui menace Sélim. Mettre en avant son fils, le faible, l'inexistant Prince Moustafa, comme drapeau de la révolte, sert au mieux son ambition éternelle.

En partant pour le pavillon de Bagdad, Sélim m'a adjuré, m'a ordonné même de ne pas quitter, quoi qu'il arrive, le Harem qui bénéficie d'une immunité sacrée, qui a toujours été épargné lors des révolutions de l'Empire et où je serai en sécurité même au cas où les insurgés envahiraient le Sérail.

Je ne sors pas de ma chambre, mais je perçois l'étrange silence qui règne sur le Harem, le silence des animaux attendant le tremblement de terre. Plus de jacassements, d'interpellations, de claquements de socques, chacun se terre tout bas chez soi.

Ali Effendi fait cesser le supplice de mon attente. Il s'est glissé jusqu'à la place At Meydan où il a vu Kabadji Moustafa haranguer la foule surexcitée devant les têtes sanglantes de nos amis. Ce n'était plus la destruction des réformes, puis des réformateurs qu'il exigeait. Il demandait la destitution du Sultan Sélim « qui, méprisant nos lois et nos institutions, et dédaignant les conseils de ses sages Oulémas, a cherché à établir parmi nous les funestes institutions des peuples infidèles ». Le tribun improvisé terminait son réquisitoire en s'en remettant habilement au jugement du Cheik Oul Islam et en réclamant sa fetva, *sa sanction qu'on lui demande traditionnellement lors des grandes décisions.*

On ne connaît pas encore la réponse d'Atallah, le Cheik Oul Islam qui, enfermé dans le palais du Grand Vizir, débat avec ses Oulémas de la question : « Sultan Sélim mérite-t-il de rester sur le trône ? » Le sort de Sélim se joue entre le oui ou le non d'Atallah.

Survient Mahmoud. Il sait de source sûre que de nombreux officiers des Janissaires, effrayés par la tournure des événements, se sont dissociés des rebelles et ont rejoint les nizamites dans leurs casernes pour déclencher une contre-révolution en faveur de Sélim. Faut-il m'accrocher à cet espoir? Je ne sais plus à qui, à quoi accorder crédit.

En début d'après-midi, venue du dehors, une clameur me tire à ma fenêtre. Telle une vapeur pestilentielle, elle semble monter de l'At Meydan, du camp des insurgés et dérange le calme de nos quartiers.

Je discerne clairement les mots scandés par la foule : « Sultan Moustafa ! Sultan Moustafa ! »

Sélim me rejoint sur ces entrefaites. A son expression, je devine qu'il connaît déjà le verdict. A la question « Sultan Sélim mérite-t-il de rester sur le trône ? » le Cheik Oul Islam a répondu : « Non, Dieu connaît le meilleur. » Lorsque Kabadji Moustafa a lu la fetva *aux insurgés sur la place At Meydan, le cri a jailli, cri qui abolit Sélim : « Sultan Moustafa ! Sultan Moustafa ! »*

Atallah, le Cheik Oul Islam, est passé du côté de la rébellion... ou plutôt, il a exécuté sa part de la conspiration. Nous le considérions un allié et nous comprenons, Sélim et moi, qu'il nous a trahis depuis le début comme Mousa Pacha. Atallah, le pouvoir religieux, et Mousa Pacha, le pouvoir civil, encouragés, bénis sinon manipulés par Sinéperver, ont monté à eux deux cette comédie qu'il faut bien appeler révolution, profitant de la position où Sélim les avait mis, l'étouffant sous les protestations de leur loyauté, l'emprisonnant dans leurs mensonges.

Les traits tirés, exténué, Sélim garde un calme tout de dignité et de fierté, qui m'inonde de respect et de tendresse. J'ai envie de me jeter dans ses bras mais son noble sang-froid me retient. Et puis qu'avons-nous besoin des gestes, des mots pour exprimer ce que nous disons en silence et que nos cœurs entendent clairement...

Sélim veut éviter toute nouvelle effusion de sang et garantir la vie de ses défenseurs. Il m'informe qu'il n'opposera aucune résistance à un mouvement même illégal, à un Cheik Oul Islam même traître, et se laissera déposer. Je n'argumente pas, je ne discute pas, je m'incline devant Sélim car il n'a jamais été si courageux qu'en ce moment. Sa décision n'est pas fatalisme mais lucidité, elle n'est pas lâcheté mais grandeur. Sélim perd le trône mais garde honneur et bonne conscience.

Un eunuque entre, porteur d'un message d'Atallah qui, au nom d'Allah, implore Sélim d'épargner le Prince Moustafa. Pour le coup Sélim est ulcéré. Atallah croit-il donc qu'il va imiter ses ancêtres et assassiner ses parents pour garder le trône ? Le connaît-il donc si mal ? Il est vrai qu'un traître ne peut concevoir que la traîtrise. J'ai vu un sourire amer, mais peut-être était-ce une grimace de douleur, déformer le visage de mon Seigneur. En réponse à Atallah, il lui a écrit simplement : « Puisse Allah rallonger les jours du prince Moustafa. »

Sans se départir de son calme, Sélim s'habille : il revêt le caftan blanc bordé d'or qu'il portait le jour de son couronnement, il fixe l'aigrette à trois rubis sur son turban. Il me confie à la garde de Mahmoud, et s'éloigne. C'est du haut de son trône qu'il attendra la suite des événements. Dans ces secondes denses où nous nous quittons, sans grande certitude de nous revoir, nous n'échangeons aucune parole, aucun signe. Nous savons que nous nous aimons.

Il revient, deux heures, trois heures plus tard. Pour moi, trois siècles où j'ai fait des efforts surhumains pour masquer à Mahmoud la terreur qui me broyait.

Il semble étrangement, anormalement détaché, comme si plus rien ne le concerne de ce qu'il vient de traverser. Il raconte ainsi, sans émotion, sans intonation, l'arrivée des eunuques porteurs d'horribles trophées, les têtes de ses amis. Il est descendu de son trône, il a pris ces débris grimaçants, hideux, méconnaissables, les a embrassés et les a remis à son Chambellan afin qu'ils soient inhumés décemment. Puis il est lui-même allé chercher le Prince Moustafa au Pavillon de la Circoncision pour l'amener dans la Salle du Trône.

Atallah était annoncé. Il venait porter officiellement à la connaissance de Sélim la réponse à la fetva. *Dernière ruse, pauvre ruse des conspirateurs qui connaissent si mal le Sultan qu'ils veulent détruire. Ils craignent sa résistance, un long siège du Sérail, ils craignent les portes de bronze fermées sur un homme résigné. Seul le Cheik Oul Islam avait de par sa fonction le pouvoir de les faire ouvrir. Ils l'ont envoyé. Atallah s'est présenté, simulant humilité et chagrin, les yeux au sol, il s'est prosterné devant le trône.*

« Mon maître, je viens m'acquitter d'une pénible mission que j'ai dû accepter pour empêcher la populace égarée et furieuse de pénétrer dans cette enceinte sacrée. Les Janissaires et tout le peuple de Constantinople viennent de déclarer qu'ils ne reconnaissent d'autre maître que le Sultan Moustafa votre cousin. Toute résistance serait dangereuse et ne servirait qu'à répandre inutilement le sang de vos fidèles sujets. Que pouvons-nous faire, faibles mortels, contre la volonté de Dieu ? »

A ce florilège d'hypocrisie, Sélim s'est borné à répondre qu'il était prêt. S'adressant à Moustafa, il lui a annoncé qu'il déposait entre ses mains l'Empire. Moustafa s'est récrié — et peut-être n'était-ce pas uniquement de l'hypocrisie — Sélim a dû le prendre par la main pour le mener au trône. Il a seulement ajouté à son adresse qu'il lui confiait sa vie et celle de ceux qu'il aimait, puis il est sorti de la Salle du Trône et de l'Histoire de l'Empire. Il achève son récit absent du désastre, hors d'atteinte déjà, comme s'il est parvenu au-delà de toute réalité.

Billal Aga entre, apportant sur ordre de Sélim un sorbet de citron. Je le vois regarder la coupe précieuse avec horreur, je vois ses mains trembler en la tendant à Sélim ; je l'entends lui murmurer : « Au nom d'Allah, Seigneur, ne le fais pas ! » Sélim approche la coupe de ses lèvres et, un instant trop tôt, je comprends. Je m'approche de lui et lui murmure : « Seigneur, pour l'amour de moi, ne le fais pas. » Doucement, je lui retire la coupe empoisonnée des mains. Il se laisse faire, sans réagir, indifférent à la vie que je lui conserve comme à la mort qu'il a voulu se donner.

Soudain des rumeurs, des voix venues de la Seconde Cour proche. Les rebelles ont-ils attaqué le Sérail ? Viennent-ils nous massacrer ? Mon cœur s'arrête... Mahmoud nous met au courant : les rebelles ont effectivement envahi le Sérail pour assister à l'intronisation du nouveau Sultan, Moustafa IV. Au moins les conspirateurs ne perdent pas de temps. Auraient-ils peur de l'ombre du Sultan qu'ils ont détrôné ? Mahmoud reste avec nous. Des eunuques inconnus gardent nos portes et nos serviteurs familiers ont été renvoyés : nous sommes prisonniers.

Les heures passent dans le salon de Sélim sans que nous nous en rendions compte. Chacun de nous trois reste absorbé dans ses pensées et n'en sort que pour tâcher de rassurer les deux autres sur notre sort. Sélim est revenu à la réalité et ne semble pas se souvenir d'avoir voulu attenter à ses jours. Sa sérénité nous domine, sa confiance nous réchauffe. Il envisage l'avenir sans inquiétude. Il tient Moustafa pour un brave garçon qui ne nous veut pas de mal. Il accepte sa nouvelle condition pourvu qu'on ne nous sépare pas. Je souhaite seulement qu'on me laisse partager son sort. Vivre auprès de l'homme que j'aime, qu'il soit Sultan ou prisonnier, continue à être ma seule ambition. Sélim, souriant et sincère, soutient qu'il ne regrette pas le trône s'il m'a à ses côtés. Mahmoud, taciturne, ne songe qu'à nous défendre au péril de sa vie.

A présent, ces deux êtres qui sont ma vie sont endormis. Je les envie car je suis incapable de trouver le sommeil. Alors j'écris. Que nous réserve demain ? J'ai peur même d'écrire ce mot, « demain ».

VII

Le lendemain, 30 mai 1807, des salves de canon ébranlèrent la ville et saluèrent l'avènement du Sultan Moustafa IV, puis tout très vite rentra dans l'ordre. Les Janissaires remisèrent leurs chaudrons de révolte, les Yamaks réintégrèrent les forteresses du Bosphore dont le commandement était confié à leur chef, Kabadji Moustafa. Les nizamites, redoutant les représailles, abandonnèrent casernes et uniformes pour se disperser.

Les boutiques du Bazaar s'étaient rouvertes et la population vaquait à ses occupations. La capitale avait retrouvé en quelques heures son aspect habituel, comme si rien ne s'était passé. Constantinople, au cours de son histoire, avait vu tant de révolutions qui lui permettaient d'en être blasée. Néanmoins la capacité et la rapidité de l'Orient à digérer les événements me surprendront toujours.

Dans l'après-midi, un remue-ménage nous avait alertés : la nouvelle Sultane Validé, mère du Sultan Moustafa, prenait possession de ses appartements. Sinéperver, triomphante, s'installait avec la même pompe et la même cérémonie qui avaient présidé à celles de Mirizshah naguère. La Princesse Esmée partageait l'apothéose de sa mère et de son frère.

Dans la soirée nous eûmes la visite de Ristoglou déguisé en Kislar Aga. Son long travail de sape contre Sélim lui avait valu cette promotion que, si elle se mesurait à l'intrigue et à la malveillance, il méritait amplement. Il venait nous informer des dispositions prises à notre endroit. Sélim demeurerait « volontairement » dans ses appartements, continuant à disposer de Billal Aga, de ses eunuques, de ses esclaves... et de son Harem ; Mahmoud et moi-même serions détenus dans un appartement distinct, mais on nous accordait une brève visite quotidienne à Sélim. On me permettait de conserver Cédri et Idriss mais on me privait d'Ali Effendi sans doute jugé trop dangereux. On accordait à Mahmoud, devenu Prince Héritier par la déposition de Sélim, un certain décorum : son Lala Aga, son ancien tuteur, l'inoffensif Amber Aga, ses femmes, ses esclaves. Ristoglou piaffait. Il était impatient de m'arracher à Sélim. Nous nous sommes quittés, lui et moi, sans effusion, répugnant à offrir à nos ennemis le spectacle de notre désarroi. Le nouvel Kislar Aga nous conduisit, Mahmoud et moi, sous les combles du Harem jusqu'à d'anciennes dépendances de la Cage depuis longtemps désaffectées. Les pièces lugubres, sans air ni fenêtres, n'avaient d'autre lumière qu'une ouverture pavée de verre dans le plafond de la pièce centrale, pompeusement qualifiée de salon.

Pendant des mois, des années et probablement jusqu'à aujourd'hui, je fus torturée par une question double : que s'était-il passé et qu'aurais-je pu faire pour l'empêcher ? Comment tout cela était-il arrivé ? Il était évident que le peuple avait été abusé. Les Janissaires et les Oulémas ne pardonnaient pas à Sélim ses réformes qui lésaient leurs privilèges. Sinéperver depuis toujours ne rêvait que de mettre son fils sur le trône. Les Russes ne songeaient qu'à mettre le désordre dans un Empire, leur ennemi héréditaire, de surcroît allié de la France. Cette conspiration n'avait pas, je pense, de tête unique, mais une multitude de têtes unies par l'intérêt commun de renverser Sélim. Elle avait enrôlé Atallah le Cheik Oul Islam, Mousa Pacha, la Princesse Esmée qui y avait participé activement. L'opinion savamment égarée avait fait le reste.

L'oisiveté me pesait. L'oisiveté qu'on croit la règle d'or du Harem et que je n'y avais jamais connue. N'avoir soudain plus rien à faire me déroutait. Je tâchais de combattre les idées noires qui me guettaient dans les longues heures creuses en me fixant un horaire et des occupations, en m'absorbant dans les minuscules tâches de la journée : me lever tôt, me laver dans notre minuscule hammam, m'habiller, lire, donner des ordres à mes esclaves, écrire mon journal. Mais je n'arrivais pas souvent à tenir cette discipline que je m'étais imposée. En outre je devais distraire Mahmoud. Il tournait comme un lion en cage, ce qu'il était. Ce reclus de vingt-trois ans, éclatant de vie et d'énergie, se faisait encore plus mal que moi à notre nouvelle existence. Je tâchais de le distraire, sans beaucoup de succès, je l'avoue. Je le faisais parler, j'engageais une discussion, je l'interrogeais, mais bien vite il retournait à son silence d'où je n'avais pas la force de le tirer, et moi je retournais à ma morosité. Et peut-être étions-nous mieux chacun enfermé en soi-même. Dialoguer nous rendait vulnérables. Et vulnérables, nous ne l'étions que trop dans cette horrible prison.

Il faisait si sombre dans notre logis que les lampes y étaient allumées tout le jour et la senteur d'huile brûlée se mêlait à l'épaisse odeur de renfermé. Nous nous entassions, Mahmoud, ses femmes et ses esclaves, moi et mon service dans quatre à cinq pièces exiguës qui s'ouvraient sur la pièce centrale. Dehors dans le couloir, des eunuques nous gardaient, les armes à la main. J'aurais préféré être enfermée seule avec Mahmoud qu'avec cette trentaine d'êtres, certes dévoués, mais aussi accablés que nous, qui se traînaient misérablement dans tous les coins.

On nous avait laissé nos coffres, nos bijoux, nos vêtements, mais cette mansuétude était une dérision de plus. Avions-nous envie de nous parer de caftans brodés, d'aigrettes en diamants, de colliers en émeraudes ? Un Prince Impérial et une Kadine favorite ne sont plus grand-chose en prison. Et pourtant, naguère, des princes s'étaient contentés, des décennies entières, de notre logis, du temps qu'ils étaient dans la Cage. Ils n'en étaient pas morts, car ils n'avaient rien connu d'autre. Mahmoud et moi, nous avions vécu en liberté, nous étions la liberté et nous ne supportions pas de l'avoir perdue.

La séparation d'avec Sélim m'avait ôté jusqu'aux dernières traces d'espoir. Une prison avec lui n'eût pas été une prison. Une existence étouffée, dénuée d'avenir, partagée avec lui eût été oubliée en sa compagnie. Mais Sinéperver tirait de nous une vengeance d'autant plus subtile qu'elle se passait de sévices. J'étais bien traitée, bien nourrie, mais j'étais séparée de Sélim. Assez près cependant pour souffrir de sa proximité, pour entendre le son aigrelet et mélancolique de son *ney* lorsqu'il en jouait... Et lorsque enfin nous nous retrouvions lors de ma visite quotidienne, les yeux, les oreilles des eunuques chargés de nous espionner nous empêchaient de nous entretenir librement.

Les nouvelles de l'extérieur nous parvenaient. Les partisans que Sélim gardait hors les murs, mon Ali Effendi installé en ville, les chuchotaient à des complices dans le Sérail qui les répétaient à Billal Aga, à Idriss, qui nous les murmuraient dans les moments d'inattention de nos gardiens. La loi de l'Orient selon laquelle il n'y a pas de murs assez épais pour garder un secret, ou garder au secret qui que ce fût, jouait pour une fois en notre faveur. Les murs de notre prison devinrent une passoire à informations. Certes cela mettait du piment dans notre existence qui en manquait singulièrement, mais les nouvelles étaient toutes si désagréables qu'elles nous dérangeaient plus qu'elles ne nous excitaient.

Mousa Pacha et Atallah se partageaient le pouvoir que la traîtrise leur avait acquis. Ils s'appliquaient à chasser le réformateur où qu'il se cachât et à abolir la réforme où qu'elle fût mise en place. Quelques semaines suffirent à anéantir une action menée pendant dix-huit années. On avait tiré un trait sur le règne de Sélim.

Le désordre et l'anarchie s'étaient installés sur le front de la guerre avec les Russes. L'Aga des Janissaires, désapprouvant l'insurrection contre Sélim, avait été massacré par ses propres officiers. Le Grand Vizir, indigné par la traîtrise de son lieutenant le Caïmankan Mousa Pacha, s'était vu déposer et n'avait échappé à la mort que par la fuite. Baraïktar s'était désolidarisé des ennemis de Sélim et s'en était retourné avec ses troupes dans son fief de Rustuk en Bulgarie. L'armée, amputée, privée de ses chefs, s'était décomposée au point qu'il fallut renoncer à l'offensive prévue contre les Russes.

Les nouvelles poignardaient le patriotisme de Sélim, mais son cœur saigna lorsqu'il apprit que Sébastiani pactisait avec Moustafa. Contraint de maintenir l'alliance franco-turque, il était sorti de son deuil pour établir des relations cordiales avec l'usurpateur. Puis les hyènes s'entre-déchirèrent. Atallah, le Cheik Oul Islam et Mousa Pacha, le Caïmankan, égarés par leur ambition, sentirent chacun que l'autre était de trop. Leur conflit pour le pouvoir, d'abord latent, éclata au grand jour. Fort de l'appui de Kabadji Moustafa et de ses Yamaks, Atallah obtenait la destitution de Mousa Pacha. L'Empire retombait dans les anciennes ornières où l'avaient longtemps maintenu l'intrigue et la corruption.

Là-dessus, la France prétendait nous contraindre à une paix honteuse avec la Russie. Bonaparte, loin de vouloir réduire le Tsar Alexandre comme le lui avait proposé Sélim, n'avait songé qu'à s'entendre avec lui... sur le dos de l'Empire Turc en particulier. Une entrevue avait eu lieu à Tilsit sur le Niémen où les deux larrons s'étaient redistribué le monde. Se sentant trahi, furieux, le peuple de Constantinople se répandit en émeutes et menaça le Palais de France. Sébastiani faillit être écharpé et ne dut son salut qu'à l'intervention d'Atallah en personne.

Bonaparte avait en fait, ni plus ni moins, offert notre Empire en cadeau à l'appétit de la Russie, comme il ressortait des articles secrets de Tilsit, dont la lumière se fit jour jusqu'à notre prison. « A moi l'Occident, à vous l'Orient », aurait-il dit au Tsar, son compère, en partageant le monde avec lui. Non content d'avoir trahi Sélim, son fidèle ami, en ne tentant rien en sa faveur lors de sa déposition, il trahissait ensuite l'Empire Turc son fidèle allié. Sélim avait trop admiré Bonaparte, il avait trop cru en lui pour ne pas être durement, profondément blessé. Je n'étais pas surprise, je bouillais de haine. Du fond de l'oubli et de la prison dont rien ne paraissait devoir me tirer, je fis le serment que si un jour je recouvrais la liberté et le pouvoir, j'utiliserais mes forces à faire tomber cet homme néfaste à notre Empire.

Un soir, à l'heure de ma visite à Sélim, la porte de son salon s'ouvrit sur Ristoglou qui précédait Moustafa IV et ses eunuques. Le Sultan régnant, aux prises avec les difficultés du jour, venait quêter les conseils du Sultan déchu. Tout simplement. En dépit de ce qui s'était fait en son nom et des influences auxquelles il était soumis, le faible Moustafa conservait pour Sélim un fond de respect et de confiance. Anxieux de l'éclairer de son expérience, Sélim l'engagea à ne pas se cabrer contre Bonaparte. Puisque celui-ci prétendait que le traité de Tilsit était conclu à l'avantage de l'Empire Turc, le prendre au mot. S'il y avait traquenard, agir comme si on ne le soupçonnait pas et accepter la médiation que Bonaparte proposait, sinon imposait. Bonaparte serait bien obligé de s'en tenir à ses promesses, ou de découvrir ses batteries.

Moustafa remercia son mentor avec déférence et quitta son prisonnier avec désinvolture. Sélim commenta cette entrevue :

— Tant d'hommes veulent le pouvoir, tant d'hommes tuent et s'entre-tuent pour l'obtenir. Si seulement ils savaient ce que crée le pouvoir, cette responsabilité, ce fardeau de tous les instants. Moustafa était tout heureux de devenir Sultan et le voilà, éperdu, indécis, angoissé. Et moi, tout prisonnier que je suis, je ne l'envie pas d'être à la place que j'occupais.

Les conseils de Sélim se révélèrent excellents. Un armistice fut signé entre l'Empire Turc et la Russie. Puis le Tsar Alexandre le désavoua. L'armistice ne lui convenait plus pour la bonne raison que Bonaparte — nous en avions ainsi la preuve — lui avait fait miroiter la mainmise sur Constantinople, le rêve séculaire de sa dynastie.

L'Empire Turc n'avait plus qu'à se préparer à la guerre. Sélim sombra dans le pessimisme. Avec l'anarchie et les intrigues qui diluaient le pouvoir, il doutait fort d'une issue victorieuse.

Cet été 1807 fut une rude épreuve pour Mahmoud et moi. La lumière ne pénétrait pas sous les combles du Harem, mais le soleil, frappant de ses rayons le toit de plomb, en faisait une véritable fournaise. La chaleur nous étouffait le jour comme la nuit sans une heure ou un instant de répit, sans un souffle d'air pour l'alléger. Nous n'avions pas même le droit d'ouvrir les portes du couloir pour connaître l'illusion d'un courant d'air. La poussière obscurcissait encore un peu l'atmosphère et nous faisait tousser. Chaque geste était un effort et nous avions de la difficulté à respirer. Alors l'oisiveté se fit génératrice des plus noires pensées et l'absence d'espoir de jamais sortir de prison pesa sur nous comme une chape de plomb. La température brûlante, irrespirable, l'obscurité, la détention, l'isolement m'amenèrent parfois à des états voisins de la folie. Je restais, affaissée, hébétée, en sueur, à regarder fixement les colonnes de poussière éclairées par les trous du plafond, pendant que mon esprit, échappant à tout contrôle, crépitait en tous sens. Je me demandais combien de temps encore mon endurance me permettrait de supporter ce supplice.

Mahmoud cherchait l'évasion dans la débauche. Il libérait sa sensualité impérieuse avec les femmes que lui procurait généreusement sa sœur la Princesse Esmée. Cette folle qui avait puissamment intrigué pour mettre son frère Moustafa sur le trône, gardait une manière d'affection pour son cadet et cherchait sincèrement à adoucir sa détention. Elle lui faisait porter ses plats préférés et choisissait pour lui les plus jolies filles de son parc à esclaves qu'elle renouvelait constamment. Mais cela ne suffit plus à Mahmoud. Il se mit à boire, abusant de la cave abondamment fournie sur les ordres de Sinéperver. La mère de Moustafa ne cachait pas son intention de faire de Mahmoud un ivrogne et un incapable. Elle tuait à petit feu mon fils adoptif, aussi sûrement et bien plus atrocement que si elle l'eût fait étrangler. Et je ne pouvais enrayer cette œuvre de décomposition que je voyais se perpétrer sous mes yeux. J'étais trop accablée et trop égarée pour avoir la force de réagir. Je me laissais trop aller pour reprocher à Mahmoud d'en faire autant. J'étais comme une de ces vieilles *hanoums* radoteuses, étalée sur un sofa à regarder mon fils s'enivrer. La vengeance de Sinéperver brillait dans toute sa subtilité corrosive. J'enviais presque Sélim.

Prisonnier dans ses propres appartements, Sélim avait retrouvé en quelque sorte l'existence qui si longtemps avait été la sienne dans la Cage. Il se consacrait de nouveau à la poésie et à la musique. Je l'entendais souvent jouer de sa flûte dont les accents déchirants me berçaient et me perçaient le cœur. J'ai conservé un poème qu'il écrivit à cette époque et qu'il me glissa un jour dans la main :

Gain ? Perte ?
Quels sont-ils, le saurai-je ?
Car tout est à lui, tout est de lui, tout est par lui
Ma venue, mon départ ?
Y suis-je pour quelque chose ?
Même ce que je crois être ma raison me fuit :
Que possédais-je tant en ce monde ? Le sais-je ?
Cette vie ? Un tout mystérieux.
Ce ciel ? Une tente
Avec ses fixes étoiles où son flambeau erre.
L'univers m'est versé par ce dieu généreux
Ces pages sombres ? Les fragments de l'œuvre.
Que possédais-je tant en ce monde, le sais-je ?
La chair ? Mortelle. La vie ? Éphémère.
Possession ? Association provisoire.
Que ce nom de créature nous suffise et que
Notre unique devoir soit la soumission, car
Que possédons-nous en ce monde
Qui ne soit à lui ?

Sélim se retranchait dans le mysticisme qui l'avait toujours attiré et auquel je n'avais pas accès. Il suivait le secret des penseurs soufis et cette méditation, en marge de la foi musulmane, l'emmena très haut, au-dessus de sa prison, au-dessus des contingences, au-dessus de son enveloppe charnelle. Il avait accepté le pouvoir comme il acceptait la déchéance. Il acceptait la vie comme il accepterait la mort.

La sérénité de Sélim fut mon inspiratrice. Dans l'hébétude où je flottais, il savait comme moi que les paroles, les encouragements étaient inutiles. Son exemple ne le fut pas et se fit jour jusqu'à mon âme encrassée. Il me souffla la volonté de réagir.

L'arrivée des premières pluies de l'automne nous apporta une sorte de soulagement. Je cherchais à fixer mon esprit pour oublier notre condition. On m'avait laissé mes livres. L'infortune comme le désœuvrement me ramenèrent à eux. Les classiques français, Corneille, Racine, qui ne m'avaient jamais inspiré qu'un intérêt médiocre, me passionnèrent. Je partageais le destin de ces héroïnes, ces figures épiques, violentes, toujours admirables. L'ennui et le besoin d'exercer mon esprit me poussèrent à apprendre des tirades que je récitais comme un perroquet, puis déclamais comme une apprentie actrice. Je me pris vite au jeu et bientôt je passais des journées entières, métamorphosée en Phèdre, criant son amour coupable et son angoisse devant Mahmoud abasourdi :

Ah ! Je vois Hippolyte ;
Dans ses yeux innocents je vois ma perte écrite.
Fais ce que tu voudras, je m'abandonne à toi.
Dans le trouble où je suis, je ne puis rien pour moi.

Plus de dix ans se sont écoulés depuis et des milliers d'alexandrins courent encore dans ma mémoire.

Je me sentais soutenue par l'amour de Sélim, cet amour qui ne faiblissait pas, mais qui avait pris une autre dimension. Sélim se contentait de mon existence, de ma proximité, du bonheur de m'entrevoir. Je ne partageais pas ce détachement. Ma nature ne s'accommodait pas de l'amour désincarné. Notre intimité me manquait cruellement. Au point qu'il m'arrivait d'être aiguillonnée de jalousie contre ses femmes, Refet en tête, qui, si longtemps négligées, jouissaient maintenant du privilège qui m'était retiré, qui vivaient auprès de lui, qui recevaient peut-être ses faveurs. Une de mes esclaves avait du talent pour la miniature dont elle avait appris l'art à l'école du Harem. La fille passa des journées penchée sur sa plaque d'ivoire à tâcher de reproduire mes traits dans la pénombre du salon, pendant que je posais, immobile, avec la mine la plus gracieuse que j'avais pu m'inventer. Ce portrait point trop mauvais et même assez ressemblant, je l'offris à Sélim pour qu'il ne m'oublie pas un instant, même lorsqu'il regardait ses Kadines. Sélim comprit l'allusion, en sourit et suspendit autour de son cou la miniature accrochée à un fil de soie bleue, « couleur de tes yeux, Aamé ».

Je poursuivis de plus belle mon apprentissage solitaire de tragédienne. J'invitais Mahmoud à me donner la réplique, il se contentait de la lire d'une voix morne. La tragédie l'ennuyait. Tout l'ennuyait, hormis les femmes et l'alcool. Et même cela devint ennui alors qu'il n'en pouvait plus s'arracher. Ce fut Sélim qui le tira lui aussi de l'abîme.

Il lui rendit le goût de l'étude qu'il avait depuis l'enfance et que la prison avait suspendu. Le renouveau du désir de s'instruire, inspiré par Sélim, venait à point nommé alors que Mahmoud, las de l'alcool et de la débauche, ressentait de plus en plus douloureusement sa propre déchéance. Il abandonna les bouteilles et les femmes, pour se plonger avec la même rage dans des ouvrages d'histoire, de politique, d'économie, de droit, d'art militaire. Sinéperver en fut informée, mais crut à une passade et n'y vit pas de danger, les œillères de la haine raccourcissaient sa vue, ce en quoi elle eut tort. Car cette soif d'apprendre, cette obstination de Mahmoud à réfléchir devaient plus tard anéantir son fils et porter le mien sur le pavois de l'Histoire.

Les lectures de Mahmoud étaient puissamment stimulées par les cours de Sélim. Sélim avait en effet pris l'habitude de faire chaque soir son éducation politique : il brossait des tableaux d'histoire pour le jeune homme attentif. Il décrivait les affaires passées, présentes, les événements, les hommes avec la référence de dix-huit ans de pouvoir suprême. Il peignait minutieusement l'état de l'Empire. Il évoquait les buts qu'il s'était fixés, les réformes qu'il avait entreprises et qu'il n'avait pu mener à bien. Il recensait sans complaisance les erreurs et les défaillances de son règne, il faisait son autocritique, prévenant Mahmoud contre les traquenards du pouvoir. Debout, impassibles, les eunuques-espions écoutaient et je surprenais parfois sur leurs sombres visages l'expression de l'intérêt et même de l'émotion. Le discours de Sélim, sa vision, les dépassaient mais, découvrant l'honnêteté et la bonne foi de Sélim, sa sérénité excluant le regret et la rancœur, ils en étaient d'instinct touchés. Sans le savoir, Sélim se faisait des partisans parmi ses geôliers.

Ainsi, soir après soir, Sélim entraînait Mahmoud comme si, après les réalités présentes, celui-ci fût de toute évidence destiné à monter un jour sur le trône. Et de fait, Mahmoud s'imprégnait de la conscience de cette responsabilité, il acquérait peu à peu la maturité, la sagesse, la patience qui lui faisaient défaut et qui complétaient les connaissances qu'il accumulait dans sa solitude.

L'hiver vint, terrible. Nous souffrions du froid autant que l'été nous avions souffert de la chaleur. La neige s'épaissit sur les coupes de verre qui perçaient le dôme de notre salon et obscurcit totalement notre intérieur. Les braseros emplissaient l'appartement d'une épaisse fumée que rien ne dissipait et qui nous faisait tousser et cracher. Près de leurs braises incandescentes on brûlait, un peu plus loin on grelottait. Nous nous déplacions dans une sorte de brouillard et l'âcre senteur du charbon de bois imprégnait jusqu'à nos vêtements, jusqu'à notre nourriture. Les passages du chaud au froid, la fumée et l'insalubrité me firent tomber malade. Ma poitrine fut prise. Une toux sèche me déchirait, respirer m'était douleur, j'étouffais, je m'affaiblissais. Je restais étendue des journées entières, haletante, avide d'air, trop épuisée pour me lever. J'appris le départ de Sébastiani. A bout d'illusions et de force, accablé par l'échec de sa mission, miné par le chagrin et la maladie — on le disait atteint du scorbut — il avait demandé son rappel. Moustafa le couvrit de cadeaux, mais Sébastiani déclara à qui voulait l'entendre que ce qu'il emportait de plus précieux était le dernier message d'amitié que lui avait fait parvenir son ami le Sultan Sélim.

Il avait été impuissant à nous aider, pieds et poings liés comme il l'était aux instructions de son maître Bonaparte qui nous avait trahis. Mais c'était un ami qui s'éloignait, dont le prestige personnel aurait pu nous être, le cas échéant, de quelque secours. La maladie me rendait plus vulnérable. Je sentais que nous étions plus que jamais abandonnés. Combien d'autres hivers, combien d'autres étés nous faudrait-il subir dans cette prison ?

C'est alors qu'une lueur apparut dans notre cage enfumée, une nouvelle que Mahmoud me chuchota un soir en se penchant sur ma couche de malade.

De son fief de Rustuk, Baraïktar avait réussi à faire venir un message que Billal Aga avait chuchoté à Sélim. Baraïktar était parti souterrainement en guerre pour rétablir Sélim sur le trône. A cet effet, il avait constitué un comité secret — dit de Rustuk — qui réunissait dans une étrange disparate des militaires, des fonctionnaires, des réformateurs échappés à la purge, et même des conservateurs et des Oulémas dégoûtés des querelles intestines autour du pouvoir. Le plan : l'armée de Baraïktar marcherait sur Constantinople pour renverser Moustafa. Le danger : à la moindre alerte, Moustafa, de lui-même ou poussé par ses conseillers, ferait assassiner Sélim et Mahmoud pour demeurer le seul membre vivant de la dynastie ottomane et donc garantir son inviolabilité. La difficulté : trouver un prétexte pour déplacer les troupes de Baraïktar sans éveiller la méfiance de Moustafa.

Toutes nos informations corroboraient pour montrer la lassitude et l'impatience grandissantes de la population, laquelle commençait à s'apercevoir qu'elle avait été trompée. On critiquait la faiblesse et l'incapacité de Moustafa, on l'accusait de s'adonner aux fêtes et aux plaisirs, en temps de guerre et de disette. On lui reprochait de s'être entouré d'hommes corrompus qui ne songeaient qu'à s'enrichir aux dépens de l'État, tel Atallah, ou d'autres, tel Kabadji, le chef des Yamaks qui terrorisaient le peuple. Bref, on regrettait Sélim, on évoquait avec nostalgie sa bienveillance et sa justice, on espérait son retour.

Le revirement populaire encourageait le comité de Rustuk à brûler les étapes, mais mettait plus que jamais la vie de Sélim en danger. Nous étions pris entre l'enclume et le marteau, entre l'espoir de notre délivrance et la terreur d'une fausse manœuvre qui précipiterait notre perte. Je me sentais réduite à l'impuissance — le pire pour moi — devant des événements dont nous étions cependant le moteur.

En mars 1808, l'armée se concentra en vue de la prochaine campagne de Russie. La présence du Grand Vizir à Andrinople était l'occasion que guettait le comité de Rustuk : aussitôt on dépêcha auprès de lui un émissaire chargé de le circonvenir. Réduit au rôle d'homme de paille depuis qu'Atallah et Kabadji Moustafa sévissaient au pouvoir, le Grand Vizir tendit une oreille favorable à Bejid Effendi, le membre le plus habile du Comité de Rustuk.

Celui-ci attisa le ressentiment du Grand Vizir, l'allécha par la promesse de le maintenir à son poste et de le rétablir dans ses pouvoirs effectifs et le gagna à la cause de Baraïktar. Le Grand Vizir s'engagea à joindre, le moment venu, ses troupes à celles de Baraïktar. En attendant, il fournissait à Bejid Effendi toutes les lettres de créance nécessaires pour que celui-ci puisse œuvrer impunément et efficacement à Constantinople même. A peine dans la place, Bejid glissa le ver dans le fruit. Il éveilla la méfiance de Moustafa et de Sinéperver contre l'emprise croissante d'Atallah et de Kabadji Moustafa, leur conseilla de s'appuyer sur leurs partisans les plus fidèles, aiguilla leur choix sur des affiliés secrets du Comité de Rustuk.

Le printemps se traduisit pour nous par des nuits encore glaciales et des journées devenues étouffantes. Ma santé s'était rétablie mais non point mon moral. J'imaginais la profusion des fleurs dans les jardins du Sérail, les chants des oiseaux, la douceur des soirées, la premières étoiles, dehors. Dehors, si proche et si inaccessible auquel nous n'étions plus liés que par les fêtes incessantes données par Moustafa, dont l'écho perçait nos murs.

Privée d'air, privée de lumière, privée de printemps, la réclusion, d'éprouvante, devint insupportable. Tant que notre sort avait semblé sans issue, j'avais subi l'incarcération, non avec résignation mais avec une sorte de morne passivité. Maintenant j'avais envie de bondir, d'éclater, de briser les murs qui me retenaient car à l'horizon luisait un faible espoir qui alternait avec la terreur pour me mettre dans un état de tension constante. Je n'avais pas compté les jours tant que je n'avais rien à attendre. Maintenant je comptais les heures, je regardais sans cesse ma montre comme si cela eût pu accélérer le temps. J'attendais la délivrance... ou la mort, et cette attente me mettait sur un gril. Seule ma courte visite quotidienne à Sélim me donnait l'occasion de dominer mon exaspération, car je tenais à soigner mon apparence, et pendant des heures je m'efforçais à m'habiller avec goût, à me couvrir de bijoux et de parfums. L'amour restait mon unique discipline.

Les chuchotis du soir m'apprirent que Bejid avait suggéré à Moustafa d'appeler Baraïktar pour en finir avec Atallah et Kabadji Moustafa et le débarrasser du carcan qu'ils faisaient peser sur lui. Moustafa n'avait pas éludé. Il avait répondu qu'il ferait appeler Baraïktar le moment venu et avait annoncé tranquillement qu'auparavant, il ferait tuer Sélim et Mahmoud par précaution. Bejid avait su garder son impassibilité et avait convenu que le moment n'était pas venu.

Sélim et Mahmoud avaient manqué être assassinés, et moi avec car nul doute que Sinéperver m'eût fait inclure dans le massacre. Des heures durant, je fus agitée d'un tremblement de tout mon corps que je ne pouvais contrôler et Cévri dut m'administrer un calmant pour le faire cesser.

Sur ces entrefaites, impatienté par ces atermoiements, Baraïktar, sans prévenir personne, se mit en marche vers Andrinople à la tête de seize mille hommes. Mon cœur s'arrêta en apprenant la nouvelle. La mort était à notre porte. Mais non, Baraïktar annonça qu'il venait tout naturellement se joindre à l'armée du Grand Vizir en vue de la campagne de Russie. Moustafa et Sinéperver gobèrent cette explication. Je respirai à nouveau, mais l'alerte avait été chaude.

Le mois de juin et les deux premières semaines de juillet s'écoulèrent dans l'expectative. Soudain il ne se passa plus rien. Aucune nouvelle ne nous parvenait plus, comme si nos sources d'information avaient été taries. Peut-être se montait-il un coup de force qu'on entourait d'un secret absolu, même à l'égard de nos informateurs ? Je faisais appel à ma raison de plus en plus vacillante pour empêcher mon imagination, enfiévrée par la réclusion, l'oisiveté et la chaleur, de s'emballer. Mais l'instinct que j'avais acquis en Orient me certifiait que quelque chose se préparait. Toutes mes fibres le sentaient. Mais quoi ? Quand ? A quel prix ? La température de l'été montait chaque jour comme celle de mon esprit.

VIII

Dans l'après-midi du 14 juillet, le bruit d'une canonnade lointaine nous mit en alerte. Baraïktar arrivait-il avec ses troupes ? Notre délivrance approchait-elle... ou notre mort ? Non ! Le grondement venait d'une autre direction. Brusquement les rumeurs les plus incontrôlées et les plus contradictoires nous parvinrent. Que se passait-il ? Notre anxiété n'avait d'égale que notre perplexité. Le lendemain, la canonnade continua. De nombreuses familles en villégiature sur le Bosphore se réfugièrent en ville, amenant la nouvelle qu'une bataille d'artillerie se déroulait autour de Roumeli Fanar, quartier général de Kabadji Moustafa et de ses Yamaks. Entre qui et qui ? Nul ne le savait.

Les échos de la bataille cessèrent le soir du surlendemain et des bribes d'éclaircissement nous arrivèrent. Trois jours plus tôt, une centaine d'hommes conduits par un certain Hadji Ali s'était nuitamment glissée à Roumeli Fanar, avait cerné la maison de Kabadji Moustafa, l'avait sommé de se rendre au nom du Sultan et lorsque celui-ci était apparu, surpris et ensommeillé, l'avait proprement égorgé. Les Yamaks, ivres de vengeance, leur avaient donné la chasse, les avaient poursuivis jusqu'à une ville forteresse inexpugnable où ils s'étaient réfugiés, et les avaient canonnés sans répit et sans succès. De guerre lasse, privés de leur chef, les Yamaks avaient fini par renoncer et la petite troupe de Hadji Ali put s'éclipser et disparaître dans la nature.

Qui donc l'avait dépêché dans sa mission de mort, qui avait ordonné le meurtre de Kabadji Moustafa ? Le Comité de Rustuk, comme nous le susurraient nos fidèles, ou Moustafa lui-même, comme la rumeur circulait en ville ? La situation au quartier général du Grand Vizir et de Baraïktar nous eût aidés à y voir clair, mais inexplicablement aucun courrier n'arrivait d'Andrinople. Étaient-ils retenus ? Par qui ? Pourquoi ? Que se passait-il à Andrinople ?

Le 18 juillet Idriss, informé par Ali Effendi, m'annonçait que Baraïktar et le Grand Vizir, à la tête de trente mille hommes, venaient d'arriver à Silivri, à douze lieues de Constantinople. En ville, les imaginations se remirent à délirer pour expliquer ce mouvement intempestif. Le bruit courut même que la paix avait été signée avec les Russes.

Nous sûmes à l'instant par nos informateurs que Moustafa, éperdu, avait réuni ses conseillers qui l'affolèrent encore plus : les Yamaks privés de chef ne pouvaient être d'aucun secours et presque tous les Janissaires se trouvaient dans l'armée du Grand Vizir. Moustafa en était réduit à traiter avec Baraïktar. Que voulait celui-ci ? Que venait faire le Grand Vizir dans sa galère ? Pour la seconde fois Moustafa proposa de faire avant tout tuer Sélim et Mahmoud. Les vizirs, membres occultes du Comité Rustuk, eurent toutes les peines du monde à le persuader qu'il fallait d'abord sonder les intentions de Baraïktar.

La vie dans notre prison semblait suspendue. Nous n'osions plus bouger, parler, penser. A peine osions-nous respirer. Les chuchotis de nos fidèles nous amenaient d'heure en heure les nouvelles que nous nous glissions l'un à l'autre, sans commentaires ni pronostics, sous la surveillance des eunuques-espions que nous sentions doublement aux aguets.

Dans la soirée, un message de Baraïktar parvint à Moustafa, une protestation de fidélité et de dévouement. Moustafa choisit d'être rassuré et partit pour Silivri, sous prétexte de baiser l'Étendard Sacré du Prophète que le Grand Vizir ramenait avec l'armée. Baraïktar se prosterna devant lui et lui jura que son seul moteur était de le défendre et de le débarrasser de ceux qui l'oppressaient. Moustafa le crut. Son soulagement n'eut d'égal que la peur qu'il avait connue le matin même. Pleinement rassuré, il revint en ville. Mais pas seul. Les armées réunies du Grand Vizir et de Baraïktar le suivaient et établirent leur campement sous les murs de Constantinople, à Davoutpasa. Davoutpasa où, vingt ans auparavant, Sélim avait tendu l'Étendard du Prophète à un jeune officier inconnu, Moustafa Alemdar, qui recevait ce jour-là le surnom de « Baraïktar », « Porte-Étendard »... Le salut le rapprochait de nous comme le danger, car la proximité de Baraïktar rendait notre situation encore plus précaire.

Le 20 juillet, Baraïktar entrait dans Constantinople avec cinq mille hommes d'armes, s'installait à la Sublime Porte, le Palais du Grand Vizir en face du Sérail, et produisait un *hati chérif*, un décret signé par Moustafa qui lui déléguait les pleins pouvoirs.

Il s'empressa de destituer Atallah et de confisquer son énorme fortune. Ce dernier ne demanda pas son reste et se hâta de partir en exil, heureux de s'en tirer avec la vie sauve. Les jours suivants, Baraïktar chassa les vizirs, conseillers, Oulémas, officiers des Yamaks et des Janissaires accusés d'être les suppôts de l'ancien Cheik Oul Islam, et les remplaça par des partisans occultes de Sélim... et de Baraïktar.

Était-il Dieu possible que Moustafa continuât à croire aveuglément en la loyauté de Baraïktar ? Le fait était pourtant là, incompréhensible, aberrant, même pour une nullité comme le Sultan Moustafa. Et Sinéperver était-elle à ce point droguée par l'encens des flatteries que Baraïktar brûlait nuit et jour pour elle aussi ? Tapie dans la tanière surdorée de son appartement, elle ne bougeait pas, elle ne se manifestait pas. Peut-être ruminait-elle sa satisfaction d'être débarrassée de son rival au pouvoir, Atallah ? Baraïktar gagnait d'heure en heure du terrain et répétait aux dignitaires et aux ambassadeurs accourus en masse pour le sonder, que sa mission achevée auprès de son maître vénéré le Sultan Moustafa, il s'en retournerait combattre les Russes. Les ordres strictement exécutés par ses troupes de s'abstenir de toute molestation et pillage avaient rassuré la population et le calme revenait en ville.

Le Grand Vizir se frottait les mains du nettoyage opéré par Baraïktar qui éloignait enfin ceux qui l'avaient longtemps humilié, et se réjouissait de retrouver incessamment ses pleins pouvoirs promis par Baraïktar.

Moustafa nageait dans la béatitude d'avoir trouvé un tel champion de son trône. Bref, tout le monde était content. A tel point que Moustafa offrit à Baraïktar et à ses officiers une formidable fête en plein air à Ortaköy, dont l'écho battit notre prison.

Personne ne doutait en ville que Baraïktar ne fût accouru à Constantinople sur l'ordre de Moustafa, et peut-être Moustafa lui-même finit-il par le croire. Baraïktar jouait avec tant de conviction son rôle de soutien inconditionnel à Moustafa que j'en fus moi-même ébranlée. J'avais connu tant de traîtrises que malgré ses assurances secrètes, je finissais par me demander quel jeu son ambition pouvait bien jouer. Parvenu au sommet de la puissance, grâce à la faiblesse et à la naïveté de Moustafa, il pouvait être tenté de s'en tenir là et continuer sur sa lancée pour gouverner avec Moustafa plus absolument qu'il ne l'aurait jamais fait avec Sélim.

La visite que nous fit Ristoglou sur ces entrefaites ne fut pas pour dissiper mon émoi. Il apparut sous un prétexte fallacieux et l'espèce de jubilation que je perçus chez lui me fit frémir. Quelle raison, sinon l'assurance de savoir notre sort définitivement et prochainement scellé, aurait pu le réjouir à ce point ?

Je balançais ainsi entre la terreur et le désespoir lorsqu'un soir, au cours de notre brève entrevue quotidienne, Sélim réussit à me glisser le message qui lui parvenait de Baraïktar. Celui-ci se préparait tout simplement à investir le Sérail pour délivrer Sélim et Mahmoud. Tout dépendait d'une condition *sine qua non* : une sortie de Moustafa hors du Sérail. Le Sultan absent, le Sérail se défendrait peu contre un assaut. D'autre part, en cas de danger, lui seul pouvait donner l'ordre de massacrer son frère et son cousin. On savait que le printemps et l'ordre revenus, Moustafa n'allait pas tarder à reprendre ses pérégrinations avec ses femmes, d'un palais à l'autre le long du Bosphore.

Jusqu'au jour propice, Baraïktar nous suppliait de rester plus que jamais sur nos gardes, de ne rien manifester ni dire, de nous méfier de tous et de tout et surtout de ne toucher à aucune nourriture qui ne fût préparée par nos esclaves les plus fidèles. Baraïktar avait-il eu vent qu'un attentat se préparait contre nous ?

Son message me rassura sur ses intentions et décupla mon anxiété. J'en vins à souhaiter que tout cela finît, même au prix de notre massacre. Ma résistance s'était épuisée : ma raison sombrait dans cette attente à rebondissements et à coups de théâtre. Plutôt la mort que la folie.

Le 27 juillet au matin, un espion informait le Grand Vizir des véritables intentions de Baraïktar et de son plan d'action imminent. Le Grand Vizir courait mettre Moustafa au courant du complot et Ali Effendi nous en transmettait la nouvelle par l'intermédiaire d'Idriss. L'incertitude dura plusieurs heures. A chaque instant j'attendais de voir surgir les messagers de notre mort. Mais non ! Moustafa renvoya durement le Grand Vizir et porta ses calomnies sur le compte de la jalousie.

Le nœud coulant se relâcha autour de nous. Pas pour longtemps. Le Grand Vizir se replia sur Ristoglou, moins naïf que son maître, lui raconta son histoire et l'exhorta de faire assassiner Sélim, Mahmoud, les membres du Comité Rustuk dont l'espion lui avait fourni la liste, cette nuit même, une fois que Baraïktar aurait regagné son campement hors les murs de Davoutpasa et que les portes de la ville seraient fermées. Ristoglou lui rit au nez : vicié par l'intrigue, Ristoglou la flairait chez un politicien louvoyant comme le Grand Vizir et ne la décela pas chez un guerrier des montagnes comme Baraïktar. Décidément le farouche soldat se révélait un acteur hors pair. Pour comble, à peine le Grand Vizir s'était-il retiré, rageur et découragé, que Ristoglou dépêchait un messager à Baraïktar pour lui répéter toutes les fables que venait de lui déverser le Grand Vizir et le mettre en garde contre lui !

Sur l'heure Baraïktar nous faisait tenir l'information par Billal Aga, accompagnée d'un coup de tocsin : il lui fallait désormais agir sans tarder. D'un moment à l'autre Moustafa, Sinéperver, Ristoglou pouvaient, comme le Grand Vizir, émerger de l'illusion où les maintenait Baraïktar. Il fallait prévenir leur éveil et mettre en marche la machine du complot avant qu'ils ne réagissent en nous massacrant. Mais pour cela il était indispensable que Moustafa quittât le Sérail. Le temps galopait contre nous et le Sultan ne se décidait pas à visiter ses villégiatures.

Le souvenir de la journée du 28 juillet m'est si douloureux que je n'ai pas le courage d'en faire le récit. Je citerai donc une fois encore mon journal, sans le relire.

Vendredi 28 juillet 1808

Il faut manger, disent-ils, il faut dormir, il faut prendre quelque repos. Je ne puis. Je dois écrire, peut-être cela m'aidera-t-il à accepter ? Ils ont fini par m'apporter mon écritoire, ils se sont retirés.

Vendredi 28 juillet 1808. Je forme les caractères de cette date avec difficulté, avec répugnance.

Je me lève à sept heures du matin après avoir à peine dormi et je m'apprête. Dehors, le soleil doit déjà être installé dans un ciel radieux. La chaleur sera accablante comme à l'ordinaire. Billal Aga vient nous informer que Moustafa quitte le Sérail en compagnie de ses femmes et de ses musiciens : il se rend au yali impérial de Bésiktas, sur le Bosphore, par-delà les quartiers chrétiens. Quelques instants plus tard, j'entends les salves de canon qui saluent le passage des barques impériales sur la Corne d'Or. Sinéperver est restée dans ses appartements.

Est-ce le jour tant attendu et tant redouté ? Est-ce enfin l'occasion qu'attend Baraïktar pour nous délivrer ? J'avale café sur café, je me sens tendue comme un arc.

Vers midi, Billal Aga se glisse jusqu'à nous pour nous rapporter ce qu'il vient d'observer depuis la fenêtre des appartements de Sélim. Une troupe de soldats conduits par Baraïktar a longé les murs du Sérail, encerclé et investi le palais du Grand Vizir. Peu après, le Grand Vizir était tiré de chez lui et emmené comme un prisonnier. Baraïktar a-t-il voulu se débarrasser de son dénonciateur ou commence-t-il la vaste opération qui le mènera jusqu'à nous ? L'attente recommence, torturante, et dure deux heures.

Puis une forte rumeur faite de cris et d'acclamations monte vers nous de la ville. Il semble que le peuple se soit répandu dans les rues, mais nous ne comprenons pas ce qui suscite cette démonstration populaire.

A trois heures de l'après-midi, Billal Aga nous annonce que Baraïktar a investi la Première Cour du Sérail. Il parlemente avec le Capou Agassi, le chef des eunuques blancs de Moustafa, qui a fait fermer les portes de la Seconde Cour, le menaçant de les défoncer si elles ne lui sont pas ouvertes. Notre mort ou notre salut ? L'une comme l'autre sont à notre porte.

Une heure se passe puis Billal Aga fait irruption dans notre salon, le visage décomposé par la frayeur. Dans la

Voie d'Or, il a croisé Moustafa venant du Sélamlik. Bredouillant il décrit Moustafa se débarrassant d'une abaya de paysan qui le dissimulait et se dirigeant à grands pas vers les appartements de sa mère, Sinéperver. Moustafa de retour! A moins d'un miracle, nous sommes perdus!

Mahmoud, son vieux tuteur Amber Aga, Cévri et Idriss se tiennent auprès de moi dans le salon. Il est cinq heures passées. Soudain, un brouhaha de voix, un bruit de pas précipités nous attirent sur le palier. En nous dissimulant, nous voyons passer Moustafa accompagné d'une demi-douzaine d'hommes qui se dirigent vers l'appartement de Sélim. Quelques minutes plus tard, un hurlement terrifiant, le cri interrompu, horrifié, d'une femme, bientôt repris, amplifié par une seconde voix féminine. Les bruits d'une lutte rapide, brutale, et ces cris de mort. Je tente de m'élancer, mais Mahmoud me happe, me retient durement et donne un ordre à Idriss qui se jette en avant, en direction des appartements de Sélim. Nous entendons au loin des coups de boutoir quand Idriss revient courant, hagard, hurlant : « Le Sultan vous ordonne de vous cacher, ils viennent vous tuer! », répétant : « Le Sultan vous ordonne de vous cacher, ils viennent vous tuer! » Je vois Amber Aga tirer son poignard, aussitôt imité par Idriss; Cévri se précipite vers le petit cabinet où l'on fait chauffer l'eau du bain et revient, portant à bout de bras un énorme chaudron empli de braises. Un bruit de cavalcade dans l'escalier proche, puis ils surgissent, sabre au clair, les sbires de Moustafa, ceux-là mêmes qui... Mahmoud tente de fuir, un des hommes lance un poignard qui l'atteint au bras, je vois le sang jaillir, je vois Cévri précipiter le contenu incandescent du chaudron en direction des agresseurs. Ils reculent en hurlant, Mahmoud en profite pour se jeter dans un réduit attenant au salon. Les hommes de Moustafa se sont repris, ils reviennent à la charge, nous bousculent pour se lancer à la poursuite de Mahmoud. Un cri de bête jaillit de ma poitrine, j'entends ma propre voix, ma voix de bête. Je suis alors empoignée, enlevée du sol, Cévri m'emporte hurlante jusqu'au cabinet où sont entreposés les tapis qui ont été retirés et roulés au début de l'été. J'ai cessé de crier, je suis un objet, une statue qu'on dépose sur des épaisseurs de laine, qu'on recouvre d'un tapis. On a refermé la porte sur moi, je me retrouve seule, dans une obscurité totale. Toute la scène n'a duré que quelques secondes.

Je suis vivante. Les tapis dans lesquels je suis enfouie ont été saupoudrés de poivre pour être mieux conservés et j'ai envie d'éternuer ; mais si j'éternue, je suis morte. Je respire à peine afin de ne pas inhaler cette odeur, je ne dois pas éternuer. Je suis vivante et même je me sens bien dans ce cocon qui m'abrite. Je voudrais ne plus jamais le quitter. Mes pensées divaguent, les souvenirs les plus anciens affluent. De temps en temps, cette hébétude est traversée d'une douleur fulgurante, une douleur qui a deux noms : Mahmoud, Sélim.

Combien de temps cela a-t-il duré, je l'ignore. Mais au bout de ce temps inappréciable la porte du cabinet s'est ouverte, j'ai entendu des pas. Et la voix de Cévri : « C'est moi, maîtresse, n'aie pas peur. » J'ai envie de rester étendue là pour toujours, je ne bouge pas, je ne donne aucun signe de vie. Alors Cévri se jette sur l'amoncellement de tapis, les écarte, me découvre : la lumière des torches m'éblouit. Aux côtés de Cévri, je reconnais Billal Aga, Idriss, des eunuques. Cévri se penche vers moi, m'oblige à me lever. Mes vêtements sont imprégnés de poussière de poivre et j'ai une violente crise d'éternuements. Enfin cela cesse, je regarde autour de moi, hébétée : Cévri et Billal Aga pleurent. Mon regard interroge. Alors Billal Aga s'incline très bas et me dit d'une voix tremblante : « Sa Hautesse le Sultan Mahmoud m'a envoyé prendre soin de la Sultane Validé. » Je ne comprends pas. Ma bouche s'ouvre sur le seul nom : Sélim ? Billal Aga baisse la tête, les spasmes de sanglots le secouent. J'ai compris : Sélim est mort.

Billal Aga, quand il se calme, répète : « Le Sultan Mahmoud m'a envoyé prendre soin de la Sultane Validé. » J'ai pitié de cette autre partie de moi-même qui ne réagit plus, à laquelle je dois expliquer : je suis la mère du Sultan Mahmoud, la Sultane Validé.

Billal Aga bredouille encore : « Daigne la Sultane Validé me suivre et se mettre à l'abri, tout danger n'est pas écarté. »

Cévri s'approche, me prend par la main, je suis entraînée, je marche, nous traversons les appartements où j'ai vécu quatorze mois prisonnière. Nous empruntons la Voie d'Or, nous atteignons la mosquée du Harem où Billal Aga me laisse à la garde de Cévri et d'Idriss qui commande à une vingtaine d'eunuques.

Je suis là, debout dans cette pièce, entourée de ces gens qui me protègent. Je pense à Sélim sans douleur, les images de notre vie, de notre bonheur défilent comme dans un livre. Notre rencontre dans la Cage, la visite au palais abandonné de Beylerbey, ma première sortie au Bazaar, notre premier soir d'amour au Kiosk d'Osman, la promenade à l'Échelle du Grand Seigneur avec Sélim cueillant les fleurs des champs... les nuits d'été où nous chuchotions, enlacés au milieu des buissons embaumants, les nuits d'hiver devant le feu de la cheminée, les nuits d'automne où nous écoutions la pluie nous enfermer l'un avec l'autre, les nuits de printemps sur la terrasse de marbre où nous observions les étoiles en devisant, en nous embrassant. Les rares torches éclairent à peine la pièce exiguë et les carreaux de faïence au mur renvoient des reflets verts. Je m'efforce d'imaginer ce que sera la vie sans lui, je n'y parviens pas, je n'arrive pas à le concevoir. Curieusement, je ne m'interroge pas sur les circonstances de sa mort.

Soudain, une canonnade ébranle le Sérail. Je ne réagis pas. Ces salves, m'explique-t-on, saluent l'avènement de Mahmoud. Puis une rumeur s'élève, grandit, gronde, perce les fenêtres hautes et étroites de la mosquée du Harem : « Vive le Sultan Mahmoud! Vive le Sultan Mahmoud! » Ce sont les soldats de Baraïktar, me dit-on.

Peu après, ce sont des pas hâtifs, des cris dans le couloir : Idriss et ses eunuques sont sur la défensive, l'arme à la main. A mesure qu'ils s'approchent, je reconnais la voix de Moustafa, tour à tour furieuse et implorante : « Comment osez-vous porter la main sur votre Padishah ? » Une voix de femme, celle de Sinéperver, couvre ses protestations d'imprécations hystériques : « Qu'il soit maudit à jamais, le Sultan Mahmoud, qu'elle soit maudite, la putain de Sélim. Qu'ils meurent! Qu'ils souffrent! Qu'ils connaissent les damnations de l'enfer! Qu'ils soient maudits, maudits, maudits à tout jamais! »

Les malédictions de Sinéperver retentissent longtemps encore après leur passage. Maudits! Maudits à jamais! Ils sont passés. Ils sont vaincus. Ils sont prisonniers.

Notre attente reprend, mais je reste indifférente, je n'attends plus rien. Mes yeux sont fixés sur les vues des villes saintes Médine et La Mecque que les carreaux d'Iznik représentent naïvement sur les murs. Je m'absorbe dans les détails des minarets, des mosquées, les maisons, les remparts, la pierre noire de la Kaaba...

Lorsque la porte s'ouvre sur Billal Aga, dehors la nuit

est tombée. « Sa Hautesse le Padishah attend la Sultane Validé. » Je le suis le long de la Voie d'Or. Des eunuques portant un brancard viennent de la direction opposée. Devant moi Billal Aga frémit et se fige. Je m'approche du brancard. Je reconnais la couverture de soie jaune, tachée de sang, elle était dans la chambre de Sélim. Je la soulève pour découvrir le cadavre de mon aimé. Sa robe d'intérieur verte, sa courte veste brodée sont déchirées, marbrées de sombres traînées. Sa barbe noire a été à moitié arrachée. Les plaies qui couturaient son visage ont cessé de saigner. Malgré l'horreur de sa fin et ses souffrances, son visage a retrouvé dans la mort une expression paisible. Il a atteint la paix à laquelle il avait aspiré toute sa vie. Je baise la figure déjà froide. Je vois autour du cou le cordon de soie bleue. Je tire la miniature, mon portrait. Le verre en a été cassé dans la lutte et quelques gouttes de sang la maculent. Je la prends, je remets la couverture sur la dépouille de Sélim et je repars derrière Billal Aga. Je pénètre dans le Sélamlik.

Une foule de soldats et de dignitaires se presse sur les terrasses. Nous franchissons le seuil du Pavillon de la Circoncision et j'aperçois enfin Mahmoud : il vient vers moi, me prend dans ses bras, me serre contre lui sans mot dire. Nous sommes entourés d'hommes et le réflexe me fait ébaucher le geste de me voiler, mais Mahmoud retient doucement ma main.

— Ne te voile pas, Nakshidil, c'est le privilège de la Sultane Validé de paraître non voilée devant quiconque.

Je regarde enfin Mahmoud, j'ose enfin le regarder. Son état est pitoyable, son bras blessé a été mal bandé, ses vêtements sont déchirés, souillés de sang. Malgré cet aspect, il se dégage de lui une autorité, une majesté impressionnantes. C'est avec une sorte de fierté qu'il me présente les personnages présents, ceux qui nous ont sauvés : Baraïktar, Bejid Effendi.

Je souris mais c'est dans une brume que je vois ces visages qui s'inclinent devant moi. Les présentations s'achèvent lorsque, sortant des rangs de spectateurs, Ali Effendi se précipite vers moi, se prosterne, me baise les pieds, sanglotant, de joie, de chagrin, suffoquant. Mon Dieu, par quel miracle est-il là mon Ali Effendi ? Je le relève, je le console ; sa présence familière soudain m'apaise. Très vite il se reprend, redevient celui que j'ai toujours connu, opportun, zélé, pourvoyant à tout. Il m'entraîne vers un sofa, m'y installe, fait apporter un repas, m'oblige à manger.

Autour de nous c'est un va-et-vient incessant de dignitaires, de messagers, de militaires. Mahmoud debout au milieu de ses sujets parle, écoute, décide, distribue les directives. A ses côtés Baraïktar lance des ordres brefs, précis, sans appel. Je ne me lasse pas d'observer Mahmoud, comme si je le découvrais, comme si c'était un miracle de le voir. Et c'en était un. Dieu me l'a préservé, voici mon fils, le Sultan.

La nuit est très avancée quand la salle se vide enfin et qu'il peut me rejoindre. Il y a quelques instants de silence entre nous, que nous n'osons rompre pour ne pas parler de Sélim. Il faut tenir, tenir encore l'un pour l'autre. M'obligeant à un ton naturel, je l'invite à se restaurer. J'ai été bien inspirée, il se jette comme un affamé sur les plats apportés par Ali Effendi. Tandis qu'il mange, il s'enquiert de mon état, il veut savoir ce qui m'est arrivé. Je lui raconte comment Cévri m'a ravie à nos agresseurs, comment elle m'a sauvée en m'enfouissant sous les tapis.

Il s'est endormi, brisé par la fatigue, bercé par mon récit. Alors je l'ai étendu sur le sofa, j'ai posé sur lui une légère couverture comme au temps de son enfance, et j'ai appelé Ali Effendi pour qu'il m'apporte mes plumes et mon papier. Je tiens toujours dans ma main ma miniature tachée du sang de Sélim. J'ai écrit : Vendredi 28 juillet 1808.

Au cours des jours qui suivirent, je n'eus qu'un objectif : reconstituer dans ses moindres détails cette journée du 28 juillet. Il me semblait que je le devais non seulement à Sélim mais aussi à l'Histoire. Je fis convoquer et j'écoutai des heures durant tous les témoins susceptibles de m'apporter des informations, si menues fussent-elles. Je voulais connaître toutes les versions de la tragédie, depuis celle de Mahmoud et de Baraïktar jusqu'à celle du moindre des eunuques. Le voici tel que je le rédigeai à l'époque, ce récit que je n'ai pas le cœur de relire.

Le matin du 28 juillet 1808, aussitôt informé du départ de Moustafa pour Bésiktas, Baraïktar avait quitté son camp de Davoutpasa et était entré dans Constantinople à la tête de quinze mille hommes. Le peuple, voyant l'Étendard du Prophète et convaincu qu'il le ramenait au Pavillon du Manteau Sacré, les avait longuement acclamés. Laissant le gros de ses troupes sur la place At Maydan, il s'était rendu avec un petit détachement jusqu'au palais du Grand Vizir qu'il avait arrêté après lui avoir lui-même arraché le Sceau de l'Empire.

Puis il s'était présenté devant les portes du Sérail, porteur de l'Étendard du Prophète et, de ce fait, les Janissaires, casernés dans la Première Cour, se prosternant devant la relique sacrée, l'avaient laissé l'investir.

La difficulté avait surgi quand il avait voulu pénétrer dans la Seconde Cour : sur ordre du Bostandgy Baj, chef des soldats-domestiques du Sérail, la porte en avait été barricadée. Avaient commencé les longues palabres, le Capou Agassi, chef des eunuques blancs, étant prêt à céder aux injonctions de Baraïktar tandis que le Bostandgy Baj s'y opposait formellement. Il n'ouvrirait, disait-il, que sur l'ordre du Sultan Moustafa. Baraïktar excédé avait commis l'erreur fatale de jeter le masque. Au Bostandgy Baj debout sur les remparts, il avait crié :

— Il ne s'agit pas du Sultan Moustafa ! C'est au Sultan Sélim, vil esclave, que tu dois t'adresser ! Lui seul est notre maître ! Nous venons l'arracher à ses ennemis et le remettre sur le trône de ses ancêtres !

A cet instant apparaissait sur les remparts Ristoglou. Il fit mine d'accéder aux exigences de Baraïktar. Sélim, assurait-il, allait être sorti de sa prison pour être remis à ses partisans. Or on avait négligé, ou on avait oublié, la présence de Sinéperver au Harem. Sitôt qu'elle avait eu connaissance des mouvements de troupes autour du Sérail et de l'arrestation du Grand Vizir, elle avait dépêché un eunuque jusqu'à Bésiktas avec instruction de ramener son fils sans perdre une seconde. Moustafa, quittant femmes et musiciens, avait jeté sur son caftan brodé une abaya de paysan et, arrêtant une barque de passage, s'y était jeté et s'était fait déposer sur la plage en contrebas des jardins du Sérail. Ainsi, au moment même où Ristoglou parlementait avec Baraïktar dans le seul but de gagner du temps, Moustafa, déjà dans la place, conférait avec Sinéperver et sur ses conseils s'apprêtait à commettre son forfait : escorté de plusieurs de ses dignitaires et de ses eunuques, il se dirigeait vers l'appartement de Sélim.

Au moment où ils firent irruption dans sa chambre

jaune et argent du second étage, celui-ci était à sa prière, entouré de trois personnes : Billal Aga, Refet et une Gedikli, Pakisé. Voyant surgir ses assassins sabre au clair, Sélim s'était redressé. « Êtes-vous les bourreaux ? » avait-il demandé. « Tu es la cause des troubles », avait répondu l'eunuque Nezir Aga. S'adressant à Moustafa, Sélim avait demandé qu'on lui accordât la grâce d'achever ses dévotions. Mais, non, un instant seulement retenus par son sang-froid, les hommes s'approchaient déjà de Sélim lorsque celui-ci vit apparaître derrière eux Idriss. Alors Sélim tira son poignard pour retenir les assassins et ordonna à Idriss de nous mettre à l'abri. « Dieu est grand », avait-il murmuré avant l'assaut final.

Pakisé s'était jetée entre lui et ses agresseurs : un coup de poignard lui avait entaillé la main et elle s'était mise à hurler, aussitôt imitée par Refet. Le premier coup de sabre avait atteint Sélim à la joue, mais il étendit raides morts au bout de sa lame deux eunuques noirs qui se ruèrent sur lui. Moustafa à son tour avait tenté de lui porter un coup, il fut écarté d'un revers de main et il devait garder sur sa joue la griffe du diamant que Sélim portait au doigt. Mais ils étaient trop nombreux et malgré sa vaillance et l'ardeur qu'il mit à se défendre, les sbires de Moustafa eurent bientôt raison de Sélim. Ristoglou revenu en hâte avait été le plus acharné à lui porter des coups. Sélim n'avait pas reçu moins d'une vingtaine de blessures lorsque l'eunuque favori de Moustafa vint achever la besogne avec son cordon de soie. Billal Aga avait tenté de s'interposer, se jetant sur le corps déjà inerte de son maître mais ses mains dont il voulait protéger le cou de Sélim avaient été cruellement entaillées.

Dans cet instant où Sélim périssait, percé, étranglé,

Baraïktar fou d'inquiétude se décidait à enfoncer la porte de la Seconde Cour à coups de bélier. Mais Moustafa avait prévu cela et avait fait déposer le cadavre de Sélim bien en vue devant la Salle du Trône.

Depuis le moment où Cévri avait un instant retenu les assassins par le jet des braises chaudes, qu'était-il advenu à Mahmoud? Blessé au bras par le poignard d'un agresseur, il s'était donc jeté dans un réduit, seule pièce qui, par miracle, disposât d'une étroite ouverture à hauteur d'homme. Il s'y était glissé, se coupant aux bras et aux mains sur les verres brisés, s'était retrouvé sur les toits du Harem, bondissant entre les coupoles et les cheminées pour échapper aux assassins bientôt lancés à sa poursuite. Profitant de l'ombre du soir qui tombait, il s'était dissimulé dans un renfoncement et avait attendu qu'ils renoncent à l'attraper. Ne les entendant plus, il était sorti hors de sa cachette et avait erré sur les toits, ne sachant où aller, quoi faire. Il était parvenu en surplomb de la petite cour de la cuisine des eunuques blancs où se trouvaient réunies plusieurs personnes. L'ombre du fugitif, projetée sur le sol, avait attiré leur attention; un vieil Iman attaché au Sérail, qui par bonheur était un fidèle de Sélim, reconnut immédiatement Mahmoud. On avait réquisitionné les ceintures des hommes présents, on les avait attachées bout à bout, et on avait lancé cette corde de fortune à Mahmoud, le long de laquelle il s'était laissé glisser après l'avoir arrimée à une cheminée. Parvenu au sol, il s'était vu entouré et réconforté. Le vieil Iman l'avait emmené dans l'appartement proche du Capou Agassi, le chef des eunuques blancs. On avait étanché ses blessures de bandages de fortune et on avait un tant soit peu restauré son aspect; on lui avait apporté une paire de babouches — il en avait perdu une dans sa fuite. Le vieil Iman s'était alors incliné devant lui, avait baisé le bas de son manteau déchiré et souillé et, la voix tremblante d'émotion, avait murmuré ces paroles solennelles et incompréhensibles : « Longue vie au Sultan Mahmoud ! »

Perplexe, ne comprenant rien à ce qu'on voulait de lui, Mahmoud avait cependant suivi le vieil Iman jusqu'à la Troisième Cour déjà envahie par les soldats de Baraïktar et s'était laissé conduire jusqu'au porche de la Salle du Trône. Là, Mahmoud avait compris. Sur une dalle de porphyre gisait le corps mutilé de Sélim, à demi dissimulé par une couverture ensanglantée : un homme se tenait agenouillé auprès du cadavre, un homme qui sanglotait : Baraïktar.

Quelques minutes auparavant, le champion de Sélim et ses soldats avaient franchi la Porte de la Félicité grande ouverte en hurlant : « Nous voulons le Sultan Sélim ! » Ils étaient tombés sur Ristoglou qui, poussant le cadavre du pied, leur avait craché : « Voici votre Sultan ! »

Aussi Baraïktar se lamentait-il sur le corps du maître qu'il n'avait pas pu sauver : « Hélas ! Seigneur, disait-il, je suis venu ici joyeusement pour te remettre sur le trône et je te vois dans cet état ! » Un de ses lieutenants, Ramiz Pacha, l'avait interrompu : « Est-ce à Baraïktar de pleurer comme une femme ? Vengeons plutôt le Sultan Sélim ! » Aiguillonné, Baraïktar s'était redressé, les yeux fous, l'arme à la main.

A ce moment le vieil Iman s'était avancé traînant par la main Mahmoud.

« Qui est-ce ? » avait demandé Baraïktar considérant d'un air égaré le jeune homme qu'il n'avait jamais vu.

« Celui-là est notre Seigneur, le Sultan Mahmoud, avait répondu le vieil Iman. Le trône de Califat est le sien.

Je lui ai déjà prêté serment, il faut que vous en fassiez de même. »

Alors, Baraïktar s'était prosterné devant Mahmoud et lui avait déclaré : « Seigneur, j'étais venu remettre sur le trône ton oncle. Maintenant que mes yeux — puissent-ils être aveugles ! — l'ont vu dans cet état, laisse-moi me consoler en te mettant sur le trône. » Une formidable ovation était montée des soldats massés dans la Troisième Cour.

Mais Baraïktar réclamait déjà la mort immédiate de Moustafa et des traîtres qui l'avaient servi. Mahmoud l'avait arrêté : « Je ne commencerai pas mon règne par la vengeance, mais par la justice. Qu'on les arrête sans leur faire de mal. »

Mais il avait fallu trouver Moustafa et Sinéperver. On les avait cherchés fiévreusement par tout le Sérail. Ils s'étaient cachés... dans le Mabeyn, l'appartement d'Abdoul Hamid fermé depuis sa mort.

Pendant qu'ils étaient emmenés vers leur prison provisoire, on sortait le trône du Bayran, on l'installait devant la Porte de la Félicité, et se déroulait, sans faste, l'intronisation hâtive du Sultan Mahmoud, mon fils.

CINQUIÈME PARTIE

La Sultane Validé

I

L'enterrement de Sélim se déroula dans l'affliction la plus unanime. Un cortège immense, mené par Mahmoud, accompagna le cadavre de Sélim enroulé, selon l'usage, dans un simple linceul blanc, jusqu'à la Mosquée Laleli, la mosquée des Tulipes, loin derrière le Bazaar. Sélim avait voulu y être enterré, près de son père Moustafa III.

Je n'assistai pas à l'enterrement — le Harem en était exclu — mais de la fenêtre du Pavillon de la Circoncision je vis les milliers de barques qui transportaient la population à travers la Corne d'Or jusqu'à la Mosquée Laleli. Cependant l'hommage le plus spontané, la mémoire de Sélim le reçut dans tous les cafés de la ville. Là, serrés autour des conteurs publics, le menu peuple écoutait, pleurant et gémissant, le récit dramatique et considérablement embelli de sa fin.

Constantinople pleurait et j'avais les yeux secs. Le peuple qui se désolait si amèrement et si sincèrement de la perte de Sélim, était celui-là même qui avait tant contribué à le renverser. L'inconstance des peuples est une loi et ici elle avait été sciemment provoquée par les ennemis de Sélim. Et puis l'Orient veut que l'homme au pouvoir, toujours craint et détesté quel qu'il fût, soit instantanément racheté par sa déchéance et son malheur. De maître conspué et maudit, Sélim était devenu, du seul fait de sa mort, un héros populaire. Cette idéalisation ne me le rendait pas. Si le peuple ne s'était pas dressé contre lui, peut-être serait-il encore en vie.

Aussi le chagrin de Constantinople me laissait-il indifférente. Indifférente, je l'étais à tout. Au deuil d'un Empire, aux jours qui filaient, aux événements, au printemps glorieux, à la vie. Pourquoi n'ai-je pas alors mis fin à mes jours par une coupe de poison, comme Sélim avait voulu en avaler le soir où il avait été détrôné ? Rien n'eût été plus facile ! Mais non, j'étais indifférente à la mort aussi.

Je ne vivais que dans mon rêve, lorsque les images de Sélim se présentaient à moi, emmêlées. Ma mémoire alors en cherchait le moindre détail et je m'y attardais le plus longtemps possible, perdue dans mon passé, figée dans une sorte de catalepsie.

Je me sentais comme vidée. Comme si mon sang, ma sève avait achevé de s'écouler. Comme si mes artères, mon cœur s'étaient arrêtés de battre. Et pourtant je me levais, je me couchais, je m'habillais, je mangeais, je vaquais à mes occupations selon mon horaire immuable. Je retrouvais ou plutôt je continuais cette discipline que je m'étais imposée en prison, mais désormais je n'avais plus qu'une prison : moi-même et mon souvenir. Pourquoi m'imposai-je cette discipline ? Je me le suis demandé plus tard. Je ne peux l'expliquer. Peut-être par une sorte d'effort instinctif et irraisonné.

Je n'étais plus qu'un automate qui était devenu

« Princesse très illustre et chaste ; Couronne de la Continence ; Souveraine régnante ; Dame de très haut lignage, douée de qualités très pures et d'un caractère céleste ; Diadème du Sexe ; Maîtresse des Lieux Pieux, élevée à la Gloire la plus sublime ; Astre du Septième Ciel, et Pleine Lune parmi les Étoiles ; Nacre de l'Empire ; la Première des Pierres Précieuses de la Couronne Impériale ».

Tels étaient une partie des titres de la Sultane Validé. N'étant que la mère adoptive de Mahmoud, celui-ci avait dû publier un *hati chérif*, un décret pour me faire accéder à cette position. J'y fus installée au cours d'une cérémonie solennelle semblable à celle qui avait accueilli Mirizshah, puis Sinéperver. Le Harem entier m'attendait dans la Cour de la Validé, avec, à sa tête, le nouveau Kislar Aga que Mahmoud venait de nommer, Ali Effendi en personne, radieux dans sa pelisse rouge bordée de fourrure noire et surmonté d'un turban blanc, à peu près haut comme lui. Il me présenta ma Maison : le Porteur du Sceau, la Maîtresse des Robes, le Préparateur du Café, la Maîtresse des Sorbets... et mon Trésorier, le brave Idriss ; sans être une lumière, c'était le plus honnête eunuque de la terre, qualité essentielle dans la fonction pour laquelle je l'avais choisi.

Puis Mahmoud me mena dans mes nouveaux appartements, ceux de la Sultane Validé, que je connaissais si bien. A peu près rien n'avait changé depuis que je les avais fait décorer pour Mirizshah mais je remarquai que Sinéperver avait poussé la mesquinerie jusqu'à faire effacer l'inscription dédicatoire que j'y avais fait mettre en l'honneur de la mère de Sélim.

Je souhaitai que, du paradis d'Allah, Vartoui pût voir réalisé son vœu le plus cher. J'étais désormais le second personnage de l'Empire et la Maîtresse du Harem Impérial, je disposais d'une fortune immense et d'une myriade d'esclaves. Je me trouvais au faîte des honneurs, mère du Sultan régnant, la prophétie d'Euphémia David s'était accomplie jusqu'à son terme : les marches du trône qu'occupait mon fils étaient souillées par le sang de Sélim.

J'étais condamnée à vivre à côté de sa chambre, cette chambre où il m'avait si souvent accueillie, et où il avait été massacré. Je m'y rendis le soir même, après les pompes de mon installation, lorsqu'on me laissa enfin seule. J'empruntai le couloir que j'avais fait ouvrir pour que Mirizshah pût communiquer avec son fils. Quand je la découvris, la chambre jaune et argent de Sélim m'apparut intacte, telle que je l'avais toujours connue : toute trace de violence en avait été effacée. Mais c'était une chambre vide, déserte, désolée. Je venais d'être portée à la plus haute place de l'Empire, pas une femme qui ne m'enviât, je n'avais que trente-six ans et je me sentais à l'image de cette chambre, vide, déserte, désolée. Je compris que, dussé-je vivre encore de longues années, ma vie s'était arrêtée là, le 28 juillet, tranchée par les sabres qui avaient transpercé Sélim.

Comme pour me rappeler la vanité des honneurs, Mahmoud m'intima de ne pas me déplacer, comme j'en avais coutume, sans une escorte d'eunuques armés. Des partisans de Moustafa se cachaient encore dans le Sérail et le Harem même était rien moins que sûr pendant ces premiers jours du règne de Mahmoud.

Baraïktar, qui aussitôt après avoir reconnu Mahmoud comme Sultan s'était fait nommer Grand Vizir, vengeait Sélim à sa façon. Ristoglou, pour son rôle déterminant dans la mort de Sélim, fut le premier à subir le châtiment suprême. Il fut décapité, et, dû à son rang élevé, sa tête fut exposée dans un plat d'argent. Il était le premier du long défilé de condamnés qui passèrent en quelques jours entre les mains du bourreau car aucun de ceux qui avaient soutenu Moustafa ou trempé dans l'assassinat de Sélim ne fut épargné. On les traqua partout, on les traîna dans la Première Cour où le bourreau officiait : les têtes du Bostandgy Baj qui avait refusé l'accès de la Seconde Cour à Baraïktar, des officiers des Yamaks et des Janissaires qui avaient participé à la révolte contre Sélim, et bien sûr celles de ses assassins, furent bientôt entreposées dans les niches de la Porte Impériale, ou, selon leur rang, fichées sur des piques devant la Moyenne Porte.

Le vœu de Mahmoud était que son règne fût celui de la réconciliation mais la vindicte de Baraïktar était si forte, et si féroce sa répression que Mahmoud, à son corps défendant, faisait ses premiers pas de souverain sur un tapis de cadavres.

Moustafa, après que Mahmoud eut empêché Baraïktar de le faire tuer le premier soir, avait été incarcéré dans l'appartement même qui nous avait servi de prison, à Mahmoud et à moi. Sinéperver et sa fille, la Princesse Esmée, avaient été reléguées au Vieux Sérail.

Quant aux Kadînes de Moustafa, elles s'étaient littéralement volatilisées. Nul, dans la confusion qui régna pendant ces semaines, n'aurait su dire ce qu'il était advenu d'elles. Avaient-elles été expédiées au Vieux Sérail sur ordre de Baraïktar, on le supposait mais personne au juste n'en savait rien, si grande était la confusion.

Baraïktar châtiait et Mahmoud récompensait.

Cévri, dont la présence d'esprit et le chaudron de braises lui avaient sauvé la vie lors de la tragédie du 28 juillet, recevait une substantielle pension et se voyait nommée Kaya Kadine, Surintendante du Harem, le poste naguère occupé par Vartoui, auquel n'aurait jamais pu aspirer une esclave illettrée comme elle. Si elle manquait de subtilité, Cévri possédait une énergie... et une carrure qui lui permettraient d'imposer respect à son troupeau.

Les familles des réformateurs assassinés ou dépossédés lors du renversement de Sélim furent rétablies dans leurs biens et honneurs. J'attirai l'attention de Mahmoud sur Refet et Pakizé, ces deux femmes qui avaient tenté de secourir Sélim au péril de leur propre vie. Refet se vit offrir une donation en argent ainsi qu'un yali à Bésiktas où, fait sans précédent, elle reçut l'autorisation de se retirer plutôt que d'aller croupir dans le Vieux Sérail, sort ordinairement réservé aux Kadines des Sultans défunts. Pakizé fut donnée en mariage à un sémillant pacha de Baraïktar et reçut à cette occasion une belle dot.

L'intronisation de Mahmoud le soir du 28 juillet ayant été quelque peu escamotée en raison des circonstances, on décida que son investiture aurait lieu en grande pompe, au milieu du concours populaire, à la Sainte Mosquée d'Eyoub, lieu de pèlerinage situé hors les murs, au fond de la Corne d'Or.

Je tenais compagnie à Mahmoud pendant qu'il s'habillait pour la cérémonie dans la chambre de son père, Abdoul Hamid, qu'il avait fait rouvrir pour y élire domicile. Il avait déjà revêtu le caftan sans manches bordé d'hermine et s'apprêtait à coiffer le turban à trois aigrettes, privilège du Sultan. J'admirais son allure. Sans être grand, Mahmoud était remarquablement proportionné et son corps, entraîné par l'exercice, n'était que muscles et souplesse. Il avait hérité les yeux brun clair de sa mère, la Kadine Provençale, et portait une courte barbe noire. La réserve et la dignité qu'il avait depuis son enfance d'orphelin s'étaient muées en une impressionnante majesté. Sa gravité et son autorité, bien supérieures à celles qu'on aurait attendues à son âge, en imposaient même à moi. Je voyais le respect qu'il inspirait à ses serviteurs non dénué d'une peur obscure. Nul ne se fût avisé de plaisanter en sa présence, ou de le contredire. Le regard, droit, se posait sur l'interlocuteur et le transperçait. Pourtant l'expression de pierre pouvait soudain se muer en un sourire désarmant, un sourire de charmeur. Il était sujet à des colères terribles mais en général ne se départait pas, envers le Vizir comme envers le dernier esclave, d'une courtoisie glaçante.

Il partit après m'avoir saluée. Les Janissaires, en uniforme violet, faisaient la haie jusqu'à Eyoub. Mahmoud était renommé pour sa grâce et sa dextérité à cheval. Il montait un pur-şang à la selle et aux harnais d'or incrustés de rubis et de turquoises. Le Porte-Sabre chevauchait à sa droite, portant l'arme de cérémonie du Sultan, étincelante de diamants. A sa gauche le Maître de la Garde-Robe jetait des pièces de monnaie au peuple. Les dignitaires de sa Maison suivaient au milieu d'un essaim trottinant de pages, de messagers, de gardes.

La Validé n'assistait pas à la cérémonie. L'été naissant m'avait attirée dans les jardins du Sérail et insensiblement mes pas me guidaient vers le Kiosk de la Perle, receleur de tant de souvenirs. Pendant que là-bas, à Eyoub, Mahmoud recevait le simple sabre en fer de ses ancêtres, je me trouvais là, sur le balcon où si souvent je m'étais tenue auprès de Sélim, rêvant à Sélim, le voyant, l'entendant. Soudain mon attention fut attirée par des sacs informes que la mer poussait doucement et déposait sur le rivage, en contrebas des murs du Sérail. Intriguée, j'appelai les jardiniers qui travaillaient alentour et leur enjoignis d'aller inspecter ces étranges épaves.

De mon balcon je vis les jardiniers s'approcher du premier sac, en fendre la toile avec leurs canifs et faire apparaître un cadavre. Un cadavre de femme hideusement défiguré par un long séjour dans l'eau. La peau verdâtre du visage, des membres, s'en allait par lambeaux. Les yeux n'étaient plus que deux trous noirs et la bouche sans lèvres s'ouvrait sur un atroce sourire. Les longues tresses de cheveux noirs, plaquées sur le corps, semblaient de sombres tentacules. Il y avait vingt et un autres sacs, remuant mollement dans les vaguelettes, vingt et un autres cadavres de jeunes femmes. Je n'avais plus besoin d'explication; ces femmes jetées dans le Bosphore et noyées étaient les vingt-deux Kadines et favorites de Moustafa, dont la disparition était demeurée inexpliquée. Baraïktar n'avait pas hésité à commettre cette cruauté inutile contre ces innocentes dont le seul crime avait été d'appartenir à Moustafa.

J'étais là, figée d'horreur, révulsée de dégoût, le cœur aux lèvres, incapable de me détacher de cette vision de cauchemar, lorsque Mahmoud vint me retrouver, de retour de la cérémonie. La rage rendait son expression terrifiante. Je pensai un instant que c'était à cause du sort des malheureuses noyées. Je me trompais. S'il était furieux contre Baraïktar, c'était pour l'inconcevable outrecuidance dont celui-ci venait de se rendre coupable. L'usage le plus sacré voulait que le jour du couronnement d'un Sultan, tous les assistants fussent désarmés, jusqu'aux Janissaires et aux gardes dont les armes étaient remplacées par des bâtons blancs, en signe de paix et de foi. Or Baraïktar s'était présenté en uniforme de guerre, bardé de pistolets et entouré de sa garde personnelle, quelque trois cents soldats tous armés de fusils, de sabres, de yatagans. Cette inutile provocation, ce sacrilège dans un lieu saint avait indigné l'assistance. Mahmoud le premier. Que signifiait cet absurde déploiement de forces ? Le Grand Vizir, Baraïktar, voulait-il faire étalage de sa puissance ? Mahmoud ne décolérait pas en me racontant cette insulte faite à sa personne. Sa fureur ne connut plus de bornes lorsque je lui montrai les cadavres des vingt-deux odalisques de Moustafa.

— Au lieu de gronder, Mahmoud, tu ferais mieux de sévir, d'empêcher Baraïktar de se croire tout permis.

— Comment pourrais-je l'en détromper ? demanda Mahmoud amèrement. Baraïktar gouverne à ma place. Baraïktar a nommé aux postes clefs ses hommes liges sans me consulter. Baraïktar tient à lui seul tout l'appareil de l'État en main. Baraïktar a tous les pouvoirs.

— Baraïktar t'a mis sur le trône, il t'est fidèle.

— Le crois-tu vraiment, Nakshidil ? Baraïktar peut me défaire comme il m'a fait. Il n'a jamais eu l'intention de me donner le trône. Il m'a choisi sur le moment, simplement parce qu'il n'avait nul autre Prince sous la main. Il me garde parce qu'il me suppose docile.

— Tu as des partisans, tu as le pouvoir sacré que tu as reçu aujourd'hui même.

— Je sais, répondit-il. Je suis désormais « l'Empereur des puissants Empereurs, l'Appui des Grands du siècle, le Distributeur des Couronnes, l'Ombre de Dieu sur la terre, le Protecteur de La Mecque et Médine : lieux sacrés, berceaux de la foi, et de la Sainte Jérusalem ; le Souverain des trois grandes cités, Constantinople, Andrinople et Brousse ; le Maître de Damas, odeur de paradis, de Tripoli, de Syrie, du Caire, unique dans son espèce ; de toute l'Arabie, de l'Afrique, de l'Irak, de Bassora, de Bagdad ». C'est-à-dire un inconnu, pur produit de la Cage, que tout l'Empire, Baraïktar le premier, croit un petit jeune homme inconsistant, ignorant, inexpérimenté. C'est-à-dire que je ne suis rien.

— Tu seras quelque chose, et même un grand Sultan, et je serai à côté de toi pour t'aider à le devenir.

Mahmoud n'avait pas tort. Les lois du Sérail, que pourtant Sélim avait considérablement assouplies, en avaient fait un inconnu. En dehors de Sélim et de moi, nul n'avait mesuré ses qualités et ses connaissances. Quelques réformateurs, quelques collaborateurs de Sélim l'avaient connu de près, mais ils étaient morts, massacrés. Mahmoud n'avait pas participé à l'activité politique ou militaire. Il n'avait pas eu de moyens de se faire connaître. Et voilà qu'à vingt-trois ans tout lui tombait sur la tête : le trône dans des circonstances dramatiques, un Empire en désarroi, des millions de sujets qui ignoraient tout de leur nouveau Sultan... et Baraïktar. Pour affronter cette situation mon fils était seul, je ne pouvais le laisser ainsi, je devais sortir de mon indifférence à tout, de ma léthargie. « Je serai à tes côtés », lui avais-je promis et, foi de Nakshidil, je le serai. Je ne cherchai pas à savoir si j'étais satisfaite ou non d'être ramenée ainsi au présent. Mon instinct comme mon devoir me commandaient d'assister Mahmoud. Mais comment faire ? Mahmoud était beaucoup plus difficile à assister que Sélim. Il ne manquait pas de confiance en lui non plus que de réflexion et de détermination. Et puis il était si renfermé, si difficile à atteindre, même pour moi. Il me fallait l'aider, mais comment ? Cette question cruciale et urgente m'ancra de nouveau, bon gré mal gré, dans la réalité.

Le problème principal était Baraïktar. Il avait été pauvre, il se voyait soudain au comble des honneurs et de la richesse. Il n'était qu'un homme, c'est-à-dire une créature faillible, sujette à la tentation de la corruption. Par ailleurs, c'était un être foncièrement fidèle qui s'était dévoué à un maître, un seul, Sélim. Celui-ci disparu, il ne s'en reconnaissait pas d'autre, il refusait toute nouvelle allégeance. Baraïktar était sans Dieu ni maître, il se laissait griser par cet air affolant qu'il respirait, parvenu au sommet, au terme d'une ascension foudroyante.

Il s'irrita de sentir chez Mahmoud une sourde résistance. Même impuissant, celui-ci, par sa seule personnalité, était une présence, un poids qui gênait la toute-puissance de Baraïktar. Ce dernier chercha à intimider Mahmoud. Il rendit visite avec pompe à un obscur descendant du Grand Conquérant Gengis Khan, qui vivait dans l'indigence à Constantinople, et le couvrit d'honneurs et de cadeaux. Mahmoud comprit, comme moi, l'intention de ce geste : si le Sultan ne se montrait pas plus souple, il était toujours possible d'inventer une nouvelle dynastie... Pour le coup, c'était trop.

Je repensai alors à Vassilo, la femme idolâtrée de Baraïktar, qui trônait désormais dans le quartier réservé du Palais du Grand Vizir. Je me plaisais à penser que notre première rencontre, deux ans plus tôt, l'amicale complicité qui s'était ébauchée entre nous, avaient été pour quelque chose dans l'action de Baraïktar en faveur de Sélim. Je reçus donc Vassilo dans le salon que j'avais fait édifier pour Mirizshah. Elle entra, gracieuse, frêle, juvénile mais je savais qu'il ne fallait pas se fier à cette apparente fragilité. J'attaquai d'entrée :

— Ton mari est-il le sauveur de mon fils ou son tyran ?

— En doutes-tu, Sultane ? Mon mari n'a-t-il pas mis Sultan Mahmoud sur le trône ?

— Alors, pourquoi invente-t-il d'autres prétendants et caresse-t-il par exemple cet absurde descendant de Gengis Khan ?

Vassilo baissa la tête et réfléchit quelques secondes avant de contre-attaquer :

— Mon mari suit fidèlement la politique du Sultan Sélim, bénie soit sa mémoire, et n'a d'autre intention que mener à bien l'œuvre de son maître. Tu devrais en être satisfaite, Sultane.

Elle avait raison. Baraïktar avait emboîté le pas à Sélim et repris intégralement son programme de réformes. Mais...

— Je ne peux être satisfaite, Vassilo, lorsque ton mari, par son outrecuidance et sa brutalité, dresse contre lui les Janissaires, les Oulémas, comme tant d'anciens partisans du Sultan Sélim. Pourquoi se fait-il tant d'ennemis après avoir naguère réussi à se faire tant d'amis ?

Vassilo faiblit. Elle m'avoua combien Baraïktar avait changé ces derniers temps et combien elle en souffrait. Il n'écoutait ni ne prenait plus avis de personne, fût-ce d'elle, Vassilo, bien qu'il lui demeurât attaché. Elle croyait qu'il avait été « envoûté », qu'on lui avait jeté le « mauvais œil ». Mauvais œil ou pas, je repris :

— Vassilo, écoute-moi. Les intérêts du Sultan et de ton mari se rejoignent. Régénérer l'Empire est leur seul but. Mon fils n'a d'autre appui que Baraïktar et Baraïktar ne trouvera pas de soutien plus solide que le Sultan. Pourquoi faut-il que Baraïktar éloigne de lui mon fils par son autoritarisme et son insolence ? Je t'en supplie, Vassilo. Ramène ton mari dans la voie de l'honneur et du dévouement à son Sultan. Ramène-le à la raison.

Elle me promit de le tenter mais je sentis qu'elle manquait de conviction. Elle ne se croyait plus capable d'influencer son mari.

Il y avait eu récemment une révolte à Rustuk, et Baraïktar, pour l'écraser, y avait dépêché le gros des troupes qui asseyait son pouvoir à Constantinople. Cette surprenante explosion dans le fief même de Baraïktar me rappelait trop la révolte d'Ismaël Aga, organisée par une conjuration que Baraïktar avait tuée dans l'œuf en décapitant son chef. La révolte de Rustuk puait trop son complot et je le dis à Vassilo. A ma surprise elle en tomba d'accord avec moi.

— Je l'ai dit à mon mari, il n'a pas voulu me croire. Ses partisans ont tâché de le mettre en garde, de le pousser à prendre des mesures de protection. Il n'a fait que leur rire au nez. Oui ! Sultane, l'Empire plie devant Baraïktar, et celui-ci n'a jamais été plus en danger.

Je m'étonnai qu'une jeune paysanne albanaise comprît si loin et si profond, tellement plus que le Grand Vizir, son mari. Mais les femmes ne sont-elles pas plus intuitives que les hommes ? Vassilo se laissa aller et m'ouvrit son cœur. Elle tremblait pour son mari. Elle sentait la haine populaire monter contre Baraïktar, et ses ennemis se multiplier et s'organiser.

— Quoi qu'il arrive je resterai à ses côtés et s'il faut mourir, je mourrai avec lui. J'aime Baraïktar, Sultane, et je l'aimerai jusqu'au dernier instant.

Cette entrevue renforça la bonne opinion que j'avais de Vassilo mais me laissa singulièrement préoccupée.

Cette année, le Ramadan, le carême musulman, prenait fin à la mi-novembre. Je n'étais pas fâchée de voir s'achever cette période, toujours source d'agitation populaire. En effet, la privation de toute nourriture depuis le lever du soleil jusqu'à son coucher, pendant quarante jours, le défaut de sommeil — les gens étant obligés de manger pendant la nuit — tout cela tendait les nerfs, favorisait les tensions et les querelles.

Un après-midi, Ali Effendi vint m'avertir qu'il y avait eu quelques troubles en ville. Le Grand Vizir, Baraïktar, entouré de ses gardes, avait rendu visite, selon l'usage, au Cheik Oul Islam, en son palais qu'entourait une foule de curieux. Baraïktar fit disperser sans ménagement les badauds, ordonnant de les bastonner. Il y avait eu des blessés... Des incidents semblables m'avaient souvent été rapportés. Je ne portai pas une particulière attention à celui-là. Mais peu après Mahmoud lui-même vint m'apprendre que les blessés, vrais ou faux, de la bastonnade de Baraïktar, trônaient dans les cafés, enjolivant le récit des brutalités qu'ils avaient subies et tenant des discours contre Baraïktar. La ville s'agitait. Puis ce fut le cri « *Ai war* », « Au feu », que j'entendis accompagné des roulements de tambour annonçant un incendie. Plusieurs maisons brûlaient dans le quartier du Palais du Grand Vizir. Les incendies étaient, hélas, trop fréquents pour que je m'y arrête. Je partis faire mon inspection quotidienne du Harem. Lorsque je regagnai mon salon, je le trouvai empuanti de fumée. Je courus à la fenêtre : de l'autre côté des remparts du Sérail, le Palais du Grand Vizir était en flammes. C'était le soir du 14 novembre 1808. Je vis, je compris, et l'inquiétude m'envahit.

Les dépendances flambaient comme des brandons. Je vis les gardes du Grand Vizir, qui se précipitaient pour éteindre l'incendie, périr sous les coups des Janissaires qui attisaient le feu. Ainsi encouragées les flammes gagnaient allégrement du terrain, les ailes du palais de Baraïktar s'embrasèrent l'une après l'autre. Les occupants du palais, scribes, employés, gardes, esclaves, qui tentaient de s'échapper moururent égorgés par les Janissaires qui cernaient le bâtiment. J'entendais les cris des agonisants, le fracas des effondrements, le grondement du feu : le Palais du Grand Vizir n'était plus qu'une masse incandescente, un grandiose feu de joie applaudi par la foule vengeresse de Constantinople.

J'étais pétrifiée par ce spectacle lorsque Idriss vint m'informer que des soldats avaient envahi les jardins du Sérail et se dirigeaient vers le Sélamlik. Ainsi tout recommençait encore une fois. Tout recommençait toujours. Peu m'importait désormais de perdre la vie. Le sort de Constantinople et de l'Empire ne me concernait plus. Mais il y avait Mahmoud. L'épouvante me traversa comme une brûlure de fer rouge. Mahmoud ! Les soldats signalés par Idriss étaient-ils des amis ou des ennemis ? Mahmoud ! Je courus au Pavillon de la Circoncision où il aimait travailler. Il s'y trouvait. Il me rassura. Les soldats venaient nous protéger. Ils avaient été amenés de Scutari par Cadi Pacha, l'ancien chef du *Nizam i Jedid,* hier partisan de Sélim et aujourd'hui de Baraïktar.

— A propos, et Baraïktar ? questionnai-je Mahmoud.

— Il a pu échapper à l'incendie avec sa femme, Vassilo. Il est parti à Andrinople chercher des renforts.

— Est-ce donc une révolution ?

— A peine une révolte. Et encore, une révolte bizarre, sans mots d'ordre, sans têtes. Le jeûne du Ramadan échauffe les esprits. Le peuple est monté contre Baraïktar. Les Janissaires s'en sont mêlés, à leur habitude. Mais n'aie crainte, Nakshidil. Toutes les mesures sont prises, nos troupes en état d'alerte et le Sérail mieux défendu qu'une forteresse.

Je crus Mahmoud au point d'être pleinement rassurée. Ce garçon de vingt-trois ans savait inspirer à tous une extraordinaire confiance.

Le lendemain les bruits d'une fusillade me réveillèrent à l'aube. Des remparts du Sérail nos défenseurs avaient tiré sur des assaillants qui se révélèrent être des curieux plus que des rebelles. Puis ce fut l'écho d'une canonnade qui ébranla les murs. Le Capitan Pacha, l'amiral, un fidèle de Baraïktar, avait contourné le Sérail avec la flotte et bombardait le Palais de l'Aga des Janissaires. Bientôt le calme revint. Baraïktar approchait de Constantinople à la tête de ses renforts et cette nouvelle achevait d'affoler les rebelles comme elle décuplait l'ardeur des troupes de Cadi Pacha, qui nous protégeaient. Au jour tombant, Mahmoud réunit ses conseillers au Pavillon de la Circoncision et insista pour que j'assiste à la séance. Il y avait là une demi-douzaine de partisans de Baraïktar, dont le Capitan Pacha, Cadi Pacha, Begid Effendi, qui avait joué un rôle essentiel dans le Comité de Rustuk. Mahmoud proposa d'annoncer une amitié générale. Tout de suite Cadi Pacha s'éleva violemment contre cette solution. En finir une fois pour toutes avec les Janissaires au prix d'une répression sans merci, voilà ce qu'il voulait. Mahmoud souhaitait une réconciliation générale. Le ton de la discussion monta : Cadi Pacha ne démordait pas de son intention d'opérer une sortie punitive le lendemain matin, Mahmoud y mit son veto. Cadi Pacha déclara qu'il passerait outre : il défendrait Mahmoud malgré lui, convaincu d'agir pour le bien de l'Empire.

— Demain matin, poursuivit-il, je sortirai du Sérail à la tête de mes troupes et nettoierai Constantinople des Janissaires.

— Je te le défends, lui intima Mahmoud.

— J'en ai reçu l'ordre de Baraïktar Pacha.

— Tu mens, Cadi Pacha, Baraïktar n'a pu te donner cet ordre. Nul ne sait où il se trouve.

— J'agirai comme s'il m'avait donné l'ordre.

Je vis Mahmoud ébaucher le geste de dégainer son poignard. Je lus le meurtre dans ses yeux. Je n'eus que le temps de mettre ma main sur son bras pour l'arrêter. Cadi Pacha poursuivit sur sa lancée.

— J'en profiterai pour en finir avec le Sultan

Moustafa afin de supprimer à l'avenir toute possibilité de complot contre notre Padishah.

C'est d'une voix blanche que Mahmoud lui répondit :

— Je te jure, Cadi Pacha, que si tu touches un cheveu de l'ancien Sultan, mon frère, je te tuerai de mes propres mains.

La résolution de Mahmoud fit taire Cadi Pacha. Plus tard, lorsque nous fûmes seuls tous les deux, Mahmoud m'annonça le plus tranquillement du monde qu'il ferait tuer Cadi Pacha cette nuit même. La stupéfaction me laissa quelques instants sans voix.

— Je ne laisserai pas bafouer mon autorité, ajouta Mahmoud. Je la tiens d'Allah et « ils » apprendront que nul ne peut en défier impunément le détenteur.

Mahmoud était dans le vrai mais se laissait emporter par l'impétuosité de sa jeunesse.

— Apprends donc, Mahmoud, que la patience est la seule arme contre l'impuissance. Tu bous parce qu'on te conteste le pouvoir qui t'appartient. Sois patient, ce pouvoir, un jour, bientôt, tu l'auras, tu le prendras.

Ce fut de fort mauvaise grâce que Mahmoud se rendit à mes raisons. Il réfléchit pendant la nuit et vint me réveiller de bon matin pour m'annoncer qu'il allait se joindre aux troupes de Cadi Pacha et prendre la tête de leur sortie.

— Je détournerai ainsi l'opération à mon profit et me débarrasserai une fois pour toutes des Janissaires.

Du coup je me fâchai.

— Écoute-moi, Mahmoud. Si tu te mêles de cette affaire, et si Cadi Pacha gagne, tu auras montré que tu n'es qu'un pion entre ses mains. Si ce sont les Janissaires qui gagnent, ils n'auront de cesse de te chasser du trône. Reste en dehors de cela et attends.

Il convint que je n'avais pas tort. Mon fils se débattait dans la situation la plus embrouillée qui fût. Il n'avait personne d'autre que moi pour l'assister.

A huit heures, Cadi Pacha, à la tête de ses quatre mille hommes, sortit du Sérail par la Porte Impériale pour son expédition punitive. La résistance céda rapidement et les Janissaires reculèrent en désordre. Mais les soldats se voyant maîtres de la situation, cédèrent à la tentation du pillage et se livrèrent à toutes les exactions d'usage. Ils forcèrent les maisons et y commirent des abominations, si bien que très vite la population, hier apaisée et plutôt tranquille, se dressa contre ses assaillants et les repoussa à coups de pierres, de jets d'eau et d'huile bouillante.

Cette aide inespérée de la population fouetta les Janissaires qui renversèrent bientôt la situation. Ce fut au tour des soldats de Cadi Pacha d'être traqués, puis acculés sur la place At Meydan par la populace en furie, tandis que les Janissaires reprenaient leurs casernes investies par les soldats de Cadi Pacha et y mettaient le feu. Celui-ci, avec les lambeaux de ses troupes, n'eut que le temps de se retrancher dans la Première Cour du Sérail, avant que les lourds vantaux ne fussent refermés sur les hordes déchaînées qui le pourchassaient.

La foule vociférante, attirée par l'appât de l'or, se rua vers les décombres encore fumants du Palais du Grand Vizir. Peu après, de cet enchevêtrement de poutres noircies et de solives consumées ressortit un groupe qui venait d'y découvrir le cadavre de Baraïktar lui-même, et celui de sa femme. Ainsi ni Baraïktar, ni Vassilo n'avaient pu quitter le palais comme on l'avait prétendu. Nous l'apprîmes plus tard, ils s'étaient réfugiés, avec l'immense trésor accumulé par Baraïktar, dans une tour de pierre, protégés du feu et des assaillants par un triple rempart de portes de fer. Ils avaient échappé aux flammes et à l'attaque mais ils étaient morts, asphyxiés par la fumée. Vassilo, comme elle l'avait promis, avait partagé jusqu'au bout le sort de l'homme qu'elle aimait...

La découverte du corps de Baraïktar a provoqué une immense clameur de joie chez les insurgés à l'extérieur du Sérail. Mais dans la Première Cour où se regroupaient les soldats de Cadi Pacha, régnaient la rage et le désespoir : on les avait trompés, on avait prétendu que Baraïktar était sauf, qu'il rassemblait des renforts, qu'il venait pour les soutenir, qu'il arrivait. Et il était mort. Alors, pendant qu'une partie de ses soldats continuait à tirer sur les insurgés, des remparts du Sérail, une autre partie se retournait contre leur chef, Cadi Pacha, et hurlait à mort contre lui.

Jusqu'ici j'étais restée à l'abri dans mon appartement, sur l'ordre de Mahmoud, à l'écoute des événements, tenue informée de quart d'heure en quart d'heure. A trois heures de l'après-midi, Mahmoud me convoqua en haut de la Tour de Justice, son poste d'observation. Je retrouvai la plate-forme d'où j'avais assisté au couronnement de Sélim, d'où Sélim et moi avions observé la flotte anglaise approchant. Mahmoud me montra la ville : Constantinople était en flammes.

Les Janissaires ayant incendié leurs propres casernes, le feu s'était propagé aux quartiers environnants, avait rejoint l'incendie mal éteint du Palais du Grand Vizir, l'avait ranimé et s'était étendu dans toutes les directions. Autour de la Place At Maydan, de la mosquée du Sultan Ahmed, de la basilique Sainte-

Sophie, de la Sublime Porte, ce n'était plus qu'un brasier. Un mur de flammes et de fumée enserrait le Sérail. Le grondement du feu et le fracas des maisons qui s'écroulaient étaient si puissants qu'ils couvraient les vociférations des insurgés et des soldats de Cadi Pacha, retournés contre lui. Le feu et l'émeute nous assiégeaient, les troupes de Cadi Pacha se mutinaient.

— Et maintenant ? demandai-je à Mahmoud.

— Maintenant, Nakshidil, c'est à moi d'agir. Mon heure est venue.

Mahmoud convoqua Cadi Pacha et lui intima l'ordre d'arrêter les combats. Cadi Pacha, hier si sûr de lui, si arrogant, si insolent, vacillant maintenant sous le coup de sa défaite, s'inclina en signe de soumission.

A ce moment même, venu de l'extérieur du Sérail, un cri s'éleva de la foule des insurgés, un cri scandé, répété :

— Longue vie au Sultan Moustafa ! Mille ans au Sultan Moustafa !

Ce cri, je l'avais déjà entendu le matin du jour où Sélim avait été renversé ! La révolte avait une fois de plus trouvé son drapeau sinon son maître et elle était devenue révolution... Je nous revois tous trois à l'écoute, immobiles sur la terrasse de la Tour de Justice, Cadi Pacha hagard, Mahmoud impassible. Ce fut une rage qui me permit de dominer ma peur, de me reprendre, de m'adresser à Mahmoud :

— Souvent j'ai voulu te demander de faire tuer Moustafa par vengeance. Je me suis tue alors. Maintenant je te le demande, je l'exige s'il le faut, parce que l'intérêt de l'Empire est en jeu. Hier tu as refusé et je t'ai compris. Mais à présent tu ne peux ni ne dois plus reculer. Il ne s'agit pas de toi, il ne s'agit pas de moi, mais du sort de l'Empire. Au nom de Sélim dont tu es le seul à pouvoir poursuivre l'œuvre et pour la sauvegarde de l'Empire, je te conjure de faire exécuter Moustafa sur l'heure !

Mahmoud avait écouté attentivement ce discours que je fis d'une voix posée au milieu du fracas infernal de l'incendie et de l'émeute. Il réfléchit plusieurs minutes, enfermé dans son silence et sa conscience puis il se tourna vers Cadi Pacha.

— Hier, tu m'as demandé la vie du Sultan Moustafa, je te l'ai refusée. Aujourd'hui je t'ordonne de le faire exécuter. Arrête les combats et tue le Sultan Moustafa ! Va...

Cadi Pacha parti, Mahmoud se tourna vers moi :

— Viens, Nakshidil, nous n'avons plus rien à faire ici. L'émeute est terminée.

Je n'en croyais pas mes oreilles. Je le suivis jusqu'à mon appartement. Toujours sans se presser il a pris mon écritoire d'agate et d'or, cadeau de Sélim, et s'est mis à rédiger un *hati chérif* à l'adresse de l'Aga des Janissaires. Il y annonçait la mort du Sultan Moustafa et du Grand Vizir Baraïktar. Il ordonnait à l'Aga de reprendre ses Janissaires et de les envoyer lutter contre l'incendie. Il annonçait une amnistie générale. Il enjoignait aux Janissaires et aux Oulémas de venir lui rendre hommage.

Ce décret signé, il chargea Ali Effendi d'aller le porter. Défaillant de peur, celui-ci dut s'exécuter et partit affronter l'émeute, armé du seul *hati chérif* du Sultan.

Un eunuque vint annoncer à Mahmoud que Moustafa avait été exécuté. Cadi Pacha, muni de plusieurs eunuques, l'avait tiré de sa prison qui avait été la nôtre, l'avait mené dans un coin de la Troisième Cour et lui avait lui-même passé autour du cou le cordon de soie. Après avoir vécu en faible, Moustafa était mort en lâche, il avait supplié qu'on l'épargnât.

Les soldats restés à Cadi Pacha ayant arrêté de tirer, les combats cessèrent. Mahmoud donna encore des instructions afin que Cadi Pacha et les principaux alliés de Baraïktar, dont les insurgés réclamaient les têtes, puissent s'échapper du Sérail sans être molestés.

Puis nous avons attendu. Mahmoud était assis, la tête penchée, sans bouger. Seules ses lèvres remuaient :

— Que fais-tu, Mahmoud ?

— Je prie, Nakshidil, je prie pour l'Empire.

Une heure se passa puis un eunuque vint avertir Mahmoud que les délégations des Janissaires et des Oulémas l'attendaient dans la Salle du Trône pour lui rendre hommage. L'Aga des Janissaires n'était pas venu. A la tête de ses soldats il combattait l'incendie qui, vigoureusement contenu, régressait.

Mahmoud se rendit dans la Salle du Trône. Il y était encore lorsque, de tous les forts de la ville, les canons se mirent à tirer des salves. Elles annonçaient la fin du Ramadan. Le Sultan devait, selon l'usage, paraître sous l'Iftariye, un dais de bronze sur la terrasse du Sélamlik d'où l'on dominait toute la ville. Et le Sultan parut.

Depuis les terrasses de la ville, la population put apercevoir son souverain, entouré des Janissaires et des Oulémas, sous le dais doré, brillamment éclairé par des torches. Comme l'avait dit Mahmoud, la Révolution était finie. Mahmoud, ce garçon impulsif qui, le matin même, voulait accompagner Cadi Pacha dans sa chasse aux Janissaires, était soudain devenu, devant moi, là-haut sur la Tour de Justice, un maître, réfléchi, froid, décidé, audacieux, ferme, distribuant ses ordres qu'on ne discutait pas.

Ses faiblesses, il les avait brusquement dominées cet après-midi et je savais que par là même il les avait pour toujours effacées de son caractère.

Lorsqu'il revint après la cérémonie de l'Iftar, je ne pus m'empêcher de l'interroger :

— Pourquoi m'as-tu fait venir sur la Tour de Justice ? En quoi pouvais-je t'être utile ?

— J'avais besoin de ta présence pour m'aider à devenir tel que tu me voulais. Et je le suis devenu, grâce à toi, pour toi, devant toi.

II

D'un commun accord, Mahmoud et moi décidâmes de ne plus vivre au Sérail. Trop de souvenirs pénibles, pour nous tragiques, en poissaient les murs et nous y hantaient. Mahmoud a fait relever pour lui le Palais de Beylerbey sur la rive asiatique du Bosphore, là même où, un après-midi d'hiver, Sélim m'avait déclaré son amour. Il ne revenait au Sérail que pour y travailler. Il m'offrit un yali à Besiktas, sur la rive européenne, presque en face de chez lui. Dans un très grand parc aux beaux arbres séculaires s'élèvent diverses villas de bois, villégiatures de différents Sultans. Moustafa s'y rendait souvent avec ses femmes, et y était venu le matin même du 28 juillet avant que sa mère, Sinéperver, ne le fasse revenir en toute hâte au Sérail. Mon yali bordait le Bosphore. Après tant d'années dans les appartements étroits et souvent lugubres du Sérail, je jouissais enfin de l'espace, de la lumière, de l'air. J'aménageai ma résidence avec, pour règles, la sobriété et la clarté qui n'excluaient pas le luxe. Je fis venir d'Europe de grands miroirs, des lustres de cristal et des porcelaines qui se mariaient à l'Orient présent par les tapis à larges ramages, par les tentures et les garnitures de sofas en soie pastel tissée d'or ou d'argent — j'avais renoncé aux velours brodés que je trouvais trop lourds. J'avais élargi les fenêtres, ajouté des vérandas et des balcons pour avoir le plus possible vue sur les jardins ou la mer.

Le gouvernement du Harem, dont j'étais devenue de droit la maîtresse, me força à venir presque quotidiennement au Sérail. J'y instaurai une discipline qui n'y avait jamais eu cours. Le Kislar Aga, mon Ali Effendi, qui avait trouvé sa vocation, me secondait efficacement et menait notre monde tambour battant. Je traquais la paresse et l'incurie, j'exigeais partout l'ordre et la propreté, j'imposais le goût du travail bien fait. Bref, j'étais devenue une parfaite Mère Abbesse. Inspection, règlement des litiges et des conflits et entretien des bâtiments, recherche et développement des talents parmi les filles du Harem, organisation des fêtes et des distractions, tel était l'éventail des tâches dont je m'acquittais avec l'application que je mets, par nature, en toute chose.

Jamais je n'aurais imaginé que j'aurais tant de travail, ni que j'y aurais pris un tel intérêt. Vu de haut, le Harem était un monde en miniature, source inépuisable d'observations et d'enseignements sur la nature humaine.

Je ne suivais plus l'actualité politique que par intermittence. Moustafa était mort et Mahmoud, resté le seul membre survivant de la dynastie, était désormais intouchable. Mais les adversaires ne lui manquaient pas. Sinéperver vivait. Elle était responsable de la mort de Sélim, elle avait voulu nous faire tuer, Mahmoud et moi, mais je n'avais pas voulu l'imiter et demander sa tête à Mahmoud. Son fils mort, son ambition morte, ses espoirs anéantis, je me contentais de la savoir croupir au Vieux Sérail dans la solitude, l'amertume et le chagrin. Les Janissaires, triomphants après la mort de Baraïktar, dominaient le gouvernement de l'Empire, mais ils ne perdaient rien pour attendre. Mahmoud, qui les flattait, m'avait dévoilé ses intentions :

— « Baise la main que tu ne peux couper », dit un proverbe arabe. C'est ce que je fais, Nakshidil. Je caresse les Janissaires, je les endors, mais un jour, lorsque je serai le plus fort, je m'en débarrasserai. J'attendrai un an, dix ans, vingt ans s'il le faut, j'ai le temps, mais un jour je les massacrerai jusqu'au dernier. Par raison d'État.

Et je savais qu'il le ferait. Les principaux collaborateurs de Baraïktar, Cadi Pacha, le Capitan Pacha, Begid, que Mahmoud avait fait échapper du Sérail, avaient été repris quelques semaines plus tard, et Mahmoud les avait laissé exécuter. Avait-il voulu éliminer ceux qui l'avaient naguère humilié ? Je ne l'avais pas questionné là-dessus.

Nous nous voyions moins alors. Voguant continuellement de Beylerbey au Sérail, du Sérail à Besiktas, Mahmoud était souvent insaisissable et peut-être d'ailleurs y avait-il une intention dans ces pérégrinations incessantes, celle d'échapper à tout le monde. Lorsqu'il me rendait visite je ne l'interrogeais pas sur sa politique, je savais que je devais m'en abstenir. Lui-même ne me consultait sur aucune affaire et je l'admettais, je le comprenais.

Mahmoud avait besoin de se former par lui-même, tout seul. Il ne voulait rien devoir à personne. Je le laissais donc se mettre à l'épreuve et je me contentais de tenir sa maison. Aidée de mes expériences passées, je l'avais conseillé dans les mesures libérales qu'il avait voulu prendre pour le Harem. Désormais les femmes furent autorisées à effectuer des sorties et à se rendre dans les lieux publics pourvu qu'elles fussent voilées. Les Kadines des Sultans décédés et les vieilles ne furent plus reléguées au Vieux Sérail dont la perspective m'avait moi-même hantée et purent se retirer dans une résidence de leur choix.

Mahmoud réduisit son propre Harem et nombre de filles furent renvoyées dans leurs familles. Cette décision, qu'on attribua à l'avarice notoire de Mahmoud, avait en fait un nom : Besma, une simple esclave de bains dont Mahmoud était tombé éperdument amoureux.

Alors il me fallait écouter ses autres odalisques, les délaissées, qui se tournaient vers moi. Je compatissais, je les consolais, je tâchais de les distraire.

Je devais aussi m'occuper des enfants de Mahmoud. Une première fille, Fatma, lui était née, puis une seconde et encore une troisième. Je ne communiais pas vraiment avec la joie et la fierté de Mahmoud. Les enfants me restaient étrangers. Peut-être cette distance tenait-elle au fait que je n'en avais pas eu moi-même. Néanmoins la marmaille impériale prenait de mon temps, il me fallait trouver des nourrices, m'occuper des logements, veiller sur les précieuses santés...

En décembre 1809, une nouvelle parvint que Mahmoud tint à venir m'annoncer lui-même à Besiktas. Napoléon venait de divorcer de ma cousine Joséphine. Il l'avait exilée en province, loin de Paris qu'elle aimait plus que tout au monde, jugeant inopportune sa présence dans la capitale. Le récit que nous envoyait notre ambassadeur à Paris me fit venir les larmes aux yeux.

Brusquement ma haine de Bonaparte remonta à la surface, alimentée par des rancœurs récentes ou anciennes... l'invasion de l'Égypte, sa trahison à Tilsit, l'abandon de son ami, Sélim. Bonaparte chassait Joséphine comme on chasse une chambrière qui n'est plus bonne à rien. Lorsque j'étais en prison je m'étais juré, si je recouvrais liberté et pouvoir, de me venger de cet homme. Je m'adressai à Mahmoud :

— Il faut détruire cet homme nuisible, ce tyran !

La fureur m'enlevait toute raison et toute mesure.

— Détruire Napoléon ! Mais il a asservi l'Europe. Il a réduit en vassalité l'Allemagne, l'Italie, la Suisse, le Danemark, la Suède, la Hollande, le Portugal, l'Espagne. Il vient d'écraser l'Autriche. Il a fait de la Russie son amie, sinon sa complice, nous en savons quelque chose. Seule l'Angleterre résiste encore, pour combien de temps ?

— Faisons alliance avec l'Angleterre.

— Pour avoir Napoléon sur le dos avec ses armées invincibles.

— Au fond, Mahmoud, tu admires Bonaparte, comme Sélim.

— Je n'éprouve pour Bonaparte ni l'admiration qu'avait le Sultan Sélim, ni la haine que tu lui portes. Je ne songe qu'à l'intérêt de l'Empire.

— Est-ce l'intérêt de l'Empire, de laisser Bonaparte achever de dominer l'Europe avant de s'en prendre à nous ? Car ne t'y trompe pas, Mahmoud. Nous sommes dans sa visée.

— Je sais comme toi que Napoléon est une menace pour le monde en général et pour notre Empire en particulier. Mais nous ne sommes pas assez forts pour nous dresser contre lui. Il faut attendre le moment, l'occasion.

— Attendre ! Voilà le mot d'ordre en Turquie !
Mahmoud sourit.
— N'est-ce pas toi, Nakshidil, qui naguère me conseillais la patience ? Et j'ai bien fait de suivre ton conseil. Suis-le à ton tour.
Guetter l'occasion de nuire à Bonaparte, je n'eus plus que cela en tête, mais je ne la voyais pas poindre. Depuis le printemps 1809, la guerre avait repris entre la Russie et la Turquie. En vérité, les hostilités n'avaient jamais été suspendues, mais pendant longtemps, il ne s'était agi que d'escarmouches sporadiques et non de véritables campagnes. Notre Empire subissait les révolutions que l'on sait et la Russie, embarrassée par la confusion de la politique en Europe, n'avait pas mis à profit les convulsions qui nous affaiblissaient...
Les campagnes de 1809, de 1810 puis de 1811, furent désastreuses pour nous. Dans les Balkans, au Caucase, partout nous avions dû reculer. Nous étions vaincus et Bonaparte triomphait plus que jamais. Un fils lui naissait de sa seconde épouse, l'archiduchesse Marie-Louise d'Autriche. La venue de cet héritier, tant attendu, achevait de combler le tyran qui, du sommet de sa gloire, dominait l'Europe plus solidement que jamais. Joséphine, tenue, bien entendu, à l'écart de cette apothéose, vivotait en province, isolée et désolée.
Je luttai contre mon désir de la faire venir à Constantinople. Mahmoud qui me voyait chagrine m'encourageait dans cette voie, mais malgré mon affection pour Joséphine et tout mon désir de l'assister, je savais que nos chemins plus jamais ne devaient se croiser.
Sur ces entrefaites, Mahmoud m'apprit la présence à Constantinople du comte d'Antraigues. Partout où il

passait, il laissait un sillage d'intrigues et de machinations. Trois ans plus tôt sa venue avait signifié un attentat contre ma vie et la mort de Zinah. Quel était son dessein cette fois ? A qui s'en prendrait-il ?

Trois jours plus tard, Ali Effendi me tendit un paquet de lettres, mystérieusement parvenu jusqu'à lui et adressé à « Sa Hautesse la Sultane Validé de Turquie ». La première était un court billet : « Le porteur de la présente possède ma confiance. Il parlera en mon nom et ce qu'il dira devra être cru comme venant de moi. » C'était signé « Talleyrand » et je reconnus parfaitement les pattes de mouche de son écriture que j'avais vue sur ses lettres à Sélim. La seconde était une lettre anonyme. « On ne peut vous approcher ni vous parler. Aussi préfère-t-on vous écrire. Vos sentiments pour la paix générale sont connus de même que votre pouvoir. On sait que vous vous êtes repentie de vos anciens égarements en faveur de Bonaparte, et que vous cherchez à travailler pour abattre le tyran de l'Europe. » Suivait l'annonce que Bonaparte, dans le plus grand secret, se préparait à envahir la Russie, son alliée. Il réunissait la plus grande armée jamais vue pour attaquer son ami, le tsar Alexandre, alors même qu'il le couvrait de fleurs et insistait sur leur alliance éternelle. Bonaparte comptait profiter de notre guerre avec la Russie qui immobilisait une grande partie de ses forces contre nous. Prise entre deux feux, entre deux fronts, la Russie ne pourrait tenir et serait écrasée, occupée, réduite en vassalité. Ensuite, ce serait le tour de notre Empire, seule puissance continentale qui resterait indépendante. « Depuis les jours lointains de la guerre d'Égypte », poursuivait la lettre, « l'Empire Turc est la cible de Bonaparte. Le conquérir lui donnera l'Empire mondial auquel il aspire. La Russie vaincue il s'attaquera à l'Empire Turc pour couronner un vieux rêve. On vous conjure, on vous adjure d'empêcher ce crime. Le Sultan vous écoute. Prévenez-le, éclairez-le sur le danger qui menace son Empire. Agissez pour son bien et pour le bien de l'Empire Turc. »

La lettre n'était pas signée mais je n'avais pas besoin de me creuser l'esprit pour savoir qu'elle avait été écrite par le comte d'Antraigues. Je n'ignorais pas jusqu'où pouvait aller sa perfidie, aussi ne m'inspirait-il que méfiance et répulsion. Je me sentais néanmoins portée à croire ces invraisemblables assertions. Bonaparte avait prouvé à nos dépens qu'il pouvait se retourner contre son plus fidèle allié et le billet de Talleyrand était un accréditif pour Antraigues. Le ministre des Affaires étrangères de Bonaparte trahissait son maître, peut-être affolé par l'ambition de celui-ci et les désastres qu'elle amènerait. Mahmoud, mis au courant, crut aussi fermement que moi ce que nous annonçait Antraigues. « Agissez », disait la lettre, mais que pouvions-nous faire, que pouvais-je faire ? Nous étions en guerre avec la Russie et notre puissance était trop modeste pour songer l'opposer à celle de Bonaparte.

On m'annonça alors l'arrivée à Constantinople de la reine Marie-Caroline de Naples. Sœur de la feue reine Marie-Antoinette, mariée à un Bourbon, roi de Naples, elle avait été, je le savais, la plus constante adversaire de Bonaparte. Les Anglais venus à son secours s'étaient conduits en maîtres dans son royaume, comme ils l'avaient fait en Égypte et, devant sa résistance, avaient fini par la chasser. Elle retournait finir ses jours dans son Autriche natale, mais l'occupation des trois quarts de l'Europe par son ennemi Bonaparte l'obligeait à un long détour par la Turquie puis la Russie. On disait qu'elle avait le caractère d'un homme et les faiblesses d'une femme, cruelle et voluptueuse. La curiosité et le désir d'honorer une adversaire malheureuse de Bonaparte me la firent recevoir. Je l'attendis au Sérail dans mon salon du premier étage de mes appartements. La femme qui entra, austèrement vêtue, était naturellement majestueuse et hautaine. Elle avait dû être belle et je retrouvai en elle les traits de la reine Marie-Antoinette, mais en moins harmonieux, et en plus masculins. La soixantaine et les épreuves avaient brouillé son teint, son regard, et creusé de rides son visage trop long. A tout prendre elle me fit penser à un vieux cheval, mais un cheval de race. Elle me toisa avant de laisser tomber :

— On me dit, Madame, que vous êtes française.

Je dus paraître suffisamment déconcertée pour qu'elle sourît avant de poursuivre.

— Ne vous étonnez pas, le comte d'Antraigues est de mes amis. Il m'a parlé de vous et ne craignez rien, j'ai engrangé au cours de ma vie assez de secrets pour oublier de les répéter.

J'observai cette vieille reine dont l'amertume n'avait pu altérer tout à fait la grâce. Elle affronta mon regard et me dit :

— Naguère mes ennemis répétaient que j'étais le Diable. En tout cas j'en suis la grand-mère. Depuis que ma petite-fille, Marie-Louise, a épousé Bonaparte ! Oui ! Madame, vous avez devant vous la grand-mère du Diable. Par alliance.

Là-dessus nous avons enchaîné sur le Diable. Marie-Caroline ne songeait pas à lui dénier du génie. Mais serait-il arrivé si haut s'il n'avait eu en face de lui des adversaires qui n'étaient que des nullités.

— Tous des lâches, Madame. Tous les rois mes parents, les ministres, les généraux ne sont que des lâches et Bonaparte a eu beau jeu avec eux. Croyez-moi, j'ai combattu moins contre lui mon ennemi que contre eux mes alliés. Je suis trop vieille maintenant. C'est à vous de reprendre le flambeau.

— Moi ! Moi, isolée au fond du Harem de Constantinople, comment réussirais-je là où Votre Majesté, reine absolue, parente de tous les rois d'Europe, a échoué ?

— Lorsque je me battais contre Bonaparte, il était au début de sa carrière. Vous intervenez alors qu'elle se termine.

— Bonaparte, fini ! Alors qu'il domine l'Europe entière, alors qu'il vient de fonder une dynastie.

— Justement. Bonaparte a trop vaincu, il s'est trop enflé. Sa chute l'attend au tournant de son apothéose.

— Comment pourrais-je donc contribuer à cette chute ? Je n'ai pas d'armées à ma disposition comme Votre Majesté en avait.

Le regard de la reine Marie-Caroline s'alluma d'une lueur chaleureuse.

— Mon enfant, vous vous faites des illusions. Les rois, les généraux ne font rien. J'ai payé pour le savoir. Ce sont les détails, les petits faits qui fabriquent l'Histoire. Il suffit d'un grain de sable pour arrêter la machine, parfaitement huilée. Ce grain de sable auquel nul ne pense... soyez-le. Vous le pouvez. Il vous suffit de réfléchir, d'imaginer. Les guerres ne se gagnent pas avec des régiments mais avec des idées. Trouvez une idée !

La vieille reine Marie-Caroline m'avait fait honte de m'être découragée. Je convoquai même Mahmoud, contre ma règle, pour lui en faire part.

— J'ai réfléchi, Mahmoud, j'ai tourné la question en tous sens. Il n'y a qu'une chose à faire : la paix immédiate avec la Russie.

— Tu n'y songes pas, Nakshidil. Les Russes nous ont battus mais nous disposons encore de réserves. Le moment serait mal choisi pour demander la paix. Et, si Napoléon attaque la Russie et selon toutes probabilités, l'écrase, nous obtiendrons alors une paix plus avantageuse.

— La Russie vaincue demain, c'est la Turquie vaincue après-demain par ce même Bonaparte. Il compte sur la poursuite de notre guerre avec les Russes. Faisons la paix avec eux justement avant qu'il ne les attaque et nous le prendrons à son propre piège.

Mahmoud commençait à voir mon dessein. Mais il fallait se défier des conservateurs maîtres du gouvernement, qui ne verraient là qu'une paix honteuse et se soulèveraient contre Mahmoud. Il fallait se défier de Bonaparte, dont les agents infestaient Constantinople et qui, à notre première velléité de paix avec les Russes, se verrait joué et nous tomberait dessus. Nous ne pouvions agir que dans le secret, sans informer qui que ce fût et surtout pas le Divan. Enfin il fallait amener les Russes à la table des négociations en les convainquant que nous souhaitions la paix dans l'intérêt commun et non parce que nous étions vaincus. Comment entrer en communication avec les Russes nos ennemis le plus rapidement et le plus discrètement possible ?

— C'est à toi de trouver, Mahmoud. Mais vite !

Rappelle-toi, la Russie vaincue demain, c'est la Turquie vaincue après-demain.

C'est alors que Mahmoud se rappela qu'un ambassadeur napolitain végétait à Constantinople, illusoire représentant du royaume qu'avait perdu la reine Marie-Caroline. Or, cet ambassadeur avait un collègue en Russie, à Saint-Pétersbourg, où le tsar le laissait, par courtoisie, représenter un royaume qui n'existait quasiment plus. Persuader le Napolitain de Constantinople d'écrire au Napolitain de Saint-Pétersbourg une lettre insistant sur la nécessité et l'urgence d'une paix russo-turque, prier le Napolitain de Pétersbourg de mettre la lettre sous le nez du tsar, espérer que le tsar agirait dans le sens souhaité, c'était jeter une bouteille à la mer. Il n'y avait cependant pas d'autre moyen. Nous attendîmes et ne vîmes rien venir.

Sur le front des Balkans la campagne commençait au début de 1812. La guerre continuait entre la Russie et la Turquie, et la paix n'avait jamais semblé si éloignée. Nous apprîmes cependant que le tsar avait dépêché un diplomate derrière les lignes russes, pour se tenir prêt à entamer, le cas échéant, les négociations avec nous. Le tsar avait avancé un pion, mais un pion prudent et peu compromettant. Notre message avait visiblement été reçu mais le tsar évitait de s'engager. Nous l'imitâmes et envoyâmes derrière nos lignes un négociateur pour l'avoir à pied d'œuvre en cas de besoin.

Là-dessus, Mahmoud reçut de Napoléon un message personnel. Il y annonçait son intention d'envahir la Russie et nous invitait à une alliance offensive. Nous étions instamment priés de nous joindre à la coalition qu'il allait lancer contre la Russie, faute de quoi... En contrepartie, Napoléon s'engageait à nous restituer toutes les provinces que la Russie avait conquises au cours des dernières décennies. Napoléon était si certain de notre réponse positive qu'il prévoyait une attaque sur le flanc sud des Russes par l'armée turque menée par Mahmoud en personne.

Grande était la tentation pour Mahmoud de reprendre sur l'ennemi héréditaire les territoires qu'il nous avait arrachés. Je lui répétai :

— Souviens-toi, Mahmoud. La Russie vaincue demain, la Turquie vaincue après-demain.

Mahmoud flaira la ruse chez Bonaparte. Au lieu de tomber dans le piège, il envoya, par le canal des ambassadeurs napolitains, le texte des propositions de Bonaparte au tsar. Celui-ci réagit nettement. Une nouvelle défaite que nous venions de subir sur le front des Balkans lui fournit le prétexte pour proposer un armistice que nous nous empressâmes d'accepter. Nos négociateurs que le tsar et nous tenions en réserve depuis des mois se réunirent à Bucarest, alors occupé par les Russes, et entamèrent les négociations, tout à fait officielles, en vue d'explorer les possibilités d'un armistice. Elles ne tenaient pas compte de notre dessein secret d'une paix immédiate à n'importe quel prix et elles n'inquiétaient personne, ni le Divan, ni Bonaparte, qui ne leur croyaient guère de chance d'aboutir. Cependant l'échéance approchait à grands pas. Il fallait aboutir. Je harcelai Mahmoud :

— Il n'y a plus qu'une chose à faire : négocier toi-même, par-dessus le Divan, par-dessus les diplomates.

Mahmoud en fut d'abord renversé. Le Sultan, surveillé nuit et jour par une Cour attentive, pouvait-il négocier directement avec les Russes en gardant le secret ? Et négocier où, avec qui, avec quels Russes ?

Pourtant l'idée le séduisit et sa réponse me renversa à mon tour :

— C'est bon, je négocierai avec Koutousoff !

Imaginer que le Sultan puisse recevoir en pleine guerre le commandant des armées ennemies était une gageure. Mais rien n'arrêtait Mahmoud, une fois lancé. Il envoya son secrétaire particulier avec une escorte dont il choisit chaque homme lui-même. Le secrétaire franchit les lignes russes à la faveur de l'armistice, atteignit Bucarest, vit Koutousoff en privé, lui remit une lettre pressante de Mahmoud. Koutousoff, convaincu, se laissa emmener dans une voiture aux rideaux baissés. Pour cacher son absence, il avait fait annoncer qu'il était malade et ne recevrait personne. Nul ne s'en étonna. Les « maladies » de Koutousoff étaient la légende et la risée de son armée. Ce vieillard libidineux et paresseux aimait à s'enfermer plusieurs jours d'affilée pour s'enivrer et se livrer à la débauche avec une ravissante Circassienne qu'il traînait partout — un Circassien, disaient les plus mauvaises langues. Une semaine seulement après être parti, le secrétaire de Sélim revenait à Constantinople en fin de journée, son paquet sous le bras, c'est-à-dire dans sa berline. On déposa le paquet-Koutousoff dans un des pavillons de mon jardin. Mahmoud avait décidé de le recevoir au milieu de la nuit, chez moi à Besiktas où il était moins surveillé.

Je vis entrer dans mon salon un très gros homme apoplectique, hirsute et borgne. Son œil unique scintillait de malice. Il avait boutonné son uniforme n'importe comment et posé de travers une petite casquette sur ses cheveux blancs. Il soufflait comme un phoque.

— Quel voyage ! s'adressa-t-il à Mahmoud. On peut

dire que Votre Hautesse ne perd pas de temps... mais que vois-je là ? ajouta-t-il extasié.

Instruite de son prodigieux appétit, j'avais fait préparer un buffet considérable.

— Et du champagne ! Je préfère la vodka, rien n'est meilleur que la vodka. Mais bon pour le champagne. A la guerre comme à la guerre.

Lorsqu'il eut un verre dans une main et une aile de poulet dans l'autre, Mahmoud put commencer à parler. L'entretien eut lieu en français : il était trop important pour que nous nous embarrassions de protocole et de traducteurs.

— Nous n'avons pas le temps de finasser, Général !

Et il exposa la situation qui nous obsédait depuis des semaines. L'invasion de la Russie par Bonaparte était imminente. Prise entre deux fronts par l'attaque de Bonaparte à l'ouest et la guerre avec nous au sud, la Russie était perdue. Il lui fallait donc conclure une paix immédiate avec nous.

Koutousoff avait écouté attentivement l'exposé de Mahmoud et il prit son temps avant de répondre :

— Tout cela je ne le sais que trop bien. Je m'en désole autant pour ma patrie que Votre Hautesse pour la sienne. Mais je ne puis rien contre les hésitations de mon tsar et les lenteurs de votre Divan.

— Aussi vous ai-je fait venir, Général, pour faire la paix tout de suite, par-dessus mon Divan et par-dessus votre tsar.

Le regard perçant de l'œil bleu de Koutousoff se posa longuement sur Mahmoud avant qu'il ne murmure pensivement :

— Topons là, Sire. J'outrepasserai les instructions de mon Maître et il me disgraciera. Mais nous ferons vous et moi la paix.

J'intervins :

— La paix, oui, mais pas à n'importe quel prix. Le Sultan, mon fils, ne peut pas signer une paix honteuse.

Koutousoff proposa de rester chacun sur nos positions. Je réclamai la restitution des provinces de Roumanie que Koutousoff occupait. Il les tenait, répondit-il, il les gardait.

— Pas de Roumanie, pas de paix. La Turquie est perdue mais la Russie le sera avant, lui assenai-je.

Koutousoff éclata de rire.

— Le Dieu qui protège la Russie, ma patrie, veuille que nous n'ayons pas chaque fois en face de nous des négociateurs de la trempe de la Sultane Validé. Vous aurez votre paix dans la semaine, aux conditions que vous exigez. J'en devrai passer par là si je veux faire quelque chose pour mon pays.

Le vieux renard m'inspirait de la sympathie et presque de la tendresse. Je l'interrogeai :

— Que se passera-t-il ensuite, Général ?

— La paix signée, le tsar sera furieux et m'enverra en disgrâce. J'en ai l'habitude. Puis Napoléon envahira la Russie. Les généraux dont s'entoure le tsar ne sont que des godelureaux et seront battus à plate couture. Napoléon s'avancera invincible jusqu'au cœur de la Russie. Mais en fin de compte il ne gagnera pas. Avec la paix que Votre Hautesse et moi concluons, avec surtout les ressources inépuisables de la Russie, nous vaincrons. Mais auparavant ce sera la défaite, la ruine, la mort de mon pays.

Mahmoud l'encouragea.

— Vous sauverez votre pays, Général, vous le pouvez.

— Le tsar me hait, il ne fera jamais appel à moi. Je

resterai au fond de la province, vieux, disgracié, oublié.

Koutousoff repartit la nuit même pour Bucarest. J'avais fait porter dans sa berline d'énormes provisions de bouche et de très nombreuses bouteilles de champagne, ce pour quoi il me manifesta une reconnaissance immodérée. Il emportait l'ébauche du traité de paix entre la Russie et la Turquie et des instructions manuscrites de Mahmoud à notre négociateur pour mettre au propre le traité et le signer au plus vite. A la grâce de Dieu ! Pourvu que Koutousoff ne soit pas empêché de signer le traité ! Pourvu que Bonaparte n'en ait pas vent ! Pourvu que le Divan ne l'apprenne pas, qui en ces jours de mai 1812, discutait favorablement des propositions de ce même Bonaparte. Une trahison, une seule, et nous aurions une révolution. A la grâce de Dieu !

Un matin je visitai mes appartements au Sérail livrés aux maçons et peintres. Bien que n'y vivant plus, je m'occupais de son entretien et je venais régulièrement vérifier les travaux dont j'avais ordonné l'exécution.

Je me trouvais donc dans le salon vert et or que naguère j'avais fait décorer pour Mirizshah. Un peintre y travaillait tandis que ses compagnons s'activaient dans les pièces voisines. Mon inspection terminée, j'étais déjà parvenue au seuil de la pièce lorsque j'ai entendu cette phrase :

— Un instant, Mademoiselle Aimée Dubuc de Riverie !

Je restai clouée sur place, à l'endroit où cette phrase m'avait atteinte comme une balle. Mais déjà le prétendu peintre qui l'instant d'avant enduisait les boiseries était près de moi :

— Franchini, drogman à l'ambassade de France, pour vous servir.

Les drogmans étaient les secrétaires-traducteurs des ambassades et Franchini était un agent double qui, naguère, nous avait prévenus que son maître, Sébastiani, craignant d'être arrêté par Sélim, s'apprêtait à fuir.

La première question qui me vint à l'esprit fut de lui demander comment il avait pu s'introduire dans le Sérail. Avec un grand rire, il m'expliqua que le Sérail pullulait d'eunuques dont la vénalité était une providence pour les espions comme lui. Toutes sortes de questions se pressaient sur mes lèvres, auxquelles il ne se dérobait pas, mettant bien au contraire un empressement arrogant à m'éclairer. Comment connaissait-il mon existence ? Et mon nom ? Les Anglais et le comte d'Antraigues n'étaient pas les seuls à être bien informés...

Je lui demandai ce qu'il me voulait. Il m'accusa de me rendre coupable de traîtrise envers mon pays, la France. Après ce sermon, il m'a brutalement exposé ses exigences : je devais obtenir de Mahmoud qu'il cessât ses tractations avec les Russes, qu'il s'alliât immédiatement avec Bonaparte et attaquât la Russie sur le front des Balkans, faute de quoi le secret de mon identité serait divulgué de par le monde. Conscient de l'avantage qu'il possédait, Franchini se fit un malin plaisir d'évoquer les conséquences « regrettables » qu'une telle révélation pourrait entraîner ici même, en Turquie. Que les Oulémas et les Janissaires apprennent qu'une Française, une chrétienne, une giaour

« gouvernait » le Sultan et le Sérail, c'était la révolution assurée et la perte de Mahmoud.

Je tentai de me défendre, assurant Franchini que je n'avais aucune influence sur Mahmoud, mais il ne fit que rire de mes protestations. J'essayai alors la menace, suggérant que je pourrais appeler mes gens et le faire disparaître sur-le-champ. Connaissant nos mœurs expéditives il avait pris ses précautions et s'il ne revenait pas à l'ambassade de France, d'autres se chargeraient de proclamer la vérité à mon sujet.

Il m'accordait deux jours de réflexion et me fixa rendez-vous à l'École des Princes, pour lors abandonnée, qui lui paraissait propice à notre prochaine rencontre.

Je rentrai à Besiktas, atterrée, impuissante, infiniment lasse. Plusieurs fois dans le passé ma présence avait été un danger pour Sélim et voilà qu'elle l'était pour Mahmoud. La lutte ne cesserait-elle donc jamais ? Me défendre, je n'en avais même plus le goût, mais j'étais forcée de me battre pour Mahmoud. Me confier à lui, je ne pouvais y songer, c'eût été le mettre dans le conflit le plus cruel et le contraindre à choisir entre sa mère et sa politique. Demander un avis aux dépositaires de ma confiance ? Qu'auraient-ils pu me conseiller ? Pourquoi alors ai-je convoqué Pierre Ruffin ? Parce qu'il était depuis toujours le pilier de l'ambassade de France ? Parce qu'il avait la réputation d'un honnête homme ? Parce que, dans mon désarroi, j'avais besoin de me confier à quelqu'un ? Bref, il vint me trouver le lendemain matin dans mon jardin de Besiktas. Ses vêtements noirs impeccablement repassés portaient des traces d'usure. Cet échalas incolore avait toujours la même allure de pasteur triste qui m'avait frappée un soir au Palais-Royal vingt-quatre ans plus tôt. L'âge avait à peine marqué son visage osseux. Il croisait et décroisait nerveusement ses mains trop grandes qui sortaient de ses manches trop courtes.

— Monsieur Ruffin, je vous ai prié de venir pour une affaire urgente.

Je l'avais interpellé en français.

— Je suis à vos ordres, Madame, a-t-il aussitôt répondu sans marquer la moindre surprise que la Sultane Validé s'exprimât dans sa langue. Il me révéla avoir connu mon existence au Sérail depuis les années lointaines de la guerre d'Égypte.

Comme je m'étonnais qu'il n'eût jamais répandu ou tiré parti de cette information, il me répondit que ce secret étant le mien, il ne lui appartenait pas d'en disposer. Mise en confiance, je lui racontai ma rencontre avec Franchini.

Ruffin s'indigna sincèrement en apprenant les agissements de Franchini.

— De telles méthodes, de tels hommes souillent mon pays, poursuivit-il. Le gouvernement du Grand Napoléon n'en a que faire et les désapprouve.

Naïf Ruffin ! Je me gardai de lui dire que le « Grand Napoléon » ne répugnait pas à l'espionnage et aux solutions expéditives. Il doutait que son ambassadeur approuvât ou même connût l'initiative de Franchini. Mais celui-ci obéissait aux ordres de Bonaparte : il fallait que la Turquie entrât dans le camp français et à cette fin l'ambassadeur utiliserait toutes les armes, même celles qui lui répugnaient le plus, allant jusqu'à couvrir d'or Franchini pour sa brillante réussite. Et Ruffin ne pourrait rien pour l'en empêcher.

Je tentai d'expliquer à Ruffin pourquoi je soutenais

Mahmoud plutôt que la France, mais il m'interrompit :

— Ne poursuivez pas, Madame. Je vous comprends fort bien. Seul un agent double comme Franchini peut vous accuser de traîtrise. Vous avez choisi la Turquie, votre patrie d'adoption que j'aime autant que la France. Je sais l'assistance que votre présence et vos conseils ont été pour le Sultan Sélim comme ils le sont pour le Sultan Mahmoud. Vous êtes fidèle à ceux que vous aimez et je vous en respecte comme je suis fidèle à l'Empereur Napoléon, mon maître et votre ennemi.

Malgré sa bonne volonté, Ruffin me quitta sur un aveu d'impuissance. J'en étais toujours au même point. Si je ne laissais pas signer le traité de paix avec la Russie, l'existence même de l'Empire était en danger. Si je le laissais signer, ma présence serait révélée au monde et l'existence de Mahmoud menacée. Le dilemme me torturait au point que je ne vis qu'une solution : partir, quitter définitivement la Turquie, ma maison, Mahmoud. Moi partie, l'obstacle à la politique, à la liberté de Mahmoud, la menace disparaissait. Si alors Franchini révélait mon secret, cela n'aurait plus d'importance. Je saurais bien obliger Mahmoud à me laisser partir. Où irais-je ? Dans la France de Bonaparte, il n'en était pas question. A la Martinique, dans un monde devenu étranger, chez des parents devenus des inconnus ? Il serait temps d'en décider plus tard. Il me fallait d'abord partir au plus vite et avertir Franchini de ma décision pour désamorcer sa bombe.

Le lendemain donc, je me rendis au Sérail et, à l'heure dite, m'étant éloignée de ma suite, je me dirigeai, seule, vers l'École des Princes au premier étage au-dessus de la Cour des Eunuques Noirs, là où

Mahmoud enfant avait été le dernier Prince Impérial à étudier. Ces lieux, réputés hantés, étaient rendus encore plus sinistres par leur abandon. Personne, nul bruit, j'avançais dans le silence de ces pièces obscures avec un sentiment d'oppression. Et soudain, alors que je franchissais le seuil de la dernière salle, mon regard découvrit des corps étendus sur le sol. Franchini était là, en effet, mais égorgé au milieu des eunuques, ses complices sans doute, qui avaient subi le même sort. Ils avaient dû se défendre car il y avait du sang partout, sur les nattes du sol, sur le mur, sur leurs vêtements. J'étais là, saisie d'horreur, lorsqu'un bruit de pas derrière moi me fit sursauter et me retourner : c'était Mahmoud !

Je me suis jetée dans les bras de mon fils et j'ai éclaté en sanglots. Je pleurais convulsivement de peur, de soulagement, sans pouvoir me contrôler. Plus tard vinrent les explications.

Le brave Ruffin, sitôt sorti de chez moi la veille, avait couru chez Mahmoud et lui avait fait part de ce que je prétendais lui cacher. Connaissant, par Ruffin, l'heure et le lieu de mon rendez-vous avec Franchini, Mahmoud avait ordonné à ses sbires de l'attendre et de l'éliminer ainsi que ses complices.

— Pourquoi ne m'avoir pas prévenue, Mahmoud ?

— Peut-être pour te punir, Nakshidil, ajouta-t-il avec douceur ; tu aurais pu te confier à moi plutôt que songer à me quitter. A quoi servirait que je protège mon Empire si je ne peux pas protéger ma mère ? As-tu imaginé un instant ce qu'il m'en coûterait d'être séparé de toi ? Dans le but de m'épargner tu étais prête à m'infliger un coup qui m'aurait détruit.

Je prévins Mahmoud que Franchini avait menacé que, s'il lui arrivait malheur, d'autres se chargeraient de divulguer mon secret ; mais selon lui la mystérieuse disparition de Franchini et le rôle que pouvait y avoir joué le Sultan inspireraient une crainte salutaire à d'éventuels complices et les tiendraient en respect, tout au moins un temps. Le temps nécessaire pour que la paix soit signée avec la Russie et que toute alliance avec Bonaparte fût ainsi rendue impossible. Après on verrait bien !

Sur ordre de Mahmoud, les cadavres de Franchini et des eunuques qu'il avait achetés furent enfouis, avec le prix, trouvé sur eux, de leur trahison, sous le plancher d'une resserre à l'entrée de la Cour des Eunuques Noirs.

Koutousoff tint parole. Une semaine après son retour à Bucarest, le 18 mai 1812, la paix y était signée entre la Russie et la Turquie... Les provinces de Roumanie nous étaient restituées. Le tsar entra en fureur, disgracia brutalement Koutousoff et... ratifia le traité. Le lendemain très exactement, Bonaparte franchissait le Niémen à la tête de la Grande Armée et commençait l'invasion de la Russie.

Il avait été convenu que le traité de Bucarest resterait secret jusqu'à ce que les troupes russes, jusqu'alors utilisées contre nous, aient rejoint celles qui étaient opposées à Bonaparte. Celui-ci, courrier après courrier, nous harcelait d'invitations à nous joindre à la coalition contre la Russie. Nous tenions à éviter le plus longtemps possible les conséquences de la découverte par Bonaparte de notre accord avec les Russes. Cet accord semblait d'ailleurs avoir été inutile. En effet, rien n'arrêtait l'avance de Bonaparte. Il prenait Vilna, puis Smolensk, culbutait l'armée russe à Borodino et entrait en triomphateur à Moscou. Nous nous demandions avec angoisse s'il n'allait pas une fois de plus gagner, comme toujours. Rien, jamais, n'arrêterait ce diable d'homme. En attendant, nous risquions de nous retrouver dans le camp des vaincus et c'en serait fait de Mahmoud, de la Turquie même.

Pour comble, la peste se déclara à Constantinople et, en l'espace de quelques semaines, tua plus de cent vingt-cinq mille personnes.

Calfeutrée chez moi à Besiktas, je passais des heures entières à me promener dans la paix de mon jardin, m'interrogeant sur cette nature qui ici engendrait des prodiges de beauté et un peu plus loin, en ville, se muait en destructrice, couvrait les corps de pustules, ravageait des familles entières.

Selon mon devoir de Sultane Validé, j'avais organisé des secours, mais je ne parvenais pas à m'émouvoir profondément de la souffrance des autres, pourtant si proche. La traversée de tant d'épreuves et de drames m'avait endurcie et je ne craignais plus la mort pour moi-même. Je la redoutais pour Mahmoud, je tremblais de l'y savoir exposé car, malgré mes prières, il allait quotidiennement se promener dans les quartiers les plus touchés par l'épidémie, visitant et réconfortant ses sujets. Il avançait parmi les pestiférés, nimbé d'une légende, celle du Sultan invincible.

Le malheur le frappa cependant cruellement : ses deux fils, Bayazid et Mourad, à peine âgés d'un an, moururent à quelques jours d'intervalle. Mahmoud était sorti du Sérail pour aller défier la peste, mais la peste s'était glissée dans le Sérail insalubre et avait choisi ses deux premiers héritiers.

Kadines et enfants impériaux furent évacués et distribués dans différents palais. On me confia la dernière-née de Mahmoud, la toute petite Eminée. Le marmot, âgé de quelques semaines, m'amusa, elle était le portrait de Mahmoud, mêmes yeux perçants, même moue, même front têtu. Et pour la première fois, je ressentis ce qui ressemblait à de l'attendrissement pour un enfant.

La perte de ses enfants, l'abominable spectacle quotidien du fléau, les nouvelles catastrophiques de Russie, les menaces de Bonaparte, rendaient Mahmoud encore plus renfermé, plus sévère, plus inaccessible. Il me rendait tous les jours visite, mais je savais que ce n'était pas moi qu'il venait voir mais mes fleurs. Seule la contemplation de ces merveilles éphémères et inépuisables le tirait des ténèbres qu'il traversait. Nous nous promenions côte à côte, en silence, nous arrêtant longuement devant un massif, nous penchant sur un parterre. Ce fut là, dans l'allée aux dahlias, qu'un jour d'octobre il reçut des mains d'un eunuque un courrier qui venait d'arriver. L'ayant décacheté et lu, je vis son expression, d'abord incrédule, s'illuminer et cet homme toujours si maître de lui se mit à danser une gigue absurde, agitant les bras, sautant sur place, les pans de son caftan au vent. Même dans son enfance, je n'avais vu qu'une ou deux fois une telle explosion de joie. Le courrier venait de Russie : Napoléon, ayant évacué Moscou, avait commencé sa retraite. Il était battu. La lettre était de Koutousoff lui-même. A la surprise générale, le tsar, acculé au désastre total, l'avait tiré de sa disgrâce et nommé généralissime, faute de commandants capables. Koutousoff s'était fait battre par Bonaparte à Borodino, avait reculé, l'avait laissé prendre Moscou mais c'était pour l'enfermer dans le piège mortel d'un désert de cendres. Moscou avait brûlé trois jours et trois nuits. La Russie entière avait brûlé de la main même de ses fils. La terre rendue improductive ne pouvait plus nourrir les soldats de Napoléon et l'hiver approchait, « le général hiver » comme l'appelait Koutousoff, le plus précieux allié des Russes. Bonaparte avait trouvé dans les archives de Moscou la copie du traité de Bucarest. Simultanément il avait appris que l'armée russe, jusqu'alors immobilisée contre nous dans les Balkans, arrivait en renfort de celle de Koutousoff. Il avait compris qu'il avait été berné et que l'hiver ne lui laisserait aucune chance. Il avait donc abandonné la partie, c'est-à-dire Moscou. Koutousoff terminait sa lettre par un hommage vibrant au courage et à la lucidité de Mahmoud, qui, par son initiative personnelle, avait contribué à sauver la liberté de l'Europe. Car ni Koutousoff ni Mahmoud ni moi, nous ne nous y trompâmes : en commençant sa retraite, Bonaparte entamait l'irréversible processus de sa perte. La Russie était sauvée, la Turquie était sauvée... Sélim était vengé, ma cousine Joséphine était vengée. Même si mon action avait été minime j'avais tenu mon serment, naguère fait en prison, et j'avais contribué à la chute de Bonaparte.

Après avoir marqué Constantinople de son sceau de deuil, la peste céda enfin et les bonnes nouvelles lui succédèrent. Bonaparte perdait une partie de son armée au passage de la Bérézina, et ce qu'il en restait s'effilochait au fil de l'hiver russe. Mais en Allemagne il se défendait comme un beau diable, infligeant défaite sur défaite à l'Europe maintenant coalisée contre lui. L'aigle était touché mais ses coups de bec blessaient encore. J'aurais voulu le voir terrassé mais le temps m'était compté. Un jour de l'hiver 1813, je fus secouée par une violente quinte de toux, puis je me mis à cracher du sang. Mon médecin grec s'employa à me rassurer. Inutilement. Je ne me faisais aucune illusion sur le diagnostic : c'était la phtisie. Mon grand-père Dubuc en était mort. Mon incarcération dans l'appartement humide et mal chauffé sous les combles du Harem, ma maladie durant l'hiver 1806-1807 avaient sans doute favorisé l'éclosion du mal qui avait trouvé un terrain propice dans un organisme usé par les épreuves. Il avait longtemps couvé, ignoré, avant de se manifester.

Combien de temps me restait-il à vivre ? Un an, deux ans, au plus cinq ans ?

Je ne craignais pas la mort, Sélim en avait emporté la peur. Il m'arrivait même de la souhaiter pour le rejoindre. Pourtant je n'avais que trente-neuf ans et je me surprenais à converser secrètement avec la mort pour tenter de l'amadouer. Ne pouvait-elle pas patienter ? Ne me permettrait-elle pas d'assister au succès de Mahmoud, au renouveau de l'Empire sous son sceptre ? M'entraînerait-elle avant que j'aie vu la chute de Bonaparte ?

Les Alliés envahirent la France d'où, si souvent, Bonaparte était parti envahir l'Europe. Il tâchait de les arrêter par une campagne remarquable mais l'aigle cette fois était touché à mort. Les Alliés entraient à Paris, accueillis en libérateurs par la population. Bonaparte abdiquait à Fontainebleau et partait pour l'exil sur l'île d'Elbe. Les canons se turent et le traité de Paris mit fin à une guerre dont l'Europe avait souffert pendant vingt-deux ans sans interruption.

Je n'aurais jamais imaginé que Joséphine mourrait avant moi. J'avais appris qu'elle avait échappé à la débâcle de Bonaparte — ce qui n'était que justice — et je m'en étais réjouie lorsque le courrier suivant m'annonça sa mort survenue le 29 mai 1814. Elle avait été emportée en trois jours par une pneumonie. Elle avait pris froid un soir qu'elle se promenait trop légèrement vêtue, trop décolletée dans ses jardins avec le tsar. J'imaginais Joséphine, appliquée à séduire, se découvrant trop audacieusement et mourant comme elle avait vécu, dans la frivolité.

Joséphine n'était plus pour moi qu'une image rendue indistincte par le temps. Cependant, nos destins, pourtant séparés, étaient restés liés depuis le jour où Euphémia David les avait lus conjointement dans l'avenir. J'avais suivi sa course avec intérêt et tendresse. Elle avait été éclairée par les feux de l'Histoire, ce qui avait dû lui plaire, et moi j'étais restée dans l'ombre secrète du Sérail. Mais j'estimais que ma vie avait été plus accomplie, en dépit de ses tragédies. J'avais aimé et j'avais été aimée. Comme le lui avait prédit Euphémia, Joséphine avait dû souvent regretter la Martinique de notre jeunesse. Moi, je ne regrettais rien.

Un détail, parmi ceux dont notre ambassadeur à Paris nous abreuvait sur les derniers jours de Joséphine, m'émut singulièrement. Parmi les vainqueurs, un général anglais avait frappé à la porte de Joséphine et avait sollicité la faveur d'être reçu. Elle l'avait invité à dîner. Lorsque le général s'est présenté, au jour dit, Joséphine était morte depuis deux heures à peine. Cet Anglais s'appelait William Fraser. Il était le premier « fiancé » de Joséphine, celui dont Euphémia David lui avait prédit qu'elle ne l'épouserait pas. Ils ne s'étaient jamais revus depuis. Et la mort était arrivée avant lui au rendez-vous.

La mort frappa beaucoup à cette époque. Koutousoff avait libéré son pays puis ayant accompli sa tâche il s'était éteint. La reine Marie-Caroline de Naples l'avait suivi. Elle avait atteint Vienne, son berceau devenu sa terre d'exil. Elle était morte la veille du jour où elle devait connaître son arrière-petit-fils, l'enfant du « Diable », le fils de Napoléon.

Le comte d'Antraigues et sa femme, la Saint-Huberti, avaient été assassinés par leur valet de chambre. Celui-ci s'était ensuite suicidé sur leurs corps, ajoutant encore au mystère de cette mort, digne d'un espion.

Le Diable resurgit de sa boîte. Bonaparte débarqua en France et reprit son trône. La guerre recommença. Heureusement pas pour longtemps. Écrasé à Waterloo, Bonaparte abdiqua une seconde fois. Une seconde fois la France était envahie et la monarchie des Bourbons rétablie. Bonaparte à Sainte-Hélène, nous espérâmes enfin ne plus en entendre parler.

Le héros de cette période agitée avait été... Pierre Ruffin. Fidèle à Bonaparte il avait refusé de baisser le drapeau tricolore lorsque la bannière fleurdelisée des Bourbons l'avait remplacé comme emblème national de la France. La colonie française, désireuse de faire sa cour au nouveau maître, avait voulu faire mettre Ruffin en prison, puis devant le refus de Mahmoud, avait failli l'écharper : la police de Mahmoud l'avait tiré juste à temps des griffes de ses compatriotes. Le nouvel ambassadeur, qu'avait envoyé le roi de France, s'était empressé de rayer Ruffin du corps diplomatique et de le renvoyer en France. C'était un homme brisé qui quittait la Turquie après y avoir vécu quarante ans. Je tins à le recevoir. Il commença par me dire combien il était sensible à cet honneur.

— J'honore en vous la fidélité, Monsieur Ruffin,

votre fidélité à votre Empereur que pourtant je n'aimais point. Vous m'avez dit que vous respectiez cette qualité chez moi. Je vous rends la pareille.

— Je regretterai la Turquie, Madame.

— Que ne restez-vous ? Le Sultan, mon fils, aura plaisir à vous y faire un établissement convenable.

— Non, Madame. Ici je ne peux plus être utile à mon pays, je ne peux rester.

— Où irez-vous ?

— J'ai un petit bien en Provence. Je m'y installerai et j'y cultiverai mes fleurs, comme vous, ici, les vôtres. Je penserai à vous, à ce jardin, à Besiktas. Vous me manquerez, bien que je dusse vous détester.

Je sursautai.

— Oui, Madame, vous détester, car vous avez fait tomber l'Empereur Napoléon.

— Vous exagérez, Monsieur Ruffin. Ce sont les armées de l'Europe qui l'ont vaincu.

— Vous avez été le début de sa fin. Vous avez été le grain de sable qui a faussé la machine du Grand Empereur.

Le grain de sable, curieusement Ruffin utilisait le même mot à mon endroit que la reine Marie-Caroline.

— Sans vous, Madame, l'Empereur aurait conquis la Russie et... ajouta-t-il en baissant la voix... peut-être aurait-il conquis ensuite la Turquie.

— Vous vous trompez, Monsieur Ruffin, c'est le Sultan Mahmoud qui a conclu la paix avec la Russie.

— J'ai reconnu votre griffe dans l'audace de cette action. C'est vous qui fûtes l'artisan de cette paix catastrophique pour mon Empereur.

— Alors l'Histoire me jugera bien mal. Au fait, que dira-t-elle de moi ?

— Rien, Madame. La postérité ne saura rien de vous.

— Allons donc ! Franchini, d'Antraigues, la reine Marie-Caroline, vous-même, les espions anglais, ont connu mon existence. Les gazettes anglaises même en ont parlé.

— Ceux qui ont vraiment su qui vous étiez sont morts. Les autres ne font que le soupçonner. Il y aura des rumeurs, peut-être des romans. Quant au Sérail, vous resterez pour lui la Kadine Nakshidil, et votre mémoire y sera honorée comme telle. L'influence connue d'une Française y serait une anomalie, pis, une hérésie. Aimée Dubuc n'aura jamais existé, ne pourra pas avoir existé.

— Je n'aurai qu'à publier les Mémoires que je rédige.

— Vous ne le ferez pas. Vous préférerez garder le mystère autour de votre existence.

J'avais un cadeau pour Ruffin et je le lui fis apporter : c'était le buste de Bonaparte que celui-ci avait envoyé à Sélim et que ce dernier, malgré moi, avait gardé dans son salon. Lorsqu'il le reçut, je vis deux grosses larmes couler sur les joues de Ruffin.

J'avais moi aussi les larmes aux yeux.

— Merci, Madame, et adieu. Adieu, Turquie.

III

Depuis que Bonaparte avait disparu de la scène, le monde, épuisé, semblait faire silence. Mahmoud, lui, profitait de ce répit de l'Histoire, et lançait, après les avoir longtemps méditées, longtemps reportées pour cause d'événements, des réformes qui frappèrent l'Empire d'une volée de bois vert. Les protestations violentes ne manquèrent pas. Alors Mahmoud fit donner le bourreau et lorsqu'il n'en avait pas le pouvoir il envoya l'assassin. La pyramide de têtes coupées monta au fur et à mesure que l'opposition descendait.

Un matin, je reculai de surprise en le voyant entrer chez moi. Il s'était habillé à l'européenne, en noir, redingote à boutons dorés, pantalons droits, cape militaire, le turban avait été remplacé par un fez rouge, orné d'une aigrette en diamants, seule concession au passé.

— Le temps des brocarts, des caftans et des plumes est à tout jamais révolu, annonça-t-il.

Il venait de publier un décret qui obligeait les officiers ministériels et les membres du gouvernement à revêtir désormais la même tenue que lui. Cette révolution vestimentaire fut sans doute celle qui rencontra les plus fortes réticences. On ne sautait pas le XIXe siècle sans renâcler quelque peu... Mais nul ne se déroba. L'Empire avait appris que le Sultan ne plaisantait pas.

La fille de Mahmoud, la petite Éminée, qui allait sur ses trois ans, tournait autour de son père, étonnée, interdite. Je m'étais attachée à cette enfant depuis qu'on me l'avait confiée lors de la peste de 1812. Elle semblait fort déçue de ne plus voir son père scintiller d'or et de diamants.

J'étais fière de Mahmoud, de son action, de ses réformes et je le lui dis. Il m'arrêta.

— Ce que je fais, Nakshidil, je le dois à ton éducation et à l'enseignement de Sélim. Te rappelles-tu ses leçons, le soir, lorsque nous étions en prison ? Je n'en ai pas oublié un mot. C'est Sélim qui parle par ma voix, c'est lui qui dicte mes décrets.

Cependant Mahmoud oubliait un exemple de Sélim : la clémence.

— Faut-il vraiment, Mahmoud, couper tant de têtes ?

— Sélim m'a montré la voie mais il a échoué. Le Sultan ne doit plus se permettre un échec, l'Empire ne peut plus attendre. Si je veux être un jour appelé le Sultan Réformateur, il me faudra d'abord être le Sultan Sanglant.

Me voyant assombrie, Mahmoud m'invita à une promenade incognito dans Constantinople. Il avait repris l'habitude de ses prédécesseurs et il était anxieux de me montrer les transformations de la ville. Les barques de la Cour nous ont déposés au Sérail où nous nous sommes déguisés. Pour flâner dans les rues, sans être remarqués, plus question de tenue européenne. Mahmoud, en maugréant, dut revêtir la robe, le caftan et le turban d'un respectable bourgeois. Chaque étape de notre expédition ramenait en foule mes souvenirs. Ali Effendi me couvrant d'une abaya noire, Ali Effendi nous ouvrant la porte du Sérail par laquelle nous sortions en catimini. Puis cet itinéraire par les petites rues où, la première fois, Sélim avait dû me soutenir tant mon vertige était grand à me retrouver dans l'agitation et le bruit après des années de claustration.

Je remarquai des changements sensibles : le tracé de certaines rues avait été modifié, élargi, quantité de maisonnettes de bois aux balcons charmants avaient été remplacées par des constructions en pierre.

Nous nous sommes arrêtés sur la terrasse de la mosquée Soulemaniye. Mahmoud m'a désigné au loin les clochers d'une ou deux églises que les chrétiens bâtissaient dans leurs quartiers. Puis Mahmoud m'a montré fièrement le pont qu'il venait de faire construire sur la Corne d'Or pour relier la vieille ville à Péra et à Galata. Cette innovation facilitait considérablement la vie aux habitants de Constantinople et pourtant, lors de son inauguration, Mahmoud y avait été publiquement insulté. Alors qu'il franchissait le nouveau pont à la tête de ses dignitaires, un derviche s'était jeté en travers de son chemin et l'avait apostrophé : « Arrête ! Giaour Sultan ! » Giaour, chrétien, la pire insulte pour un Turc, Mahmoud l'avait déjà entendue, dans son enfance, proférée par son frère Moustafa. Cette fois, il n'en fut pas autrement affecté.

— Ce n'est pas ainsi qu'ils m'arrêteront. Je briserai tous ceux qui voudront entraver mon chemin aussi facilement que j'ai fait exécuter le derviche qui m'a insulté. Je poursuivrai ma politique de tolérance religieuse.

Sans cesse j'étais accablée de placets et de sollicitations parce qu'on me supposait un pouvoir. Il n'était pas toujours facile d'aborder Mahmoud. Un jour, donc, l'employé juif de la Banque Ottomane, qui venait régulièrement m'informer de la tenue de mes comptes, me transmit un message de ses correspondants banquiers, les frères Rothschild. Ceux-ci me faisaient demander d'intervenir auprès du Sultan pour qu'il lève les restrictions à l'implantation juive en Palestine. Je choisis notre halte sur la terrasse de la mosquée Soulemaniye pour en parler à Mahmoud. Il accéda à la requête.

— Tous mes sujets sont égaux devant la loi, les juifs comme les autres. Si ceux-ci veulent s'établir sur la terre de leurs ancêtres, ils le pourront.

Plus tard nous avons déambulé dans le Bazaar. Je l'ai retrouvé immuable avec ses voûtes, ses échoppes, ses marchands, sa foule. J'ai même reconnu le café où naguère je m'étais assise avec Sélim. Nous nous y sommes arrêtés, Mahmoud et moi, et nous avons commandé pour la forme des *dondourmas*, ces glaces dont je m'étais gavée la première fois. Puis, comme le faisaient les bourgeois attablés à côté de nous, nous avons échangé des nouvelles de la famille. La Princesse Hadidgé, sœur de Sélim, s'était enfin calmée depuis qu'on avait expédié, dans son Allemagne natale, son amant Antoine Melling. Elle avait tempêté, crié qu'on lui ôtait la vie et n'avait retrouvé la raison que lorsque Mahmoud lui avait promis de payer ses dettes, fabuleuses.

A mon agacement, Mahmoud avait tiré sa sœur, la Princesse Esmée, du Vieux Sérail, et lui avait rendu fortune et faveur. Elle avait activement participé aux révolutions contre Sélim, et même contre Mahmoud, mais la tendresse du frère et de la sœur surnageait à tout. Sa liberté et son état retrouvés, Esmée avait repris le cours de ses extravagances. Elle avait fait faire un vaste char à bancs en bois doré où elle entassait les plus jolies filles de son écurie d'esclaves avec lesquelles elle allait se promener dans les quartiers chrétiens. Lorsqu'un étranger de bon aloi tournait la tête vers cet essaim de ravissantes créatures mal dissimulées par des rideaux de brocart entrouverts, Esmée le faisait approcher, engageait la conversation et le plus souvent le passant se retrouvait dans le lit de la Princesse. Je soulignai à Mahmoud le tort que causait à son image ce scandale permanent. Il promit de tancer vertement sa sœur mais je savais qu'il ne le ferait pas. Il pardonnait tout à Esmée parce qu'elle l'amusait.

Mahmoud m'apprit que la mère d'Esmée, Sinéperver, toujours reléguée au Vieux Sérail, devenait aveugle. Je n'éprouvai ni satisfaction, ni pitié. Depuis que cette femme, source de tous mes maux, avait été réduite à l'impuissance, je n'éprouvais plus pour elle qu'un seul sentiment : l'indifférence.

Il se faisait tard, les échoppes commençaient à fermer. La journée avait été longue et j'étais fatiguée, mais j'avais encore à faire. Sans me poser de questions, Mahmoud me suivit jusqu'à la Mosquée de Mohammed le Conquérant. Là, derrière l'École des Théologiens, s'étendait un jardin où s'élevaient les turbés, les pavillons-tombeaux de plusieurs sultans, et où j'étais venue me promener plusieurs fois. J'entraînai Mahmoud vers le coin le plus sauvage de cette jungle poétique. Aubépines, acacias, iris, bougainvillées et seringas s'y entremêlaient. C'était ici, dans ce lieu de paix enchanté par le chant des oiseaux que je voulais être enterrée, ai-je dit à Mahmoud. Il protesta qu'il n'était pas temps pour moi d'y penser. Alors je lui révélai le mal qui me rongeait et le peu de temps qui me restait. L'aveu me coûta. Partager mon secret heurtait ma pudeur, et je souffris de la blessure que j'allais infliger à Mahmoud. Il contrôla bravement son émotion et seuls les battements de cils, une pâleur fugitive, la trahirent. Je lui demandai l'autorisation de commencer dès maintenant l'édification de mon turbé. Il acquiesça bien sûr, et me promit que nous viendrions ensemble en surveiller les travaux.

— Non, Mahmoud. Tu viendras seul. C'est aujourd'hui ma dernière sortie. J'ai revu la Constantinople d'hier, celle de mes souvenirs heureux et j'ai entrevu la Constantinople de demain, celle de ton règne. Cela me suffit. Désormais je resterai chez moi car je n'ai plus ni l'envie ni la force de sortir.

J'étais trop épuisée pour rentrer à pied. Mahmoud a arrêté un *tayvan*, un char à bancs de location, qui nous ramena jusqu'au Sérail.

La maladie avait creusé mon visage mais les rides l'avaient épargné. Aucun cheveu blanc ne faisait pâlir ma blondeur. La fièvre légère que la phtisie m'avait désormais donnée pour compagne, avivait mes joues, donnait de l'éclat à mon regard. Vieille, je ne l'étais peut-être pas d'aspect, mais je l'étais d'âme. J'étais une femme d'hier et onze ans de différence suffisaient à faire de mon fils un homme de demain. A lui les réformes, la politique... et ses soucis. Je n'étais plus faite pour m'arrêter même à ces derniers.

Pour me distraire, Mahmoud m'invita à... l'Opéra. Récemment il s'était mis en tête d'apprendre le piano et il avait fait venir à Constantinople le frère du compositeur Donizetti pour en recevoir les leçons. Entre deux exercices celui-ci avait, avec une troupe italienne de passage, monté un opéra dont il comptait offrit la primeur au Sultan, son élève. Tout le Harem fut invité à la représentation qui devait avoir lieu dans le Hall du Sultan au Sérail. Cette première serait, je le savais, ma représentation d'adieu. Aussi, malgré les efforts qu'il m'en coûta, je me vêtis avec un soin particulier tant pour faire honneur à Mahmoud que pour laisser une image brillante au Harem. Je me fis apporter mes coffres à bijoux que je n'avais pas touchés depuis longtemps. L'excitation de ma petite-fille Éminée compensa ma lassitude. Elle tirait les tiroirs l'un après l'autre et plongeait ses petites mains potelées dans les diamants, les émeraudes, les rubis. Elle jetait sur le tapis colliers et bracelets, elle riait en s'enroulant dans des chaînes de cabochons. En passant pour l'enfant la revue de mes joyaux, je faisais défiler mon passé : les boucles d'oreilles persanes que m'avait offertes Vartoui, le rubis gorge-de-pigeon, souvenir de ma première nuit avec Abdoul Hamid, la perle blanc et noir de Sélim, et même le modeste collier de corail que, dans une autre vie, m'avait donné ma tante Élizabeth de Bellefonds et qui m'avait suivi partout. A ma mort prochaine ces bijoux retourneraient, selon l'usage, au trésor du Sultan. Mahmoud et ses successeurs les « prêteraient » à nouveau. Kadines, favorites et peut-être une autre Validé les porteraient. Je montrai à Éminée le dernier cadeau de son père, Mahmoud, un énorme diamant à facettes, taillé en poire, qui avait appartenu à... Bonaparte. « Madame Mère de l'Empereur », exilée et ruinée, avait dû vendre la pierre pour subvenir à ses besoins.

Cette fripouille d'Ali de Tebelen, Pacha d'Épire, l'avait fait acheter par ses agents et l'avait envoyée en présent au Sultan qu'il valait mieux ménager, avait-il appris, à ses dépens. « Cette dépouille de ton ennemi t'appartient de droit », m'avait dit Mahmoud en me tendant la pierre. Je la faisais tourner et scintiller devant l'enfant qui regardait, fascinée, immobile, les rayons aux sept couleurs. Soudain Éminée m'arracha le diamant des mains et courut le dissimuler sous les coussins du sofa. Il fallut plusieurs eunuques pour le retrouver !

J'étais enfin prête. Toute en noir et argent. Avec pour bijoux, des perles uniquement, des larmes de perles, des ruisseaux de larmes au milieu desquels brillait, seul, le diamant de Bonaparte.

J'entrai la dernière dans le Hall du Sultan, et Mahmoud lui-même me conduisit à mon sofa. On avait édifié une petite scène en face de son trône. Des hommes — musiciens, chanteurs — devant participer à la représentation, on avait dressé une légère grille dorée devant l'estrade où je trônais au milieu des femmes. L'opéra, *L'Italienne à Alger*, était d'un jeune compositeur qui faisait fureur en Europe, Gioacchino Rossini. L'intrigue, dès le début, éveilla un vieux souvenir. C'était, transposée, l'histoire parfaitement authentique, que j'avais jadis entendu raconter chez les pirates, de cette Italienne qui avait ensorcelé le Dey d'Alger au point qu'après avoir profité de ses charmes, il l'avait renvoyée richement dotée à sa famille. Je souris en voyant l'imposant Baba Mohammed qui m'avait offerte à Abdoul Hamid, transformé en Sultan de Carnaval. L'assistance se tordait à l'évocation bouffonne d'un Harem. Ils étaient tous là. Ali Effendi, redressant sa petite taille sous son immense turban, l'œil volant de l'un à l'autre, surveillant son troupeau. Cévri, massive et impassible, Idriss, les sourcils froncés, s'appliquant à comprendre l'intrigue. Et les Kadines de Mahmoud, ses odalisques, sa favorite déchue, Besma, l'ancienne gardienne de bains, et sa première flamme Housmoumelek, la sirène naguère offerte par la Princesse Esmée. Celle-ci était présente à côté de moi, outrageusement maquillée, couverte de trop de bijoux. Je les regardais comme s'ils étaient tous des étrangers, tant je me sentais éloignée de leur univers, et détachée de la vie. Ils me lançaient à la dérobée des regards que je captais chargés de révérence. Ils me contemplaient comme on regarde une idole, une légende indéchiffrable, comme on regarde la mort — la nouvelle de ma maladie avait dû se répandre.

Je me tournai vers Mahmoud. Je posai les yeux sur cet homme que j'avais contribué à former, je regardai mon enfant, mon œuvre. Je retrouvai chez lui la gravité qui m'avait si fort impressionnée lors de notre première rencontre, alors qu'il était à peine âgé de trois ans. Mahmoud était un meneur d'hommes fait pour régner. Il se méfiait — ou se défiait — de tous : sans doute cela valait-il mieux. Mais je me demandais si cet homme énergique, décidé, intraitable et même entêté n'était pas aussi un homme seul. Je savais qu'il buvait de plus en plus. Était-ce la solitude du pouvoir qui le poussait à s'adonner exagérément au vin de Champagne ? Il semblait même que l'amour avait perdu le pouvoir de briser son isolement. Depuis que sa passion pour Besma s'était éteinte, il ne manifestait plus aucune préférence. Il honorait toutes ses femmes indistinctement sans autre sentiment que la conscience d'être le dernier représentant de la dynastie, chargé de la prolonger et donc de procréer.

J'avais peut-être aidé à fabriquer un grand souverain mais non point un homme heureux. Il était trop tard pour que je comble cette lacune. Je me persuadais que Mahmoud préférerait connaître la gloire plutôt que le bonheur et que nul n'avait jamais atteint les deux.

J'avais espéré briller lors de mon ultime figuration au Harem. Une quinte de toux me secoua puis un crachement de sang me laissa pantelante.

Il fallut interrompre la représentation, me porter dehors au milieu des murmures et me ramener chez moi comme une impotente.

Je retrouvai donc mon isolement dont je n'aurais pas dû sortir. Je me consacrai à mes fleurs et à la plus belle d'entre toutes, ma petite-fille, Éminée. Je n'avais jamais eu d'enfant et je découvrais ces joies aux portes de la mort. Je plantais des arbres et j'éduquais une enfant que je ne verrais pas grandir. Éminée montrait déjà la curiosité insatiable et le caractère indomptable de son père. Je la gâtais honteusement et je lui laissais même cueillir mes fleurs les plus précieuses, la seule à avoir reçu ou plutôt pris ce droit. J'espérais mourir rapidement, au milieu de mes fleurs, près d'Éminée.

Les trois faveurs me furent refusées. Une nuit le feu détruisit mon yali de Besiktas.

L'incendie prit sur des braises que l'on avait négligé d'éteindre et trouva dans la construction de bois un aliment de choix. Affaiblie par la maladie, à demi étouffée par la fumée je me rendis à peine compte de ce qui se passait. Lorsque je me retrouvai dehors, dans les jardins, emportée quasi inanimée par Idriss, ma ûlait tout entière comme une gigantesque ... vis à peine les galopades d'eunuques et d'esclaves paniqués. J'entendis à peine les cris et les craquements. Dans l'affolement on avait oublié l'enfant, Éminée, qui dormait dans ma chambre. Lorsqu'on s'en souvint, il était trop tard.

Je n'ai appris sa mort que le lendemain matin. On m'assura qu'elle était morte, vite, sans douleur, asphyxiée et non pas brûlée vive. L'injustice du sort me révolta. J'étais condamnée, je voulais mourir, et je vivais, je n'en finissais pas de vivre. Éminée avait la vie devant elle et la mort l'avait volée. Il ne me restait plus qu'à me tourner vers Dieu. Non pas le Dieu de ma jeunesse, l'ami que je m'étais inventé, à qui je faisais mes confidences et mes reproches. Mais le Dieu insondable de Sélim, devant les décrets duquel il faut s'incliner sans murmurer, même lorsqu'ils foudroient.

Mon yali en cendres, j'avais dû réintégrer mes appartements de la Sultane Validé au Sérail. Le Harem Impérial qui m'avait retenue si longtemps me reprenait pour mes derniers jours.

Tout est prêt pour cette échéance. Mon turbé est achevé. J'y ai fait transporter les restes de la Kadine Provençale afin que la véritable mère de Mahmoud soit réunie à sa mère adoptive, et j'ai fait bâtir contre le mur du turbé une fontaine afin que les passants puissent se rafraîchir, en ayant peut-être une pensée pour moi.

Tout est en ordre pour la Sultane Nakshidil, mais non point pour Aimée Dubuc. J'aimerais mourir dans la religion de mon enfance dont les prières sont restées le véhicule de mon Dieu. Je voudrais qu'un prêtre assistât à mes derniers instants et m'administrât l'extrême-onction, comme ma mère l'aurait souhaité.

Mais je sais que cela est impossible. La présence d'un prêtre au Harem Impérial, venant assister à son lit de mort la mère du Sultan, était inconcevable.

Par contre, j'ai rédigé mon testament. Je lègue simplement quelques bourses anonymes aux pauvres de Nantes et, à ma sœur, mon portrait. J'avais appris qu'Alexandrine s'était mariée et vivait désormais dans la maison de nos parents, le château Dubuc. Je voudrais survivre dans sa mémoire par ce cadeau d'outre-tombe. Il s'agit de la miniature qu'en prison j'avais offerte à Sélim, que j'avais recueillie sur son cadavre et qui ne m'a pas quittée depuis.

Ce talisman taché du sang de Sélim est sous mes yeux alors que j'achève la rédaction de ces Mémoires. Je les ai commencés à Besiktas et je ne peux même pas les y achever comme je l'avais espéré. Je les cacherai derrière un des panneaux vert et or de mon salon. Peut-être les retrouvera-t-on un jour ? A la grâce de Dieu. La cachette est déjà ouverte et attend mon manuscrit. Il ne me reste plus qu'à en tracer le titre :

« Mémoires d'Aimée Dubuc de Riverie, Sultane Validé de Turquie. »

Mais je sais que cela est impossible. La présence d'un prêtre au harem impérial, venant assister à son lit de mort la mère du Sultan, était inconcevable.

Par contre, j'ai rédigé mon testament. Je lègue simplement quelques bourses anonymes aux pauvres de Nantes et à ma sœur mon portrait. J'avais appris qu'Alexandrine s'était mariée et vivait désormais dans la maison de nos parents, le château Dubuc. Je voudrais survivre dans sa mémoire par ce cadeau d'outre-tombe. Il s'agit de la miniature qu'en prison j'avais offerte à Selim, que j'avais recueillie sur son cadavre et qui ne m'a pas quittée depuis.

Ce talisman taché du sang de Selim est sous mes yeux alors que j'achève la rédaction de ces Mémoires. Je les ai commencées à Besiktas et je ne peux même pas les y achever comme je l'avais espéré. Je les cacherai derrière un des panneaux vert et or de mon salon. Peut-être les retrouvera-t-on un jour ?... à la grâce de Dieu. La cassette est déjà ouverte et attend mon manuscrit. Il ne me reste plus qu'à en tracer le titre :

« Mémoires d'Aimée Dubucq de Rivery, Sultane Validé de Turquie. »

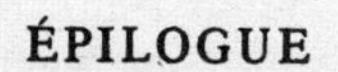

ÉPILOGUE

Extraits des « Chroniques des Frères Mineurs Capucins de Constantinople », *tome IV, page 399 :*

« C'était pendant une nuit de novembre 1817. Le Révérend Père Chrysostome, supérieur du couvent des Capucins à Constantinople, retiré dans sa cellule, était à genoux au pied du crucifix.

Des rafales de vent, ébranlant les maisons, faisaient entendre des grincements et des plaintes lugubres. Les vents de la mer Noire, glissant sur le Bosphore, avaient apporté avec eux des orages et des tempêtes.

Le Père Chrysostome entend frapper à la porte du couvent à coups redoublés ; et bientôt le frère portier arrive, pâle, tremblant, suivi de deux Janissaires dont l'un s'approche du Supérieur et lui présente un firman. Le Révérend Père le lit, non sans surprise, court ensuite à l'église où il s'arrête quelques instants ; puis, escorté des Janissaires, il se rend au port de Péra. Ils montent tous les trois dans un caïque à douze paires de rames qui les attendait. La barque s'éloigne à l'instant et se perd dans les ombres de la nuit.

Pendant ce temps, dans une chambre somptueuse, décorée, aux riches tentures, aux luxueux tapis, gisait, sur un lit de douleur, une femme en proie aux plus vives souffrances. Elle paraissait avoir cinquante ans, mais elle était encore extrêmement belle et d'une grande finesse de traits. Maigre et pâle, on voyait bien qu'elle touchait à ses derniers moments. Un lustre suspendu au plafond et des candélabres où brûlaient des bougies roses, donnaient assez de clarté pour voir ce qui se passait dans cette pièce silencieuse. Auprès du lit un médecin vêtu à la grecque consultait souvent le pouls de la malade, et derrière la balustrade placée à côté de la porte, des esclaves noires se tenaient debout, attentives et prêtes à exécuter les ordres qu'on donnait.

Quelques pas plus loin, un personnage paraissait livré à une vive et poignante douleur. Cet homme pouvait avoir trente ans. Sa taille était au-dessus de la moyenne. Un front noble et élevé, un regard où se dévoilait l'habitude du commandement donnaient à sa figure un aspect grave et imposant. Son costume était simple mais d'une rare élégance. Des soupirs, des gémissements dont il ne pouvait maîtriser la douloureuse expression témoignaient des angoisses et du trouble de son âme.

Il était déjà plus de minuit quand un léger bruit se fit entendre dans l'antichambre. Un nègre approche en s'inclinant jusqu'à terre et dit : « Il est là, faut-il qu'il vienne ? »

Le prince fait signe de le laisser entrer. On introduit alors dans la chambre le Père Chrysostome que des Janissaires viennent d'amener. L'homme à qui tout obéit en ces lieux, d'un geste fait sortir tous les assistants et, s'approchant de la mourante : « Ma mère, dit-il, vous avez voulu mourir dans la religion de vos pères. Que votre volonté s'accomplisse ! Voici un prêtre catholique. »

Ces paroles dites, le prince sortit. Pendant une heure, le bon Père Capucin, penché sur la mourante, reçut l'aveu de ses fautes et de son repentir. Il pleurait. Elle pleurait aussi. Puis, quand le prince infidèle fut de retour près du lit de sa mère, le prêtre éleva l'hostie sainte et la déposa sur les lèvres de la mourante. A ce moment suprême, l'auguste et seul témoin de cette scène touchante se précipite le visage contre terre en invoquant le nom d'Allah !

Cependant l'enlèvement du Père Chrysostome fut bientôt connu et répandu avec rapidité dans le quartier franc de Constantinople. Dès le matin, il n'était bruit à Péra et à Galata que de cette disparition mystérieuse que chacun commentait à sa manière. Les uns disaient que le bon religieux avait été enfermé dans le château des Sept Tours. D'autres allaient plus loin et affirmaient qu'il avait péri de manière tragique. Impatients de s'assurer eux-mêmes de la vérité, quelques-uns pénétrèrent dans le monastère. Mais, ô surprise ! ils trouvent le supérieur dans l'église, prosterné sur le marchepied de l'autel.

Seul avec Dieu, étranger à tout ce qui se passait autour de lui, le Père Chrysostome, les yeux en larmes et le front pâli, priait pour le repos de l'âme de la Sultane Validé, décédée pendant la nuit. »

Sur le turbé de la Sultane Nakshidil, édifié dans les jardins de la mosquée de Mohammed le Conquérant, on peut lire cette épitaphe dont le Sultan Mahmoud II, sous le pseudonyme de Sadik, est très vraisemblablement l'auteur :

Caractère du soleil, pur et noble,
A conquis l'Orient par sa Majesté simple,
Grâce à elle, la nature s'est vivifiée encore,
Sa grandeur et sa renommée retentissantes
Ont fait du pays un jardin de roses,
Les fleurs sont heureuses par elle,
Elles conserveront à jamais sa mémoire
Le Sultan du Monde, Mahmoud II
Est imprégné par elle
Sur cette tête auguste de sa mère Nakshidil,
On a mis des prières et de la terre,
C'est avec des larmes de sang
Que j'écris ici pour mémoire
Moi, Sadik, la date de sa mort douloureuse
1817 ou 1233 de l'Égire

LEXIQUE

Abaya : Sorte de long manteau, encore en usage en Arabie Saoudite.

Baticalar : Hallebardier, garde du sérail.

Bostandgy baj : Sortes de soldats-domestiques du sérail.

Caïmankan : Sorte de vice-Premier ministre, lieutenant du Grand Vizir qui le remplace à la tête du gouvernement lorsque celui-ci est à la guerre.

Capitan Pacha : Grand amiral de l'empire turc.

Capou Agassi : Chef des eunuques blancs du sérail.

Coufis : Mystiques musulmans.

Dey : Titre du pacha d'Alger, représentant théorique de l'autorité turque.

Derviche : Membre de sectes semi secrètes de croyants.

Divan : Conseil des ministres.

Gediklis : Femmes de chambre affectées au service personnel du sultan et dont on espère qu'il honorera la couche. Cinquième rang parmi ses femmes.

Gözde : « Qui est dans l'œil » du sultan. Femme du harem qui a réussi à attirer l'attention de son maître. Quatrième rang parmi ses femmes.

Harem : Partie du sérail réservée aux femmes où habite ce sultan.

Haseki : Favorite du sultan qui lui a donné un enfant, non encore inclus parmi les princes ou princesses impériaux. Deuxième rang parmi ses femmes.

Hazinedar Osta : Trésorière du harem.

Hoca : Tuteur d'un prince impérial.

Iftariye : Sorte de tribune surmontée d'un dais, édifiée sur une terrasse du sérail d'où le sultan assistait à l'Iftar : la levée du jeûne pendant le Ramadan.

Ikbal : Favorite du sultan dont il honore occasionnellement la couche. Troisième rang parmi ses femmes.

Janissaires : Garde prétorienne, à l'origine composée d'enfants chrétiens enlevés à leurs familles, qui constituait l'élite de l'armée turque.

Kadine : « Épouse » non mariée mais officielle du sultan. Premier rang parmi ses femmes.

Kaya Kadine : Superintendante du harem.

Kehayar Bey : Titre du ministre de l'Intérieur de l'empire turc.

Keznadar : Titre du ministre des Finances du dey d'Alger.

Kislar Aga : Chef des eunuques noirs du sérail.

Lala Pacha : Titre du contrôleur de la maison d'un prince impérial.

Mabeyn : « Entre deux », pavillon construit au sérail par le sultan Abdoul Hamid Ier, entre le harem réservé aux femmes et le Sélamlik, réservé aux hommes.

Mouftis : « Prêtres » musulmans.

Ney : Sorte de flotte.

Nizamite : Soldats du Nizam i Jedid, « l'armée nouvelle » créée par le sultan Sélim III.

Oulémas : Docteurs de la loi coranique.

Pacha : Ce titre n'était pas héréditaire mais à l'origine purement administratif et équivalait à celui de gouverneur de province.

Padishah : Titre usuel du sultan turc.

Rais Effendi : Titre du ministre des Affaires étrangères de l'empire turc.

Sélamlik : « Quartier des hommes », partie privée du sérail où le sultan reçoit les hommes.

Sérail : « Palais », résidence du sultan.
Stamboul Effendessi : Préfet de Constantinople.
Sultane Validé : Titre de la mère du sultan régnant.
Tchaouch Batchy : Ministre de la Justice de l'empire turc.
Tchespi : Chapelet de prières musulman que les hommes égrènent, encore de nos jours, au Moyen-Orient.
Vizir : Ministre.
Yamaks : Soldats albanais employés comme aides-artilleurs.

DU MÊME AUTEUR

Aux Éditions Julliard

MA SŒUR L'HISTOIRE, NE VOIS-TU RIEN VENIR ? Prix Cazes, 1970.

LA CRÈTE ÉPAVE DE L'ATLANTIDE, 1971.

Aux Éditions Olivier Orban

QUAND NAPOLÉON FAISAIT TREMBLER L'EUROPE 1978.

LOUIS XIV, L'ENVERS DU SOLEIL, 1979.

ANDRONIC, 1976.

Impression Bussière à Saint-Amand (Cher),
le 25 avril 1984.
Dépôt légal : avril 1984.
Numéro d'imprimeur : 2073.

ISBN 2-07-037556-0/Imprimé en France.
Précédemment publié par les éditions Olivier Orban
ISBN 2-85565-195-6